# Thomas Mann

# Romane und Erzählungen

Herausgegeben von
Volkmar Hansen

Philipp Reclam jun. Stuttgart

Universal-Bibliothek Nr. 8810

Satz: fs-grafik, Böblingen
Druck und Bindung: Reclam, Ditzingen. Printed in Germany 1997
RECLAM und UNIVERSAL-BIBLIOTHEK sind eingetragene Marken
der Philipp Reclam jun. GmbH & Co., Stuttgart
ISBN 3-15-008810-0

# Inhalt

# Vorwort

Stehen die Erzählungen, die Thomas Mann geschrieben hat, auf derselben Stufe wie sein Romanwerk, nehmen sie sich nicht aus wie der Jerusalemsberg vor den Toren Lübecks neben den Alpen? Sind sie nicht Fingerübungen, die der Autor einstellt, wenn er besseres zu tun hat? Immerhin gibt es einen merkwürdigen Bruch in Manns Interesse an der Erzählung, das nach dem *Tod in Venedig*, mehr als vierzig Jahre vor seinem Lebensende, stark nachläßt und später nur noch zu sechs Erzählungen führt. Kontrastiv dazu beginnt der Anstieg von Essays und Reden, werden jene Texte häufiger, die sich aus Forderungen des Tages von außen ergeben haben. Liegt es da nicht nahe, in den Erzählungen nur Beiläufiges, in der Werthierarchie Manns selbst nur Zweitrangiges zu sehen? Schließlich hat Thomas Mann poetologisch streng geschieden und über die am unteren Ende seiner Prosaskala stehenden Tagebücher befunden: »without any literary value«.
So sehr der erste Anschein für solch eine These zu sprechen scheint, überzeugen will sie nicht recht. Formal spricht dagegen, daß die Grenze zwischen Roman und Erzählung bei Mann fließend ist, wie wir aus der Entstehungsgeschichte der Romane wissen. Sie sollten ursprünglich Erzählungen sein, wuchsen, wie Manns organische Metapher lautet, im Schreibprozeß heran bis zum mehrbändigen Werk. Erinnert sei nur an den *Zauberberg*, der als burleskes Gegenstück zum *Tod in Venedig* konzipiert war, dann aber im Herbst 1924 zwei Bände mit Hunderten von Druckseiten umfaßte. Inhaltlich spricht dagegen, daß in Intensität und Prägnanz kein künstlerischer Qualitätsunterschied zu erkennen ist zwischen der langen und der kurzen Form seiner Kunstprosa. Hätte Mann nur Erzählungen geschrieben, ja schon deswegen allein würde er zu den bedeutendsten deutschen Autoren des zwanzigsten Jahrhunderts zählen, in eine Linie mit Hofmannsthal, Kafka, Musil, Stefan Zweig, Böll, Lenz gehören. In seiner Jugendzeit konnte Mann dadurch sogar eine Perspektive ha-

ben, die unserer rückblickenden diametral entgegengesetzt ist. Als »Novellist« bringt er sich in *Beim Propheten* selbst ins Spiel, und gegenüber seinem Verleger rechtfertigt er sich, die langen *Buddenbrooks* geschrieben zu haben, argumentiert mit dem Unterschied von lang und langatmig. 1919, in einem Interview für das *Neue Wiener Journal*, beschreibt er diese Jahre: »Ich [ ... ] wollte durchaus bei der kurzen, scharf pointierten Erzählung, Skizze, Novelle bleiben«, 1926, gegenüber Félix Bertaux, spricht er von »kurzen Novellen«. 1940, in *On Myself*, spricht er von der Suche nach dem für ihn passenden Genre und denkt zunächst an die »Kurzgeschichte, wie ich sie in der Schule Maupassants, Tschechows und Turgenjews erlernt hatte« (XI, 240)[1].

Der Bruch in der Behandlung der Erzählungen ist ein äußerliches Phänomen, bedingt durch unterschiedliche Lebenssituationen. In der Jugend sucht Mann nach der Kunstform, die ihm selbst angemessen ist. Er paßt sich dabei dem üblichen poetologischen Schema an, veröffentlicht Lyrik, versucht sich im Drama, um auf Grenzen seiner Begabung zu stoßen. Der experimentelle Charakter zeigt sich auch in den zahlreichen Erzähl-Plänen, die sich als Stoff- oder Motivsammlungen vor allem in den Notizbüchern niederschlagen. Als sich – nicht ohne innere Spannungen, wie der *Versuch über das Theater* zeigt – die Waage der Entscheidung zugunsten der Erzählprosa gesenkt hat, gibt es zwei Hauptmotive, die ihn auch nach 1912 noch zur Erzählung greifen lassen: die Überschaubarkeit und die detailliertere Ausdrucksmöglichkeit. Überschaubar sind die Erzählungen gleich unter zwei Aspekten, dem des Umfangs und dem der Zeit. Mitten in den Romanen oder kurz darauf sind die Erzählungen ein Luftholen, eine psychische Entlastung durch den kalkulierbaren Aufwand an Zeit und Arbeit. Sie sind daher kurze Geschichten in einem ganz einfachen Sinn, sind kurz im Sinn der Entgegensetzung zum langen Roman. Wie wichtig dieses Element der Kürze für Mann ist, erkennt man an seiner Wahl des

1 Band- und Seitenzahlen beziehen sich auf die Ausgabe: Thomas Mann, *Gesammelte Werke in 13 Bänden*, Frankfurt a. M. 1974.

neutralen Gattungstypus »Erzählung«, der jede engere Form zuläßt, aber zunächst die Entscheidung offenhält. Die Form der Erzählung paßt sich, ganz wie bei dem Roman, dem inhaltlichen Bedürfnis an, gibt sich beiläufig in der autobiographischen Idylle *Herr und Hund* und in *Unordnung und frühes Leid*, kaschiert in einem Reiseerlebnis das Politische wie in *Mario und der Zauberer*, gibt sich in *Das Gesetz* als biblische Nacherzählung aus, die selbst den fiktionalen Rahmen überspringen kann, entwickelt philosophische Vorstellungen, die den Romanrahmen, aus dem sie kommen, sprengen würden, zu dem Indien-Märchen der *Vertauschten Köpfe* oder zu der novellistisch zugespitzten Liebesgeschichte der *Betrogenen*. Die eigentümliche Modernität von Manns Erzählungen entsteht gerade durch das inhaltliche Prinzip, sich an selbstgewählten Formen zu orientieren, die die traditionelle Normenpoetik bestenfalls als Formenreservoir benutzen, wie etwa das Dramenschema der fünf Akte im *Tod in Venedig*. Dies hebt ihn einerseits von der Tradition der Storm und C. F. Meyer ab, andererseits aber auch von einem Künstler wie Picasso, bei dem der Motor der neuen Formenentwicklung sich auch aus dem Anschluß an künstlerische Modeströmungen ergibt, während Mann den eigenen Entwicklungsprozeß, der um inhaltlich geprägte Formen ringt, in gesamtgesellschaftlicher Perspektive abspiegelt. Die Grundfunktion der Erzählungen ist daher die thematische Entlastung und die seelische Befreiung. Sie gibt selbst weniger gelungenen Erzählungen innerhalb des Frühwerks den Glanz innerer Prägung, einer Frische des Sehens und Fühlens.

Wird eine kurze oder eine lange Geschichte erzählt, wird sie in drei Monaten niedergeschrieben oder erstreckt sich die Entstehung über sechzehn Jahre, so hat das Konsequenzen für das Erzählen selbst. Wie sollte, wer in München, Sanary-sur-mer, Küsnacht, Princeton und Pacific Palisades an *Joseph und seine Brüder* schreibt, sich nicht verändern? Die sprachliche Dichte und die übergreifende Konstruktion täuschen zwar darüber hinweg, daß nicht jedes Kapitel geplant sein kann, doch selbst in einem viel engeren Zeitrahmen, wie beim *Doktor Faustus*, färben neue Erlebnisse wie der Besuch des Enkels Frido oder eine zufällige Lektüre, wie das Shakespeare-Buch von Frank Harris, als aktuelle Anreicherungen Kapitel oder Stränge neu ein. Der »Haifischmagen« der Romane Manns, von dem Musil gesprochen hat, findet dadurch ebenso seine Erklärung wie die nur begrenzt planbaren Romandimensionen. Von diesem lockeren Konzept, das zwischen Grundidee und Offenheit im einzelnen steht, heben sich die Erzählungen in ihrer Geschlossenheit deutlich ab: sie sind aus einem Guß, in einem Atem geschrieben, haben eine miniaturhafte Strenge, und überschaubar bleiben die Arbeitsmaterialien. Diese Differenz bezieht sich aber nicht auf eine prinzipielle Ebene, so daß es möglich ist, leitende poetologische Vorstellungen für das gesamte Erzählwerk zu beschreiben, die für die kurze und die lange Geschichte gleich gültig sind. Eindringliche Bilder vom Fest des Erzählens mit der »Wiederkehr als Vergegenwärtigung«, wie er in *Freud und die Zukunft* schreibt (IX, 497), als »raunender Beschwörer des Imperfekts« im *Zauberberg* oder als »Geist der Erzählung«, der die Glocken von Rom im *Erwählten* zum Läuten bringt, erfassen Roman und Erzählung.

Die prinzipielle Gleichrangigkeit kommt bei den hier vorgelegten Deutungen von sechs Romanen und fünf Erzählungen nicht nur in der werkchronologischen Darbietungsfolge zum Ausdruck, sondern spiegelt sich auch in den verschiedenen Schlüsseln, die von den Interpreten je nach eigener Orientierung für beide Gattungen gleichermaßen benutzt werden. Um ein Bild aus der Computersprache zu gebrauchen: es entsteht ein von Gattungsgrenzen unabhängiges »Menü« literaturwissenschaftlicher Methodenvielfalt. In demselben Ziel: das Werk Thomas Manns für eine von ihm selbst problematisierte Leserschaft der »Humanistengemeinde« (XI, 240) gegenwärtig zu machen, sind diese Bemühungen miteinander verbunden.

*V. H.*

## *Buddenbrooks* – Leistung und Verhängnis als Familienschicksal

Von Georg Wenzel

### *»Immer nur ›Buddenbrooks‹!«*

Leser der Abendausgabe des *Berliner Tageblatts* vom 13. September 1902 mochten verwundert aufgeblickt haben angesichts der optimistisch-kühnen Feststellung des Rezensenten der Ende Oktober 1901 im Berliner S. Fischer Verlag in zwei Bänden erschienenen Verfallsgeschichte einer Lübecker Patrizierfamilie, genannt *Buddenbrooks*. Erstaunt über die »wunderliche Form«, in die Thomas Mann, dieser »sinnvoll ironische, sensible und im feinsten Sinn moderne Mensch«, die Lebenschronik von vier Generationen eingekleidet hatte, und geradezu fasziniert von der innigen Verbindung eines »erlebten und tief empfundenen Weltgefühls mit einer bewußten Kunst«, bekannte der Rezensent, daß dieser Roman ein »unzerstörbares Buch« bleiben werde. »Er wird wachsen mit der Zeit und noch von vielen Generationen gelesen werden: eines jener Kunstwerke, die wirklich über den Tag und das Zeitalter erhaben sind, die nicht im Sturm mit sich fortreißen, aber mit sanfter Überredung allmälig und unwiderstehlich überwältigen.«[1] Es war Samuel Lublinski, der diese Prophezeiung wagte, ein Literaturkritiker und Schriftsteller, der gerade in einer vierbändigen Darstellung über *Literatur und Gesellschaft im 19. Jahrhundert* (1899) gehandelt hatte und der wenige Jahre später *Bilanz* und *Ausgang der Moderne* beschreiben sollte. Aus heutiger Sicht lassen sich diese Studien eng auf das Thema des »Verfalls einer Familie« beziehen – so der Untertitel der *Buddenbrooks* –, das im 19. Jahrhundert

1 S[amuel] Lublinski, »Thomas Mann. Die Buddenbrooks. Verfall einer Familie«, in: *Berliner Tageblatt* 31 (1902) Nr. 466, 13. September 1902, Abendausgabe; Nachdr. in: Jochen Vogt, *Thomas Mann: »Buddenbrooks«. Text und Geschichte*. München 1983, S. 147 f.

wurzelt und im Prozeß der Entbürgerlichung ins 20. Jahrhundert weist.

Lublinskis Aussage mochte kühn sein, zumal die bisherige Kritik zögernd angesetzt hatte und keinesfalls nur zustimmend war. Die Besprechung steht innerhalb des ersten Jahres der Rezeptionsgeschichte des Romans an sechzehnter Stelle, und wenn auch Richard von Schaukal, Franz Blei und Rainer Maria Rilke zuvor dem Roman ein förderndes Wort geschenkt hatten, so schienen doch Verkauf und weitere Rezeption wenig davon beeinflußt zu sein. Im *Lebensabriß* von 1930 erinnerte sich Thomas Mann der räsonierenden Kritik, die »mißgelaunt« angefragt hatte, »ob etwa die mehrbändigen Wälzer wieder Mode werden sollten« und die den Roman »mit einem im Sande mahlenden Lastwagen« (XI, 111)[2] verglich. Der Autor, selbst äußerst skeptisch und zuweilen verzagt, stand jedoch nicht an, der Kritik ein wenig auf die Sprünge zu helfen. So gab er seinem Lübecker Schulfreund Otto Grautoff, mit dem er im Mai 1893 im Katharineum die Schülerzeitschrift *Der Frühlingssturm* herausgegeben hatte, einige Winke, wie *Buddenbrooks* zu betrachten seien: Der »*deutsche* Charakter« des Buches sei zu betonen und dessen »echt deutsche Ingredienzen«, die »*Musik* und *Philosophie*«; auch dürfe am englischen (Dickens) wie russischen Einfluß nicht vorbeigesehen werden, und »tadle ein wenig (wenn es Dir recht ist) die Hoffnungslosigkeit und Melancholie des Ausganges«.[3] Als Thomas Mann von Kurt Martens' Roman *Die Vollendung* (1902) hörte, fürchtete er, daß dieser Schriftsteller, sein »engster Vertrauter« aus der Münchener Zeit zwischen 1900 und 1906[4], die »›Verfalls‹-Historien im Litterari-

2 Zitiert wird mit Bandnummer und Seitenzahl nach: Thomas Mann, *Gesammelte Werke in 13 Bänden*, Frankfurt a. M. 1974; *Buddenbrooks*. (Bd. 1) nur mit Seitenangabe.

3 An Otto Grautoff, in: Thomas Mann, *Briefe an Otto Grautoff 1894–1901 und Ida Boy-Ed 1903–1928*, hrsg. von Peter de Mendelssohn, Frankfurt a. M. 1975, S. 139 f. (26. November 1901.)

4 Thomas Mann, »Briefe an Kurt Martens I. 1899–1907«, in: *Thomas Mann Jahrbuch* 3 (1990) S. 175–247, hier S. 176.

Großfamilie der Buddenbrooks. Aus dem »brauchbaren epischen Thema« der frühen Schaffensphase Thomas Manns war schließlich ein Weltpanorama entstanden. Als Thomas Mann 1949 die Lesung eines Kapitels aus *Buddenbrooks* einleitete – es handelte sich um die Schulerfahrungen des »sensitiven Spätlings« Hanno –, bemerkte er selbstbewußt, »wir Buddenbrooks haben nach unserer bürgerlichen Auflösung in der Welt weiter ausgegriffen, dem Leben mehr geschenkt, als unseren biederen Vorvätern in ihren Mauern je gegönnt war« (XI, 556). Wie hatte doch Lublinski geschrieben? *Buddenbrooks* wird »wachsen mit der Zeit und noch von vielen Generationen gelesen werden«.

## *»etwas höchst Merkwürdiges um diesen Eigenwillen eines Werkes«*

Der Blick auf die Anfänge der Rezeption des Romans, auf seine Weltgeltung und deren Spiegelung im Bewußtsein des Autors, legte bereits einige Bausteine des Werkes frei. Bezieht man Faktoren der Entstehungsgeschichte mit ein, so erweist sich, wie sorgfältig Thomas Mann disponierte, das Motivgeflecht von einem Leitmotiv her entwickelte und jedes Kapitel der elf Teile des Romans genau geplant hatte, bevor es zur gültigen Niederschrift kam. Infolge ihrer zeitlichen Kurzräumigkeit liegt die Entstehungsgeschichte des Romans klar vor uns, zumal sich genügend Materialien erhalten haben, die die einzelnen Schritte verfolgen lassen. Die wohl früheste Notiz findet sich im ersten Notizbuch aus den Jahren 1893/94. Thomas Mann exzerpierte aus dem Balzac-Kapitel von Georg Brandes' *Romantischer Schule* ein türkisches Sprichwort: »Wenn das Haus fertig ist, so kommt der Tod.« Damit ist, wie der Editor der *Notizbücher* Hans Wysling bemerkt,[13]

13 Thomas Mann, *Notizbücher 1-6*, hrsg. von Hans Wysling unter Mitarb. von Yvonne Schmidlin, Frankfurt a. M. 1991, S. 49.

das »Aufstiegs- und Verfallsmotiv« vorgezeichnet, das den Ablauf der Bürgergeschlechter – verwiesen sei auf die Ratenkamps, die nur noch Gesprächsgegenstand sind (23), die Buddenbrooks und die sie ablösenden Hagenströms (ab dem zweiten Teil des Romans sind sie präsent) – ebenso umgreift wie die Lebenszeiten der Hauptvertreter der Buddenbrooks-Familie zwischen 1765 und 1877. Das erwähnte Sprichwort ist in das 6. Kapitel des 7. Teils eingefügt und bezeichnet den Wendepunkt in der Kurve von Aufstieg und Niedergang. Das »neue Haus« ist bezogen, um dem Repräsentationsbedürfnis des gerade frisch vereidigten Senators Thomas Buddenbrook zu dienen, aber die Geschäfte gehen miserabel. »Schlappe folgt auf Schlappe« (430), und wenn auch noch nicht an den alles beendenden Tod zu denken ist, so sind doch »der Rückgang«, »der Abstieg«, »der Anfang vom Ende« (431) unübersehbar. »Ich weiß«, sagt der Senator zu Tony, »daß oft die äußeren, sichtbarlichen und greifbaren Zeichen und Symbole des Glückes und Aufstieges erst erscheinen, wenn in Wahrheit alles schon wieder abwärts geht.« (431) Die früh erfolgte und später konsequent realisierte Bestimmung des Leitmotivs bekam bald ihren ersten Rahmen für einen Geschehniszusammenhang. Noch ist alles ganz autobiographisch gedacht. Die Frage Otto Grautoffs nach dem Ergehen des »kleinen Bruders« von Thomas Mann, es ist Viktor, gibt Anlaß zur Skizzierung eines möglichen Familienromans, dessen Figurationen später nur auszuwechseln sind: »Der Vater war Geschäftsmann, pracktisch, aber mit Neigung zur Kunst und außergeschäftlichen Interessen. Der älteste Sohn (Heinrich) ist schon Dichter, aber auch ›Schriftsteller‹, mit starker *intellectueller* Begabung, bewandert in Kritik, Philosophie, Politik. Es folgt der zweite Sohn, (ich) der nur Künstler ist, nur Dichter, nur Stimmungsmensch, intellectuell schwach, ein sozialer Nichtsnutz. Was Wunder, wenn endlich der dritte, spätgeborene, Sohn der vagsten Kunst gehören wird, die dem Intellect am fernsten steht, zu der nichts als Nerven und Sinne gehören und gar kein Gehirn, – der Musik? – Das nennt man Degeneration. Aber ich finde es verteufelt nett. –«[14] Das Thema des Verfalls ist erfaßt, vier Familienmitglieder deuten auch in ihrer komplizierten seelischen Verfassung bereits auf die Psychologie der vier Generationen hin. Das charakteristische Formelwort, sogar als Titel erwogen, teilt Thomas Mann 1897 Otto Grautoff mit, als er von der Arbeit an einem Roman berichtet, »der etwa ›Abwärts‹ heißen« soll.[15]

Und von nun an ging es »an ein Notizenmachen, ein Entwerfen chronologischer Schemata und genauer Stammbäume, ein Sammeln psychologischer Pointen und gegenständlichen Materials«. Aus Lübeck wurden Auskünfte zu »allerlei geschäftlichen, städtischen, wirtschaftsgeschichtlichen, politischen Fragen« (XI, 380) erbeten. Wie ernst die Befragten die Sache nahmen und welche Exaktheit ihren Aussagen innewohnt, zeigen die im 2. *Notizbuch* abgedruckten Texte[16] von Konsul Wilhelm Marty, einem Vetter von Thomas Manns Vater, und von der Tante Elisabeth Haag-Mann, der Vorbildfigur für Antonie Buddenbrook, aus den Jahren 1897 und 1899. Mit diesen Konkreta reicherte der Autor seinen Roman an, sicherte ihm historische Authentizität, die noch durch zeitgeschichtlich interessante Gesprächsthemen der literarischen Figuren erweitert wurden. Erinnert sei an die Diskussion der Sicht auf Napoleon und die Juli-Monarchie des Bürgerkönigs Louis Philippe (28–30), die das Verhältnis zum französischen Konstitutionalismus und den neuen praktischen Idealen und Interessen der Zeit zu bestimmen suchte, an die Begeisterung für den deutschen Zollverein (41) und an die revolutionären Ereignisse in Lübeck im Jahre 1848 (187 ff.). Die Schleswig-Holstein-Frage wurde ebenso berücksichtigt (358 ff.) wie der »kurze, ereignisschwangere Friede« von 1865 (436), der dem Deutsch-Dänischen Krieg von 1864 folgte. Auch die Umwälzungen in der Folge des Deutsch-Französischen Krieges von 1870/71 sind Ge-

14 An Otto Grautoff (Anm. 3), S. 51 (Ende Mai 1895).
15 Ebd., S. 101 (20. August 1897).
16 Vgl. *Notizbuch* 2 (Anm. 13), S. 93–96.

sprächsstoff (558). Kritisch-ironisch wird die Auseinandersetzung mit der Sozialdemokratie am Vorabend der Verabschiedung des »Sozialistengesetzes« beleuchtet (746).
Das 2. *Notizbuch* setzt mit dem Hinweis auf die labile gesundheitliche Disposition Christian Buddenbrooks im Juli 1897 ein, und während der im Oktober 1897 in Rom begonnenen Niederschrift des Romans füllen sich die Seiten des 2. und die der zwei Lagen des 3. *Notizbuches* (1898/99). Von Zeit zu Zeit faßt der Autor die Notizenmassen zu thematisch geordneten Konvoluten zusammen, die eine wohlbedachte Gewichtung der einzelnen Figuren erkennen lassen. Von Anbeginn findet die dritte Generation der Buddenbrooks das Hauptinteresse – sie steht der sozialen Erfahrung Thomas Manns und seinen Kindheits- und Jugenderlebnissen am nächsten. Eindeutige Priorität genießt Antonie Buddenbrook, gefolgt von Christian und Thomas; erst dann kommt Hanno, der Vertreter der vierten Generation, die Zentralfigur der ursprünglich als »Knabennovelle« konzipierten Erzählung. Die Eingangssentenz des Romans, die Katechismusfrage, »Was ist das. – Was – ist das ...« mit ihrer ins Plattdeutsch und Französische transponierten Gegenrede »Je, den Düwel ook, c'est la question, ma très chère demoiselle!« (9) steht schon ebenso fest[17] wie der nahezu letzte Satz des Romans, das zuversichtliche Schlußwort von Sesemi Weichbrodt, *»Es ist so.«*.[18] Nur das Ausrufungszeichen war zur Verstärkung dieser Gewißheit im Roman nachzutragen (759).
Ermutigt durch den in kurzen Kapiteln gebauten kleinen Roman *Renée Mauperin* (1864; dt. 1884) der Brüder Edmond und Jules de Goncourt und durch den Wunsch Samuel Fischers, der 1898 Thomas Manns ersten Novellenband *Der kleine Herr Friedemann* veröffentlicht hatte, ein »größeres Prosawerk« zu publizieren, »vielleicht einen Roman, wenn er

17 Ebd., S. 67. Siehe auch: Siegfried Lenz, »Buddenbrooks«, in: *Thomas Mann Jahrbuch* 4 (1991) S. 24.
18 *Notizbuch 2* (Anm. 13), S. 74.

auch nicht so lang ist«[19], führte der Dichter seinen Plan durch und schrieb am 18. Juli 1900 die »letzte Zeile« des Romans. Die »erwogenen zweihundertfünfzig Seiten« hatten nicht ausgereicht, um diese Geschichte deutscher Bürgerlichkeit zu erzählen. Was er »nur als Vorgeschichte« zu behandeln gedachte, nahm »sehr selbständige, sehr eigenberechtigte Gestalt an«, und er fühlte sich an »das ›Ring‹-Erlebnis Wagners« erinnert, »dem aus der Konzeption von ›Siegfrieds Tod‹ die leitmotiv-durchwobene Tetralogie geworden war« (XI, 380 f.). Thomas Mann erwies sich oft als ein Meister im Verhüllen von Absichten und Beweggründen. So wird auch mit dieser Aussage in dem 1926 gehaltenen Vortrag »Lübeck als geistige Lebensform« das sehr bewußt gewählte Kompositionsprinzip verschleiert. »Musik« – und damit Richard Wagner – war eine der »Ingredienzen« für den betont »deutschen Charakter« des Buches, und mit der Orientierung an Wagner war die Entscheidung für die Benutzung von Leitmotiven und Motivketten gefallen, für das »Selbstzitat, die symbolische Formel, die wörtliche und bedeutsame Rückbeziehung über weite Strecken hin«, wie Thomas Mann 1911 in der Beantwortung einer Rundfrage »Über die Kunst Richard Wagners« erklärte (X, 840).

Neben der Musik als einem die Romanstruktur wesentlich bestimmenden Element spielt die psychologische Komponente eine große Rolle. Thomas Mann schätzte Georg Brandes' *Hauptströmungen der Literatur des 19. Jahrhunderts*, deren Ausgabe von 1900 in seinem Besitz war.[20] Ihn mag der Gedanke von Brandes fasziniert haben, mit der Betrachtung von Gruppen und Bewegungen der europäischen Literatur den »Grundriß zu einer Psychologie der 1. Hälfte des 19. Jahrhunderts«[21] zu geben. Brandes hatte dargelegt, daß

19 Samuel Fischer an Thomas Mann, 29. Mai 1897, in: Peter de Mendelssohn, *S. Fischer und sein Verlag*, Frankfurt a. M. 1970, S. 278.

20 Vgl. *Notizbuch 3*, zweite Lage (Anm. 13), S. 154.

21 Georg Brandes, *Hauptströmungen der Literatur des 19. Jahrhunderts*, Berlin 1924, Bd. 1, S. 1.

im selben Verhältnis, »wie die Romantik in Realismus und Erforschung der Wirklichkeit überging«, auch die »Poesie« ihre »phantastischen Fahrten kreuz und quer durch den Raum« aufgab und »zu verstehen wie zu erfinden suchte«, um der Realität zu entsprechen. Auf diesem Wege wurde der Roman »Psychologie«.[22] Brandes' These, daß der Romanschriftsteller aus dem »beobachteten Charakter auf dessen mögliche Handlungen« schließt,[23] nimmt in der Figurenanalyse Thomas Manns Gestalt an. Auch die von Brandes zitierte Aussage Henrik Ibsens: »Wollt ihr Objektivität, so geht zu den Objekten!«[24], stimulierte Manns Spurensuche. Als Thomas Mann 1906 in *Bilse und ich* Rede und Antwort stand, um seine Neigung zu erklären, die literarischen Figuren seiner Erzählungen nach lebenden Modellen zu gestalten – erinnert sei an die Äußerung: »Es ist nicht die Gabe der Erfindung – die der Beseelung ist es, welche den Dichter macht« (X, 15) –, machte er auf den dichterischen Vorgang aufmerksam, der das Material verwandelt, was einer »*subjektiven Vertiefung* des Abbildes einer Wirklichkeit« (X, 16) gleichkommt, ihrer Psychologisierung und poetischen Realisierung. Der Weg bei der Arbeit an *Buddenbrooks* führte von der Fülle der Einzelnotate zu ihrer literarischen Verknappung und typologischen Verallgemeinerung. Im November 1942 – Thomas Mann stand damals vor der Vollendung der Romantetralogie *Joseph und seine Brüder* – fragt er, wie bei der »fabulierenden Ausführung« der Wirklichkeit »menschlicher und geistiger Gehalt zu gewinnen« sei, und antwortet: »Was aber ist das: Ausführung des Kurzgefaßten ins einzelne [...], Genauigkeit, Realisierung« und dies als »Mittel zur Erzwingung von Wirklichkeit« kennzeichnen (XI, 655). In diesem Prozeß gewannen schon *Buddenbrooks* ihre Eigengesetzlichkeit, überraschten den Autor bei der Entdeckung des Epischen. »Es ist etwas höchst Merkwürdiges um diesen Eigenwillen eines

22 Ebd., Bd. 3, S. 253.
23 Ebd.
24 Ebd., Bd. 1, S. VIII.

Werkes« (XI, 381), konstatierte er und zollte einem »Unternehmen« Achtung, das so, »wie es sich da machte, von mir gar nicht unternommen worden war«.
Bei näherer Betrachtung der Entstehungsgeschichte des Romans, der Disposition der Notizenmassen und der den Schreibprozeß begleitenden literarischen Studien, die Lektüre der Werke großer Vorbilder eingeschlossen, die seine »schwankende Kraft« stützen sollten,[25] erweist sich eine eigenartige Diskrepanz von zielbewußtem Wollen, das den Eindruck sorgfältiger Planung erweckt, und einem davon völlig unabhängigen Gewordensein des Romans. Sich selbst gegenüber hatte der Dichter das Vorhaben mit einem Platen-Vers legitimiert (»Aus eigner Kraft sich eine Welt zu baun«[26]), und die Hoffnung auf »Ruhm« schwingt überall mit, der »Traum von einer schmalen Lorbeerkrone«.[27] Groß ist die Zahl der den Schaffensvorgang stimulierenden Faktoren, dessen impulsiver Ansatz nichts anderes als die notwendige Befreiung von einem traumatischen Schulerlebnis war, dessen kindliches Subjekt Hanno Buddenbrook eingebettet wurde in das soziale, ökonomische und geistesgeschichtliche Bedingungsgefüge eines Lübecker Bürgerhauses. Zuletzt, konzentriert auf das Schicksal dieses Bürgerhauses, lag eine enzyklopädisch anmutende Geschichte deutschen Bürgertums vor. Die Dialektik dieser Geschichte in ihrem Aufwärts und Abwärts, ihrem Werden und Vergehen, ihrer Spannung aus dem Leistungswillen moderner Helden und dem unabwendbaren Verhängnis, dem diese ausgeliefert sind, ist zugleich symptomatisch für das bürgerliche Zeitalter am Ausgang des 19. Jahrhunderts.

25 Vgl. Ken Moulden, »Literarische Vorbilder und Anregungen«, in: *Buddenbrooks-Handbuch* (Anm. 8), S. 41–55.
26 An Otto Grautoff (Anm. 3), S. 107 (25. Oktober 1898).
27 *Notizbuch 3*, zweite Lage (Anm. 13), S. 155 f. Das am 18. Januar 1899 entstandene Gedicht »Monolog« wurde in der *Gesellschaft*, Leipzig, Jg. 15 (1899) Bd. 2, S. 183, publiziert.

## *»Ich glaubte ... ich glaubte ... es käme nichts mehr ...«*

Man erinnert sich der Szene, als Hanno die Ledermappe mit den Familienpapieren betrachtet und »mit stiller Miene und gedankenloser Sorgfalt, mechanisch und verträumt« (523) einen die Familiengeschichte abschließenden Doppelstrich unter die Eintragungen zieht. Von seinem Vater, dem Senator Thomas Buddenbrook, angeherrscht, was dies bedeute, antwortete der Knabe zögernd und scheu: »Ich glaubte ... ich glaubte ... es käme nichts mehr ...« (523). Der Letzte eines Geschlechts tüchtiger Kaufleute nahm damit, sieben Jahre vor dem Tode des Senators und neun vor dem eigenen, das Ende der Firma und das Erlöschen der Buddenbrooks schon im neuralgischen Umschlagsjahr 1868 vorweg.

Die Buddenbrooks stammten von mecklenburgischen Handwerkern her, hatten am Ende des sechzehnten Jahrhunderts in Parchim gelebt und waren über Grabau und Rostock nach Lübeck gekommen, unterdessen schon Bürger und Kaufleute, wo einer der Buddenbrooks 1768 die Getreidefirma gegründet hatte, deren Florieren den Aufstieg des Handelshauses einleitete. Schon der von Thomas Mann für die Familie gewählte Name deutet auf deren zukünftiges Schicksal, auf Unsicherheit und Untergang hin. Daß Namen, und gar erst, wenn sie als Titel eines literarischen Werkes Verwendung finden, eine weit über das gegenständliche Wort hinausweisende Bedeutung haben können, ist bekannt. Sie regen die Vorstellungskraft des Lesers an, assoziieren Weltvorstellungen und leuchten oft in die Hintergründe von Geschichten. In *Buddenbrooks* kommt den Namen Gleichniswert zu.[28] Thomas Mann glaubte sich zu erinnern, daß der Familienname Buddenbrook, als er in Palestrina »nach einem irgendwie plattdeutschen und dabei seriösen Namen suchte«, von sei-

28 Vgl. den Brief an Julius Bab vom 28. Juni 1948, in: DüD, S. 117, sowie Hans-Werner Nieschmidt, »Die Eigennamen«, in: *Buddenbrooks-Handbuch* (Anm. 8), S. 57–61, und Siegfried Lenz, »Warum Bendix Grünlich so heißt«, in: *Frankfurter Allgemeine Zeitung*, Nr. 147, 29. Juni 1985.

nem Bruder Heinrich vorgeschlagen wurde. Das »brook«, so meinte Thomas Mann, bedeute offenbar Bruch und »Budden-brook« soviel wie »ein ›niedriges‹, flaches Moorland«.[29] Der Name sollte auch nicht »*komisch* wirken« und vor allem »bürgerlich vorkommen«.[30] Nicht von der Hand zu weisen ist auch eine mögliche Beziehung zu Fontanes Roman *Effi Briest*, obwohl Thomas Mann später angab, zur Zeit der Arbeit an *Buddenbrooks* diesen Roman nicht gekannt zu haben. In *Effi Briest* fungiert ein Buddenbrook als Sekundant des unglücklichen Major Crampas (28. Kap.). Peter de Mendelssohn schließt in Anlehnung an Hans-Heinrich Reuter nicht aus, daß Klangbild und Dreisilbenfolge des Romantitels von Fontanes kleinem Roman *Die Poggenpuhls* (1896) herrühren könnten.[31] »Bruch« und »Moorland« sind äußerst beziehungsreiche Substantive, um Unsicherheit, Schwanken, Instabilität auszudrücken und auf allmähliches Versinken und Untergang hinzudeuten. Es ist noch hohe Zeit in der Geschichte der Familie, man schreibt 1861, und in der Breiten Straße wird die Taufe des Justus Johann Kaspar Buddenbrook, später Hanno genannt, gefeiert, des sehnlichst erwarteten Erben und Fortsetzers von Geschlecht und Firma. Da gratuliert der Speicherarbeiter Grobleben und schließt seine Glückwunschworte mit der Versicherung, daß eines Tages alle in die Grube fahren müssen, »arm un riek«, und »tau Moder müssen wi alle warn, wi müssen all tau Moder warn, tau Moder ... tau Moder ... !« (401.) Und »Moder« ist soviel wie schlammiger Schmutz, Morast, Sumpfland, Moor. Bedrückend korrespondiert diese Aussage mit dem Familiennamen.

Das »Goldschnittheft«, das Familienbuch, berichtete über

29 An Julius Bab, 28. Juni 1948, in: DüD, S. 117.

30 An Heinrich von Buddenbrook, 31. Juli 1950, in: Th. M., *Selbstkommentare: Buddenbrooks*, hrsg. von Hans Wysling unter Mitw. von Marianne Eich-Fischer, Frankfurt a. M. 1990, S. 125. Vgl. auch den Brief an Bernt Richter vom 10. Juli 1952 in: DüD, S. 128.

31 Peter de Mendelssohn, *Der Zauberer. Das Leben des deutschen Schriftstellers Thomas Mann*, Tl. 1: *1875–1918*, Frankfurt a. M. 1975, S. 457.

die weitläufige Genealogie der Buddenbrooks, über den Werdegang der Familien, gab religiösen Betrachtungen Raum und weisen Ermahnungen, unter denen der »in hoher gotischer Schrift« gemalte Satz hervorstach, den der Großvater des Konsuls Johann Buddenbrook jun. eingetragen hatte und der ein Jahrhundert Leitgedanke für das Sinnen und Trachten der Buddenbrooks war: »Mein Sohn, sey mit Lust bey den Geschäften am Tage, aber mache nur solche, daß wir bey Nacht ruhig schlafen können.« (58) Dieser Satz beherrschte fast ein Jahrhundert die Leistungsvorstellungen, ernst und dennoch gelöst ließen sich die Mühen der Firma bewältigen, bis eine widrige Wirklichkeit, unmenschliches Geschäftskalkül und Niedertracht stärker wurden als der ideale Vorsatz. 1868, als vom Ethos dieser Prämisse abgewichen wurde, war es mit der Zukunft der Buddenbrooks vorbei. Die »grausame Brutalität des Geschäftslebens« (469) hatte das gewohnte Selbstvertrauen der Buddenbrooks in ihre Handlungsfähigkeit und -sicherheit durch Mißtrauen sich selbst gegenüber zersetzt. So glaubte Thomas Buddenbrook, unter Preisgabe aller moralischen Skrupel, nur durch einen Coup wieder wirtschaftlich festen Boden unter die Füße zu bekommen – er kaufte die »Pöppenrader Ernte auf dem Halm« – und geriet durch den sie vernichtenden Hagelschlag erst recht an den Rand der Katastrophe. Es ist, als hätte die Natur selbst ein Zeichen gesetzt. Die Folgeereignisse, der Zusammenbruch der Familie Weinschenk, deren Zustandekommen als Tonys »dritte« Ehe gegolten hatte, der Tod der alten Konsulin, der Einbruch der Musik als feindliche Macht in das Firmendenken und Familienleben sowie die damit verbundene Entfremdung zwischen Thomas und Gerda Buddenbrook bis hin zum Sturz des Senators auf den mit »Kot und Schneewasser« bedeckten Fahrdamm (680) und den darauf folgenden Tod im Januar 1875, dies sind nur noch die Markierungen eines unabwendbaren Verhängnisses, das Hanno instinktiv vorgeahnt und in Todessehnsucht geradezu herbeigerufen hatte. »Ich möchte schlafen und nichts mehr wissen. Ich möchte sterben, [. . .]. Man sollte mich nur aufgeben«, klagt er dem befreundeten Kai Grafen Mölln (743) und wiederholt damit nur jenen denkwürdigen »Doppelstrich« unter die Familiengeschichte, bis ihn selbst 1877 der Tod einholt. Mit seinem Ableben endet die eigentliche Romanhandlung, die im Oktober 1835 mit der Feier zur Einweihung des kürzlich bezogenen Hauses in der Mengstraße begann und im Herbst 1877 mit einer kleinen Familienzusammenkunft bei Sesemi Weichbrodt endet, »um Abschied zu nehmen« (755). Das Bild der acht schwarz gekleideten Damen ist der denkbar schärfste Kontrast zu jener eleganten Festgesellschaft und ihrer »fröhlichen Gegenwart« von anno dazumal.

Ein halbes Jahrhundert reichte aus, um das Schicksal von vier Generationen in seinem Auf- und Abwärts zu erfüllen. Die generationsgeschichtlichen Zäsuren erweisen, daß Thomas Mann keinesfalls gleichgewichtig bei den einzelnen Generationen verfuhr. Der »Verfall« als historischer Vorgang, als Ausdruck wirtschaftlichen Konkurrenzkampfes und einer gnadenlosen sozialen Umschichtung innerhalb der bürgerlichen Welt des 19. Jahrhunderts sowie als subjektives Problem einer schrittweisen geschichtlichen Entmündigung einer Generation, wird in seiner ganzen Spannweite aufgedeckt. Da dieser Prozeß in der Mitte des Jahrhunderts etwa einsetzt, betrifft er die eigentliche Trägergeneration des Romans, die dritte, mit Thomas Buddenbrook und den Seinen, am stärksten. Das hat entsprechende Konsequenzen für die Proportionen der Erzählhandlung. Die Einbeziehung einiger Daten soll den Leser bei der geschichtlichen Erinnerung unterstützen.

Eine fast heiter anmutende Vergangenheit, in zwei Romanteilen geboten, bestimmt das Leben der ersten Generation unter ihrem Familienoberhaupt Johann Siegmund Buddenbrook sen. (1765–1842). Sein Tod und der seiner Frau im gleichen Jahr bildet einen ersten Einschnitt. Der zweiten Generation mit Johann (Jean) Siegmund Buddenbrook jun. (1799–1855) sind ebenfalls zwei Teile des Romans gewidmet,

allerdings doppelt so umfangreich wie die ersten. In das Geschehen sind Ereignisse des Revolutionsjahres 1848 in Lübeck einbezogen (Teil 4, Kap. 2–4), über deren Ursachen die von oppositionellem Geist getragenen Gespräche zwischen dem Burschenschaftler Morten Schwarzkopf und Tony Buddenbrook eine Vorstellung vermitteln (Teil 3, Kap. 6–8). Bereits in den ersten Teil der Romanhandlung sind die vier Geschwister der dritten Buddenbrook-Generation eingeführt: Thomas (1826–1875), Antonie, genannt Tony (geb. 1827), Christian (geb. 1828) und Clara (1838–1864). Sie bleiben in den folgenden Teilen präsent, bis sie, mit Ausnahme von Clara, Trägergestalten der Handlung werden, um unterschiedliche Haltungen und Möglichkeiten des Bürgerseins zu repräsentieren. Die Konfliktsituationen wurzeln zumeist in der Konfrontation von persönlichen Glücks- und Lebensvorstellungen mit der Firma als einer alles regulierenden Größe.
Die Romanteile fünf bis zehn – das erzählte Geschehen umspannt die Zeit vom Sommer 1855 bis zum Januar 1875 und nimmt mehr als die Hälfte des gesamten Romans in Anspruch – sind durchweg Thomas Buddenbrook als literarischer Zentralgestalt zugeordnet. Alle Seiten seiner persönlichen Existenz, seines Empfindens und Denkens sind aufgeschlagen. Der Leser erfährt von der weiteren Konsolidierung der Firma, ihrem wachsenden Ansehen und Reichtum – auch deshalb, weil sich der einzelne entweder unterordnen muß (Tony) oder in harten Auseinandersetzungen ausgegrenzt wird (Christian), und schließlich von den Erschütterungen, die alles zum Erliegen bringen. Der Übergang vom siebenten zum achten Teil markiert den endgültigen Wendepunkt, von dem aus kein Aufschwung mehr möglich ist. Obwohl Hanno Buddenbrook (1861–1877), mit dem die vierte Generation auf den Plan tritt, anfangs zu Hoffnungen berechtigt, das neue Haus in der Fischergrube den erreichten gesellschaftlichen Rang von Familie und Firma symbolisiert und das einhundertjährige Jubiläum begangen werden kann (7. Juli 1868), kündigt sich der Abgesang an. »Die Vergangenheit zu

feiern, ist hübsch, wenn man, was Gegenwart und Zukunft betrifft, guter Dinge ist . . .« (477), bemerkt der für Feste wenig aufgelegte Senator. Das Vermögen ist stark reduziert, Hannos Entwicklung enttäuscht die Erwartungen des Vaters, und das »pfennigweise Geschäftemachen« bringt nichts mehr ein und zwingt gegenüber der Öffentlichkeit, das reale Sein durch den Schein von Solidität zu kompensieren. An die Stelle der Arbeit für das Geschäft tritt »Arbeit« am Erscheinungsbild der eigenen Persönlichkeit, der Ausstellung ihres Repräsentationsbewußtseins. Die Haltlosigkeit der ökonomischen Lage wird durch Haltung ausgeglichen. Energien und Kräfte, die in besseren Zeiten für den Fortgang der Firma eingesetzt wurden, verbrauchen sich in zeitlich überdehnten Vorbereitungen auf das Zur-Schau-Stellen seiner selbst. Thomas Buddenbrook vermag die »Verödung seines Inneren« nur mit »einer unerbittlichen inneren Verpflichtung und zähen Entschlossenheit« auszugleichen, um »seine Hinfälligkeit mit allen Mitteln zu verstecken und die ›Dehors‹ zu wahren« (614). In der Auseinandersetzung mit dem skrupellosen und erfolgreichen Konkurrenten verkommt der Kaufmann zum Schauspieler; sein Kontor und der Senat werden zur Bühne.

Epilogartig umschließt der elfte Teil des Romans nur ein Jahr, vom Herbst 1876 bis zum Herbst 1877. Die Firma wird liquidiert, Hanno von seinen Leiden und Qualen durch den Tod erlöst, die übriggebliebenen Buddenbrooks fallen in Bedeutungslosigkeit zurück. Es kommt wirklich nichts mehr, es sei denn, daß vielleicht »in den Familienpapieren« (757) gelesen würde.

### *»Ethik, Bürgerlichkeit, Verfall: das gehört zusammen, das ist eins.«*

Diese formelhafte Erklärung aus den *Betrachtungen eines Unpolitischen* (XII, 106) benennt das Diskussionsfeld des Romans und deutet auf die Stufenfolge der Entwicklung hin, die viele bürgerliche Familien im 19. Jahrhundert durchliefen. Eine ethisch begründete Leistungsbereitschaft, die Protestantismus, friederizianische Pflichterfüllung und Kants kategorischen Imperativ vereinte, die auch Schopenhauers Postulat des »heroischen Lebenslaufs« annahm, prägte die bürgerliche Lebensform bis zu ihrer Existenzkrise. Aufstieg und Niedergang des Kaufmannsgeschlechts der Buddenbrooks spiegeln charakteristische Tendenzen der Entwicklung nahezu aller Gesellschaftskreise Lübecks. Thomas Mann zeigt dies in einem weit über die Familie Buddenbrook ausgreifenden Figurenbild. Die Wechselbeziehungen zwischen den Angehörigen der einzelnen Generationen sind ebenso erfaßt wie jene zwischen den Buddenbrooks und der städtischen Umwelt. Mit der ständigen Erweiterung des Figurenensembles verbinden sich soziologische und psychologische Faktoren. Thomas Mann beschrieb seine damalige »Arbeitsweise« als einen »doppelten Vorgang«, einen »Bohrungsprozeß«, der die Erhellung des Charakters bezweckte, und als ein »Ankristallisieren und Einbezogenwerden von außen«, das auf eine optimale Wirklichkeitserfassung gerichtet war (XI, 747). Die synthetisierende Kunst des Analytikers und Chronisten brachte den gesellschaftlichen Typus (z. B. Hermann Hagenström, Lebrecht Kröger) ebenso hervor wie unverwechselbare Individualitäten (z.B. Mamsell Ida Jungmann, Bendix Grünlich). Noch im Schlußteil des Romans, man denke an den »Tag aus dem Leben des kleinen Johann« (700–751), gelingt eine letzte Steigerung im Aufbau der Figurenwelt des Romans.

In der grundlegenden Untersuchung über die Lübecker Bürgerkultur im 19. Jahrhundert benannte Gustav Lindtke nach dem Stand des Jahres 1835 die Berufsgruppen der damals 24 000 Einwohner zählenden Stadt.[32] In sorgfältig voneinander abgesetzten Anteilen sind sie durchweg im Roman vertreten, diese Kaufleute, Krämer, Handwerker,

32 Gustav Lindtke, *Die Stadt der Buddenbrooks. Lübecker Bürgerkultur im 19. Jahrhundert*, Lübeck 1965, S. 9.

Arbeitsleute, Schiffer, Maler und Musiker, Schauspieler, Juristen, Ärzte, Lehrer, Beamte der Stadtregierung, Kanzlisten und Geistlichen (nicht die Kirchenbeamten) und am Rande das »Militär«, allerdings in der ungewöhnlichen, musisch determinierten Erscheinung des Leutnants von Throta, und, gleichsam als poetische Arabeske der bürgerlichen Lebensform, der Hausdichter Jean Jacques Hoffstede und der Makler Sigismund Gosch, geradezu eine »E. Th. A. Hoffmannsche Figur«[33], ein Schöngeist und Übersetzer von Dramen Lope de Vegas, die jedoch niemand zu sehen bekommt.

Die Aufnahme der Figuren aus allen Gesellschaftsschichten ist nicht allein ein soziologisches Beiwerk, das die ökonomische Entwicklung einer Schicht am jeweiligen Stand einer anderen zu messen erlaubt, durch die Fülle von Einzelschicksalen das Schicksal der Buddenbrooks relativiert und es gleichsam aus dem unabänderlichen Entwicklungsprozeß des Kapitalismus im 19. Jahrhundert erklärt, nämlich der Ablösung des noch vor der industriellen Revolution entstandenen Bürgertums der freien Konkurrenz durch die Verwandlung des Bürgers in den Bourgeois. Werner Sombart analysierte in seinem Hauptwerk *Der moderne Kapitalismus* (Band 1 und 2 erschienen 1902, der 3. Band 1928), dem er 1913 die Studie über den *Bourgeois* nachschickte, Grundzüge und Erscheinungsformen der sich verändernden Bürgerwelt und lieferte auch Thomas Mann die Erklärung für den z. B. in der Figur Thomas Buddenbrooks gestalteten »Leistungsethiker«, den modernen Helden, der »am Rande der Erschöpfung« arbeitet. Der Dichter legte stets Wert auf die Feststellung, daß er den Gedanken, »der modern-kapitalistische Erwerbsmensch, der Bourgeois mit seiner *asketischen* Idee der Berufspflicht sei ein Geschöpf protestantischer Ethik, des Puritanismus und Kalvinismus, völlig auf eigene Hand, ohne

33 Arnold Zweig, »Mann, Buddenbrooks«, in: *Arnold Zweig 1887-1968. Werk und Leben in Dokumenten und Bildern,* hrsg. von Georg Wenzel, Berlin/Weimar 1978, S. 508.

Lektüre, durch unmittelbare Einsicht« (XII, 145) erfühlt und gestaltet habe, wobei er den Typus des neuen Bürgers aber nicht in seiner Realität »als politisch-wirtschaftliche Erscheinung« entwarf. Erst später fand er sich mit Sombarts Deutung des kapitalistischen Unternehmers in der »Synthese des Helden, Händlers und Bürgers« (XII, 145) bestätigt, grenzte aber sein »persönliches Erbe«, die »patriarchalisch-aristokratische Bürgerlichkeit als Lebensstimmung, Lebensgefühl«, in der *Buddenbrooks* wurzelt, von dem »neudeutschen Bourgeoistum« (XII, 139) entschieden ab.[34]
Über die soziologische Komponente im Aufbau der Figurenwelt hinausweisend, ist die psychologische besonders aufschlußreich. Durch sie wird das Spannungsverhältnis von »Ähnlichkeit und Verschiedenheit«[35] zwischen den Vertretern der Buddenbrook-Familien charakterisiert sowie die abgestufte Wertskala auf Grund der unterschiedlichen sozialen Herkunft der Personen und ihrer dadurch genau fixierten Stellung gegenüber dem Lübecker Patriziat veranschaulicht. Bevor die Konfrontation mit dem ökonomisch erfolgreicheren Gegenspieler stattfindet, kommt es bereits zur Spaltung der Privatsphären der Buddenbrooks. Man denke an den Konflikt zwischen Johann Buddenbrook sen. und seinem Sohn aus erster Ehe, Gotthold, der durch eine Mesalliance das Geschäftsinteresse des Familienoberhaupts zutiefst verletzt hatte: er hatte mit Mamsell Stüving einen »Laden« geheiratet und war durch seine Gefühlsentscheidung aus dem Firmendenken der Buddenbrooks ausgeschert; oder an den noch tieferen Schnitt zwischen den wesensverschiedenen Brüdern Thomas und Christian Buddenbrook. Sie sind als Parallelgestalten angelegt, dokumentieren aber nicht nur eine gegensätzliche Position innerhalb der Lübecker Bürgerwelt – Thomas' Existenz ist auf Stabilität gerichtet, die von Christian bleibt stets ein Provisorium –, sondern zeigen auch die

34 Vgl. auch Thomas Mann, »Lübeck als geistige Lebensform« (XI, 385–387) und »Lebensabriß« (XI, 109 f.).

35 Jochen Vogt, *Thomas Mann: Buddenbrooks*, München 1983, S. 18.

seelischen Widersprüche innerhalb der Brüderlichkeit, das Bemühen um Behauptung der Andersartigkeit unabhängig von der gemeinsamen Wurzel. Dabei kämpft Thomas Buddenbrook in doppelter Frontstellung: Er hat sich nicht allein seiner wirtschaftlichen Konkurrenten zu erwehren – ein Kampf nach außen –, sondern auch einen Kampf nach innen, gegen sich selbst zu führen, sozusagen gegen den Christian in sich. Mit ihm fühlte er sich durch den Hang zum Träumen und Reflektieren, durch, wenn auch in Grenzen gepflegte, literarische Neigungen verbunden. Er spürte die Bedrohung durch die Möglichkeit des Andersseins, die Verführung durch das Gefühl, denen nur durch strenge Kontrolle und »Haltung« zu begegnen war. Thomas' entscheidende Aussprache mit dem Bruder gipfelt in dem Satz: »Ich bin geworden, wie ich bin, [. . .] weil ich nicht werden wollte wie du. Wenn ich dich innerlich gemieden habe, so geschah es, weil ich mich vor dir hüten muß, weil dein Sein und Wesen eine Gefahr für mich ist . . . ich spreche die Wahrheit.« (580) Trotz aller Gegenwehr vermag er nicht aus dem Prozeß der »Entpersönlichung« auszubrechen, und die Ironie seines Lebens besteht letztendlich darin, daß er selbst auf die gleiche Ebene wie sein verachteter Bruder Christian gerät.[36]

Morten, der Sohn des Lotsenkommandeurs Schwarzkopf, verglich das Lübecker Patriziat mit einer »Aristokratie«, von der jene, die nicht zum »Kreis von herrschenden Familien« gehören, wie durch einen »Abgrund« (140) getrennt sind. Zwischen diesem und dem oft wankenden Boden gesellschaftlicher Noblesse bewegt sich manche Figur des Romans. Viele der literarischen Gestalten repräsentieren das »Besitz- und Bildungsbürgertum«, das für eine »mittlere Handelsstadt«[37] typisch war. Ihre Stellung im Leben und ihr Ansehen in der Öffentlichkeit scheinen gefestigt; das »Haus«, Speicher, ein Amt in der Regierung der Stadtrepublik sind geach-

36 Vgl. Ernst Keller, »Die Figuren und ihre Stellung im ›Verfall‹«, in: *Buddenbrooks-Handbuch* (Anm. 8), S. 176.
37 Vogt (Anm. 35), S. 19.

tete Statussymbole, solange wirtschaftliche Sekurität besteht und die moralische Integrität nicht angefochten werden kann. Doch jeder Anlaß wird genutzt, um Nebenbuhler oder Konkurrenten auszuschalten. Hugo Weinschenk zum Beispiel, Schwiegersohn von Tony Buddenbrook und seines Amtes Direktor im Dienste der Städtischen Feuerversicherungsgesellschaft, suchte durch nicht einwandfreie Geschäftsmanöver Vorteile für seine Versicherung (nicht einmal für sich selbst) zu gewinnen; »Usancen« in der bürgerlichen Denkweise, »wäre er nicht ertappt worden« (641). Er kommt zu Fall und verläßt nach Verbüßung seiner Strafe die Stadt. Bereits Georg Brandes bemerkte, daß »das Gleichgewicht der Gesellschaft« in »jedem Augenblick auf dem stillschweigenden Übereinkommen« beruht, »daß man die ganze Wahrheit nicht ausschreit«[38]. Geschieht es aber, so bricht der unerbittliche Konkurrenzkampf die Geschlossenheit und scheinbare Solidarität der bürgerlichen Gesellschaft auf.

Den »Ratenkamp & Comp.« waren die Buddenbrooks gefolgt sowie die mit ihnen geschäftlich wie familiär verbundenen Krögers. Sie fanden ihre Widersacher und Überwinder in »Strunck & Hagenström«, die ihre Stellung bis hin zur Übernahme des Besitzes der Gescheiterten rigoros ausbauen. Dabei ist nicht zu verkennen, daß die Hagenströms nur auf ihre vitalere Art eigentlich Buddenbrooks sein wollen, was sich auch im Erwerb des repräsentativen Hauses zeigt. Für den Niedergang der Buddenbrooks charakteristische Symptome – Ernst Keller nannte z. B. Einbußen an Vitalität, die unzulänglichen Zähne mancher Familienmitglieder und deren Erkrankungen, die abnehmende Lebenserwartung, den Rückgang von Geburten und die Zunahme von Todesfällen[39] – kündigen sich in der biologischen Sphäre auch bei den Hagenströms an.[40] Im Unterschied zu dem robusten und

38 Brandes (Anm. 21), Bd. 3, S. 278.

39 Vgl. Ernst Keller, »Das Problem ›Verfall‹«, in: *Buddenbrooks-Handbuch* (Anm. 8), S. 161–167.

40 Ebd., S. 160.

lebenszugewandten Hermann Hagenström ist sein Bruder Moritz »kränklich«, kam »trotz der schwachen Brust« glänzend durch die Schule (119), und es fehlt auch nicht an kranken Zähnen. Es ist zu vermuten, daß sich bei dieser Bürgerfamilie der bekannte Zyklus von Aufstieg und Niedergang wiederholt.

Bevor das den Verfallserscheinungen inhärente Gegenbild beschrieben wird, die Sensibilisierung des Menschen für ästhetische Belange und damit seine intellektuelle und kulturelle Verfeinerung, ist auf weitere Indikatoren des »Verfalls« neben physischen Erscheinungsbildern hinzuweisen. Thomas Mann nutzt sie, um analog zur abfallenden wirtschaftlichen Entwicklung die geistig-seelische Mentalität seiner Helden, ihre »Moral«, so differenziert wie nur möglich darzustellen. Immer weniger gelang es den Buddenbrooks, das ererbte Vermögen zu bewahren und das Einkommen zu steigern, so daß der finanzielle Ruin absehbar wird.[41] Moral ist nicht als sittlicher Lebenswandel zu verstehen, als Bereitschaft, eine überlieferte Aufgabe anzunehmen und nach bestem Willen zu lösen, sondern im Sinne Nietzsches, der in der 1888 entstandenen Abhandlung *Der Fall Wagner*[42] die »Moral« als »Problem der décadence« enthüllte und »das *verarmte* Leben«, den »Wille[n] zum Ende, die große Müdigkeit« in ihren »Wertformeln« versteckt sah. »Moral *verneint* das Leben«[43], konstatierte der Philosoph, der sich, »Kind dieser Zeit«, als »ein décadent« verstand.

Eines der sichtbarsten Zeichen des Niedergangs und der zunehmenden psychischen Erschöpfung ist die Entfremdung vom Kaufmannsberuf; kritisch wird dessen ethischer Wert in Frage gestellt und durch ständige Reflexionen zersetzt. Die Zweifel geben denen recht, die den Pflichten und Anforde-

41 Ebd., S. 167–169. Vgl. auch: Georg Potempa, »Das Vermögen der Buddenbrooks«, in: *Deutsche Sparkassenzeitung* 34 (1972) Nr. 76–78, jeweils S. 2.

42 In Thomas Manns Besitz seit 1895. Vgl. Thomas Mann, *Notizbuch 1* (Anm. 13), S. 50.

43 Friedrich Nietzsche, »Der Fall Wagner. Ein Musikanten-Problem«, in: *F. N., Werke in zwei Bänden*, hrsg. von Ivo Frenzel, München 1973, Bd. 2, S. 291.

rungen eines festen Berufs fern standen, bis sie sich ihnen ganz entzogen. Anfangs vermochte Thomas Buddenbrook die Kompromittierungen des dem Kaufmannsstand bereits entfremdeten Christian abzuwehren, der im Klub erklärt hatte, »bei Lichte besehen, sei doch jeder Geschäftsmann ein Gauner« (318); infolge seiner Niederlagen ermüdet jedoch Thomas Buddenbrooks Wille, durch Selbstdisziplin und »Haltung« der Auflösung entschieden zu begegnen. Indem er alle moralischen Bedenken überwindet, die Notlage eines anderen ausnutzt und mit dem Kauf des Pöppenrader Getreides selbst einen »Coup« startet, gibt er letztlich Christian recht. Der »Mann der unbefangenen Tat« siegt über den »skrupulösen Nachdenker« (469).

Das Nachlassen der Lebensenergie zeigt sich im verstärkten Hang zum Grübeln und zur Selbstbeobachtung. Die Stufen sind bei den einzelnen Buddenbrooks unterschiedlich ausgeprägt; generell aber drücken sie Verunsicherungen des Selbstwertgefühls und ein gestörtes Verhältnis zur Umwelt aus. Ist die Reflexionsfähigkeit philosophisch determiniert, so zielt sie auf Erklärung der Lebensexistenz und der Suche nach einem Lebenssinn. Im positiven zeigt sich das im Verhältnis von Johann Buddenbrook sen. zum Vernunftdenken des Aufklärungszeitalters, im negativen im rauschhaften Erleben der Philosophie Schopenhauers bei Thomas Buddenbrook und dem nachträglichen Reflektieren über Verfall, Tod und Unsterblichkeit. Bei Christian Buddenbrook fehlt diese Komponente. Er lebt sich selbst, und daher ist seine Reaktion auf den Alltag im allgemeinen oder auf Kritik an seiner Lebensweise, der eines Genußmenschen, eines Suitiers, überempfindlich. Er beschwört sie geradezu herauf in seiner Freude an sinnlichen und geistigen Erlebnissen in der Welt der Musen, die ihm höher stehen als irgendwelche Firmeninteressen. Die Normen des bürgerlichen Tageslaufes verwirren ihn, sind ihm Last; physiologisch entsprechen ihr körperliche und nervliche Qualen, über die er hemmungslos, bis zur Widerwärtigkeit zu berichten vermag.

Die Infragestellung einer geordneten und als heil empfundenen Welt zeigt sich auch in den Partnerbeziehungen. Ursprünglich gesunde, durch Liebe gestützte und auf praktische Daseinsbewältigung gerichtete Verbindungen zwischen Mann und Frau unterliegen allmählicher Entfremdung und Erstarrung. Die ältesten Buddenbrooks verstanden es noch, Familie und Geschäft harmonisch zu verbinden und in einem patriarchalischen Lebensstil Geborgenheit zu vermitteln. Noch war die Firma nicht zum Fetisch erstarrt, dem alle Lebensäußerungen und -entscheidungen unterzuordnen waren. Persönliches Glück vertrug sich mit geachteter Arbeit in der Handelswelt. Mit dem Niedergang der Generationen verändern sich diese Konstanten. Ehescheidungen (die zwischen Tony und Grünlich sowie Permaneder), Entfremdungen zwischen Ehepartnern bis zur Erkaltung des Gefühls (Thomas und Gerda Buddenbrook), Rückzug aus familiären Bindungen (Weinschenk) und auch die Entfremdungserscheinungen zwischen Vater und Sohn (Thomas und Hanno Buddenbrook) fallen ins Auge. Dem wirtschaftlichen Niedergang entspricht auch der Mangel an standesgemäßen Schwiegersöhnen bis hin zur Entscheidung für Außenseiter. Vereinsamung und Hoffnungslosigkeit schließen diese Entwicklungen ab.

Noch zwei Signaturen des »Verfalls« sind zu erwähnen, um das Bild in etwa abzurunden. Die Ahnung, am Ende einer Überlieferung zu stehen und die von Vätern und Vorvätern ererbte Tradition nicht fortsetzen zu können, kündigt sich lange vor dem eigentlichen Ende bei den Buddenbrooks in wachsender Religiosität an und kulminiert schließlich bei zweien von ihnen in der hohen Empfänglichkeit für die »verführerischste Macht« zum Tode, für die Musik. Nahmen die alten Buddenbrooks den Glauben als etwas Gegebenes, als Quell für Kraft und Lebenszuversicht, so zeigt sich bei Johann Buddenbrook sen., mit dem die Generationenkette beginnt, keinerlei Bedürfnis, sein Leben durch Gläubigkeit zu festigen. Um so deutlicher hebt sich bei den Nachfolgern die

Orientierung auf religiöse Fragen ab. Sein Sohn Johann (Jean) Buddenbrook hält es für unerläßlich, eine pessimistische Weltsicht religiös zu verklären und in pietistisch-schwärmerischer Weise zu kompensieren. Bis in die Eintragungen in die Familienmappe ist zu spüren, wie allmählich Glaube zum christlichen Kult umschlägt, den nach seinem Tode die Konsulin Elisabeth geborene Kröger in Frömmelei und konventikelnde Zusammenkünfte (»Jerusalemsabende«) einmünden läßt. Für ihre Tochter Clara ist Religiosität nur noch ein »Mittel zur Lebensflucht«[44]. Die seelische Not der trotz ihrer vitalen Umgebung einsam gewordenen Neunzehnjährigen nutzt der listige Pastor Tiburtius schamlos aus, um sich ihres Erbes als einer stattlichen Mitgift zu bemächtigen. Wenn er Clara als »einen Schatz und Gottessegen« apostrophiert (284), meint er, wie der Fortgang der Geschichte zeigt, das Geld und nicht die menschlichen Qualitäten. Der den Hauseingang in der Mengstraße zierende Spruch »Dominus providebit« (44) sollte sich im Schicksal der Buddenbrooks nicht erfüllen; die Vorsorge des Herrn blieb aus.

Gerda und Hanno Buddenbrook, die für die Musik am empfänglichsten Vertreter der Familie, haben ihren Platz im Grenzraum vom Leben zum Tod. Gab es vielleicht bei den anderen Buddenbrooks noch eine kleine Chance, das Leben zu meistern, so ist dies nun völlig ausgeschlossen. Gerda und Hanno nehmen die kaufmännische Überlieferung nicht an und brechen aus den normativen Vorstellungen der Firma aus. Beide scheinen einer anderen Welt zuzugehören; sie sind Künstlernaturen und somit Fremdlinge in der Lübecker Bürgerwelt; sie werden es auch im Familienkreis. Vor den Ansprüchen des Lebens kapitulieren Mutter und Sohn und leben eigentlich nur ihren Wünschen und Träumen. Der Vitalität der früheren Generationen steht nur noch Morbidität gegenüber. Nur selten erfüllen sie noch einige elementare Pflichten der Familienbindung, Gerda z. B. bei repräsentati-

44 Ernst Keller, »Die Figuren und ihre Stellung im ›Verfall‹«, in: *Buddenbrooks-Handbuch* (Anm. 8), S. 185.

ven Anlässen des Handelshauses. Hanno fühlt sich durch das strenge und fordernde Erziehungskonzept seines Vaters irritiert und gedemütigt; er versagt selbst dort, wo ihm seine musische Veranlagung noch eine Brücke baut.[45] Die wachsende Todessehnsucht Hannos kommt der im Wesen seiner Mutter angelegten Verführung zum Tode entgegen. Die Gerda unterlegten mythischen Bezüge betonen die »Verbundenheit mit Tod und Auflösung«[46], denen auch die rezipierte Musik Richard Wagners vorarbeitet. Im *Fall Wagner* stellte Nietzsche die Frage nach der Qualität der Musik und des Menschentums Wagners und fragt, ob Wagner »überhaupt ein Mensch« sei. »Ist er nicht eher eine Krankheit? Er macht alles krank, woran er rührt – *er hat die Musik krank gemacht* – Ein typischer *décadent*«.[47] Krankheit aber ist oft eine Vorstufe des Todes. Die auch an Wagner erinnernde Gestalt des Maklers Sigismund Gosch solidarisiert sich mit dem Fühlen und der Kunstausübung Gerda Buddenbrooks. Er apostrophiert sie auch als »Melusine« (295), an die schöne Meerfee einer altfranzösischen Sage erinnernd. Mit diesem Bezug wird ihre Funktion als Führerin in den Untergang angedeutet und Gerdas spätere Rückkehr in die väterliche Stadt am Meer vorweggenommen.

Für Gerda und Hanno Buddenbrook kommen nur Menschen mit musischer Veranlagung als ebenbürtige Partner in Betracht. Gerda fühlt sich dem Organisten Edmund Pfühl und dem musizierenden Leutnant René Maria von Throta stärker verbunden als ihrem Gemahl Thomas Buddenbrook, dem sie sich durch die Musik noch weiter entfremdet. Bei Hanno füllt bis zu einem gewissen Grade sein junger Schulkamerad Kai Graf Mölln, Sproß einer heruntergekommenen Familie, den Platz des Vaters aus. Kais phantastische Erzäh-

45 Vgl. Volkmar Hansen, »Hanno Buddenbrook soll ein Gedicht aufsagen«, in: *Thomas-Mann-Studien*, hrsg. vom Thomas-Mann-Archiv der ETH Zürich, Bd. 7, Bern 1987, S. 11–29.

46 Keller (Anm. 44), S. 191.

47 Nietzsche (Anm. 43), S. 298.

lungen regen Hanno zu musikalischen Improvisationen und Inszenierungen auf dem Puppentheater an (624), die ihn aus der wirklichen Welt fliehen lassen. Die Zwiesprache mit dem Musikinstrument, Gerdas Stradivari und Hannos Harmonium, ersetzt das Gespräch mit Menschen. Mit den Melodien antworten beide eigentlich nur auf sich selbst. Für beide ist Musik eine Passion, die Krankheit und Tod nahesteht. Hannos letzte Musik – seine Klavierimprovisationen schaffen Wagners Melodien aus *Tristan und Isolde* nach und gehen in Motive aus dem *Ring des Nibelungen* über (748–750) – versinnbildlicht in ihrem Klanggeschehen den Wunsch zum Tode. Sie schließt zudem einen bitteren Schultag ab, der ein Stück sinnlos gewordenen Lebens ausmacht. In Gerdas und Hannos Verhältnis zur Musik spiegelt sich aber nicht nur die Tendenz des Verfalls. Reife und Sensibilität des Geigenspiels von Gerda lassen ahnen, welche Lebenskultur mit der Musik den Niedergang der Buddenbrooks verklärt, ihn gleichsam durch eine »ästhetische Religion« ertragbar macht. Die Erkenntnis, daß Hannos Musikleidenschaft und Kunstsinn auch den Übergang aus den Zwängen der Bürgerwelt in die Freiheit der Kunst einleitet, wird durch den Tod nicht verschüttet.

## *»›Buddenbrooks‹ [. . .] ist gewiß ein sehr deutsches Buch«.*

Mit der Versinnbildlichung des Verfalls durch die Musik Richard Wagners, die das Schicksal der letzten Buddenbrooks bis in die äußersten Konsequenzen ausdeutet, trat nur ein Aspekt der Musik im Roman hervor. Thomas Mann hatte die Tonkunst stets mit der Philosophie zusammengesehen, sie als »zwei echte deutsche Ingredienzen«[48] charakterisiert, und er setzte auch bei späterer Eigenkommentierung der *Buddenbrooks* diese Sphären zueinander in Beziehung. Die Gründe

48 An Grautoff (Anm. 2), S. 139.

dafür liegen im Autobiographischen und im Allgemein-Gesellschaftlichen. Thomas Mann hatte eine angeborene Neigung zur Musik, sein Verhältnis zu ihr war philosophisch orientiert. Gern apostrophierte er sich als ein »Musiker unter den Dichtern«; in den *Betrachtungen eines Unpolitischen* meint er sogar, »mehr noch Musiker« zu sein als »Literat«, und er bewertet seine »Kunstarbeiten« als »*gute Partituren*« (XII, 319). Die gesellschaftliche Komponente ergibt sich aus dem Funktionswandel von Philosophie und Musik in der zweiten Hälfte des 19. Jahrhunderts und umgreift das Deutsche wie das Europäische.

Dem Deutschen im Roman sollen nur einige Stichworte gelten. Das alte Lübeck, das Geflecht seiner Straßen, Gruben und Wälle, die Trave, Speicher und Kontore, die von der norddeutschen Backsteingotik ausgestellte Bürgerkultur – all das macht die Atmosphäre und das Milieu der hanseatischen Heimat Thomas Manns aus. Nicht zu vergessen die Landschaft, »*das Meer*, die Ostsee« bei Travemünde, Ferienparadies des jungen Thomas Mann und seines »Verfallsprinzen« Hanno Buddenbrook, dazu die »Holsteinische Schweiz, die Gegend von Eutin, von Mölln«, »hörbar« gemacht durch die Sprache, eine »musikalisch rezipierte Landschaft« (XI, 388–390). Hinzu treten die literarischen Bezugspunkte, niederdeutsch-humoristische Einflüsse aus der Lektüre Fritz Reuters, plattdeutscher Dialekt und die Chroniken der Ahnenreihe des Dichters, geprägt vom protestantischen Luthertum. Nicht zu übersehen sind Beispiele der Literaturrezeption der Protagonisten des Buches, die Aufführungen von Schillers *Don Carlos* und *Wilhelm Tell* im Stadttheater, Märchen und volkstümliche Kirchenlieder (»Ich bin ein rechtes Rabenaas«, 278 f.), Hannos Gedichte, des *Schäfers Sonntagslied* von Ludwig Uhland (485), Hebels *Alemannische Gedichte*, Geroks *Palmblätter*, Heine-Zitate sowie Tony Buddenbrooks Lesefrüchte aus E. T. A. Hoffmanns *Serapionsbrüdern* (93) und Heinrich Claurens beliebter Erzählung

*Mimili* (84).[49] Der alte Johann Buddenbrook singt seiner Enkelin Clara das drollige Lied vor »Der Omnibus fährt durch die Stadt« (72), das sich Heinrich und Thomas Mann während ihres Palestrina-Aufenthalts als »Leitmotiv« des geplanten »Gipper-Romans«[50] gedacht hatten. Oppositionell-politisches Leben kommt durch die von Morten Schwarzkopf zitierten Presseorgane ins Blickfeld, die *Königsberger Hartung'sche Zeitung* und die *Rheinische Zeitung* (128), zu deren Mitarbeitern Gutzkow, Herwegh, Engels, Prutz, Fröbel und Hoffmann von Fallersleben gehörten und deren bedeutendster Redakteur Karl Marx war. Im Unterschied zur intensiv reflektierten Lektüre des Kapitels »Über den Tod und sein Verhältnis zur Unzerstörbarkeit unseres Wesens an sich« aus Arthur Schopenhauers 1819 erschienenem Hauptwerk *Die Welt als Wille und Vorstellung*, die für den absteigenden Teil des Romans konstitutive Bedeutung erlangt, sind die anderen Beispiele der Literaturrezeption im wesentlichen nur benannt und illustrieren geistige Unterhaltungsbedürfnisse des gehobenen Bürgertums. Soweit zum Deutschen außerhalb von Musik und Philosophie.

Musik ist in *Buddenbrooks* ein Hauptthema. Sie wirkt als stilbildendes Element im Formalen und im Inhaltlichen als Chance, mit Hilfe der Musik aus der Kaufmannswelt auszubrechen, also mit Mitteln der Kunst traditionelle Bürgerlichkeit zu überwinden. Während Thomas Mann am Roman schrieb, erlebte er diesen Wandel des Bürgers. Mit literarischen Mitteln verfolgte er die »›Entartung‹ einer solchen alten und echten Bürgerlichkeit ins Subjektiv-Künstlerische«, analysierte diesen Vorgang der »Überfeinerung und Enttüchtigung« und wurde sich dabei voll bewußt, daß in dieser spä-

49 Clauren: Deckname für Carl Heun (1771–1854). Die von seiner Belletristik vermittelte Tendenz des Behagens veranschaulicht das Gemälde von Johann Peter Hasenclever »Sentimentale nach Lektüre der trivialen Erzählung von Heinrich Clauren ›Mimili‹« (1846).

50 An Heinrich Mann, 18. Februar 1905, in: Thomas Mann / Heinrich Mann: *Briefwechsel 1900–1949*, hrsg. von Ulrich Dietzel, Berlin/Weimar 1977, S. 41.

ten Phase der Geschichte des Bürgertums die »Entwicklung und Modernisierung des Bürgers« nicht zum »Bourgeois«, sondern »seine Entwicklung zum Künstler« (XII, 139) stattfand. Die zeitgenössischen geistigen Strömungen, deren Repräsentanten Arthur Schopenhauer, Friedrich Nietzsche und in der Musik Richard Wagner waren, setzten sich mit den Unzulänglichkeiten des Daseins auseinander, bauten mit Hilfe einer entlarvenden Psychologie ihre Kulturkritik aus und entwarfen die Vision des neuen Menschen und seiner Kunst. Im Zeichen von diesem »Dreigestirn ewig verbundener Geister« stand nach Meinung Thomas Manns am Ausgang des 19. Jahrhunderts Deutschland und die ganze Welt (XII, 79). Wenn der Dichter von *Buddenbrooks* als einem »sehr deutschen Buch« spricht (XII, 89), sind Musik und Philosophie mitzudenken.

Thomas Manns Epochenerlebnis war das der Gefährdung deutsch-europäischen Bürgertums, dessen »Seelengeschichte« (XI, 383) er mit seinem Jugendroman gab. Ihre Erscheinungsbilder sind Entbürgerlichung, »biologische Enttüchtigung durch Differenzierung« und »Überhandnehmen von Sensibilität« (XI, 384). Bürgerliche Musikkultur, soweit sie in der Kaufmannswelt der Buddenbrooks rezipiert wurde, hatte im wesentlichen konventionellen Zuschnitt. Johann Buddenbrook sen. spielt noch Flöte, das Instrument des 18. Jahrhunderts, um seinem Leben Heiterkeit und Festlichkeit zu verleihen. Sein Sohn Jean ordnet die Musik den religiösen Bedürfnissen unter, und bei Thomas Buddenbrook changiert angesichts seines belanglosen Verhältnisses zur Religion die Freude am Musikalischen zwischen Kirchenchorälen, Operettenparaphrasen und Volkslieder-Potpourris. Bis zu dieser Generation stand Musik immer im Dienste des Menschen. Mit der leidenschaftlichen Passion von Gerda und Hanno Buddenbrook für die Musik wandelt sich das Verhältnis: Der Mensch selbst wird zum Diener der Kunst, Musik ist »der eigentliche Gottesdienst« (503).

Als »neue Musik« brechen die Opern Richard Wagners das

Musik-Verständnis der alten Generation auf. Thomas Mann hatte seine tiefe Empfänglichkeit für Wagners Kunst im Roman in doppelter Weise produktiv gemacht. Der *Ring des Nibelungen* wird ihm zum Muster für die zyklische Strukturierung der epischen Komposition zu einer »Symphonie des Verfalls«. Andere Werke Wagners bekommen ihren funktionalen Sinn in der Auseinandersetzung zwischen alter und neuer Musik (*Die Meistersinger*, 498 f.), in der Abwehr feindlicher Lebensmächte (*Lohengrin* als einziges Refugium Hannos gegenüber der Schule, 701 f.) und als Wegbereiter an die Grenze des Lebens (*Tristan und Isolde*, 747 f.). Hannos dieser Oper nachgestaltete Musik beflügelt ihn geradezu, das Reich des Todes als Erlösung vom Erdenleid anzusehen. Eckhard Heftrich machte darauf aufmerksam, daß Thomas Mann einen zur »Vertiefung fähig gewordenen dekadenten Wagnerismus« in die Verfallschronologie integrierte[51] und zu Schopenhauers Philosophie des tragischen Pessimismus das künstlerische Gegenstück schuf.

Musik und Philosophie stützen das Ertragen der Realität wechselseitig ab, und Hannos »Entzückungen« bei den Musikerlebnissen gleichen dem »metaphysischen Zaubertrank« (IX, 561), den in Gestalt von Schopenhauers Philosophie der junge Thomas Mann zu sich nahm und seinem Helden Thomas Buddenbrook zureichte. Thomas Mann hatte sich um 1896 dem Denken Nietzsches genähert[52] und über ihn zu dem Zeitpunkt Schopenhauer für sich entdeckt, etwa um 1899[53], als er das Problem lösen mußte, den am »Rande der

51 Eckhard Heftrich, »Vom Fatum der Dekadenz und von der Freiheit der Kunst: Buddenbrooks«, in: E.H., *Vom Verfall zur Apokalypse. Über Thomas Mann*, Bd. 2, Frankfurt a. M. 1982, S. 96.

52 Hans Wysling, »Thomas Manns unveröffentlichte Notizbücher«, in: *Thomas Mann Jahrbuch* 4 (1991) S. 119–135, hier S. 123. Vgl. *Notizbuch 1* (Anm. 13), S. 50.

53 Schopenhauer-Notate aus unterschiedlichen Quellen in *Notizbuch 1* (Anm. 13), S. 28 f., und Verweis auf ein »*Motto* Schopenhauer, Parerga II S. 47 [1] 3–7 [2] 4« in *Notizbuch 3*, zweite Lage, S. 172. – Vgl. Wysling (Anm. 52), S. 124.

Erschöpfung« arbeitenden, lebensmüden Thomas Buddenbrook seelisch auf den Tod vorzubereiten. Der früh gealterte Kaufmann spürt, daß es dem »Höchsten und Letzten gegenüber [. . .] keinen Beistand von außen« gab, »keine Vermittlung, Absolution, Betäubung und Tröstung! Ganz einsam, selbständig und aus eigener Kraft mußte man in heißer und emsiger Arbeit, ehe es zu spät war, das Rätsel entwirren, oder in Verzweiflung dahinfahren.« (653) Eindringlich beschrieb der Dichter Wirkung und gestalterische Folgen der Lektüre von *Die Welt als Wille und Vorstellung*,[54] besonders des Kapitels »Über den Tod und sein Verhältnis zur Unzerstörbarkeit unseres Wesens an sich« aus dem 2. Band (1844), den sog. »Ergänzungen« zum Hauptwerk. Hier schien Erlösung angesagt, der Tod ein Glück, »Rückkunft von einem unsäglich peinlichen Irrgang, [. . .] die Befreiung von den widrigsten Banden und Schranken« (656). Als Thomas Buddenbrook das Problem von »Ende und Auflösung« jedoch hinterfragte, wandelt sich sein Sinn, und reflektierend gewinnt er den Willen zum Leben zurück, dem er abhold war, weil er »es nicht ertragen konnte« (658). Die neue Vision verknüpft das »Glück« des Todes mit der Liebe zum Leben und bietet in der Inkarnation eines »Knaben« – nicht des Sohnes Hanno – der »irgendwo in der Welt« aufwächst, »gut ausgerüstet und wohlgelungen, begabt, seine Fähigkeiten zu entwikkeln, gerade gewachsen und ungetrübt, rein, grausam und munter« (658), unerwartet Hoffnung. In die Formulierung dieser Passage ging bereits Thomas Manns frühes Nietzsche-Erlebnis ein. Anklänge an die *Fröhliche Wissenschaft* und an *Zarathustra* oszillieren mit Schopenhauers Gedankengut. Die Forschung hat diesen Zusammenhang bemerkt.[55] Werner Frizen sprach von der »Unbefangenheit«, mit der Thomas Mann »kontradiktorische Philosopheme« zusammen-

54 Thomas Mann, *Betrachtungen eines Unpolitischen* (XII, 72 f.); Thomas Mann, *Schopenhauer* (IX, 560 f.).

55 Vgl. Fred Müller, *Thomas Mann. Buddenbrooks*, München 1979 (Interpretationen für Schule und Studium), S. 53–59, und Vogt (Anm. 35), S. 59 f.

band.[56] Der Dichter scheint in der Eigenkommentierung noch »unbefangener« zu sein, wenn er im Januar 1951 an Walter Rilla schreibt: »Das Buch hat ›es‹, weiß Gott, überallher, aber gerade von Schopenhauer hat es im Grunde garnichts. Die Idee des ›Verfalls‹ kommt von Nietzsche (›Verfall eines Gottes‹!), den ich früher las« als Schopenhauer.[57]
In der Kritik an den Folgen der Umbrüche eines Zeitalters und mit dem Versuch, in unterschiedlichen Entwürfen die Stellung des Menschen in der Welt neu zu sehen, gehören beide Philosophen zusammen, so entgegengesetzt auch ihre Antworten ausfielen. Daß der Künstler im Sinne Nietzsches auch der »Erkennende« war, reizte zum Einsatz des analytischen Instrumentariums bei der Beschreibung der sozialen Erfahrung des Menschen und der Veränderungen seiner psychischen Disponibilität. Es gab zu viele *Hoffnungslose Geschlechter* (1880), so der Titel eines Romans von Hermann Bang, der 1900 in deutscher Fassung vorlag, deren Schicksal durch Kennworte der Décadence – Degeneration und Willensschwäche – ausgesprochen werden konnte. Aufstieg und Untergang der Buddenbrooks ist nur die deutschbürgerliche Entsprechung einer europäischen Erfahrung, die anderswo den Namen eines »Fin de siècle« angenommen hatte, »Endzeit« war, von der Thomas Manns *Buddenbrooks*, der »Verfall einer Familie«, kündeten.

56 Werner Frizen, *Zaubertrank der Metaphysik. Quellenkritische Überlegungen im Umkreis der Schopenhauer-Rezeption Thomas Manns*, Frankfurt a. M. [u. a.] 1980 (Europäische Hochschulschriften), S. 94.

57 An Walter Rilla, 31. Januar 1951, in: DüD, S. 123. Vgl. auch: Thomas Mann, »On Myself« (XIII, 142 f.).

## Literaturhinweise

Buddenbrooks. Verfall einer Familie. Roman. Zwei Bände. Berlin: S. Fischer, 1901.
Gesammelte Werke in 13 Bänden. Bd. 1. Frankfurt a. M.: S. Fischer, 1974.

Thomas Mann: Selbstkommentare: Buddenbrooks. Hrsg. von Hans Wysling unter Mitw. von Marianne Eich-Fischer. Frankfurt a. M.: Fischer Taschenbuch Verlag, 1990.
Briefwechsel Thomas Mann – Kurt Martens I. 1899–1907. Hrsg. von Hans Wysling unter Mitw. von Thomas Sprecher. In: Thomas Mann Jahrbuch 3 (1990) S. 175–247.

Aus den Familienpapieren der Manns. Dokumente zu den Buddenbrooks. Hrsg. von Ulrich Dietzel. Berlin/Weimar 1965.
Buddenbrooks-Handbuch. Hrsg. von Ken Moulden und Gero von Wilpert. Stuttgart 1988.
Carstensen, Richard: Kommentar zu Thomas Manns *Buddenbrooks*. Lübeck 1986.
Frizen, Werner: »Venus Anadyomene«. In: Thomas Mann und seine Quellen. Festschrift für Hans Wysling. Hrsg. von Eckhard Heftrich und Helmut Koopmann. Frankfurt a. M. 1991. S. 189 bis 223.
Hansen, Volkmar: Hanno Buddenbrook soll ein Gedicht aufsagen. In: Internationales Thomas-Mann-Kolloquium 1986 in Lübeck. Bern 1987.
Heftrich, Eckhard: Vom Fatum der Dekadenz und von der Freiheit der Kunst: *Buddenbrooks*. In: E. H.: Vom Verfall zur Apokalypse. Über Thomas Mann. Bd. 2. Frankfurt a. M. 1982. S. 43–102 d.
Hofmann, Fritz: *Buddenbrooks. Verfall einer Familie*. In: Das erzählerische Werk Thomas Manns. Entstehungsgeschichte. Quellen. Wirkung. Berlin/Weimar 1976. S. 9–59.
Jens, Walter: Die Buddenbrooks und ihre Pastoren. München 1990.
Kommer, Björn R.: Das Buddenbrookhaus. Wirklichkeit und Dichtung. Lübeck 1983.
Koopmann, Helmut: Warnung vor Wirklichem: Zum Realismus bei Thomas Mann. In: Wegbereiter der Moderne. Festschrift für Klaus Jonas. Hrsg. von Helmut Koopmann und Clark Muenzer. Tübingen 1990. S. 68–87.
Lehnert, Herbert: Thomas Manns *Buddenbrooks* (1901). In: Deut-

sche Romane des 20. Jahrhunderts. Neue Interpretationen. Hrsg. von Paul Michael Lützeler. Königstein i.Ts. 1983. S. 31–49.

Lenz, Siegfried: *Buddenbrooks*. In: Thomas Mann Jahrbuch 4 (1991) S. 21–28.

Lindtke, Gustav: Die Stadt der Buddenbrooks. Lübecker Bürgerkultur im 19. Jahrhundert. Lübeck 1965.

Mann, Viktor: Wir waren fünf. Bildnis der Familie Mann. Konstanz 1964.

Mendelssohn, Peter de: S. Fischer und sein Verlag. Frankfurt a. M. 1970.

Müller, Fred: *Buddenbrooks*. Interpretation. München 1979.

Rothenberg, Klaus-Jürgen: Das Problem des Realismus bei Thomas Mann. Zur Behandlung von Wirklichkeit in den *Buddenbrooks*. Köln/Wien 1969.

Scherrer, Paul: Aus Thomas Manns Vorarbeiten zu den *Buddenbrooks*. Zur Chronologie des Romans. In: Paul Scherrer/Hans Wysling: Quellenkritische Studien zum Werk Thomas Manns. Bern/München 1967. S. 7–22.

Vogt, Jochen: Thomas Mann: *Buddenbrooks*. Text und Geschichte. München 1983.

Wysling, Hans: *Buddenbrooks*. In: Thomas-Mann-Handbuch. Hrsg. von Helmut Koopmann. Stuttgart 1990. S. 363–384.

– Thomas Manns unveröffentlichte Notizbücher. In: Thomas Mann Jahrbuch 4 (1991) S. 119–135.

## Wie man wird, was man ist
## Zur *Tristan*-Novelle Thomas Manns

Von Jehuda Galor

> *Leben* heißt – dunkler Gewalten
> Spuk bekämpfen in sich.
> *Dichten* – Gerichtstag halten
> Über sein eigenes Ich.
>
> *Ibsen*

Der Name *Tristan*, von dem verschollenen Ur-Tristan an und der ebenso verlorenen Fassung des Chrétien de Troyes (die vielleicht identisch ist mit der im 12. Jahrhundert entstandenen *Estoire*) über die diversen Bearbeitungen, Fragmente und Übersetzungen – alles zusammen ein Sammelsurium keltischer, anglonormannischer, französisch- und deutschmittelalterlicher, ja orientalischer Quellen und Zusätze – bis zum ersten, wenn auch unvollendet gebliebenen Tristanepos Gottfrieds von Straßburg (ca. 1210), sowie die weiteren Fragmente, Fortsetzungen und Neuschöpfungen, sowohl höfisch als auch volkstümlich, in deutscher, französischer, englischer und gelegentlich auch italienischer Sprache – Heinrich von Freiberg greift in seiner Fortsetzung sogar auf das Motiv des schwarzen und weißen Segels aus der altgriechischen Theseus-Sage zurück, von dem bei Richard Wagner nur noch ein zweimaliges, immerhin triolenbegleitetes »Die Flagge? Die Flagge?« übriggeblieben ist[1] – kurz: der Name Tristan allein ist es, der diesen vorwagnerischen Dichtungen den Titel verliehen hat; von Isolde kaum eine Spur. Ja, selbst Thomas Mann, zu dessen Ehren dieser erste Satz wohl etwas lang ausgefallen ist – auch er begnügte sich in seiner Novelle mit diesem Titel.[2]

1 Richard Wagner, *Tristan und Isolde*, hrsg. von Wilhelm Zentner, Nachw. von Ulrich Karthaus, Stuttgart 1984 [u.ö.] (Reclams Universal-Bibliothek, 5638), S. 66.

2 *Tristan* ist in der ersten Jahreshälfte 1901 entstanden, paßte jedoch nicht in

Das, was wir hier darlegen wollen, ist der Entwicklungsprozeß Thomas Manns von »machtgeschützter Innerlichkeit« und Todessympathie eines schöngeistigen Wagnerianers zu einem durch vernünftige Einsicht hervorgerufenen politischen Engagement und humanistisch orientierten Lebensdienst – ein Prozeß, der mit der Abfassung der Novelle *Tristan* 1901 einsetzte und erst 1947 im großen Nietzsche-Essay (IX, 696) seinen literarisch-dialektischen Abschluß fand, ohne daß – und hier geben wir ihm selbst das Wort,

> ohne daß ich irgendeines Bruches in meiner Existenz gewahr geworden wäre, ohne das leiseste Gefühl, daß ich irgend etwas abzuschwören gehabt hätte. Gerade der Antihumanismus der Zeit machte mir klar, daß ich nie etwas getan hatte – oder doch hatte tun wollen –, als die Humanität zu verteidigen. Ich werde nie etwas anderes tun. (XI, 314)

Das Hauptgewicht unserer Untersuchung gilt dem ›punctum saliens‹ der Novelle, nämlich der im Rahmen des von Mann selbst gewählten Gerichtstag-Mottos eigenen Selbstzüchtigung in der Gestalt Detlev Spinells, der erst gegen Ende der Erzählung sich nicht nur als schönselig-skurriler Ästhet, sondern von seiner Reaktion auf den Anblick des Klavierauszugs

den Rahmen der *Neuen deutschen Rundschau*, so daß sie erst im Frühjahr 1903, als Titelgeschichte der zweiten Novellensammlung, bei S. Fischer erscheinen konnte. Der Band schließt mit *Tonio Kröger* als Gegenstück, in dem die Künstlerproblematik aus einer anderen Perspektive wieder aufgenommen und *Tristan und Isolde* als »das wunderartigste Gebilde des typischsten und darum mächtigsten Künstlers«, als »ein so morbides und tief zweideutiges Werk« (VIII, 299) genannt wird. Auf dem Umschlag der Erstausgabe von Alfred Kubin ist eine mächtige schwarze Gestalt in grotesker Fülle zu sehen, die ihren Fuß auf eine am Boden liegende Bajazzogestalt setzt, also eine inhaltliche Beziehung zu dem Band hat. Die *Tristan*-Novelle trägt dort die Widmung: »Carl Ehrenberg dem Musiker für manche klingende Stunde«. Das 1920 faksimilierte Manuskript der Novelle zeigt die charakteristische Schwärzungsmanier der Jugendjahre: Der Autor versuchte alle korrigierten Wörter durch enge Schraffierung völlig unkenntlich zu machen.

der Tristanpartitur bis zu seinem mit gefalteten Händen und zuckenden Schultern In-die-Knie-Sinken (243–248)[3] als Wagnerianer pur sang ausweist. In dieser Gestalt sitzt Thomas Mann über seine eigene Wehrlosigkeit Wagner gegenüber zu Gericht.

Wagner, Schopenhauer und Nietzsche – alle drei romantische Künstlernaturen – waren die Bildner seiner Jugend und für seine künstlerische Entwicklung von entscheidender Bedeutung, besonders in stilistischer und formgestaltender Hinsicht. Musiker waren sie übrigens alle vier, wenn auch nicht gerade Apologeten klassischer Werte und deren Vollendung. Aber nur einer von ihnen, Thomas Mann, hatte schon in jungen Jahren eine mit zunehmendem Alter immer stärker und gefestigter werdende Enklave innerhalb seines eigenen romantischen Seelenhaushalts, einen unerschütterlichen Richtstuhl der Vernunft, auf dem er selbst über sich zu Gericht saß und von dem aus seine gar nicht peinlich genug nachzuempfindende Überwindung des Ästhetizismus vollzogen wurde. Bei diesem Prozeß war Mann 26 Jahre alt, ein Jahr nach der Jahrhundertwende, als er mit der Abfassung der *Tristan*-Novelle begann. Er wird den Schwerpunkt unserer Untersuchung und deren Resultate bilden – deren daraus zu ziehende Konsequenzen wir dem Leser überlassen wollen.

*

Die Geburtsstunde des Musik-Dramas, des Wagnerschen Gesamtkunstwerks, schildert der Komponist selbst in seinem Aufsatz *Autobiographische Skizze* (1843). Er beschreibt dort den »allgewaltigen Eindruck«, den Beethovens Musik zu Goethes *Egmont* auf sein 16jähriges Gemüt gemacht

3 Die Seitenzahlen in Klammern beziehen sich auf die *Tristan*-Novelle in Bd. 8 von Thomas Manns *Gesammelten Werken in 13 Bänden*, Frankfurt a. M. 1974; andere Texte Thomas Manns werden mit Band- und Seitenzahl ebenfalls im Text zitiert. – Da dem Verfasser daran gelegen ist, etwas Neues vorzubringen, sei ausdrücklich auf die Arbeit Ulrich Dittmanns (*Erläuterungen und Dokumente: Thomas Mann, »Tristan«*, Stuttgart 1971 [u. ö.]; Universal-Bibliothek, 8115) sowie auf Hermann Kurzkes Nachwort in: Thomas Mann, *Tristan*, Stuttgart 1988 (Universal-Bibliothek, 6431), hingewiesen.

hatte, so daß er beschloß, seinem nur als Theaterstück gedachten großen Trauerspiel, das aus *Hamlet* und *König Lear* zusammengebraut war und in dessen Verlauf er zweiundvierzig Menschen das Lebenslicht kurzerhand ausblies, von denen er dann die meisten als Geister wieder auftreten lassen mußte, da ihm sonst in den letzten Akten das Personal ausgegangen wäre – bei dieser »großartig geplanten« Tragödie also beschloß der junge Opernkomponist, es Beethoven gleichzutun – ohne noch die geringste Ahnung in der Kompositionswissenschaft. Er traute sich das ohne alle Bedenken zu, hielt es aber doch für gut, zuvor, und zwar »im Fluge«, will sagen, innerhalb von acht Tagen, sich über einige Hauptregeln des Generalbasses aufzuklären.[4] (Bach und Haydn setzten Jahre an dieses Studium. Man orientiere sich an den Verbesserungen Bachs an der Generalbaß-Aussetzung durch seinen Schüler Heinrich Nikolaus Gerber in der Violinsonate aus a-moll von Albinoni.[5])
Zwei entscheidende Faktoren des Wagnerschen Wesens und somit auch seiner Kunst kommen in diesem kurzen Aufsatz unmißverständlich zum Vorschein: sein Theaterblut, sein von Nietzsche (als erstem) durchschautes Histrionentum, mit wenig Kenntnissen und Können gewaltige Wirkungen hervorzubringen, sowie seine unter Musikern nicht alltägliche Intelligenz und Schnelligkeit der Einsicht, daß diese Wirkungen durch die Musik eine ungeheure Steigerung erfahren können, die dann, genau dreißig Jahre später, nachdem er viele Stadien und Stilarten der Opernkomposition durchlaufen hatte, in seinem revolutionär-persönlichsten Werk realisiert werden sollten.
Hier wollen wir schon, leitmotivisch angedeutet, einen Punkt zur Sprache bringen, der von Thomas Mann keiner Stellungnahme gewürdigt wurde, obwohl er es wie kaum ein anderer wert gewesen wäre. Ich meine die berühmte »schwebende« Tonalität in Wagners *Tristan und Isolde*.

4 Richard Wagner, *Gesammelte Schriften und Dichtungen in 16 Bänden*, Bd. 1, Leipzig [1911], S. 6.
5 Vgl. Philipp Spitta, *Johann Sebastian Bach*, 2 Bde., Leipzig 1921, Bd. 2, Anh.

Meiner Ansicht nach ist gar zu viel Aufhebens davon gemacht worden. Alfred Lorenz und Kurt Overhoff haben nachgewiesen, wenn auch mit einer gewissen überflüssigen Aggressivität gegen Andersdenkende, daß die *Tristan*-Harmonik zwar vieldeutig, aber in jedem Fall absolut tonal ist. Daß die Abfolge der Harmonien zwar komplizierter, der Funktionswechsel der Akkorde gedrängter, häufiger, im Verhältnis zu den früheren Opern unvergleichlich dichter ist, Sept- und Nonenakkorde häufiger sind, der übermäßige Dreiklang als dem verminderten ebenbürtig gleichgestellt wird, die Kadenzen meistens in den gleichen Trugschluß münden – all das widerspricht nicht der Tatsache, daß die Tonika, selbst wenn sie nicht explicite erklingt, dennoch immer nachweisbar ist.[6] Die Erbringung dieser Nachweise ist nicht immer leicht und erfordert sattelfeste Kenntnisse in der Harmonielehre. Daß Thomas Mann sich dazu nicht geäußert hat, lag wohl an seiner Inkompetenz auf diesem Gebiet.

Kommen wir nun, nach dieser kurzen Abschweifung in die Kompositionswissenschaft, zurück zu Wagner und seiner Absicht, »dem Liebesglück, das ihm im Leben vorenthalten wurde, in seiner Oper ein Denkmal zu setzen.«[7] Die Vorstellungen, die der Komponist mit dem Wort »Liebe« verband,

6 Vgl. Alfred Lorenz, *Das Geheimnis der Form bei Richard Wagner*, Bd. 2: *Der musikalische Aufbau von Richard Wagners »Tristan und Isolde«*, Berlin 1926, Nachdr. Tutzing 1966, S. 23, Anm. 1, sowie Kurt Overhoff, *Die Musikdramen Richard Wagners*, Salzburg/München 1967, S. 276 ff.

7 Brief an Franz Liszt vom Dezember 1854. – Über die musikalische Ausbildung Wagners ist unentbehrlich: O. Daube, *»Ich schreibe keine Symphonie mehr«. Richard Wagners Lehrjahre nach den erhaltenen Dokumenten*, Köln 1960; zusätzlich John Deathridge, »Wagner und sein erster Lehrmeister. Christian Gottlieb Müller 1800–1863«, in: *Programmheft der Bayerischen Staatsoper zu »Die Meistersinger von Nürnberg«*, München 1979, S. 71 (enthält eine Liste von Wagners Kompositionen während dieses unbegreiflichen Anfangsunterrichts; von der Ouvertüre über Sonate, Arie und Streichquartett bis zur Sinfonie ist alles verschollen, nur der Klavierauszug von Beethovens 9. Sinfonie ist erhalten). Man vergleiche damit den Werdegang J. S. Bachs, und man wird die bei Deathridge angeführte Bemerkung Wagners E. Dannreuther gegenüber nur allzu berechtigt finden: »Ich bin kein ausgebildeter Musiker« (vgl. dazu: Cosima Wagner, *Die Tagebücher*, München 1982, Bd. 2, S. 971).

waren nicht identisch mit denen, die für den Schriftsteller gelten, obwohl dieser für Wagners Erotik sehr viel Verständnis aufbrachte.

Die Vieldeutigkeit des Wortes »Liebe« hat im Deutschen schon immer viel Verwirrung gestiftet, doch nie in solchem Maß wie bei dem Gebrauch, den Wagner davon gemacht hat. Von den vielen universalen Bedeutungen, die das Wort im Deutschen hat, ist wohl die umfassendste jene, die Plato in seinem Symposion dem allerhaltenden *Eros* gibt. Auch die Welt-Sehnsucht Felix Krulls, seine *Pan-Erotik* (XI, 705) und die ihm von Professor Kuckuck anempfohlene *Allsympathie* (VII, 548) sowie die psychoanalytische Vorstellung des Begriffs *Sexualität*[8] gehören hierher. Dann der altgriechisch-biblische Begriff der Nächstenliebe, *Agape*[9], dann Zuneigung, Sympathie, Caritas, Wohlwollen, aber auch die von Wagner bei jeder Gelegenheit heraufbeschworene ›Frau Minne‹. Die treffendste Bezeichnung für die Liebesbeteuerungen, die Wagner seinen Tristan singen läßt, drückt das griechische Wort »himeros« aus, das die *Sehnsucht* der Liebe meint, hervorragend bei Schopenhauer dargestellt.[10] Es ist die Prosa zum *Tristan*. Im übrigen wird der Begriff »Sehnsucht« weder bei Schopenhauer noch bei Wagner genau definiert. Er kann auf jede der oben erwähnten Bedeutungen des Wortes »Liebe« mehr oder weniger zutreffen.

Sehnsucht wonach also? »Wer wagt das Wort«, fragt Thomas Mann, Nietzsche zitierend,[11] im großen *Wagner*-Essay, »das *eigentliche* Wort für die ardeurs der Tristan-Musik?«, und gibt auf diese, in seinen wie auch unseren Augen etwas

8 Vgl. Sigmund Freud, »Die Widerstände gegen die Psychoanalyse«, in: S. F., *Almanach*, Wien 1926, S. 16.

9 Vgl. Arthur Schopenhauer, *Sämtliche Werke*, 7 Bde., hrsg. von Arthur Hübscher, Wiesbaden ³1972, Bd. 2, S. 444, und besonders »Zur Metaphysik der Geschlechtsliebe«, in: A. Sch., *Der handschriftliche Nachlaß*, 5 Bde., hrsg. und komm. von A. Hübscher, München 1985 (dtv 5963), Bd. 4/1, S. 54 und 88.

10 Vgl. Schopenhauer, *Sämtliche Werke* (Anm. 9), Bd. 3, S. 631 f.

11 Friedrich Nietzsche, *Sämtliche Werke. Kritische Studienausgabe in 15 Bänden*, hrsg. von Giorgio Colli und Mazzino Montinari, Bd. 13: *Nachgelassene Fragmente 1887–1889*, München / Berlin / New York 1980, S. 601.

tantenhafte Frage folgende Antwort: »Was ist da zu wagen? Sinnlichkeit, ungeheure, spiritualisierte, ins Mystische getriebene und mit äußerstem Naturalismus gemalte, durch keine Erfüllung zu stillende Sinnlichkeit, das ist das ›Wort‹ –« (IX, 405).
Wagner hat, wie sich's damals für einen Dichter gehörte, statt dessen das Wort »sich sehnen« gebraucht, das er im dritten Aufzug in einer Tonsprache von so überwältigender Intensität auf die Bühne brachte, wie sie ihm keiner je vorgemacht und die ein wohl nicht mehr zu überbietendes Non plus ultra dessen ist, was sein Tristan in die Worte kleidet: »zu welchem Los erkoren / ich damals wohl geboren? / Zu welchem Los? / Die alte Weise / sagt mir's wieder: / Mich sehnen – und sterben! / Nein! Ach nein! / So heißt sie nicht! / Sehnen! Sehnen! / Im Sterben mich zu sehnen, / vor Sehnsucht nicht zu sterben!«[12]
Ihm, dem Trieb-Getriebenen, kann nicht wohl gewesen sein bei der Unstillbarkeit seiner Sehnsüchte, und wer weiß, was aus ihm geworden wäre, wenn er in seiner Qual hätte verstummen müssen, ohne das Gottesgeschenk seines Bombentalents, durch irgendeinen Tenor und mit raffiniertesten Orchestermitteln von der Bühne herab verkünden zu können, was er leide ...

*

> Die drei Namen, die ich zu nennen habe, wenn ich mich nach den Fundamenten meiner geistig-künstlerischen Bildung frage, diese Namen für ein Dreigestirn ewig verbundener Geister, das mächtig leuchtend am deutschen Himmel hervortritt, – sie bezeichnen nicht intim deutsche, sondern europäische Ereignisse: Schopenhauer, Nietzsche und Wagner. (XII, 71 f.)

Dieses Bekenntnis Thomas Manns, während des ersten Weltkriegs niedergeschrieben, bedarf zunächst einer kleinen

12 Wagner, *Tristan und Isolde* (Anm. 1), S. 62.

Korrektur: In seinem Bildungsgang war die Reihenfolge der Namen umgekehrt: *Wagner*[13], Nietzsche, Schopenhauer. Die Erkenntnis dessen, was diese drei Vorbilder, so verschieden sie voneinander waren, miteinander verbindet, ist nur durch die Kenntnis von Voraussetzungen möglich, deren Erörterung ein Buch füllen könnten. Das Endergebnis wäre das gleiche, wie das, was Wagners *Tristan* aussagt: eine Hypertrophie des Sexualtriebs, wie er in früheren, rationaleren Zeitaltern kaum anzutreffen ist. Ohne das Gnadengeschenk ihrer jeweiligen Begabungen wären der Sublimationsprozeß und die durch diesen ermöglichten Kulturleistungen unmöglich gewesen.
Da Thomas Manns Rezeption des »kapitalen Werks« Wagners ohne Schopenhauer und Nietzsche undenkbar ist, so wollen wir zunächst ein Jugendgedicht Schopenhauers hersetzen, das Nietzsche nicht gekannt haben konnte, und meines Wissens Thomas Mann auch nicht.

O Wollust, o Hölle, o Sinne, o Liebe.
Nicht zu befried'gen und nicht zu besiegen!
Aus Höhen des Himmels hast du mich gezogen
Und hin mich geworfen in Staub dieser Erde:
Da lieg ich in Fesseln.
Wie wollt ich mich schwingen zum Throne des Ew'gen.
Mich spiegeln im Abdruck des höchsten Gedankens;
Mich wiegen in Düften, die Räume durchfliegen.
Voll Andacht, voll Wunder, ausbrechend in Jubel,
In Demut versinkend, den Einklang nur hörend;
Wie wollt ich vergessen des niedrigen Staubes,
Nicht schelten die Thoren, nicht neiden die Großen,

13 Wir haben den Namen hier kursiv gedruckt, nicht nur weil die Rezeption der Kunst Richard Wagners sich durch Thomas Manns ganzes Leben zieht, sondern weil sein künstlerischer Einfluß auf dessen Werk größer war als der aller anderen zusammen. Thomas Mann selbst nannte Wagner einmal »riesengroß, vielleicht der stärkste Künstler aller Zeiten« (*Dichter über ihre Dichtungen. Thomas Mann*, hrsg. von Hans Wysling unter Mitw. von Marianne Fischer, Bd. 1, Zürich / Frankfurt a. M. 1975, S. 393).

Nicht spotten der Schwachen, die Bösen nicht sehen,
Den Meister im Werke, in Körpern die Geister
Nur sehen und lieben –
Doch du, Band der Schwäche, du ziehest mich nieder,
Daß fest mich umklammert das Heer deiner Fäden.
Und jegliches Streben nach Oben mißlingt mir.

---

Was wäre wünschenswerther wohl
Als ganz zu siegen
Über das leere und so arme Leben,
Was keinen Wunsch uns je erfüllen kann,
Ob Sehnsucht gleich uns auch das Herz zersprengt.
Wie wär es schön, mit leichtem leisen Schritte
Das wüste Erdenleben zu durchwandeln,
Daß nirgends je der Fuß im Staube hafte,
Das Auge nicht vom Himmel ab sich wende.[14]

Die Verzweiflung, die aus diesen großartigen Zeilen des achtzehnjährigen Schopenhauer zu sprechen scheint, brauchen wir nicht allzu ernst zu nehmen. Wir Heutigen wissen, daß der Geist in ihm den Sieg davontrug, und zwar seinem »Willen« entsprechend – ganz. Diese Willensphilosophie hatte Thomas Mann zur Zeit der Arbeit an seinem *Tristan* schon in solchem Maße ›geschlürft‹, daß er deren tiefstes Wesen als Erotik und in ihrer Metaphysik die geistige Quelle der Tristan-Musik erkennen zu dürfen glaubte (vgl. XII, 72 und XI, 110 f.). Daß Schopenhauers Metaphysik in dessen Hauptwerk Wort werden konnte, wäre wohl kaum möglich gewesen, wenn er nicht schon vorher längst Herr im Hause gewesen wäre und die Erotik wie am Schnürchen pariert hätte – was auch tatsächlich der Fall war,[15] und Mann hat hier wohl etwas zu viel von seiner eigenen »spät und heftig durchbrechenden Sexualität« (XI, 111) aus Schopenhauers Text herausgelesen.

14 Schopenhauer, *Nachlaß* (Anm. 9), Bd. 1, S. 1.
15 Vgl. Arthur Schopenhauer, *Memorabilien, Briefe und Nachlaßstücke*, Berlin 1862, S. 270.

Über den Dritten im Bunde, Friedrich Nietzsche, hat Thomas Mann an unzähligen Stellen im Werk, im Briefbestand, dem großen Essay etc. seine Ansicht niedergelegt. »Mit einem Worte: ich sah in Nietzsche vor allem den Selbstüberwinder; ich nahm nichts wörtlich bei ihm, ich *glaubte* ihm fast nichts, und gerade dies gab meiner Liebe zu ihm das Doppelschichtig-Passionierte, gab ihr die Tiefe.« Dieser Unglaube, oder sagen wir lieber, die Freiheit, zu der Mann selbst sich überwand, um dem Impact der überwältigenden Beredsamkeit dieses großen Stilisten nicht zu erliegen – sie war es, die es ihm ermöglichte, heute *so* über ihn zu denken (genau wie über Wagner) und morgen *so* (vgl. XI, 109 ff., und XII, 82 ff.). Er ist derjenige Meister des Deutschen, dessen Einfluß auf den Stil Thomas Manns ebenso bestimmend war wie der Wagners auf seine Kompositionstechnik.
Wir möchten das Bild von der Zusammengehörigkeit der »drei Namen« dadurch abrunden, daß wir Nietzsche selbst das Wort erteilen:

> Alles erwogen, hätte ich meine Jugend nicht ausgehalten ohne Wagnersche Musik. Denn ich war *verurteilt* zu Deutschen. Wenn man von einem unerträglichen Druck loskommen will, so hat man Haschisch nötig. Wohlan, ich hatte Wagner nötig. Wagner ist das Gegengift gegen alles Deutsche *par excellence* – Gift, ich bestreite es nicht . . . Von dem Augenblick an, wo es einen Klavierauszug des Tristan gab – mein Kompliment, Herr von Bülow! –, war ich Wagnerianer. Die älteren Werke Wagners sah ich unter mir – noch zu gemein, zu »deutsch« . . . Aber ich suche heute noch nach einem Werke von gleich gefährlicher Faszination, von einer gleich schauerlichen und süßen Unendlichkeit, wie der Tristan ist – ich suche in allen Künsten vergebens. Alle Fremdheiten Leonardo da Vincis entzaubern sich beim ersten Tone des Tristan. Dies Werk ist durchaus das *non plus ultra* Wagners; er erholte sich von ihm mit den Meistersingern und dem Ring. Gesünder werden – das ist ein *Rückschritt* bei einer Natur wie

Wagner ... Ich nehme es als Glück ersten Rangs, zur rechten Zeit gelebt und gerade unter Deutschen gelebt zu haben, um *reif* für dieses Werk zu sein: so weit geht bei mir die Neugierde des Psychologen. Die Welt ist arm für den, der niemals krank genug für diese »Wollust der Hölle« gewesen ist: es ist erlaubt, es ist fast geboten, hier eine Mystiker-Formel anzuwenden. – Ich denke, ich kenne besser als irgend jemand das Ungeheure, das Wagner vermag, die fünfzig Welten fremder Entzückungen, zu denen niemand außer ihm Flügel hatte; und so wie ich bin, stark genug, um mir auch das Fragwürdigste und Gefährlichste noch zum Vorteil zu wenden und damit stärker zu werden, nenne ich Wagner den großen Wohltäter meines Lebens. Das, worin wir verwandt sind, daß wir tiefer gelitten haben, auch aneinander, als Menschen dieses Jahrhunderts zu leiden vermöchten, wird unsre Namen ewig wieder zusammenbringen; und so gewiß Wagner unter Deutschen bloß ein Mißverständnis ist, so gewiß bin ich's und werde es immer sein.[16]

*

»In mir lebt der Glaube, daß ich nur von mir zu erzählen brauche, um auch der Zeit, der Allgemeinheit die Zunge zu lösen, und ohne diesen Glauben könnte ich mich der Mühen des Produzierens entschlagen.« (XI, 571) Gesetzt, dieser Satz stimmte – dann wäre Thomas Manns ganzes Lebenswerk nichts anderes als eine literarische Auseinanderfaltung seines Ichs in die zwanzig Bände der Taschenbuchausgabe der Fischer Bücherei, Sparte ›Moderne Klassiker‹.

Für die Forschung wäre es demnach erforderlich, nicht nur die Quellen, sondern vor allem Manns selektive Rezeption dieser Quellen in Verbindung mit der ziemlich vagen Formulierung des »von mir zu erzählen« aufzuhellen. Will man das Verständnis, das der Schriftsteller der Musik entgegenbrach-

16 Friedrich Nietzsche, *Werke in 3 Bänden*, hrsg. von Karl Schlechta, Darmstadt [7]1973, Bd. 2, S. 1091 f.

te, untersuchen, so wird man am besten daran tun zu erforschen, für welche Art oder Epoche der Musik er sich überhaupt interessierte. Sehr aufschlußreich ist zunächst das Programm seines Wunschkonzerts, das der Brief an O. Janke vom 3. Mai 1954[17] enthält, zwei Wochen nach dem Einzug in seine Kilchberger Villa. Es kann, als pars pro toto, für unsere Zwecke genügen. Zusätzlicher Bestätigung halber ließe sich noch das Kapitel »Fülle des Wohllauts« aus dem *Zauberberg* anführen (III, 883–907).

Daraus ergibt sich bereits, daß das Musikverständnis Thomas Manns sich von Beethoven bis zu Richard Strauß erstreckt, mit anderen Worten: Über die romantische Epoche, die Musik des 19. Jahrhunderts. Seine Äußerungen über Bach, Haydn und Mozart sind belanglos und in unserem Kontext ohne Bedeutung.

Das sehr reiche Äußerungs- und Diskussionsmaterial im *Doktor Faustus* sowie Musikurteile Manns, die die Grenzen der romantischen Epoche überschreiten, können kaum als Ausdruck eigenen Erlebens angesehen werden, sondern sind angelesen, erfragt (Adorno) und gutgeheißen worden. Ich führe zwei Stellen an, deren Dilettantismus beim besten Willen schwer zu ertragen ist. Ende 1945 schreibt Mann in einem Brief an Adorno:

> Wollen Sie mit mir darüber nachdenken, wie das Werk – ich meine Leverkühns Werk – ungefähr ins Werk zu setzen wäre; wie Sie es machen würden, wenn Sie im Pakt mit dem Teufel wären; mir ein oder das andere musikalische Merkmal zur Förderung der Illusion an die Hand

17 Thomas Mann, *Briefe*, 3 Bde., hrsg. von Erika Mann, Frankfurt a. M. 1961–65 [im folgenden zit. als: *Briefe*], Bd. 3, S. 335. Vgl. auch den Bericht über die Radioübertragung des Wunschkonzerts, zusammen mit dem eingeblendeten Interview mit Thomas Mann über seinen musikalischen Geschmack, sein »Liebesverhältnis zur Musik«, in: Th. M., *Ton- und Filmaufnahmen*, zsgest. und bearb. von Ernst Loewy, hrsg. vom Deutschen Rundfunkarchiv, Frankfurt a. M. 1974 (*Gesammelte Werke*, Supplementband), S. 111.

> geben? – Mir schwebt etwas Satanisch-Religiöses, Dämonisch-Frommes, zugleich Streng-Gebundenes und verbrecherisch Wirkendes, oft die Kunst Verhöhnendes vor, auch etwas aufs Primitiv-Elementare Zurückgreifendes (die Kretzschmar-Beissl-Erinnerung), die Takt-Einteilung, ja die Tonordnung Aufgebendes (Posaunenglissandi); ferner etwas praktisch kaum Exekutierbares: alte Kirchentonarten, A-capella-Chöre, die in untemperierter Stimmung gesungen werden müssen, so daß kaum ein Ton oder Intervall auf dem Klavier überhaupt vorkommt etc.[18]

Wußte Thomas Mann nicht, daß Chöre *nur* untemperiert singen können? hat er es nie *gehört*? – und in den *Betrachtungen eines Unpolitischen* findet sich die Wendung: »fuga und punctum contra punctum« (XII, 319). Man braucht nur einen Blick in das Standardwerk, die *Analyse des Wohltemperierten Klaviers* von L. Czaczkes zu werfen, um sich zu überzeugen, daß Thomas Mann nicht die blasseste Ahnung hatte, weder von der Fuge, noch vom Kontrapunkt. Mit anderen Worten: Er verwechselte in der Musik Geist, Innerlichkeit und romantische Gefühle mit Kunst.

Eine einzige Formel gibt uns den Schlüssel zum Verständnis seines Musikerlebens an die Hand: seine Gleichsetzung von Musikalität und Innerlichkeit der deutschen Seele (XI, 1132). Diese völlig unzulässige Gleichsetzung liefert einen ganz besonders charakteristischen Beleg der Subjektivität seines musikalischen Denkens. Ganz abgesehen von der Tatsache, daß für ihn introvertierte, emotionelle, traum- und todverbundene, kurz: romantische Musik überhaupt gleichbedeutend war mit hoher deutscher Musikkultur – eine Auffassung, gegen die, unter der Voraussetzung der Fragwürdigkeit ihrer Subjektivität, eigentlich nichts einzuwenden wäre, wenn sie eben nicht so ein hohes Maß von generösen Zugeständnissen an die Anerkennung der rein musikalischen Urteilskraft Manns

18 *Briefe*, Bd. 2, S. 472.

erforderte. Alle romantischen Adjektiva, die ich oben anführe, wären, um nur ein Beispiel zu nennen, für die sechste Orgelsonate J. S. Bachs, eines der größten Meisterwerke der Musik überhaupt, vollkommen unangebracht und fehl am Platz. Ich möchte hier nur die Überschrift des zweiten Kapitels aus Eduard Hanslicks berühmter Schrift *Vom Musikalisch Schönen*, »Die ›Darstellung von Gefühlen‹ ist nicht der Inhalt der Musik«, und ein Geständnis Manns selbst, an dessen Ehrlichkeit nicht zu zweifeln ist, als maßstabsetzend anführen: »Ich bin da im Grunde von Kopf bis Fuß auf romantischen Kitsch eingestellt, und bei einem recht schönen verminderten Septimakkord gehen mir noch immer die Augen über.«[19] Damit ist über Thomas Manns *rein musikalische* Urteilskraft, jenseits aller Romantik, der Stab gebrochen.

Wagners Partitur des *Tristan* zählt 655 Seiten, Thomas Manns Novelle 46, und nur deren drei handeln von der Oper. Wie das? – Mit 74 Jahren schrieb Thomas Mann: »Der zweite Akt ›Tristan‹, finde ich jetzt, mit seinem metaphysischen Wonneweben, ist mehr etwas für junge Leute, die mit ihrer Sexualität nicht wo ein und aus wissen.«[20] Was schreiben ältere Herren mit 65 über die »heilig leidvollen Wirren« ihrer 20er Jahre, als sie noch »junge Leute« waren? Sie berichten über ihre »späte und heftig durchbrechende Sexualität« (XI, 111). Und was behaupten sie, wenn die Heftigkeit mit 26 unvermindert vorhält? Folgendes: »Ich komme nie aus der Pubertät heraus.«[21] Wie, und mit 27 auch noch nicht? – Nein. Aber dann ist man reif für den *Tristan* Wagners und wird, nachdem man schon seit zwei Jahren »keine Aufführung versäumt« hat[22], nunmehr »der Kunst Wagners gegenüber völlig wehrlos« sein,[23] so daß man mit 30, zu Ver-

19 Ebd., S. 416.
20 *Briefe*, Bd. 3, S. 115.
21 *Briefe*, Bd. 1, S. 27.
22 Thomas Mann, *Briefe an Otto Grautoff 1894–1901 und Ida Boy-Ed 1903–1928*, hrsg. von Peter de Mendelssohn, Frankfurt a. M. 1975, S. 112.
23 *Briefe*, Bd. 1, S. 35.

stand gekommen, eine Prinzessin heiratet, nur um, wieder mit 74, beim Anhören des abgefeimten Zaubers »jedesmal helles Entzücken« zu empfinden, »wie mit 18 Jahren«.[24] Niemals hätte Thomas Mann aus dieser »Hölle der Wollust« (wie Nietzsche besser geschrieben hätte) aus eigener Kraft herausfinden können, ohne die »Höheren Winke« seines Vordermanns von Sils Maria – ja, ohne dessen gar nicht hoch genug anzusetzende geistige Hilfe, Stütze und Rückendeckung hätte die *Tristan*-Novelle niemals geschrieben werden können. Nur so wird es erklärlich, daß in einer Erzählung, die diesen Namen trägt, den Wagnerschen »Tristan-Sophismen«[25] nur zwei Seiten gewidmet wurden. Nur mit Nietzsches Beistand konnte Mann aus dem mit gefalteten Händen knienden Spinell eine Figur machen, in der er sich selbst züchtigen konnte (248), ohne sich etwas zu vergeben. Es galt dabei nicht nur die schmerzhafte Loslösung von Wagner[26] – es galt vor allem den Anschluß zu finden an eine rechtzeitig erkannte literarische Kunstentwicklung, in der das Wort Goethes nicht mehr galt: »Sowie ein Dichter politisch wirken will, muß er sich einer Partei hingeben, und sowie er dieses tut, ist er als Poet verloren.« Wohin ein solcher Gerichtstag führen kann, welche Entwicklung er in einem Künstler hervorzurufen imstande ist, kann man aus seiner 41 Jahre später gewonnenen Einsicht

24 *Briefe*, Bd. 3, S. 115.

25 Vgl. hierzu Cosima Wagner (Anm. 7), Bd. 1, S. 292; Walther A. Berendsohn hat die »Tristan-Sophismen« in der *Neuen Rundschau* vom 6. Juni 1945, S. 178 f., zusammengestellt und numeriert. Einen der beiden spitzfindigsten Sophismen (»der Isolden ihm abgewann«, *Tristan und Isolde*, Anm. 1, S. 23) analysiert Peter Wapnewski in *Der traurige Gott. Richard Wagner in seinen Helden*, München 1978, S. 63 ff. Der andere, das berühmt-berüchtigte »selbst dann bin ich die Welt« (*Tristan und Isolde*, S. 42), wird von Thomas Mann auf eine höchst fragwürdig-subjektive Art erläutert (XII, 109 f.), deren Unsauberkeit sich schon dadurch kennzeichnet, daß Mann, um die Interpretation zu ermöglichen, den *Doppelpunkt* Wagners nach »Welt« in ein Ausrufungszeichen umwandeln mußte, während Wagner den Sinn nach dem Doppelpunkt unmißverständlich erklärt: es ist die Schilderung eines Orgasmus.

26 Vgl. hierzu *Frage und Antwort. Interviews mit Thomas Mann*, hrsg. von Volkmar Hansen und Gert Heine, Hamburg 1983, S. 86.

ersehen: »Wir leben in einem technisierten, hellwachen und energetischen Zeitalter der Massen, und Deutschland gehört zu den diesem Zeitalter angepaßtesten Völkern. Von ihm zu verlangen, es solle darin eine Insel der Lyrik und philosophischen Spekulation bilden und die blaue Blume hüten, ist eine ungerechte und törichte Zumutung«. (XII, 906)

Verträgt sich ein solches non plus ultra an Jugendenthusiasmus für das »Wunderreich der Nacht« mit vollkommen ernst gemeinten Selbstabschaffungsplänen, begleitet von Depressionen wirklich arger Art?[27] Bei Krethi und Plethi vielleicht nicht, und oft genug geht es schlecht aus. Aber bei einem Künstler, einem hochbegabten zudem wie Thomas Mann, kann es geradezu die Voraussetzung zu höchsten Kunstleistungen werden – Begabung vorausgesetzt, wie gesagt. Man sehe sich die Wagnerapostel und -epigonen, die Wagnerianer und andere Schöngeister und Ästheten bis zu denen, die den Meister mit leider nur allzuviel Berechtigung als einen der Ihren proklamieren konnten, einmal daraufhin an, ob *das* nicht die Gefahr der Gefahren gewesen war, von der Mann sprach, als er über sich selbst Gerichtstag hielt.

Daß es ihm mit diesem Gerichtstag voller Ernst gewesen ist, geht nicht nur aus dem Ibsen-Motto des Novellenbandes *Tristan*, sondern noch eindeutiger aus einem Abschnitt aus der Streitschrift *Bilse und ich* hervor, deren Erstfassung in den *Münchner Neuesten Nachrichten* vom 15. und 16. Februar 1906 abgedruckt und die in dieser Form erst 1983 durch Harry Matter einer durch die Zeitumstände begrenzten Leserschaft wieder zugänglich gemacht wurde.[28]

Wir geben hier nur einen Ausschnitt aus dem Ausschnitt wieder, da der von mir noch weiter gekürzte vollständige Text

27 Vgl. *Briefe*, Bd. 1, S. 25–27.

28 Thomas Mann, *Aufsätze, Reden, Essays*, Bd. 1, hrsg. von Harry Matter, Berlin/Weimar 1983, S. 385; vgl. jedoch auch die erste Buchfassung (München 1906, S. 25) sowie die erste Monographie über Mann (Wilhelm Alberts, *Thomas Mann und sein Beruf*, Leipzig 1913, S. 185) und Hans Rudolf Vaget, »Tristan«, in: H. R. V., *Thomas Mann – Kommentar zu sämtlichen Erzählungen*, München 1984, S. 86.

nur die Reaktion des »ästhetisierenden« Schriftstellers Arthur Holitscher auf seine Abkonterfeiung in der Gestalt des »verwesten Säuglings« Detlev Spinell in Manns *Tristan*-Burleske darstellt, dessen Identitäts-Diskussion dadurch nun wohl als endgültig beigelegt angesehen werden kann.[29]

> Man betrachte einen Augenblick folgenden Fall. In einem Buche, welches das Wort von Ibsen: »Dichten, das ist Gerichtstag über sich selbst halten« als Motto trug, habe ich einmal die Gestalt eines modernen Schriftstellers wandeln lassen, eine satirische Figur, vermittelst welcher ich über ein arges Teil meiner selbst, das Ästhetentum, jene erstorbene Künstlichkeit, in der ich die Gefahr der Gefahren sehe, »Gerichtstag« hielt. Ich gab dieser Figur die Maske eines Literaten, den ich kannte, eines Herrn von exquisitem, aber lebensfremdem Talent. Diese Maske war seltsam und charakteristisch. Ich gab meinem Schriftsteller im übrigen Geist und Schwäche, Schönheitsfanatismus und menschliche Verarmtheit, erhob ihn zum Typus, zum wandelnden Symbol und ließ ihn im Zusammentreffen mit der komisch gesunden Brutalität eines hanseatischen Kaufmannes, des Gatten jener Frau, mit welcher der Schriftsteller im Sanatorium einen sublimen Liebeshandel gehabt, elend zuschanden werden. Ich züchtigte mich selbst in dieser Gestalt, man merke dies wohl.

Nirgends hat sich Thomas Mann dazu geäußert, worin er eigentlich die »Gefahr der Gefahren« im Ästhetischen erblikken konnte. Goethes Kompromißlosigkeit in diesem Punkt erwähnten wir schon, er aber konnte es sich leisten, Politik und Kunst auseinanderzuhalten (»Gott hab' ich und die Kleine / Im Lied erhalten reine«[30]). Mann jedoch hatte sich der Musik verschrieben, Bruder Heinrich nicht, die Harmonie

29 Vgl. Dittmann (Anm. 3), S. 46 ff.
30 *Goethes sämtliche Werke. Jubiläumsausgabe*, 40 Bde., hrsg. von Eduard von der Hellen, Stuttgart/Berlin 1902–12, Bd. 4, S. 70.

zwischen beiden brach wie ein Kartenhaus zusammen, als Krieg wurde, den Thomas unpolitisch betrachtet – nur, um dem Bruder in nichts nachzugeben (Anmerkung eines Psychologen) – dann der Zusammenbruch, Thomas am Krankenbett Heinrichs, der in Lebensgefahr schwebt: Blumen, Versöhnung. Und von nun an sitzen sie wieder im gleichen Boot. Allerdings war es Thomas, der sich nach links lehnen mußte, um das Kentern des Kahns zu verhindern. Heinrich saß weiter gerade.[31] Von hier ab steht Thomas Manns künstlerisch-politische Haltung, bis auf gelegentliche kleine Rezidive, unwandelbar fest.

Der Rede kurzer Sinn: Ein großer Schriftsteller wird in alle Zukunft bestehen, auch wenn seine Kenntnisse der Musik auf tönernen Füßen stehen. Die Geschichte wird aber, seit Thomas Mann in ihr auftrat, mit jedem streng ins Gericht gehen, wenn er schweigend überhört, was die Weltglocke für ihn geschlagen hat – was übrigens auch für die kleinen und die kritisch tätigen Schriftsteller gilt, wenn anders sie nicht als »Spinelle« und »verweste Säuglinge« in die Literaturgeschichte einzugehen bereit sind. Nicht so Thomas Mann: »Hätte ich nicht mit meiner Vergangenheit gebrochen und mich für eine aktive politische Haltung in der Politik entschieden, so wüßte ich nicht, wie ich den Ereignissen von 1933 begegnet wäre.«[32]

»Übrigens, was ich an meinem Bruder Thomas bewundere: daß er seine ungeheure Popularität nicht mit Konzessionen erkauft hat. Er ist von seiner angeborenen geistigen Haltung niemals auch nur um einen Millimeter abgewichen.«[33] Es ist

31 Vgl. Thomas Mann / Karl Kerényi, *Gespräch in Briefen*, Zürich 1960, S. 42: »Ich lehne mich instinktiv nach links, wenn der Kahn nach rechts zu kentern droht, – und umgekehrt.« Der Zusammenhang mit XI, 667 f. liegt auf der Hand und ist das Beste, was den Ewiggestrigen zu antworten wäre, die Mann Opportunismus, Verrat an früheren Überzeugungen etc. vorzuwerfen nicht müde werden.

32 Hansen / Heine (Anm. 26), S. 297.

33 Thomas Mann / Heinrich Mann, *Briefwechsel 1900–1949*, Berlin / Weimar 1977, S. 282.

sein Bruder Heinrich, der hier spricht. Keiner kannte wie er den Kampf; keiner wußte wie er um die Stunde, in der sein Bruder Thomas sich fand: »Denn er selbst hat ihn gekämpft: schon in seiner Novelle ›Tristan‹.«[34]

*

Unser aller Leben wird auf einem Weg begangen; und daß auf diesem der Ernst herrscht, beweist schon der Umstand, daß es mit *der* Strecke dieses Weges, die die deutsche Sprache als den alles Fleisches bezeichnet, durchaus kein Spaß ist. Auch spricht sie nicht von ungefähr von einem Weg der Freiheit, einem der Schande oder auch des Ruhmes. Dieser letztere war es, an dessen Anfang Thomas Mann über sein eigenes Ich Gerichtstag hielt. Es war der Weg eines Deutschen, dessen Existenz symbolisch war und repräsentativ, derjenigen Goethes gleich, zu dessen zweitem Zentenarium Mann in einer Festrede den Ausspruch eines deutschen Studenten zitierte (XI, 487), würdig genug, um mit ihm unsere Untersuchung der Novelle *Tristan* abzuschließen: »Denn der Weg der Deutschen zu einem echten Europäertum ist mit der Gerechtigkeit und dem Verständnis, das man einmal in Deutschland Ihrer Person und Ihrem Werk widerfahren läßt, aufs engste verknüpft.«

34 Zit. nach: *Thomas Mann im Urteil seiner Zeit*, hrsg. von Klaus Schröter, Hamburg 1969, S. 48.

## Literaturhinweise

Tristan. Sechs Novellen. Berlin: S. Fischer, 1903.

Deutsche Dichterhandschriften. Bd. 1: Thomas Mann: Tristan. Hrsg. von Hanns Martin Elster. Dresden: Lehmann, 1920. [Faksimile des Manuskripts.]

Gesammelte Werke in 13 Bänden. Frankfurt a. M.: S. Fischer, 1974. Bd. 8. S. 216–262.

Tristan. Novelle. Nachw. von Hermann Kurzke. Stuttgart: Reclam, 1988. (Universal-Bibliothek. 6431.]

Banuls, André: Les trois étoiles de Thomas Mann. Schopenhauer, Wagner, Nietzsche. In: Etudes Germaniques 42 (1987) S. 344–354.

Bolduc, Stevie Anne: A Study of Intertextuality. Thomas Mann's *Tristan* and Richard Wagner's *Tristan und Isolde*. In: Rocky Mountain Review 37 (1983) S. 82–90.

Ezergailis, Inta: Spinell's Letter. An Approach to Thomas Mann's *Tristan*. In: German Life and Letters 25 (1971/72) S. 377–382.

Glaser, Horst Albert: Wagners Musik im Werk Thomas Manns. In: Richard Wagner 1883–1983. Die Rezeption im 19. und 20. Jahrhundert. [Red.: Ursula Müller.] Stuttgart 1984. S. 411–431.

Gregor-Dellin, Martin: Tristan und seine literarischen Folgen. In: Opernwelt 3 (1962) H. 7/8. S. 25–27.

Heftrich, Eckhard: Richard Wagner im Werk Thomas Manns. In: Hefte der Deutschen Thomas-Mann-Gesellschaft 1985, H. 5, S. 5–18.

Kaiser, Joachim: Thomas Mann, die Musik und Wagner. In: Beziehungszauber. Musik in der modernen Dichtung. Hrsg. von Carl Dahlhaus und Norbert Miller. München/Wien 1988. S. 19–28.

Kirchberger, Lida: Thomas Mann's »Tristan«. In: Germanic Review 36 (1961) S. 282–297.

Morris, Marcia: Sensuality and Art. Tolstoyan Echoes in *Tristan*. In: Germano-Slavica 5 (1987) S. 211–222.

Rasch, Wolfdietrich: Thomas Manns Erzählung »Tristan«. In: Festschrift für Jost Trier. Köln / Graz 1964. Wiederabdr. in: W. R.: Zur deutschen Literatur seit der Jahrhundertwende. Gesammelte Aufsätze. Stuttgart 1967. S. 146–185. Auch in: Jost Hermand (Hrsg.): Jugendstil. Darmstadt 1971. S. 413–455.

Schnitman, Sophie: Musical Motives in Thomas Mann's Tristan. In: Modern Language Notes 86 (1971) S. 399–414.

Sørensen, Bengt Algot: Die symbolische Gestaltung in den Jugenderzählungen Thomas Manns. In: Orbis Litterarum 20 (1965) S. 85–97.

Wapnewski, Peter: Der Magier und der Zauberer. Thomas Mann und Richard Wagner. In: Thomas Mann und München. 5 Vorträge. Frankfurt a. M. 1989. (Fischer Taschenbuch. 6898.) S. 78–103.

Witte, Karsten: »Das ist echt! Eine Burleske!«: Zur *Tristan*-Novelle von Thomas Mann. In: German Quarterly 41 (1968) S. 660–671.

Young, Frank W.: Montage und Motif in Thomas Mann's *Tristan*. Bonn 1975.

Zuckerman, Eliot: The First Hundred Years of Wagner's *Tristan*. New York 1964. [Zu Thomas Mann S. 136–148.]

# *Tonio Kröger* – ein Beispiel der »imitatio Goethe's« bei Thomas Mann

Von Yasushi Sakurai

## I.

Autoritäten waren rar im Deutschland nach dem Zweiten Weltkrieg, und Thomas Mann bot sich wegen seiner konsequenten Distanzierung vom Nationalsozialismus ebenso wie durch seine zentrale Rolle in den erregten Debatten jener Jahre an, wenn es um Traditionsbildung ging. Als ein Interviewer ihn fragt, an welche literarische Werke die Jugend herangeführt werden solle, gibt er im Blick auf sein eigenes Werk die zunächst überraschende Antwort:

> Ich glaube nicht, daß mein Werk der deutschen Jugend heute zuträglich ist. Die Jugend, so heißt es, sei voller Mißtrauen, sie sei skeptisch, mitunter sogar nihilistisch. Da ist das Parodistische meiner Bücher nicht gut für sie.[1]

Die Besorgnis, daß in einer Zeit, in der es gilt, moralische Kategorien einfacher Art wiederzugewinnen, diese Aufgabe durch seine tief aus den Erfahrungen der Décadence kommende Differenziertheit der Jahrhundertwende verfehlt werden könne, drückt sich in dieser Überlegung aus. Im selben Atemzug aber begrüßt er, daß »auch heute noch junge Menschen den *Tonio Kröger* lieben«, sieht also in dem Einfachheitgebot der Stunde und seiner populärsten Erzählung keinen unüberbrückbaren Widerspruch.
Aber hätte sich Thomas Manns dialektischer Verdacht gegenüber den eigenen Werken nicht auch auf *Tonio Kröger* bezie-

1 Arnold Bauer, »Wandlungen eines Dichters. Ein zweites Gespräch mit Thomas Mann«, in: *Neue Zeitung*, München, 21. Juni 1949 (zit. nach: *Frage und Antwort. Interviews mit Thomas Mann 1909–1955*, hrsg. von Volkmar Hansen und Gert Heine, Hamburg 1983, S. 296 ff.; hier S. 298).

hen können, die Erzählung, mit der der 27jährige Autor den im Frühjahr 1903 bei S. Fischer erschienenen Band *Tristan. Sechs Novellen* abgeschlossen hat?[2] Obwohl sie ganz aus einem Guß wirkt, ist sie das Ergebnis einer dreijährigen Entwicklung. Nach einer Dänemarkreise im September 1899 finden sich in den Notizbüchern die ersten Stichworte unter diesem Titel, bei Manns Vielfalt von Plänen konnten sich aber andere Projekte einschieben.[3] So waren die *Buddenbrooks* fertigzustellen, das Renaissance-Drama *Fiorenza* zu beginnen, andere Erzählungen, unter denen sich auch die Vor-Skizze *Die Hungernden* befindet, in Angriff zu nehmen, selbst noch Gedichte zu schreiben. Als lebendiges Sammelbecken der Epochenskepsis jener Jahre spielt der »Fluch der Erkenntnis« (332)[4] eine bemerkenswerte Rolle, der Tonio Kröger »die großen Wörter durchschauen« läßt (290). Die nicht nur auszeichnende, sondern auch stigmatisierend-zeichnende (297) Gabe des Durchschauens macht den Ekel zum steten Begleiter des Schriftstellers (283, 288, 300) und wendet sich vor allem gegen das Künstlertum selbst. Lebendig erworbene Erkenntnis des jungen Menschen erstarrt im Literatenkreis zu bloßem Wissen, läßt verstummen (301), Lebensdistanz führt zu Mimikry, die Schauspielermetaphern evoziert (291, 297), macht unfähig zur Freundschaft (303) und läßt das Gesicht zur Maske werden (310), steht in der Nähe des Verbrechens (298 f., 305), läßt Tonio Kröger in den

2 Ein Vorabdruck war in der *Neuen deutschen Rundschau* 14 (1903) H. 2 [Februar], S. 113–151 erschienen.

3 Vgl. Hans Wysling, »Dokumente zur Entstehung des *Tonio Kröger*«, in: Paul Scherrer / H.W., *Quellenkritische Studien zum Werk Thomas Manns* (Thomas-Mann-Studien 1), Bern 1967, S. 48–63 und S. 330 f.; Peter de Mendelssohn, *Der Zauberer. Das Leben des deutschen Schriftstellers Thomas Mann. Teil 1: 1875–1918*, Frankfurt a. M. 1975, S. 358 ff., 384, 490 ff., 515 ff. Die dort ausgeschöpften Notate sind jetzt greifbar in: Thomas Mann, *Notizbücher*, hrsg. von Hans Wysling und Yvonne Schmidlin, 2 Bde., Frankfurt a. M. 1991/92 (Register).

4 Die Seitenzahlen beziehen sich auf Bd. 8 der *Gesammelten Werke in dreizehn Bänden*, Frankfurt a. M. 1974; Zitate aus den anderen Bänden dieser Ausgabe mit Angabe der Band- und Seitenzahl.

Verdacht geraten, ein Hochstapler zu sein, als er nach dem ungenannt bleibenden Lübeck zurückkehrt (315 ff.). Als »kranker und eitler Scharlatan« (303) steht für den Künstler das Fühlen im scharfen Gegensatz zum ästhetischen Gebilde (282, 291 f., 295 f.), so daß das »Kaltstellen« der Empfindung durch das Wort (301 f.) zum Bild des Kastratensängers werden kann, der am Menschlichen nicht teilhat (296 f.). Die Problematik der Entstehung eines Kunstwerks aus der vielfältig visualisierten Isoliertheit wird ergänzt durch die Problematik der Kunstrezeption. In der Gestalt der Magdalena Vermehren, die während der Tanzstunde immer wieder hinfällt (284 ff.), ist der Leser selbst porträtiert, wird in dem dänischen Aalsgaard zum Typus erweitert (333 ff.). Die Wirkung von Kunst auf das Gefühl des Rezipienten (296) bleibt etwas so Zweideutiges wie das Umschwärmt-sein der Künstlergestalt (299, 303). Man kann die Erzählung also durchaus als modernes Muster für die Fähigkeit zur Selbstkritik lesen, wie dies noch kürzlich ein Diplomat getan hat.[5]

Und doch – nur eine winzige Perspektivenverschiebung, und Thomas Manns Einsichten in die Künstlerpsychologie erhalten etwas von der einzigartigen Färbung der Erzählung, die so viele Zitatreferenzen, geflügelte Worte des literarischen Lebens, bereitgestellt hat: Tonio Krögers Eingeständnis, daß er »oft sterbensmüde« sei, »das Menschliche darzustellen, ohne am Menschlichen teilzuhaben« (296). Die anziehende Seite des Künstlertums entwickelt sich aus dem Anspruch der Leidensintensität und dem Rang der Kunst selbst. Die »stolze Leidenschaft«, die Lisaweta Iwanowna bei Tonio Kröger registriert, macht die Kunst zu Adel, zwar zu dem »ganzen kranken Adel der Literatur« (303), aber zu einem Adel der Natur. Die »Laufbahn« Tonio Krögers macht dies anschaulich. Seine Herkunft aus der Familie eines Konsuls steht mit der südländischen Mutter in einem Kontrastverhältnis, das als Zugehörigkeit und Fremdheit schon in dem Ruf- und dem Familiennamen angesprochen ist (278 f.) und

5 Erwin Wickert, *China von innen gesehen*, München $^{2}$1985, S. 283.

zum Nord-Süd-Gegensatz (291) oder der Opposition gegen italienische bellezza (305 f.) vertieft wird. Diese Herkunft, leitmotivisch scharf abgegrenzt von »Zigeunern im grünen Wagen« (275, 279, 291, 317), verhindert nicht, daß schon der Schüler durch seine Verse ausgeschlossen ist (274). Im dritten Kapitel, das den Zeitsprung zwischen dem Jugendlichen, den die ersten beiden Kapitel schildern, und dem Mann »ein wenig jenseits der Dreißig« (293) überbrückt, wird uns zeitraffend sein Weg aus einem Familienzusammenbruch à la *Buddenbrooks* (289) zu einem Renommée der Dekadenz vorgeführt, gegründet in einem exzentrisch-wüsten Leben, bei dem man – psychologisch nicht recht wahrscheinlich – etwa an eine Gestalt wie Alfred de Musset denken kann. Schließlich ist er »so etwas wie ein berühmter Mann« (334) geworden. Dieser Aufwärtsentwicklung entspricht eine Heroisierung im romantischen Stil, wie sie das Überfahrtkapitel eröffnet:

> Er stand am Bugspriet, in seinen Mantel gehüllt vor dem Winde, der mehr und mehr erstarkte, und blickte hinab in das dunkle Wandern und Treiben der starken, glatten Wellenleiber dort unten, die umeinander schwankten, sich klatschend begegneten, in unerwartete Richtungen auseinanderschossen und plötzlich schaumig aufleuchteten [...]. (318)

So zerbrechlich die Gestalt Tonio Krögers sonst wirkt – hier hat sie die Massivität von Rodins Balzac-Plastik.

Zur Ebene des Selbstbewußten gehören die intertextuellen Bezüge, die Thomas Mann der Erzählung mitgegeben hat. Kontrastierend zu Hans Hansens Interesse an Pferdebüchern, in denen modernste photographische Momentaufnahmen gesammelt sind (277), erhalten wir offen und versteckt eine literarische Vernetzung. Storms *Immensee*, die Erzählung von Liebesverrat und Wiederbegegnung (286) und seine Verse vom Ausgeschlossen-sein, als Incipit *Ich möchte schlafen, aber du mußt tanzen* zitiert (285, 334), das Einsamkeitspathos von Schillers *Don Carlos* (277 f., 280 f., 332) sowie Shakespeares *Hamlet* werden leitmotivisch funktionalisiert, ebenso wie eine versteckte Huldigung für Turgenjew, der in der Vatergestalt des Herrn mit der Feldblume im Knopfloch auftritt (274, 289, 290, 313). Öffentlich hat Thomas Mann auf diesen Zusammenhang hingewiesen (IX, 247), in Privatbriefen etwa auf Heine.[6] Zu diesem Bereich zählt auch die Berücksichtigung Goethes, mit dem er früh vertraut ist.[7] Dieser Beziehung soll hier intensiver nachgegangen werden.

## II.

»Werther hat keinerlei Sendung auf Erden außer seinem Leiden am Leben, dem traurigen Scharfblick für seine Unvollkommenheiten, dem hamletischen Erkenntnisekel, der ihn würgt« (IX, 648), schreibt Thomas Mann in seinem Vortrag *Goethe's Werther* (1941). Diese Charakterisierung des gefühlvollen, empfindsamen und schwermütigen Werther trifft auch recht genau auf Tonio Kröger zu. Während Werther Talent zum Malen hat und wie eine Inkarnation des Gefühls und der Leidenschaft erscheint, dichtet der schüchterne Tonio insgeheim, spielt Geige und liebt das ferne Meer. Jeder der beiden stellt ein empfindsam-naives, künstlerisches Jugendbild dar.
Diesem Tonio, der dem Werther so ähnlich ist, stellt Thomas Mann »den Blonden und Blauäugigen, den hellen Lebendigen, den Glücklichen, Liebenswürdigen und Gewöhnlichen« (338) Hans Hansen und die lustige, natürliche Ingeborg Holm gegenüber. Auch das entspricht dem Schema in *Wer-*

6 Volkmar Hansen, *Thomas Manns Heine-Rezeption*, Hamburg 1975, S. 101 ff.
7 Hans Wysling, »Thomas Manns Goethe-Nachfolge«, in: *Jahrbuch des Freien Deutschen Hochstifts 1978*, Tübingen, S. 498 ff.; Hinrich Siefken, *Thomas Mann. Goethe – »Ideal der Deutschheit«. Wiederholte Spiegelungen 1893–1949*, München 1981.

ther, in dem Goethe seinem Titelhelden mit Lotte ein gesundes, heiteres, ruhiges Mädchen gegenüberstellt.
Außer dieser Ähnlichkeit in der Konstellation der Hauptfiguren gibt es noch eine ins Auge springende Parallele, nämlich das Motiv der »Heimkehr«. Tonio Kröger, der am Ende des vierten Kapitels von der Malerin Lisaweta Iwanowna als »ein verirrter Bürger« »erledigt« (305) wird, kehrt, einen unlösbaren Widerspruch im Herzen bewahrend, in seine Heimat, zu seinem Ausgangspunkt zurück – wie Werther, der »mit wie viel fehlgeschlagenen Hoffnungen, mit wie viel zerstörten Planen« (HA VI, 72)[8] heimkehrt. Aber im Gegensatz zu Werther, der, »ein Wandrer, ein Waller auf der Erde« (HA VI, 75), »mit aller Andacht eines Pilgrims« (HA VI, 72) seinen Geburtsort sieht, plant Tonio, der ein Erkennender ist, eine Reise nach Dänemark, um sein wahres Selbst wiederzufinden, und kehrt auf dem Weg nach Norden nur kurz in seine Heimatstadt ein. Werthers »Wallfahrt« fängt bei einer »Linde« an, die »eine Viertelstunde vor der Stadt nach S. zu steht« (HA VI, 72). Tonios Heimkehr ist mit einem alten Walnußbaum verbunden, der »drunten im Garten« seines Geburtshauses steht (274, 286, 289, 291, 313 f., 319). Werther, der sich unter der Linde in glücklicher Unwissenheit in die unbekannte Welt hinaussehnt, und Tonio, der die Töne seiner Geige in das Plätschern des Springstrahles hinein erklingen läßt und sein inneres Leben im geheimen ernährt – der Walnußbaum ist für Tonio wie die Linde für Werther Ausgangspunkt der gefühlvollen Jugendzeit und zugleich Nullpunkt ihres empfindsamen Künstlertums. Noch ein gemeinsames Moment ist das »Tor«: »Zu eben dem Tore will ich hineingehn, zu dem meine Mutter mit mir heraus fuhr« (HA VI, 72) – nachdem Werther das Tor durchschritten hat, befindet er sich auf heimatlichem Boden, er findet sich dort »gleich und ganz wieder« zurecht (HA VI, 73). Wie Werther von der Linde, so geht auch Tonio vom Bahnhof bis zum Hotel im Stadt-

8 *Goethes Werke. Hamburger Ausgabe in 14 Bänden*, hrsg. von Erich Trunz, München 1972 [im Text zitiert mit HA].

zentrum zu Fuß und dann durch »das alte, untersetzte Tor« (311 f.), um auf seinem vertrauten Weg zu bummeln.

Wie wir gesehen haben, weist *Tonio Kröger* in mancher Hinsicht Parallelen zu *Werther* auf, wenn auch natürlich die Einzelheiten variieren. Wenn wir zudem berücksichtigen, daß beide Werke sich in ihrer Grundkonzeption ähneln, dann ist der Verdacht naheliegend, daß Thomas Mann seinen *Tonio Kröger* bewußt in die *Werther*-Nachfolge gestellt habe. Und wie um die Richtigkeit dieser Vermutung zu bestätigen, wird im fünften Kapitel, das unter den insgesamt neun Kapiteln das kürzeste ist, ein knapper, aber bedeutungsvoller Dialog zwischen Tonio Kröger und Lisaweta Iwanowna geführt. Er verweist darin verschlüsselt auf seinen Ausgangspunkt Goethe.

Bevor Tonio nach Dänemark abreist, besucht er Lisaweta, um Abschied zu nehmen. Am Ende des Gesprächs wird er von ihr gefragt: »Wie fahren Sie, Tonio, wenn ich fragen darf? Welche Route nehmen Sie?« Darauf antwortet er achselzuckend: »Die übliche«, und »errötete deutlich«. Etwas stammelnd, weil sie einen tabuisierten Lebensbezirk berührt hat, fügt er hinzu: »Ja, ich berühre meine – meinen Ausgangspunkt, Lisaweta« (306). Über die Handlungsebene hinaus gibt uns der Autor auf einer Metaebene, so dürfen wir vermuten, einen Hinweis auf seine eigene literarische Herkunft, eine narzißtische Selbstbespiegelung, in der sich die mit ein wenig Scham gefärbte Schüchternheit mit dem »lächelnd Bewußten« (IX, 499) des jungen Thomas Mann mischt, der heimlich in den Spuren Goethes geht (vgl. IX, 498). Lisaweta reagiert auf das doppelbödige Eingeständnis mit einem vielsagend-vieldeutigen »Das ist es, was ich hören wollte, Tonio Kröger.« (307)

Im Zusammenhang mit dem Motiv der Heimkehr gibt es noch eine Szene, die an *Werther* erinnert. In seiner Heimatstadt besucht Tonio Kröger sein Geburtshaus und stellt verblüfft fest, daß dort jetzt im Zwischengeschoß die Volksbibliothek untergebracht ist. Er betritt die Räume – eines der

Zimmer »war lange Jahre hindurch sein eigenes gewesen«, in dem er in seiner Jugendzeit heimlich dichtete – und nimmt einen Band aus dem Regal, öffnet ihn und stellt sich damit ans Fenster. Eine Weile versinkt er in Gedanken, dann läßt er die Augen auf das Buch zurückgleiten und folgt »dem kunstvollen Fluß des Vortrags, wie er in gestaltender Leidenschaft sich zu einer Pointe und Wirkung erhob und dann effektvoll absetzte« (314). Der unwillkürliche Anruf des »Walnußbaums« (313), der dem Dichter Tonio Kröger während der Lektüre des »hervorragenden«, »ihm wohlbekannten« Buches entfährt, läßt die Vermutung zu, daß es sich bei diesem »Dichtwerk« um Goethes *Werther* handelt.[9]

Über die eben gezeigten Analogien zwischen *Tonio Kröger* und *Werther* hinaus, die sowohl in der Figurenkonstellation als auch in vielen Einzelstellen deutlich werden, gibt es in Manns Novelle Passagen, in denen Goethe nicht direkt genannt wird, Assoziationen an ihn sich aber zwanglos einstellen. Wodurch diese Assoziationen hervorgerufen werden und welche Bedeutung Goethe für Thomas Mann in der Zeit, als er an *Tonio Kröger* arbeitete, hatte, soll im folgenden untersucht werden. Dabei wollen wir unsere Betrachtungen auf das vierte Kapitel beschränken, in dem ein Gespräch zwischen Tonio und Lisaweta wiedergegeben wird und das das längste Kapitel überhaupt ist, denn hier zeigen sich der künstlerische Geist Thomas Manns und seine kompliziert-ambivalenten Gefühle am deutlichsten.
Schauplatz des Gesprächs ist das Atelier der Malerin Lisaweta »in München, in einem Rückgebäude der Schellingstraße, mehrere Stiegen hoch«, wo sich »des Frühlings junger, süßer Atem [. . .] mit dem Geruch von Fixativ und Ölfarbe« vermischt (292). In dieser Atmosphäre entspinnt sich der Dialog zwischen Tonio und Lisaweta: die monologhaft lan-

9 Wysling (Anm. 3) vermutet aufgrund von Manns Brief an Kurt Martens vom 16. Oktober 1902: »Vielleicht ist es ein Band von Herman Bang, in dem Tonio Kröger in der Volksbibliothek blättert.« (S. 62.)

gen Überlegungen Tonios und die kurzen, aber schlagfertigen Einwürfe Lisawetas. Im Atelier hört man keinen Lärm der großen Stadt, der gehetzte Alltag der Menschen ist hier ganz fern, und so scheint es, als atme hier nur Tonios alter ego, Thomas Manns eigener »sich-selbst-fragender Geist«. In diesem Dialog, in dem Tonio sein Selbstbekenntnis ablegt, geht Thomas Mann seiner eigenen Schaffensqual in der Zeit der Arbeit am *Tonio Kröger* auf den Grund (nicht zufällig wollte er der Novelle zeitweilig den Titel »Literatur« geben[10]).

Ausgangspunkt des Gesprächs ist Tonios Ungenügen an der »heimlichen Zeugungswonne« des »beständigen Frühlings« Kunst (290). Er findet auch in Lisawetas Atelier den »Konflikt und Gegensatz« (293), der ihn zu Hause quälte; »Fixativ und Frühlingsarom, nicht wahr? Kunst und – ja, was ist das andere? Sagen Sie nicht ›Natur‹, Lisaweta, ›Natur‹ ist nicht erschöpfend.« (294)  »Kunst« und »Natur« – damit sind wir wieder beim Hauptthema von Goethes *Werther*. In seinem Brief vom 26. Mai beschreibt Werther, wie er auf einem kleinen Platz vor einer Kirche unter zwei Linden eine »wohlgeordnete, sehr interessante Zeichnung« zweier Kinder angefertigt hat, »ohne das mindeste von dem Meinen hinzuzutun«, und er betont: »Das bestärkte mich in meinem Vorsatze, mich künftig allein an die Natur zu halten. Sie allein ist unendlich reich, und sie allein bildet den großen Künstler.« (HA VI, 15)  In einem Künstlergedicht aus dem Jahre 1774 besingt der junge Goethe innig die »Sehnsucht nach der Natur«:

> Wie sehn ich mich, Natur, nach dir,
> Dich treu und lieb zu fühlen!
> Ein lust'ger Springbrunn, wirst du mir
> Aus tausend Röhren spielen.

10 Vgl. den Brief an Heinrich Mann vom 13. Februar 1901; in: Thomas Mann, *Briefe 1889–1936*, hrsg. von Erika Mann, Frankfurt a. M. 1962, S. 25.

Wirst alle meine Kräfte mir
In meinem Sinn erheitern
Und dieses enge Dasein hier
Zur Ewigkeit erweitern.[11]

Auch eine Reihe weiterer Künstlergedichte, die Goethe in den Jahren 1772–75 schrieb, zeigen die große Bedeutung, die er der als »Urquell« betrachteten »Natur« beimaß (*Kenner und Künstler*, 1774; HA I, 61 f.).
Im Gegensatz zu diesem Naturverständnis des jungen Goethe heißt es bei Thomas Mann: »›Natur‹ ist nicht erschöpfend«, und Tonio bezieht sich auf einen anderen Begriff: »Leben«. Jahre später, 1932, wird Thomas Mann in seinem Vortrag über *Goethe's Laufbahn als Schriftsteller* sagen, Goethe habe »gelebt im Fleische«: Er sei »ein Mensch, ein Bürger« gewesen *und* »ein Schriftsteller« (IX, 335). Dieser Goethe vermochte eben ohne Zögern aus dem »Urquell der Natur« zu schöpfen und mit »Göttersinn und Menschenhand« zu bilden (HA I, 62). Für Thomas Mann dagegen, der nicht ohne einigen Abstand mit dem »Leben« in Berührung kommen mochte, ist nicht die Natur, sondern das »Leben« als solches das wichtigere Problem. In der Zeit des *Tonio Kröger* beschäftigte ihn vorrangig die Frage, wie die »Natur« im Sinne Goethes, anders gesagt das »Leben« im Thomas Mannschen Sinne, mit der »Kunst« zu einer Synthese zu bringen sei.
Thomas Mann konstatiert in dem Gespräch zwischen Tonio und Lisaweta einen Unterschied hinsichtlich des künstlerischen Wesens zwischen Goethe und sich selbst. Wenn Tonio im Fortgang des Gesprächs sagt: »Sagen Sie nichts von dem ›Beruf‹, Lisaweta Iwanowna! Die Literatur ist überhaupt kein Beruf, sondern ein Fluch, – damit Sie's wissen« (297), so bedeutet dies, »daß gute Werke nur unter dem Druck eines

11 *Künstlers Abendlied*, in: Goethe, *Berliner Ausgabe*, hrsg. vom Aufbau Verlag [Red.: Siegfried Seidel], Bd. 1, Berlin/Weimar 1965, S. 401 f.; diese Fassung des Gedichts erschien erstmals in den *Schriften 1789*, die 1774 entstandene erste Fassung trug den Titel *Lied des physiognomischen Zeichners*.

schlimmen Lebens entstehen, daß man gestorben sein muß, um ganz ein Schaffender zu sein.« (291) Und solche Erkenntnis ist offensichtlich die des jungen Thomas Mann selbst. Als Gegensatz zu sich selbst sieht er den Weimarer Dichter in dem Vortrag *Goethe als Repräsentant des bürgerlichen Zeitalters* (1932): »Es gibt wenig Autoren, die neben ihrem Werk, in den Atempausen der Produktion, ihren Beruf, das Glück gerade dieses Berufs, mit innigeren Akzenten gefeiert haben als Goethe.« (IX, 337) Als Thomas Mann an *Tonio Kröger* arbeitete, war ihm dies und damit die Differenz zu Goethe wohl bewußt. Und er entwickelte schon das Goethe-Bild, das er in *Schwere Stunde* (1905) Schiller in den Mund legt: »Der [Goethe] wußte zu leben, zu schaffen; mißhandelte sich nicht; war voller Rücksicht gegen sich selbst ...« (372) Thomas Mann sieht diesen Goethe als Vorbild und Problem. Er erkennt zwar die Größe Goethes an, der »Kunst« und »Leben« zu integrieren wußte, wollte aber dennoch schon in der Zeit des *Tonio Kröger* sich selbst als Künstler gegen Goethe behaupten. Die Spuren solcher Selbstbehauptung Thomas Manns gegen Goethe finden sich schon in den tragikomischen Beispielen, die Tonio anführt, um zu zeigen, wie schwierig es ist, als Künstler ein »unbescholtenes und solides« Leben zu führen (297 f.), wie auch in dem Schluß des Dialogs, wo es heißt, daß man kein einziges Blättchen pflücken dürfe »vom Lorbeerbaume der Kunst, ohne mit seinem Leben dafür zu zahlen« (305).

Wenn wir den Dialog im vierten Kapitel unter dem Gesichtspunkt der Auseinandersetzung Thomas Manns mit Goethe betrachten, dann finden wir, daß der Begriff des »Frühlings«, über den Tonio und Lisaweta diskutieren, eine andere Färbung erhält, als bisherige Interpretationen annehmen.
Tonio sagt zu Lisaweta: »Man arbeitet schlecht im Frühling, gewiß, und warum?« (295); und weiter: »Es ist aus mit dem Künstler, sobald er Mensch wird und zu empfinden beginnt.« (296) Diese Worte erinnern unwillkürlich an die Werthers,

der im Mai seinem Freund schreibt: »Ich bin so glücklich, mein Bester, so ganz in dem Gefühle von ruhigem Dasein versunken, daß meine Kunst darunter leidet. Ich könnte jetzt nicht zeichnen, nicht einen Strich, und bin nie ein größerer Maler gewesen als in diesen Augenblicken.« (HA VI, 9) Auch Werther ist von der »wunderbaren Heiterkeit« des Frühlings überwältigt und kann nicht zeichnen, nicht arbeiten. Darin stimmt unerwartet die Gestalt Tonios mit derjenigen Werthers überein. Und zugleich taucht als Gegenpol der beiden Künstlerfiguren der Dichter Goethe auf, der ausgerechnet im Frühling den *Werther* in knapp vier Wochen niederschrieb. Die Vorstellung des strahlenden, lebensvollen Frühlings drückt die schöpferische Potenz Goethes also keineswegs nieder (vgl. IX, 648).

Geht man davon aus, daß in die produktive Verzweiflung Tonio Krögers auch die produktiven Schwierigkeiten seines Autors einfließen, dann muß Thomas Mann damals von der in Goethes schöpferischer Kraft sichtbar werdenden Jugendlichkeit überwältigt gewesen sein. Er begegnet damit auf der Stufe des jungen Goethe einer Kraft, die noch der 66jährige »Dichterfürst« im *West-östlichen Divan* (1819) in Naturmetaphern verherrlicht hat: »Nur dies Herz, es ist von Dauer, / Schwillt in jugendlichstem Flor« (HA II, 74; vgl. IX, 715). Auf vielen Stufen, die um die Jahrhundertwende vor allem im Bild der Frauen gesehen werden, die Goethe geliebt hat, ist dessen beglückende Erfahrung nachzuvollziehen, immer »neubelebt und jung / Im frischen Götterreich« zu wandeln.[12] Der Begriff »Frühling« meint in dem Dialog zwischen Tonio und Lisaweta nicht nur die natürliche Jahreszeit und die damit aufbrechende Lebenskraft, selbst nicht in dem vertieften Sinn von Nietzsches Verständnis als »Leben«, wie er die dionysische Jahreszeit in der *Geburt der Tragödie aus dem Geist der Musik* gesehen hat.[13] Er transzendiert dieses

12 Ebd., S. 703; vgl. IX, 348.

13 Vgl. Peter Pütz, *Kunst und Künstlerexistenz bei Nietzsche und Thomas Mann*, 2. Aufl. Bonn 1975, S. 67 ff.

Verständnis zu einer Idee der Metamorphose: dem frühlingshaft zur Erneuerung fähigen und dabei produktiven »Götterliebling«[14] Goethe. Doppelschichtig, als Andeutung, lassen sich daher die Worte Tonios lesen, dem einzig Scham als ungesteuerte Reaktionsweise auf Entfaltungsmöglichkeiten ganz anderer Art bleibt: »[...] denn die Sache ist die, daß ich mich vor ihm [dem Frühling] schäme, mich schäme vor seiner reinen Natürlichkeit und seiner siegenden Jugend.« (295)
Wir haben bisher die Ansichten Tonio Krögers und damit diejenigen des jungen Thomas Mann als Künstler, der sich intensiv mit Goethe auseinandersetzte, betrachtet. Ein weiteres Detail erscheint in diesem Zusammenhang von großer Bedeutung. Wie schon erwähnt, entwickelt Tonio seinen Standpunkt im Gespräch mit der Malerin Lisaweta. Die Tatsache, daß Thomas Mann Lisaweta, die »im Gesamtplan der Erzählung als eine Art Katalysator«[15] fungiert, als Malerin darstellt, stellt eine weitere Verbindung zu Goethe her: Der junge Goethe hielt die Malerei für die Kunst der Künste, und er äußerte sich hierüber auch im *Werther* (der Held selbst zeichnet). Hinzu kommt, daß Goethe nicht nur in einer Reihe von Künstlergedichten seine Ansichten zur Kunst entwickelte, sondern auch kunsttheoretische Prosa zur Malerei veröffentlichte. Goethe betrieb schon in der Zeit des *Werther* eine mannigfaltige künstlerische Tätigkeit, und sie hing immer eng mit dem dichterischen Werk zusammen. Ebenso hat der junge Thomas Mann sehr geschickt seine eigenen Ansichten zur Kunst in die wehmütige Stimmung des *Tonio Kröger* eingeflochten, als ob er auch in diesem Punkt in den Spuren des jungen Goethe gehen wollte.

In seinem Vortrag *Freud und die Zukunft* von 1936 spricht Thomas Mann von seiner »imitatio Goethe's«:

> Infantilismus, auf deutsch: rückständige Kinderei – welch eine Rolle spielt dies echt psychoanalytische Element im

14 Vgl. Wysling (Anm. 7), S. 508 ff.
15 Pütz (Anm. 12), S. 70.

Leben von uns allen, einen wie starken Anteil hat es an der Lebensgestaltung der Menschen, und zwar gerade und vornehmlich in der Form der mythischen Identifikation, des Nachahmens, des In-Spuren-Gehens! Die Vaterbindung, Vaternachahmung, das Vaterspiel und seine Übertragungen auf Vaterersatzbilder höherer und geistiger Art – wie bestimmend, wie prägend und bildend wirken diese Infantilismen auf das individuelle Leben ein! Ich sage: ›bildend‹; denn die lustigste, freudigste Bestimmung dessen, was man Bildung nennt, ist mir allen Ernstes diese Formung und Prägung durch das Bewunderte und Geliebte, durch die kindliche Identifikation mit einem aus innerster Sympathie gewählten Vaterbilde. Der Künstler zumal, dieser eigentlich verspielte und leidenschaftlich kindische Mensch, weiß ein Lied zu singen von den geheimen und doch auch offenen Einflüssen solcher infantilen Nachahmung auf seine Biographie, seine produktive Lebensführung, welche oft nichts anderes ist als die Neubelebung der Heroenvita unter sehr anderen zeitlichen und persönlichen Bedingungen und mit sehr anderen, sagen wir: kindlichen Mitteln. So kann die imitatio Goethe's mit ihren Erinnerungen an die Werther-, die Meister-Stufe und an die Altersphase von ›Faust‹ und ›Divan‹ noch heute aus dem Unbewußten ein Schriftstellerleben führen und mythisch bestimmen; – ich sage: aus dem Unbewußten, obgleich im Künstler das Unbewußte jeden Augenblick ins lächelnd Bewußte und kindlichtief Aufmerksame hinüberspielt«. (IX, 498 f.)

In ein Schema gebracht, sähen die Stufen der Mannschen »imitatio Goethe's« so aus:

| A | B | C |
|---|---|---|
| (1) *Werther*-Stufe | – Vaterbindung | – In-Spuren-Gehen |
| (2) *Meister*-Stufe | – Vaternachahmung | – Nachleben |
| (3) Altersphase von *Faust* und *Divan* | – Vaterspiel | – mythische Identifikation |

Die Spalte B zeigt die jeweiligen Varianten der Abhängigkeit, die Spalte C zeigt die konkreten künstlerischen Mittel, mit deren Hilfe Thomas Mann seine »imitatio Goethe's« in seine Werke eingehen ließ.[16] Wir können uns im Zusammenhang des *Tonio Kröger* auf die »*Werther*-Stufe« jener »imitatio« konzentrieren. In der Verwandtschaft mit *Werther* spiegelt sich die kindlich-naive Annäherung des jungen Schriftstellers Thomas Mann an den verehrten Goethe, und diese stellt die eine Seite der »Vaterbindung«, die positive Seite dieses Begriffes, dar, das heißt: der junge Thomas Mann verbindet sich als Dichter in Ehrfurcht mit dem Vorbild Goethe. Doch der Begriff »Vaterbindung« hat auch einen negativen Aspekt, wovon der Vortrag *Goethe als Repräsentant des bürgerlichen Zeitalters* (1932) zeugt.

Dort berichtet Thomas Mann von einem inneren »sich-Lösen«, als er einst »durch Goethes Elternhaus am Hirschgraben zu Frankfurt« (IX, 297) ging. Der ihn schon lange quälende Widerspruch zwischen einerseits der »Vertrautheit« mit Goethe aus der »kindlich-stolzen Verbundenheit des ›Anch'io sono pittore‹« und andererseits der »Ehrfurcht« vor »diesem großen Menschen in Dichtergestalt« – dieser innere Widerspruch habe sich in »lächelnde Liebe« zu Goethe gelöst (IX, 297 f.). Diese »lächelnde Liebe« offenbart die stolze Erkenntnis des 57jährigen Thomas Mann, daß er als einer von jenen, die aus »Bürgerlichkeit ins Geistige« wuchsen, von derselben Herkunft ist wie Goethe (IX, 298). Aber er hat noch die Zeit der »Galeere« (XII, 13), nämlich die der *Betrachtungen eines Unpolitischen*, hinter sich zu lassen, bevor er zu dieser Erkenntnis kommt; sein erstes deutliches Bekenntnis zu Goethe ist der Vortrag *Goethe und Tolstoi*, der im Jahre 1921 gehalten wurde. So kennzeichnet die »Ehrfurcht«,

16 Eine Modifikation der Einteilungsbezeichnung, die über *Freud und die Zukunft* hinausgeht, in *On Myself*: »Leben heißt: in Spuren gehen, Nachleben, Identifikation mit einem sichtbarlichen oder überlieferten, mythischen Vorbild. Die Vaterbindung, Vaternachahmung, das Vaterspiel und seine Übertragung auf Vaterersatzbilder höherer, göttlicher Art [...].« (XIII, 165)

die Thomas Mann gehabt hatte, bevor er sich die »lächelnde Liebe« aneignete, jene »Vaterbindung« auf der »*Werther*-Stufe«.[17] Und solche »Ehrfurcht« vor Goethe schließt Vertrautheit aus – wir können davon ausgehen, daß der junge Thomas Mann sich von dem Bann des »großen Menschen in Dichtergestalt« eingeschränkt fühlte, daß das Gefühl der »Ehrfurcht« also zugleich auch den Drang implizierte, sich davon zu befreien. Ein erster Versuch kristallisiert sich künstlerisch in der Erzählung *Schwere Stunde*, die er 1905, drei Jahre nach *Tonio Kröger*, im *Simplicissimus* veröffentlicht. Dort versucht er gewissermaßen, sich durch das Medium Schiller gegen »den anderen, den Hellen, Tatseligen, Sinnlichen, *Göttlich-Unbewußten*, [...] den er *mit einer sehnsüchtigen Feindschaft liebte*« (377; Hervorhebung vom Verf.), zu behaupten. Dieser Schiller, der nach einer Synthese

17 Zur Entwicklung über die »*Werther*-Stufe« hinaus: Die »*Meister*-Stufe«: In dieser Stufe hat Thomas Mann seine Meinung über das »Phänomen Goethe« schon geändert. Aus dem »großen Dichter« Goethe ist »ein großer Mensch in Dichtergestalt« geworden. So *lebt* Thomas Mann mit »lächelnder Liebe«, nämlich mit »Vertrautheit«, diesem Goethe *nach*. Dies zeigen zwei Beispiele: Zum einen hielt Thomas Mann *Hermann und Dorothea* für »das hohe Muster« (*Über den »Gesang vom Kindchen«*, 1921; XI, 588) für seinen *Gesang vom Kindchen* (1919); zum anderen hatte er die künstlerische Absicht, mit dem *Zauberberg* (1924) Goethes Bildungsroman *Wilhelm Meister* zu »erneuern«, als er die Arbeit am *Zauberberg* wieder begann (vgl. *Briefe 1889–1936*, S. 213; ebd., S. 199 f.). Die »Altersphase von *Faust* und *Divan*«: Über die zweite Stufe hinaus gelangte Thomas Mann zu dieser künstlerisch letzten Phase seiner »imitatio Goethe's«. Das »Vaterspiel« ist für Thomas Mann ein künstlerisch lang ersehnter Gipfel seiner »imitatio Goethe's«, da er seit der Zeit des *Tod in Venedig* den Traum hegte, »den Goethe einmal persönlich wandeln zu lassen« (Thomas Mann, *Briefe 1937–1947*, Frankfurt a. M. 1963, S. 40.). In dieser Phase identifiziert sich Thomas Mann erst mit dem »großen Menschen in Dichtergestalt«. In *Lotte in Weimar* stellt er diesen nicht nur dar, sondern spielt auch Goethe selbst. Das symbolisiert die Kutscher-Szene im letzten Kapitel des Romans. Dort *identifiziert* sich Thomas Mann in der träumerisch *mythischen* Atmosphäre mit Goethe. – Wenn wir in Betracht ziehen, daß Thomas Mann seine »imitatio Goethe's« mit der Novelle *Tonio Kröger*, die viele Parallelen zum *Werther* hat, beginnt und sie mit dem Roman *Lotte in Weimar*, dessen Heldin jene Charlotte im *Werther* ist, zu einem Gipfel führt, dann können wir nicht umhin, darin das »lächelnd Bewußte« des Künstlers Thomas Mann wieder zu spüren.

von Erkennen und Schaffen sucht, ist nun unverkennbar Thomas Mann selbst, der »wieder, wie stets, in tiefer Unruhe, mit Hast und Eifer [...] die Arbeit in sich beginnen« fühlt, der die Intention zugrunde liegt, »das eigene Wesen und Künstlertum gegen das des anderen behaupten und abzugrenzen« (ebd.). Tonio Krögers Erwartung in dem Brief an Lisaweta Iwanowna ist daher zugleich Selbstbejahung und Behauptung gegen Goethe: »Was ich getan habe, ist nichts, nicht viel, so gut wie nichts. Ich werde Besseres machen, Lisaweta, – dies ist ein Versprechen.« (338)

*Tonio Kröger* ist das erste literarische Produkt, das aus Thomas Manns komplizierter Auseinandersetzung mit Goethe, aus der ambivalenten Vaterbindung an Goethe, entstanden ist. Wenn uns auch die hinterlassenen Materialien nicht verraten, ob Thomas Mann von Anfang an den Plan hatte, einen anderen *Werther* zu schreiben, so hat doch Hans Wysling schon gesehen: »Wenn man sich mit Goethe dem Wesen nach verwandt fühlte (XI, 548), warum sollte man es dann nicht auch dem Grade nach werden?«[18] – und so mag Thomas Mann als Schriftsteller schon in der Zeit des *Tonio Kröger* den Wunsch gehabt haben, sich mit Goethe zu messen.[19]

Jedenfalls hatte *Tonio Kröger* einen unerwartet großen Erfolg und brachte dem Verfasser »mehr öffentliche und persönliche Bekundungen von Zuneigung als irgendein anderes seiner Werke«.[20] Später erzählt er mit Zufriedenheit, daß *Tonio Kröger* von der intellektuellen Jugend als ihr gemäß begriffen worden war (XII, 90). *Tonio Kröger* übte eine ähnlich radikale Wirkung wie einst Goethes *Werther* auf die zeitgenössische Jugend aus. Folglich nennt Thomas Mann die Erzählung »ein typisches Jugendwerk« und »mein literarisches Lieblingskind« (XIII, 145) – vor allem aber »meinen Werther«.[21]

18 Wysling (Anm. 7), S. 507.

19 Vgl. ebd.: »Übrigens ist sein [Thomas Manns] Plan, einen *Faust* zu schreiben, noch etwas älter als das *Nachwort* (1905) [XI, 546–549]. Wer sich mit Goethe messen will, muß einen *Faust* geschrieben haben.«

20 Hans Rudolf Vaget, *Thomas Mann – Kommentar zu sämtlichen Erzählungen*, München 1984, S. 111.

21 *Briefe 1937–1947*, S. 202.

## III.

Mit der Erzählung fixiert Thomas Mann seine eigene Position im literarischen Leben der Jahrhundertwende, gerade aus dem Bewußtsein der Schwierigkeiten seines Wegs heraus. Die Gestalt Tonio Krögers, der er verschiedene autobiographische Züge mitgegeben hat, lebt wie ihr Erfinder in der Spannung, »den Weg, den er gehen mußte«, vor sich zu sehen und zugleich zu zweifeln: »weil es für etliche einen richtigen Weg überhaupt nicht gibt« (288). Diese kleistisch klingende Formulierung gehört zu Thomas Manns frühen Notaten zur Erzählung, und er hat sie in einer weiteren Notiz nach dem Erscheinen als »Entscheidenstes« auf sich bezogen.[22] Als Abgrenzungsgestalt ist der Erzählung ein Novellist Adalbert eingeschrieben, der sich im Café vor dem Frühling abzuschirmen sucht (294 ff., 329); Distanz gibt es auch zu den »Stolzen und Kalten, die auf den Pfaden der großen, der dämonischen Schönheit abenteuern« (337). Tonio Krögers Entwicklung, »Allgemeines zu sagen, anstatt Geschichten zu erzählen« (336), deutet schon auf eine essayistische Entwicklung Thomas Manns hin.

Das Schlüsselwort der Konfessionen in der Erzählung heißt »Liebe«, das bis hin zu Anklängen an die religiös-biblische Sprache geführt wird (338). Zunächst erleben wir die Liebe des vierzehnjährigen Tonio Kröger zu dem sportlich-erfolgreichen Hans Hansen, in die eine homoerotisch geprägte Wahrnehmung gegenüber einem Armin Martens aus Thomas Manns eigener Schulzeit einfließt, die sich in der Begegnung mit dem Münchener Freund Paul Ehrenberg aufgefrischt hat.[23] Dann zur lustigen Ingeborg Holm, der Tanzstunden-

22 *Notizbücher* (Anm. 3), Bd. 2, S. 112; die Vorstufe Bd. 1, S. 112.

23 Zur Gestalt des Mitschülers Armin Martens vgl. den Ausstellungskatalog *Thomas Mann. Unbekannte Dokumente aus seiner Jugend* (Sammlung Prof. Dr. P. R. Franke), hrsg. von der Saarländischen Landesbibliothek (September 1991), Saarbrücken 1991. Zu Paul Ehrenberg vgl. *Notizbücher*, Bd. 2, S. 41 ff., und Jürgen Kolbe, *Heller Zauber. Thomas Mann in München 1894–1933*, Berlin 1987, S. 23 ff., sowie David Luke, *Introduction*, in: *Death in Venice and Other Stories by Thomas Mann*, Toronto [u.a.] 1988, S. VII ff.; hier S. XXVI ff.

partnerin des Sechzehnjährigen im zweiten Kapitel, die zunächst im Vergehen der »Zeit« zu sterben scheint (288), jedoch in der Erneuerung des achten Kapitels, erzählerisch zunächst als personelle Identität imaginiert, ihre ungebrochene Kraft erweist (327 ff.). Diese Liebe zu den »Wonnen der Gewöhnlichkeit« (303, 307) bildet die Brücke zur »Bürgerliebe zum Menschlichen, Lebendigen und Gewöhnlichen« (338), die sich mit einem einfachen »Spott für das plumpe und niedrige Dasein« (289) schlecht vereinbaren läßt, dennoch aber satirische Züge wie die Wiederbegegnung mit Lübeck im sechsten Kapitel, die Gestalt des Tanzlehrers François Knaak (282 ff.), des Festarrangeurs in Dänemark (331 ff.) oder den jungen Hamburger Kaufmann im siebten Kapitel integrieren kann. Die »abscheuliche Erfindung des Seins« (300), die nur Komik und Elend zuzulassen scheint (290), erweist sich im »Humor« (338) als gestaltungsfähig. Thomas Manns »melancholisch-skeptische Kritik am Künstlertum überhaupt« (XIII, 149) hebt sich deutlich von der frühromantischen Künstlerproblematik ab, die etwa den Joseph Berglinger in Wackenroders *Herzensergießungen eines kunstliebenden Klosterbruders* an der philiströsen Umwelt zugrunde gehen läßt. Sie steht neben Hofmannsthals an Goethe orientiertem Bewußtsein von der Erlösung der »Schatten menschlicher Gestalten« (338) durch Sinngebung mittels der Kunst.[24] Auch *Tonio Kröger* ist ein »so morbides und tief zweideutiges Werk wie *Tristan und Isolde*«, doch gerade die hebend-stärkende Wirkung von solchen Werken auf »junge, gesunde, stark normal empfindende Menschen« (299) kann man in der Schule Thomas Manns lernen, so daß komplexe Musikalität des Sprachgefüges und moralische Grundlegung sich nicht ausschließen.

24 Werner Bellmann, *Thomas Mann, Tonio Kröger. Erläuterungen und Dokumente*, Stuttgart [2]1986 (Reclams Universal-Bibliothek, 8163), S. 43, weist auf Hofmannsthals Essay *Eleonora Duse*, 1892 erschienen und mit ganz ähnlichen Formulierungen, hin.

## Literaturhinweise

Tonio Kröger. In: Neue deutsche Rundschau 14 (1903) H. 2. S. 113–151.
Tristan. Sechs Novellen. Berlin: S. Fischer, 1903. S. 165–264.
Tonio Kröger. Eine Novelle. Berlin: S. Fischer, [1913]. (Fischer's illustrierte Bücher. 1.)
Gesammelte Werke in dreizehn Bänden. Frankfurt a. M.: S. Fischer, 1974. Bd. 8. S. 271–338

Beisbart, Ortwin: Thomas Mann: *Tonio Kröger*. In: Jakob Lehmann (Hrsg.): Deutsche Novellen von Goethe bis Walser. Interpretationen für den Deutschunterricht. Bd. 2: Von Fontane bis Walser. Königstein i. Ts. 1980. (Scriptor Taschenbücher. S. 156.) S. 101–124.
Bellmann, Werner: Thomas Mann: *Tonio Kröger*. Erläuterungen und Dokumente. Durchges. und erg. Ausg. Stuttgart 1986. (Reclams Universal-Bibliothek. 8163.)
de Bruyn, Günter: Der Künstler und die anderen: Zu Thomas Manns *Tonio Kröger*. In: G.d.B.: Lesefreuden. Frankfurt a. M. 1986. S. 293–299.
Evans, Tamara S.: »Ich werde Besseres machen . . .«. Zu Thomas Manns Goethe-Nachfolge in *Tonio Kröger*. In: Colloquia Germanica 15 (1982) S. 84–97.
Haug, Helmut: Erkenntnisekel. Zum frühen Werk Thomas Manns. Tübingen 1969. [Zu *Tonio Kröger*: S. 40–64.]
Heller, Erich: Tonio Kröger und der tödliche Lorbeerbaum. In: Hamburger Akademische Rundschau 2 (1948) H. 11/12. S. 569–585.
Koopmann, Helmut: Hanno Buddenbrook, Tonio Kröger und Tadzio. Anfang und Begründung des Mythos im Werk Thomas Manns. In: Gedenkschrift für Thomas Mann 1875–1975. Hrsg. von Rolf Wiecker. Kopenhagen 1975. S. 53–65.
Kunne-Ibsch, Elrud: Der Aphorismus als Strukturelement im Literaturgespräch von Thomas Manns *Tonio Kröger*. In: Dichter und Leser. Studien zur Literatur. Hrsg. von Ferdinand van Ingen [u.a.]. Groningen 1972. S. 177–190.
Laage, Karl Ernst: Thomas Manns Verhältnis zu Theodor Storm und Iwan Turgenjew (dargestellt an der Novelle *Tonio Kröger*). In: Blätter der Thomas Mann Gesellschaft 20 (1983/84) S. 15–29.
Lehnert, Herbert: *Tristan*, *Tonio Kröger* und *Der Tod in Venedig*. Ein Strukturvergleich. In: Orbis litterarum 24 (1969) S. 271–304.

– Tonio Kröger and Georg Bendemann: Artistic Alienation from Bourgeois Society in Kafka's Writings. In: Perspectives and Personalities. Studies in Modern German Literature. Honoring Claude Hill. Ed. by Ralph Ley [u. a.]. Heidelberg 1978. S. 222–237.

McWilliams, James R.: Conflict and Compromise. Tonio Kröger's Paradox. In: Revue des Langues vivantes 32 (1966) S. 376–383.

Niven, Colin: Thomas Mann. *Tonio Kröger.* Notes by C. N. Beirut / Harlow (Essex) 1982. (York Notes.)

Reed, Terence J.: Text and History: Tonio Kröger and the Politics of Four Decades. In: Publications of the English Goethe Society. N. S. 57 (1987/88) S. 39–54.

Reich-Ranicki, Marcel: Eine Jahrhunderterzählung: *Tonio Kröger.* In: M. R.-R., Thomas Mann und die Seinen. Stuttgart 1987. S. 93–108.

Rieckmann, Jens: Brüderliche Möglichkeiten: Thomas Manns *Tonio Kröger* und Heinrich Manns *Abdankung*. In: Wirkendes Wort 34 (1984) S. 422–426.

Santoli, Vittorio: Drei Erzählungen Thomas Manns. In: V. S.: Philologie und Kritik. Forschungen und Aufsätze. Bern/München 1971. S. 162–187.

Scherrer, Paul: Thomas Mann und die Wirklichkeit. In: Lübeckische Blätter 120 (1960) Nr. 7. S. 77–86.

Schmidt, Christian: Bedeutung und Funktion der Gestalten der europäisch östlichen Welt im dichterischen Werk Thomas Manns. München 1971. (Slavistische Beiträge. Bd. 52.) [Zu *Tonio Kröger*: S. 37–70.]

Schochow, Maximilian: Der musikalische Aufbau in Thomas Manns Novelle *Tonio Kröger.* In: Zeitschrift für Deutsche Bildung 4 (1928) S. 244–253.

Seitz, Gabriele: Film als Rezeptionsform von Literatur. Zum Problem der Verfilmung von Thomas Manns Erzählungen *Tonio Kröger, Wälsungenblut* und *Der Tod in Venedig*. München 1979. (tuduv-Studien. Reihe Sprach- und Literaturwissenschaften. 12.) [Zu *Tonio Kröger*: S. 52–136 und 415–462.]

Sheppard, Richard: *Tonio Kröger* and *Der Tod in Venedig*: from bourgeois realism to visionary modernism. In: *Oxford German Studies* 18/19 (1989/90) S. 92–108.

Sørensen, Bengt Algot: Die symbolische Gestaltung in den Jugenderzählungen Thomas Manns. In: Orbis litterarum 20 (1965) S. 85–97.

Ward, Mark G.: More than »Stammesverwandtschaft«? On Tonio Kröger's Reading of *Immensee*. In: German Life & Letters 36 (1982/83) S. 301–316.

## Exzentrische Polarität. Zum *Tod in Venedig*

Von Bernhard Böschenstein

»*Der Tod in Venedig*« – »Gustav Aschenbach oder von Aschenbach«: in solcher Aufeinanderfolge verbirgt sich bereits der bedeutsamste Gegensatz dieser an Antithesen überaus reichen Erzählung. Nicht der einzelne Tote, um den doch die ganze Geschichte kreist, sondern der Tod in einem das Individuum überschreitenden Sinn wird im Titel anvisiert und dann auch gleich zu Beginn mit dem deutlich ohne identifizierbare Herkunft erscheinenden fremden Wanderer auf »mythische« Weise signalisiert, dergestalt, daß die genauen Kennzeichnungen der Physiognomie, der Kleidung und der Ausrüstung dieser einen Gestalt auf ihre drei »Brüder«, den falschen Jüngling, den Gondoliere und den Bänkelsänger, vorausweisen, die alle als Typus das Individuum in seiner Einmaligkeit bewußt sprengen. Venedig wiederum wird erst im fünften, letzten Kapitel im Detail gegenwärtig, erst, wenn die Choleraepidemie sich bereits etabliert hat und überall Signale des Verfalls und des Todes setzt. Vorher dominiert die Szenerie am Lido, die von der Stadt genau zu unterscheiden ist, da in ihr andere Elemente vorwalten. Venedig also ist hier mit dem anonymen Tod verbündet, der zunächst keinerlei antike Konnotationen zuläßt. Diese sind in erster Linie der Szenerie am Lido vorbehalten.

»Gustav Aschenbach oder von Aschenbach« wiederum verkörpert scheinbar, wie am deutlichsten im zweiten, rückblikkenden Kapitel, das die Geschichte seines Ruhms resümiert, sichtbar wird, die Individualität im Goetheschen Sinn der ausgeprägten Persönlichkeit. Aber die bewußt offenlassende Alternative der Namengebung mit oder ohne Adelsprädikat illustriert gleichfalls einen Gegensatz, den zwischen dem jüngeren, noch nicht einer »offiziellen« Kunst verschriebenen Künstler und dem älteren, in die Würde des Adelsstands erhobenen klassischen Nationalschriftsteller. So ist also das »System« dieser Erzählung gleichzeitig auf individualisierende und typisierende Darstellung angelegt. Was dann aber diese Darstellungsweise kompliziert, beruht darauf, daß der Autor gerade für die »mythisierenden« Interventionen der vier Todesallegorien die naturalistische Technik zu Hilfe nimmt, während die Persönlichkeit Aschenbachs schon im zweiten, seine Gestalt situierenden Kapitel mit typisierenden, von der Weimarer Klassik eingegebenen kunsttheoretischen Kategorien umrissen wird.[1] So kommt zu der – von Schopenhauer und Nietzsche vorgezeichneten – Spannung zwischen dem Individualisierten und dem, was das Individuelle sprengt, die andere Spannung zwischen Naturalismus und »Neoklassizismus« hinzu, die sich zu jener keineswegs strukturanalog verhält, sondern strukturell antithetisch: naturalistisch übergenaue Einzelzüge illustrieren das mythisch Verallgemeinerte, verallgemeinernde, abstrahierende Kategorien bezeichnen die einmalige, historisch-biographisch faßbare Persönlichkeit. Auf solchen durchgängigen Entgegensetzungen beruht die ganze Erzählung, die gleichzeitig Thomas Manns Frühwerk weiter- und zu Ende führt und auf das Werk seiner mittleren und späten Zeit vorausweist.

Die reich einmontierten Konnotationen können vielfältige Aufschlüsse über den kombinationsfreudigen Synkretismus des Autors erteilen. Mancher zusätzliche Bedeutungsstrang kann von einzelnen Signalen aus verfolgt werden. Hier muß nun aber eine Unterscheidung zwischen dem, was für die einzelne Kommentierung unerläßlich ist, nicht aber für den größeren Zusammenhang, und den durchgängig präsenten »Sinnträgern« getroffen werden. »Gustav« verweist auf den Tod Gustav Mahlers und auf die physiognomischen Anleihen, die der Autor für das erst am Ende des zweiten

1 Vgl. Hans Wysling, »*Geist und Kunst*. Thomas Manns Notizen zu einem ›Literatur-Essay‹«, in: Paul Scherrer / H. W.: *Quellenkritische Studien zum Werk Thomas Manns*, Bern/München 1967, S. 123–233.

Kapitels vermittelte Porträt Aschenbachs verwendet.[2] Aber Mahler ist hier zugleich eine Substitution für den großen Vorgänger, dessen Präsenz hier strukturbildend ist, für Richard Wagner, der in Venedig am *Tristan* arbeitete, dort starb und Erlebnisse in Briefen mitgeteilt hat, die denen Aschenbachs gleichen.[3] Dieser steht daher, im Anschluß an biographische Gegebenheiten, für den Liebestod, für das Wasser, aber dann auch zugleich für die histrionische, karikaturale Übersteigerung der großen Künstlerpersönlichkeit im Sinne der späten, wagnerfeindlichen Nietzschekritik sowie, im Geist der Deutung von Nietzsches wagnerisierender Frühschrift, für die von jenem dionysisch getaufte »Urwelt« aus Nacht, Tod, Entgrenzung, fessellosem Eros, ist also in typisch Mannscher Kombinatorik sowohl in wagnerfeindlichen als in wagnerfreundlichen Kennzeichnungen gegenwärtig, denen allen das Exzentrische im Gegensatz zum Neoklassischen eignet.[4] Was dabei auffällt, ist die ständige Verbindung biographischer Fakten mit philosophischen Deutungsmustern von innerlich gegensätzlicher Struktur, die stets von Vorgängern übernommen werden, aber in ihrer zugleich naturalistischen und fundamental abstrahierenden Darstellung die durchgängige Aushöhlung eines einbödigen Prinzips zugunsten permanenter Doppelbödigkeit bezeugen. Die komödiantisch ausgeführte Beschreibung von Aschenbachs Kosmetikkünsten ist ebenso Wagner verpflichtet wie die Gegenwart eines gewaltigen, ozeanischen Liebes- und Todesraums, so daß Wagner zugleich der naturalisti-

2 Vgl. den Brief Thomas Manns an Wolfgang Born vom 18. März 1921, in: Th. M., *Briefe*, hrsg. von Erika Mann, Bd.1, Frankfurt a. M. 1961, S. 185.

3 Vgl. Werner Vordtriede, »Richard Wagners *Tod in Venedig*«, in: *Euphorion* 52 (1958) S. 378–396.

4 Dieser Gegensatz beschließt den kurzen, während des Aufenthalts am Lido Ende Mai 1911 verfaßten Aufsatz *Über die Kunst Richard Wagners*, in: Thomas Mann, *Gesammelte Werke in 13 Bänden*, Frankfurt a. M. 1974, Bd. 10, S. 842. Nach dieser Ausgabe wird im folgenden mit Angabe der Band- und Seitenzahl zitiert. Bei Zitaten aus *Der Tod in Venedig* (Bd. 8) werden nur die Seitenzahlen angegeben.

schen Ausbeutung der abstoßendsten individuellen Züge des Protagonisten wie der modernisierten und musikalisierten Fassung eines von Thomas Mann individualisierten »Ur-Dionysischen« Pate steht.

Der Name Aschenbach wird immer auf den Düsseldorfer Landschaftsmaler Achenbach zurückgeführt, was nur *eine* Deutungsmöglichkeit eröffnet. Eine andere ergibt sich im Blick auf die Thomas Mann damals vielleicht schon bekannte, von Freud analysierte Erzählung *Gradiva* von Jensen, wo die imaginäre Geliebte aus den Trümmern von Pompeji heraus erschaut wird, mitten in einem Aschenregen. Die erotische »Ausgrabung« des Traumbilds der toten Gradiva weist bedeutsame Parallelen zur visionären Gestalt Tadzios auf. Nach dem Satz von Freud »Das Ich ist nicht Herr im eigenen Haus« kann die Liebe zu Tadzio als der Aufbruch eines verschütteten Bereichs von Aschenbachs Seele gelesen werden.[5]

Aschenbach hat das fünfzigste Jahr überschritten. Auch hier ist der Anklang an Goethes wichtigste Novelle aus *Wilhelm Meisters Wanderjahren*, *Der Mann von funfzig Jahren*, wegweisend für den ganzen weiteren Verlauf der Erzählung. Denn in dieser Geschichte wird der schon ältere Held, ein Major, einer Verjüngungskur mit Salben und Farben unterworfen, um seiner ihn liebenden und von ihm geliebten Nichte Hilarie in besserem Licht zu erscheinen. Und damit ist das Thema der Imitatio Goethes als Programm des klassisch gewordenen Aschenbach angeschlagen, das freilich zu einem falschen Neoklassizismus führt, der gerade nicht die goethesche Balance von Pflicht und Neigung, von »Leben« und »Kunst« erreicht, sondern deren Zerrbild in Gestalt einer formalisierten Würde, die den Pol der Neigung, des Lebens unterdrückt. Wir haben also eine aus dem Zentrum in

5 Vgl. dazu Manfred Dierks, »Traumzeit und Verdichtung. Der Einfluß der Psychoanalyse auf Thomas Manns Erzählweise«, in: *Thomas Mann und seine Quellen*, hrsg. von Eckhard Heftrich und Helmut Koopmann, Frankfurt a. M. 1991, S. 111–137.

die Exzentrizität verschobene Polarität, deren Folgen die Erzählung dann in Szene setzt. Goethe ist hier ein falscher, ein inauthentischer Vater. Das Thema des Falschen wird schon im zweiten Abschnitt maßgebend, wo es wieder, wie im *Mann von funfzig Jahren*, um eine Verkehrung der Zeitverhältnisse geht. Die Verschiebung der Jahreszeit erinnert an die lebenszeitlichen Unstimmigkeiten in Goethes *Wahlverwandtschaften*.[6] Der Zusammenfall einer frühen mit einer späteren Zeit – Frühling und Hochsommer – ist für Aschenbachs späteres Liebesverhalten ebenso kennzeichnend wie für die aus dem Geist des Jugendstils – eines falschen Frühlings der Spätzeit – neuerweckte künstliche Antike, heiße sie nun Tadzio oder erscheine sie als künstlich wiederbelebter erotischer Platonismus, wie ihn damals George und seine Schüler zu leben trachteten. Die gleiche Beobachtung kann vom alten und vom künstlich neuen Byzanz der Münchner Grabsteine gelten, deren Zusammenfall das echte und das touristisch aufgeputzte Venedig beleuchten wird.

Der in mystisch transzendenten Todesträumen befangene Schriftsteller wird von einem Todesdämon heimgesucht, dessen Richtung zur Erde und weiter zur Unterwelt führt, wie der mit eiserner Spitze gegen den Boden gestemmte Stock anzeigt. Die Verbindung der Attribute des spätmittelalterlichen Teufels, des Hermes als des Seelenführers in das Reich der Toten und des Dionysos in seiner Kühnheit, Wildheit und fremden (asiatischen) Herkunft beweist Thomas Manns Verfahren, eine synkretistische Kombination der kulturellen Traditionen und Symbolbereiche herzustellen, die zwar aus präzisen Details montiert wird, in der Gesamtwirkung indessen bewußt Verschwommenheit anstrebt und den Gesamteindruck der »Entstellung« hervorbringt. Diese grundiert die ganze Erzählung und also auch besonders diejenigen Momente, in denen eine »klassische« Norm des antiken Schönen

6 *Die Wahlverwandtschaften* habe »ich während der Arbeit am T. i. V., wenn ich recht erinnere, fünf mal gelesen«, bekennt Thomas Mann Carl Maria Weber in einem Brief vom 4. Juli 1920 (*Briefe*, Anm. 2, S. 176).

gefeiert wird. Hierbei werden die antiken Götter Hermes und vor allem Dionysos in den Dienst naturalistischer Verzerrung und Karikierung gestellt, aus dem Gegensatz zu einer unglaubhaften Neu-Klassik heraus, zu der sich Aschenbach verpflichtet meint. Im Zuge dieser sein Inneres ausweitenden neuen Unruhe wird eine phallisch überakzentuierte »dionysisch«-asiatische Tropenvision mit potentiellen Krankheitsimplikationen als Konkretisierung der volkstümlichen, moralisierenden Bedeutung von »Sumpf« verbunden mit dem Treibhaus-Thema des Jugendstils und mit dessen tropischer Erotik. Wenn dies »Urwelt« genannt wird, so wirft das ein Licht auf das auch hier wirksame falsche Aufeinanderlegen einer von Nietzsche fundamental gedeuteten dionysischen Antike der Frühzeit, vor der großen Tragödienproduktion der Klassiker, und einer zeitbedingten Fin-de-Siècle-Heilserwartung, die von orientalisierenden erotischen Tier- und Pflanzenparadiesen zehrt. (Als Beispiel könnte Georges Gedicht aus den *Hängenden Gärten*, *Das schöne beet betracht ich mir im harren*, erwähnt werden,[7] aber auch Maeterlincks *Serres chaudes*.) Die faustische »Ungenügsamkeit« wird bei Aschenbach nicht durch die echte »Meisterschaft« des in Italien neugeborenen Goethe abgelöst, da bei ihm statt des weimarischen Gleichgewichts von »Natur« und »Kunst« eine forcierte einseitige Unterwerfung der »Natur« unter die »Kunst« stattfindet, wo die »Natur« auf ihre Stunde der Rache wartet. In den Umrissen der hier wohl mitzudenkenden Handlung von Euripides' Dionysostragödie *Die Bakchen*: die vorausgesehene Rache der »geknechteten Empfindung« (449) ist der Aufstand des gefangengenommenen kleinasiatischen Gottes Dionysos gegen den tyrannischen Religionsverächter und »sittlichen« »Polizisten«-König Pentheus von Theben.[8]

7 Stefan George, *Werke*, 2 Bde., München/Düsseldorf 1958, Bd. 1, S. 108.
8 Vgl. zu diesem Komplex Manfred Dierks, »Untersuchungen zum *Tod in Venedig*«, in: M. D., *Studien zu Mythos und Psychologie bei Thomas Mann*, Bern/München 1972, S. 13–59, hier S. 18–32.

Ließ sich der fremde, aus Hermes und Dionysos montierte Wanderer nicht situieren, so gilt das Gegenteil von Aschenbach, der im zweiten Kapitel, das sich mit seinem Schaffen befaßt, in einem Übermaß von präziser Selbstsituierung vorgestellt wird, dergestalt, daß seine Werkgeschichte ihn zum Gefangenen seiner ruhmreichen Position macht.[9] Der an die Goethezeit anknüpfende Tonfall des Erzählers[10] rückt den Beschriebenen mimikryhaft in die Nähe seiner Vorbilder Goethe und Schiller und zeigt, wie die dahinter sich ironisch verbergende Stimme des Autors den Erzähler höhnend desavouiert und mit ihm die künstliche Selbsteinschätzung des sittlichen und würdigen Lesebuchklassikers. Die Verbindung neoklassizistischer Ästhetik (wie sie damals dem heraufkommenden Zeitgeist entsprach und auch in Thomas Manns damaliger Auseinandersetzung mit Wagner,[11] in seiner Rezeption der Literaturkritik Samuel Lublinskis[12] und in Anschauungen, die er von Lukács' *Die Seele und die Formen* übernahm,[13] sich niederschlägt) mit preußischer Moral bezeichnet hier die Abrückung von Goethescher und Schillerscher Balance zu einer maskenhaften Form der erstarrten Würde hin, die den Keim ihrer Zerstörung birgt. Hier lehnt sich Thomas Mann auch an die von ihm in Lukács' Storm-Aufsatz angestrichenen Stellen an: »Diese Bürgerlichkeit ist dann die Peitsche, die den Verneiner des Lebens zu dauernder Arbeit treibt. Nur eine Maske ist diese bourgeoise Lebensgestaltung, hinter der sich der wilde und unfruchtbare Schmerz eines verfehlten, vernichteten Lebens, der Lebensschmerz

9 Vgl. dazu Oskar Seidlin, »Stiluntersuchung an einem Thomas Mann-Satz«, in: O.S., *Von Goethe zu Thomas Mann*, Göttingen 1963, S. 148–161.
10 Vgl. Wysling (Anm. 1) und Anm. 6.
11 Vgl. Anm. 4.
12 Vgl. Hans Rudolf Vaget, »Thomas Mann und die Neuklassik. Der *Tod in Venedig* und Samuel Lublinskis Literaturauffassung«, in: *Jahrbuch der deutschen Schillergesellschaft* 17 (1973) S. 432–454.
13 Georg von Lukács, *Die Seele und die Formen. Essays*, Berlin 1911. Darin insbesondere: »Sehnsucht und Form: Charles-Louis Philippe«, S. 195–228, und »Bürgerlichkeit und l'art pour l'art: Theodor Storm«, S. 119–169.

des zu spät gekommenen Romantikers verbirgt.«[14] Lukács spricht dabei von »Masken [...], hinter denen die eigenwilligste und anarchischste Beschäftigung mit dem eigenen Ich verborgen ist«. Und die »Arbeit« wird definiert als »etwas, wodurch das Lebensgefühl fast bis zu ekstatischen Höhen hinaufgeschraubt und mit hysterischer Kraftanspannung wohl zeitweilig bis zum Extrem gesteigert werden kann, wodurch es aber zu solchen Höhen aufsteigt, wo für den Aufstieg mit den schrecklichsten Depressionen der Nerven und des Gemüts bezahlt werden muß.«[15] So enthüllt sich »des Handwerkers Tüchtigkeit« als »der Wesenszug dieses Ästhetentums«, wird »das deutsche l'art pour l'art« in solcher Meisterlichkeit gesehen.[16]

Diese Gedankengänge sind aufschlußreich für die Verklammerung des zweiten Kapitels mit der Fortsetzung. Sie beweisen, daß der Begriff des »Meisters« hier in charakteristischer Äquivokation gleichzeitig die altbürgerliche, spätmittelalterliche Handwerklichkeit, die Imitation der Klassiker um 1800 und den verstiegenen Jugendstilanspruch der verabsolutierten Kunstreligion meint. Ebenso doppelbödig ist die nahverwandte Vorstellung des »Heroismus der Schwäche« (453), die militärischen Ahnenruhm metaphorisch auf sein Gegenteil überträgt, wodurch die sich selbst genügende Form des Durchhaltens ihre maskenhafte Prätention offenlegt, wie sie in heroisierenden Kunstprogrammen vor und um den Ersten Weltkrieg laut wird. (Wie L'art pour l'art in Heldentöne umschlagen kann und will, sieht man schon in den *Zeitgedichten* Georges, 1907[17], und später in Rilkes *Fünf Gesängen*, 1914[18].) Glaubt der Ahnungslose an eine »Wiedergeburt«, womit auch Goethes erste Briefe aus Rom nachgeäfft werden,[19] und

14 Ebd., S. 123.
15 Ebd., S. 126.
16 Ebd., S. 132 f.
17 George (Anm. 7), Bd. 1, S. 227–245, insbesondere S. 227.
18 Rainer Maria Rilke, *Sämtliche Werke*, Bd. 2, Wiesbaden 1956, S. 86–92.
19 Vgl. insbesondere den Brief vom 3. Dezember 1786, in: *Goethes Werke, Hamburger Ausgabe in 14 Bänden*, hrsg. von Erich Trunz, München 1972 [im folgenden zit. als: HA], Bd. XI, S. 147.

an eine »sittliche Vereinfältigung der Welt« (455) – ein Winckelmannsches programmatisches Stichwort –, so verbirgt sich für den Leser hinter diesem neoklassischen Programm die Zweideutigkeit von Bestimmungen, die zwar dem Kunstwerk zugeordnet werden, in Wahrheit aber Metaphern aus dem Bereich des unmittelbaren Lebens sind. Die Ironie besteht hier darin, den übertragenen Sinn rückgängig zu machen zugunsten einer vorher scheinbar besiegten falschen Unmittelbarkeit, die ihre Rechte ebenso »exzentrisch« zurückfordern wird, wie sie »exzentrisch« scheinbar überwunden worden war. Schon hier wird deutlich, daß die moralisierende Rolle des Erzählers per contrarium gedeutet werden muß, daß die Emphase, mit der militärische Vokabeln wie »Zucht«, »Opfer«, »Selbstbeherrschung«, »Dienst« (452 f.) und vor allem »Heroismus« hier eingesetzt werden, die Unverhältnismäßigkeit einer sich von der Realität verstiegen lösenden Kunstauffassung dartut, die in der Novelle *Beim Propheten* und später in den Anschauungen des Kridwiß-Kreises im *Doktor Faustus* ihre gefährliche politische Fortsetzung finden wird. Die Ironie des Autors trifft gleichzeitig den unironischen Protagonisten und den ihn unironisch kommentierenden Erzähler, dessen Rolle der des Chors in den antiken Tragödien gleicht, insofern er den Schein allgemeingültiger Moral zur Geltung bringt. Mit den Prämissen, die dieses zweite Kapitel aufstellt, wird deutlich, daß *eine* Ebene, von der aus sich die nachher erzählten Vorfälle erklären lassen, stets die der literarischen Arbeit mit ihren Bedingungen, Krisen und Ergebnissen ist, auch dort, wo scheinbar unmittelbare Lebensvorgänge die Szene beherrschen.

Die Spannung zwischen äußersten, nie zu versöhnenden Polen bricht in neuer Deutlichkeit auf, wenn der Reiselustige das »Bezuglose« (457) sucht, der ihn Darstellende dagegen ihn anders nicht denn aus einer immer neu zur Stimmigkeit gebrachten Kombination von Bezügen deuten kann. Es entsteht um das Bezuglose ein Netz von Bezügen, zweifellos deshalb, weil die Angst vor den Gefahren der Bezuglosigkeit den Autor zur Selbsttherapie in Gestalt der Rettung seines Protagonisten vor dem Untergang führt. Das Aufgebot einer so vielstimmigen Tradition wird zu einer Absicherung des Abgeschiedenen, Verabsolutierten, Gesellschaftsfeindlichen als eines Situierbaren und Integrierbaren. Je desorientierter der Gegenstand der Erzählung, um so orientierender der Perspektivenreichtum, der ihn vernetzt.

Wenn Venedig das »Unvergleichliche« (458) heißt, so wird es doch gerade in ein komplexes Geflecht von Vergleichen eingebettet, bei denen beinahe alle für Thomas Mann relevanten Mentoren eine Rolle spielen: Goethe, Platen, Wagner, Nietzsche. Ihnen allen werden wir in venezianischen Detailsignalen begegnen. Ironischer- und paradoxerweise wird, was von Venedig abhält oder wegführt, als »fehlgegangen« und »irrig« bezeichnet, Venedig selber aber als das »Abweichende« (458). Nun ist Abweichung von der Norm ja das Thema der Begegnung mit Tadzio, aber da die Norm in dieser Erzählung einen Gegenzug zur grundlegenden Abweichung des Charakters und der Existenzform des Schriftstellers als solchen bildet und dadurch kein Korrektiv, vielmehr das abweichende Komplement der zugrundeliegenden Abweichung darstellt, wird jene erste fundamentale Abweichung eigentlich zu seiner Norm und die normative Ergänzung dazu zu seiner Abweichung.

Wie in der griechischen Tragödie jeder Rettungsversuch gegenüber dem scheinbar Irreführenden erst recht in den Abgrund treibt, so ist es auch hier: Was als das Richtige gewünscht wird, wird das Verderbliche sein. Der Tragödienbezug ist durch die Fünfaktigkeit, aber auch durch die Kunst der signalisierenden Vorausdeutung gewährleistet. Die Übertragung dieser Bauprinzipien und Verfahrensweisen auf die Prosa steht im Einklang mit der Umwertung, die ausgerechnet im Monat des venezianischen Aufenthalts in der frühen Schrift über Wagner postuliert und durch die damals am intensivsten betätigte Lektüre von Goethes *Wahlverwandtschaften* exem-

plarisch erfahren wird, wie der im Aufsatz von 1925 zitierte Ästhetiker Solger es darstellen wird.[20] Goethes Wort, »daß es zu bösen Häusern hinausgehn muß, sieht man ja gleich im Anfang«,[21] ist auch auf diese Erzählung anwendbar.
Das Betreten Italiens bringt sogleich zwei entgegengesetzte Tendenzen zur Geltung. Einerseits gibt es die naturalistisch beobachteten skurrilen Einzelnen und das verkommene, einem allgemeinen Untergang zuzuordnende Lokalkolorit der Touristenfalle Venedig. Andererseits gibt es den davon gereinigten Strand mit seiner Elementarität, der den Zusammenhang Italiens mit der Antike in ihrer zugleich entkörpernden Philosophie des Schönen und erotischen Beschwörung des schönen männlichen Körpers ermöglicht, deren Klassizität sich radikal von den unklassischen Details der volkstümlichen, ja proletarischen italienischen Gegenwartsbilder absetzt.
Daß nun aber der falsche Jüngling auf dem Schiff durchaus nicht nur ein Spezialfall ist, also eine Bestätigung des Themas der Abweichung, sondern durch die Verbindung mit den verwandten Führern ins Totenreich mythische Funktion erlangt, läßt die Szene auf dem Schiff zur Allegorie einer negativen Initiation werden, die das Spezifische, in seinem eitlen schauspielerischen Selbstbezug, umschlagen läßt in eine konsequent komponierte Abfolge von Todesbotschaften. So muß die Aufzählung abstoßender Ticks zugleich als Fülle sprechender Zeichen für eine spätere Entwicklung verstanden werden. Eine Person wie der falsche Jüngling ist nicht durch seine eigene Gegenwart bedeutsam, nur durch die Motive, die er aufweist und auf die Fortsetzung der Geschichte hin dem Leser einprägt. Es gibt hier eine Korrespondenz zwischen der Figur dieses windigen Artisten und der artistischen Technik, die ihn dem Kunstwerk einschreibt. Nietzsches späte Karikatur des Artisten Wagner steht solcher Verfahrensweise inhaltlich und formal Pate. Aschenbach, der Artist,

20 »Zu Goethe's *Wahlverwandtschaften*« (IX, 174–186, hier 178).
21 HA VI, 623.

der sich zum normativen Neoklassiker emporstilisieren will, erkennt in dieser Gestalt wie in einem Zerrspiegel die tiefere Wahrheit über sein Schreiben und seine Existenzform als Artist. Der scharfe Blick in den Spiegel entspringt dem Selbsthaß und bildet eine Voraussetzung zur Hingabe an eine heilige, unbefleckte Gegenwart, mit der sich zu identifizieren indes den Charakter einer tödlichen Selbsttäuschung annehmen wird.

»Entfremdung«, »Entstellung« (460) als Leitworte für den »dionysischen« Zustand, dies setzt wieder die künstlich gewollte, unwahre Norm als Maßstab voraus, deren Unreflektiertheit denjenigen, der sich ihr verschreibt, zu Fall bringen wird. Im Gegensatz zum ersten Todesboten wird dieser zweite im Kontext des Meeres erlebt, wodurch ein drittes Signalwort, das »Schwimmen«, hinzutritt, das uns eine Hauptfunktion des Wassers in der Erzählung verdeutlicht: die Ablösung von scharf umrissener räumlicher und zeitlicher Realität zugunsten einer geschichtslosen stillen Unendlichkeit, wie sie schon Winckelmann in seinem Vergleich des Torso im Belvedere mit gleichmäßigen entrückenden Meereswellen beschwor.[22]

Zu Winckelmanns Stille und Entkörperung gehört August von Platen, dessen zugleich artistische und klassizistische Formkunst im antiken Gewand von Oden und Pindarischen Gesängen eine gespannte und asoziale, an unerfüllter Sehnsucht nach gleichgeschlechtlicher Liebe ewig leidende Seele verrät. Die epigonalen Züge seiner Kunst dienen Aschenbach als Vorbild, der so zum Epigonen des Epigonen wird. Venedig erfährt Platen als Untergegangenes nur noch im Medium der Kunst. Der Gegensatz zu Goethes Beschreibung der Venezianer als eines die Not ihrer geographischen und geschichtlichen Situation durch Tatkraft besiegenden starken Geschlechts muß immer gleichzeitig präsent bleiben.[23] An

22 Johann Joachim Winckelmann, »Beschreibung des Torso im Belvedere zu Rom«, in: J. J. W., *Werke in einem Band*, Berlin/Weimar ²1976, S. 56–61, hier S. 58 f.

23 HA XI, 67 f.

ihn wird erinnert, wenn die Gondel an Särge denken läßt, wie Goethe es in seinem achten »Venetianischen Epigramm« sagt.[24] In einem andern Epigramm wird ein Mädchen beschrieben, das mit seinem Züngelchen sein Mäulchen leckt.[25] Der falsche Jüngling »leckte auf abscheulich zweideutige Art mit der Zungenspitze die Mundwinkel« (462). Der gesunde »antike« Eros Goethes wird hier mit dem perversen konfrontiert, erotische Luft ist indes beiden Venedigbesuchern zugeordnet. Auch der dritte Todesbote, der Gondoliere, vereint des asiatischen Dionysos Verwegenheit mit dem Hermeshut und zeigt die allegorischen Totenschädelzähne. Wie beim Wanderer fällt die Brutalität dieses Sendlings auf. Der Gegensatz zwischen der Getragenheit auf erschlaffendem Sitz und der Aggressivität des Ruderers mit der eigenmächtigen Verhaltensweise stellt die barbarischen, vorgriechischen Züge des von Raubtieren umgebenen Dionysos, wie ihn Nietzsche schildert, heraus. Diese Wildheit und Unkultur ist, wie bei Nietzsche, als Folie für apollinische Kunsterfahrung eingesetzt. Sie hebt sich auch vom Kunstcharakter und von den Lebensvorstellungen der Goethezeit ab, der dieser Untergrund der Antike noch fremd war. Insofern haben wir hier auch eine Warnung vor der Illusion eines neoklassizistischen Programms vor uns. Das Absehen von den grausamen und unmenschlichen Prämissen der antiken Schönheit läßt diese zu einer unwirklichen Beschönigung erstarren, für die sich die verkannte Elementarität rächen wird. Einmal mehr wird eine allzu behütete, gesicherte Ästhetenexistenz mit dem ihr fehlenden Wagemut und Weitblick konfrontiert. Aus solcher Infragestellung erwächst der späteren Kunst Thomas Manns eine neue Aufgabe. *Der Zauberberg* wird sie anpacken, wird der Unterwelt ins Auge schauen.

Zugleich ist mit diesen Dionysos-Variationen auch das Thema der Verkehrung eingeleitet. Es hat den allgemeinen Sinn

24 Goethe, *Gedenkausgabe der Werke, Briefe und Gespräche*, hrsg. von Ernst Beutler, Bd. 1, Zürich ²1961, S. 223.
25 Ebd., S. 228 (Nr. 32).

einer radikalen Umorientierung, die das Unten des Todesreichs nach oben zu den jetzt lebenden Erdbewohnern befördert. Aber es stellt auch die Weichen für die zensierende Perspektive auf die Begegnung mit Tadzio. Der von der Autorinstanz ironisierte Erzählerblick verurteilt sie von Anfang an, macht aus ihr das Verbotene und legt so den Gang der Geschehnisse fest. Aschenbach wird nie aus der Haft dieses eingrenzenden Zensors entlassen. Die schreibende Instanz braucht dieses grausame Spiel mit seiner Figur, um so auf indirekte, implizite Weise ihre eigene kreative Betroffenheit auszudrücken. Der Sicherungsmechanismus solchen Erzählerkommentars muß natürlich, gegen den Strich, gesprengt werden,[26] damit die tiefere Komplizität der Autorinstanz mit ihrer Figur in Erscheinung tritt. Die späteren Selbstaussagen Thomas Manns zu diesem Thema lavieren zwischen Zensur und Komplizität und vermeiden ebenso negative wie affirmative Festlegungen.[27]

Tadzio erscheint Aschenbach sogleich unter dem Zeichen des Apollinischen, als Erinnerung an den Dornauszieher. Mit ihm beschwört der Erzähler auch die Szene in Kleists Betrachtung *Über das Marionettentheater*, wo ein Jüngling sich beim Blick in den Spiegel mit dieser gleichen Statue identifiziert und dabei seine Unschuld verliert.[28] Der narzißtische Charakter von Tadzios Verhalten gegenüber Aschenbach könnte so schon hier angedeutet sein. Die Schwestern, die ihn umgeben, werden als »bis zum Entstellenden« (470) herbe Folie geschildert, sie bilden einen zum Apollinischen antithetischen Hintergrund und werfen so einmal mehr das Problem

26 Vgl. zu diesem Problem Dorrit Cohn, »The Second Author of *Der Tod in Venedig*«, in: *Probleme der Moderne. Studien zur deutschen Literatur von Nietzsche bis Brecht* (Festschrift für Walter Sokel), hrsg. von Benjamin Bennett, Anton Kaes und William J. Lillyman, Tübingen 1983, S. 223–245.

27 Vgl. *Dichter über ihre Dichtungen*, Bd. 14: *Thomas Mann*, hrsg. von Hans Wysling unter Mitw. von Marianne Fischer, Tl. 1: 1889–1917, München 1975, S. 393–449.

28 Heinrich von Kleist, *Sämtliche Werke und Briefe*, hrsg. von Helmut Sembdner, Bd. 2, München $^{6}$1977, S. 343 f.

der Nichtintegration des Gegenprinzips auf, die Tadzio einer lebenzeugenden Voraussetzung beraubt. Er erhält etwas normativ Bezugloses, von der Wirklichkeit Abgetrenntes, auf das Aschenbach gerade anspricht, die dunkle Folie dazu negierend, die als Verdrängung seiner eigenen wilden, ungerichteten Bedürfnisse erscheint. Damit wird fortan jede weitere Begegnung mit Tadzio den Doppelcharakter einer neoklassischen, bildungsmäßigen Aneignung und einer damit einhergehenden, die »dionysische« Seite der eigenen Person verdeckenden Verdrängung der damals verbotenen Neigung aufweisen. Diese Spaltung wird im vierten, antikisierenden und im fünften, auflösenden Kapitel thematische Relevanz erlangen. Sie steht wieder für die antiweimarische exzentrische Polarisierung von Leben und Kunst, die in Goethes italienischen erotischen Gedichten wie in seinen klassischen Romanschöpfungen noch als offen und beweglich abgestimmte Einheit möglich schien.

In den Arbeitsnotizen betont Mann mehrmals, daß gerade die Erfahrung der Welt als Form den Weg zum Verbotenen beschreitet.[29] Mit der Erscheinung Tadzios verbindet sich sogleich die aristokratische Lebensform des Liebenden wie des Geliebten. Die deutliche Spaltung zwischen elitärer Schönheit und volkstümlicher Häßlichkeit und Grobheit durchzieht die letzten drei Kapitel und erinnert uns daran, daß auch George, Hofmannsthal und Rilke in diesen Jahren Schönheit und Adel im Einklang sahen und von der Masse der gewöhnlichen Menschen abgetrennt. Zu dieser Zeitbedingtheit gehört auch der gehobene Hotelstil, der klassenbewußte Züge herausstreicht. Dies wird zwar auf Aschenbachs Selbstverständnis abgestimmt, es hat aber auch mit den Lebensformen des Autors selber zu tun. Auch im Hinblick auf den »apollinischen« Zugang zu Tadzios Schönheit spielt die aristokrati-

29 »Thomas Manns Arbeitsnotizen«, bearb. von T. J. Reed, in: Erhard Bahr, *Erläuterungen und Dokumente. Thomas Mann, »Der Tod in Venedig«*, Stuttgart 1991 (Reclams Universal-Bibliothek, 8188), Nr. 6 und 27, S. 75 f. und 105 f.

sche Sehweise eine Rolle, um so mehr als sie auch mit Platon zusammengebracht werden kann. Insgesamt darf auch hier der Gegensatz zur dionysischen Barbarei betont werden, der proletarische Züge zugeordnet werden.

Aschenbachs im zweiten Kapitel dargelegtes Programm von Zucht, Pflicht, Selbstachtung findet hier eine Bestätigung und Fortsetzung. Dies schafft den Raum der vornehmen Distanz um das geliebte Wesen, das bis zuletzt unerreichbar bleiben muß, ein Bild, nicht ein kommunizierender Partner. Die Wortlosigkeit, zugleich die Blicksprache ermöglichen das Selbstgespräch des Betroffenen, dessen philosophisch-ästhetische Gedankengänge fortan die Unmöglichkeit des Zwiegesprächs zu überbrücken scheinen. Immer neue Formen der Trennungen müssen vom Autor erfunden werden, angefangen mit der Glastür. Die Bedürftigkeit des in der Mitte des Lebens nach Einfachheit Trachtenden richtet sich dabei gleichzeitig auf den ungestaltet unendlichen Meeresraum und auf die klassisch begriffene Gestalt des Knaben. Der meisterliche Artist braucht das apollinische Komplement Winckelmannscher »edler Einfalt« ebenso wie das dionysische des ungemessenen Ungeheuren, der »Raumeswüste«, die das Chaos vor der Schöpfung anklingen läßt. Tadzio hat mit beidem zu tun, wird aber nur apollinisch reflektiert, weil ja die dionysische Zuordnung die untergründig wirksame, verdrängte Seite Aschenbachs ausmacht. Insofern gibt es keine goethezeitliche Versöhnung, vielmehr eine Spaltung zwischen erlaubtem und verbotenem Eros. Deren innere Zusammengehörigkeit ist indes in den Arbeitsnotizen deutlich reflektiert worden.

Zu der Schönheit des Knaben gesellt sich immer wieder die Zartheit, Schwäche, Kränklichkeit, die der modernen Färbung klassischer Werte nötig ist, diese dadurch aber desavouiert, bis zur grotesken Diskrepanz. Dabei entsteht der Eindruck selbstgenügsamer Ästhetik, die das reale Geschöpf, von dem sie ihre Eingebungen empfängt, hinter sich läßt und nur noch als inneres, geistiges Bild aufnimmt. Gerade dies aber verrät erneut die Spaltung, die die Neigung des Schriftstellers zu seinem Geliebten erfährt. Die Selbstgespräche nehmen sich wie Traktate in größter Nähe zum platonischen Wortlaut aus, das Nichtgesagte wird vom Erzähler in moralisierendem Tonfall nachgetragen. Unbesetzt bleibt die Position der affirmativ gelebten Neigung, die doch die des Autors ist, der sich nur dadurch verrät, daß er sich mit immer neuen Mitteln vor sich selber zu verbergen trachtet.

Als Aphroditos Anadyomenos, als Schaumgeborener, der aus dem Wasser steigt, wird Tadzio der antiken Theogonie einverleibt.[30] »Vormännlich, hold und herb« (478) erscheint er, wie Georges »gott der frühe«.[31] (*Der Stern des Bundes* entstand gleichzeitig mit dem *Tod in Venedig*.) Es ist dies nicht zufällig die Stelle, wo eine Andeutung gemacht wird darüber, daß Thomas Mann diese Erfahrung ursprünglich in hymnische Form bringen wollte.[32] Die Anzeichen von Kränklichkeit, die auf frühen Tod schließen lassen, erinnern an die damals geltende Vorstellung von der Erwähltheit der Frühverstorbenen. Georges Maximin-Gedichte bezeugen es[33] wie Rilkes Requiem-Gedichte (*Klage um Antinous*, *Klage um Jonathan*, *Für Wolf Graf von Kalckreuth*),[34] alle aus demselben Jahrzehnt wie *Der Tod in Venedig*.

Der überstürzte Weggang aus der Stadt – eine klassische Form der Retardation, in der Mitte der Erzählung, also da, wo die Entscheidung für oder gegen Venedig, für oder gegen Tadzio, für oder gegen den Tod fällt – wird als »Harm« erlebt: ein Platen-Wort, das dessen Liebesleiden im Kontext des

30 Vgl. Werner Frizen, »Venus Anadyomene«, in *Thomas Mann und seine Quellen* (Anm. 5), S. 189–223, hier S. 190–196.
31 George (Anm. 7), Bd. 1, S. 377.
32 »Aschenbach lauschte mit geschlossenen Augen auf diesen in seinem Innern antönenden Gesang [...].« (478) Vgl. dazu *Gesang vom Kindchen*: »Weißt du noch? Höherer Rausch, ein außerordentlich Fühlen / Kam auch wohl über dich einmal und warf dich danieder, / Daß du lagst, die Stirn in den Händen. Hymnisch erhob sich / Da deine Seele, es drängte der ringende Geist zum Gesange / Unter Tränen sich hin.« (VIII, 1069)
33 George (Anm. 7), Bd. 1, S. 284–288.
34 Rilke (Anm. 18), Bd. 1, S. 561, 562 f., 659–664.

spätromantischen Weltschmerzes heraufbeschwört.[35] Der Augenblick der Entscheidung wird im Präsens erzählt, nach dem Verfahren der hier als Vorbild dienenden *Wahlverwandtschaften*. (Es handelt sich dort um die Szene, wo ein Knabe beinahe ertrinkt und Eduard endgültig Ottilie anzugehören bekennt.[36]) Die Rückkehr ins Hotel endet mit der Absage an die emblematisch geschlossene Faust des zweiten Kapitels zugunsten der jetzt geöffneten Hand. Damit läßt Aschenbach sein bisher geltendes Sicherungssystem fahren und öffnet sich dem Unbekannten, das ihn vernichten wird. Dieses mittlere Kapitel hat durchaus Übergangscharakter. Es handelt von zwei Reisen, von ersten Begegnungen mit Tadzio, von dämonischen Gestalten des Dionysosgefolges wie von der beglückenden Apollongestalt des Geliebten. Im Gegensatz zum besonnten »apollinischen« vierten und zum todumdüsterten »dionysischen« letzten Kapitel ist dieses von den beiden hier wirksamen Polen durchsetzt, in jener noch unentschiedenen Vorläufigkeit, der zuletzt die Entscheidung entspringen wird.

Was danach, im vierten antikisierenden Kapitel, zur Sprache kommt, gehört insgesamt der Welt des apollinischen Scheins an, hat die Konsistenz eines ephemeren Traums, der sich aber mit Schönheitsnorm und Bekenntnis zum Gestalthaften eine programmatische Berechtigung zulegt, deren Bestand indes von Anfang an unterhöhlt wird, durch den mimikryhaften, imitativen Ton einer fremden Zeit und Sprache, derjenigen Homers und Platons. Bei aller Reinheit und Erhabenheit des Inhalts wird hier durch die schauspielerisch angeeignete Diktion ein Artefakt geliefert, das sich selber richtet. Es nimmt sich wie ein eingelegter Zwischentext aus, ein Intermezzo, das sich mit fremden Federn schmückt. Dies ist zunächst schon am hexametrischen Rhythmus zu erkennen, dann an

35 August von Platen, *Werke*, Bd. 1: *Lyrik*, München 1982, S. 382 f.: *Venedig XXVIII*.

36 HA VI, 337.

der Wortwahl und thematisch an der ästhetisierenden Schilderung des Sommerhimmels. Selbst der Rückblick auf den deutschen Alltag wird jetzt in erhöhter lyrischer Tonart gestaltet: der »heilig-nüchterne Dienst seines Alltags« (487) bedient sich einer Hölderlinischen antithetischen Wendung aus dem Gedicht *Hälfte des Lebens*[37], dessen beide Strophen, die Sommer- und die Winterstrophe, mit dem Gegensatz zwischen viertem und fünftem Kapitel verknüpft werden können. Und in derselben Zeit zitiert auch George im eben entstehenden *Stern des Bundes* die gleiche Hölderlinische Prägung: »Und heilig nüchtern hebt der taglauf an.«[38] Es ist, als ob Thomas Mann dieses programmatisch bekennende Liebesgedicht gekannt hätte. So weit geht hier seine Mimikry, daß er die Position, gegen die er sein letztes Kapitel schreiben wird, hier scheinbar mit der eigenen verschmelzen läßt.

Die eng an Homer sich anlehnende elysische Entrückung ist um so doppelbödiger, je glücklicher sie sich gibt. Überhaupt wird jetzt der Zustand der Beseligung fast immer in größter Nähe zu den antiken Vorlagen gestaltet. Die Autorinstanz gibt ihre Autonomie einen Augenblick lang preis und läßt den fremden Ton als Zeichen für den Verlust der Persönlichkeit des Helden ein. Dies bestätigt sich in den Vergleichen Tadzios mit einer klassisch geformten antiken Statue, die in ihrer einseitig »apollinischen« Gesetzlichkeit Winckelmanns erotisch getönte, aus »Andacht und Studium« gleichermaßen hervorgegangene Beschreibung männlicher antiker Skulpturen in Erinnerung ruft – und damit seine dramatische Ermordung in der Venedig benachbarten Hafenstadt Triest. So liegt über dem musterhaft akademischen Eingrenzungsversuch des Schönen, der natürlich als Entsprechung zu Aschenbachs musterhaft gewordener reifer Meisterprosa zu

37 Friedrich Hölderlin, *Hälfte des Lebens*, in: F. H., *Sämtliche Werke* (Kleine Stuttgarter Ausgabe), hrsg. von Friedrich Beißner, Bd. 2, Stuttgart 1953, S. 121, V. 5–7: »Und trunken von Küssen / Tunkt ihr das Haupt / Ins heilignüchterne Wasser.«

38 George (Anm. 7), Bd. 1, S. 384.

lesen ist, schon von Anfang an ein verdüsternder Schatten, der das vom strahlenden Tageslicht erfüllte vierte Kapitel mit dem verdunkelten fünften verklammert.[39] Von der antiken wie von der weimarischen klassischen Norm weicht die preußische »Zucht« ab, die ihr Gegenteil, den »Rausch«, hervorbringt und so das Signal zum Erwachen des todbringenden, barbarisch aufgefaßten Gegengottes Dionysos gibt. Dieser Rausch leitet auch die Evokation des nach Platons Dialog *Phaidros* gestalteten liebenden Zusammenseins von Sokrates und Phaidros ein, wo der göttliche Wahnsinn eine Hauptrolle spielt. Er wird bei Platon vier Göttern zugeteilt, die alle vier Aschenbach heimsuchen: Apollon, Dionysos, die neun Musen und Eros – Aphrodite.[40] Platon fremd dagegen ist der ex negativo mit eingeführte Bezug zu Semele, Dionysos' Mutter, die bei der Geburt des göttlichen Sohnes verbrennt. Dieses Warnsignal deutet auf die spätere Verschiebung der hier evozierten Antike zugunsten der Antike des gefährlichen, grenzensprengenden Dionysos, wo aus dem platonischen Rausch der Rausch von Nietzsches Dionysos hervorgehen wird, eines der für Thomas Mann charakteristischen Paradoxa, da Nietzsche ja der schärfste Kritiker des Sokrates war. Überall lauert so hinter den Mustern an Besonnenheit das zerstörerische Gegenmodell. Es sei auch darauf hingewiesen, daß gerade 1910 Hölderlins um die Identifikation des Dichters mit der verbrennenden Semele kreisende Hymne *Wie wenn am Feiertage* zum erstenmal veröffentlicht wurde, und zwar von Stefan George.[41] Hölderlins Ode *Sokrates und Alcibiades* war

39 Vgl. dazu meine Studie »Apoll und seine Schatten. Winckelmann in der deutschen Dichtung der beiden Jahrhundertwenden«, in: *Johann Joachim Winckelmann: 1717–1768*, hrsg. von Thomas W. Gaethgens, Hamburg 1986, S. 327–342, hier S. 338–340.

40 Platon, *Gastmahl, Phaidros, Phaidon*, übertr. von Rudolf Kassner, Wiesbaden 1978, S. 129.

41 *Deutsche Dichtung*, hrsg. und eingel. von Stefan George und Karl Wolfskehl, Bd. 3: *Das Jahrhundert Goethes*, Berlin ²1910, S. 48–50.

Thomas Manns liebstes Liebesgedicht, und in seinen Schluß mündet denn auch die Sokrates-Phaidros-Evokation:

> Und es neigen die Weisen
> Oft am Ende zu Schönem sich.[42]

Was bei Platon zur philosophischen Erkenntnis der Wahrheit führt, wird hier nun auf die künstlerische Produktion geleitet. Die platonische Formel des Zeugens »in schönen Körpern und in edlen Seelen«[43] verbindet sich im *Gastmahl* mit der Erweckung der Seele und der Erziehung zu Einsicht und Tugend, also mit dem konkret gelebten pädagogischen Eros; Thomas Mann wandelt sie ab zum »seltsam zeugenden Verkehr des Geistes mit einem Körper!« (493) Diese ganz unplatonische Polarität, die sich auf eine kommunikationsverweigernde Trennung zwischen dem älteren Träger geistiger Werte und dem jungen Körper als dem Träger sinnlicher Schönheit gründet, verflacht die platonischen Strukturen liebender Entsprechung in doppelter leiblich-seelischer Begegnung zu doppelter Einseitigkeit, deren Kompensationscharakter philosophisch gerichteter erotischer Pädagogik im Wege steht. Die dem narzißtischen Künstler des Fin de Siècle nötige Berauschung an der körperlichen Schönheit eines Jugendlichen wird also die platonischen Erkenntnismuster in aufzehrende Selbstzerstörung umschlagen lassen und beweisen, wie hier der Geliebte nicht zum Partner werden kann, nur zum Objekt innerhalb eines selbstgesteuerten Produktionsprozesses. Wie schon die Verwandlung des badenden Polen in eine griechische Statue eine Etappe auf dem Weg zur Entfremdung eines zwischenmenschlichen Bezugs in einen auf das literarische Kunstwerk zielenden Vorgang war, so ist auch die vom steuernden Geist zeugend benutzte körperliche Schönheit eine der Kunst zuliebe nur voyeuristisch gelebte Form der Erotik, die den Geist über den Umweg der Sinnlichkeit nur mit sich selber in ein Gespräch bringt. Dieses

42 Hölderlin (Anm. 37), Bd. 1, S. 256.
43 Platon (Anm. 40), S. 49 f.

Selbstgespräch zeichnet der Erzähler ironisch und in normierender Zensorenhaltung nach, wobei die Einsamkeit des Protagonisten, die für seine Art der Produktion unentbehrlich zu sein scheint, immer neu zur Quelle pathologisch sich steigernder Kompensationsbedürfnisse wird. Insofern leitet das vierte, zunächst triumphal scheinende Kapitel zum fünften über, das den Niedergang bringt. Verräterisch verwandelt sich die Polarität von Geist und Körper in die von »Zucht und Zügellosigkeit« (494). Beide Wörter haben denselben etymologischen Ursprung: »ziehen«. Im Grimmschen Wörterbuch wird bedeutsam vermerkt, Zucht, das zunächst »Erziehung« meint, werde später zum Ergebnis der Erziehung. Der Zwang bestimmt dieses semantische Feld, sein Fehlen bringt »Unzucht« – ein wortspielerisch ausgespartes, aber deutlich anvisiertes Wort, das ein sexuelles Vergehen meint und in Kassners Übertragung des *Phaidros* erscheint.[44] Es wird erst am Ende des dionysischen Traums auftauchen: »Und seine Seele kostete Unzucht und Raserei des Unterganges.« (517) Auch hier wird beziehungsvoll das Ende »wörtlich« vorweggenommen. Der Erzähler, der die griechische philosophisch-pädagogische Erotik in ein preußisches Sittlichkeitskorsett und sein sittenloses Negativum zwingt, zeigt die Verklammerung zwischen Wilhelminismus und Décadence an und gibt den Blick auf die von Winckelmann und Schiller ausgegangene deutsche Antikenerneuerung in dem in Erstarrung und Erschlaffung auseinandergefallenen neuen Kontext des Jahrhundertbeginns frei. Die hier vordemonstrierte starre Abwandlung des Platonismus verfälscht damit auch die Natur des griechischen Eros. Die abgewandelten Zitate aus dem *Phaidros* und aus dem *Gastmahl* haben die Aufgabe, diese Verfälschung bewußt zu machen. So wird Platons »Erschrecken« vor der Schönheit[45] zum »Erschrecken« vor einem ungelebten Abenteuer (495).

Die lyrisch-hymnische antikisierende Einlage des festlichen

44 Ebd., S. 90.
45 Ebd., S. 107.

Tageserwachens verbindet die erste Intention dieser Dichtung[46] mit parodistischen Tönen und mit leitmotivischen Verweisungen auf das folgende Kapitel: »*entsch*lummerte«, »*entst*ellte Welt«, »dem süßen Blute *entsp*rossen« (496): Dichtung als Loslösung von Realität und Selbstkritik, als Verbindung von Ursprung des Lebens und Tod, eine vom Verfahren opernhafter Musik ausgehende Temporalisierung des Morgenhimmels in der Form lyrischer Prosa, wie sie die Jahrhundertwende bei ihrer Neuentdeckung Jean-Paulscher kosmischer Traumvisionen liebte,[47] aber mit der vom Geist dieses Kapitels geforderten mythologisierenden Tönung. Der explizite Zitatcharakter verhindert den Gesang. Die Zeitraffung beschreibt den Weg von der wiederauflebenden Jugendglut bis zum Tod, wobei eine bewußte Vermischung der Altersstufen stattfindet. Der Ältere wird künstlich verjüngt, der Jüngere früh entrückt. In dieser doppelten Verkehrung genießt der Ältere die Morbidität einer schon voraus verwelkten Jugendblüte. Auch dies gehört zum Zeitgeist, zu Georges Kult des frühverstorbenen Maximin, zu Rilkes Requiemgedichten für junge Tote, auch zu Trakls Elisgedichten mit dem hyazinthenen Leib und zu Hofmannsthals »Schmelz der ungelebten Dinge«.[48] Das »Ungelebte« wird dann thematisch in der reinen Blickliebe und im expliziten Narzißlächeln, das Thomas Mann in die Zeitgenossenschaft von Gide, Valéry, Rilke einschließt. Jetzt fällt das Wort der höchsten Zuwendung: »Ich liebe dich!« Auch dieses Wort ist ein Zitat aus Platons *Phaidros*.[49] Dort wird es zum Geliebten aufgrund seiner Reden gesagt, hier aufgrund des reinen Selbstbezugs. Nie ist Tadzio so liebenswert für Aschenbach, als wenn er nur sich selber liebt. So könnte man die Liebe zum Narziß als potenzierte Selbstliebe deuten, als Wiederholung der Figur, die

46 Vgl. Anm. 32.

47 Vgl. *Deutsche Dichtung* (Anm. 41), Bd. 1: *Jean Paul*, Berlin ²1910.

48 Hugo von Hofmannsthal, *Der Tod des Tizian*, in: H.v.H., *Gedichte und lyrische Dramen*, Stockholm 1946, S. 252.

49 Platon (Anm. 40), S. 96.

man am andern sich vollziehen sieht. Es ist die Liebe des Narziß zum Narziß. Rückwirkend wäre dann alles Selbstinszenierte der Schriftstellerfigur eine Manifestation dieses Narzißmus.

Mit Entstellung, Verzerrung endete das vorletzte Kapitel, mit einem nun endgültig entstellten und verzerrten Zustand beginnt das fünfte, letzte, das den Tod auf der naturalistischen Ebene von Choleraseuche und allgemeinem Sittenzerfall, auf der mythisierenden Ebene antiker Todesboten, Dionysos und Hermes, erfahrbar macht. Jetzt erst wird Venedig zum Hauptschauplatz. Nur als verfallende Stadt konnte es hier verwendet werden. Die naturalistische Darstellung der infizierten Stadt geht einher mit der Demontage von Aschenbachs klassizistischer Würde und seiner damit zusammenhängenden »Wiedergeburt«. Alle zur antikisierenden epischen und philosophischen Erhebung stimmenden Züge werden jetzt getilgt, die Umkehrung zum Dubiosen, Verheimlichten, Verlogenen, Verbrecherischen hin geschieht vor allem durch venezianisches Lokalkolorit, das sich vielfach ohne bedeutungsvolle Brechung oder gebildete Anspielung darstellt. Die direktere Wiedergabe einer vordergründigeren Realität wäre so das Signal von Aschenbachs Fall, dem jetzt das mehrstimmige Beziehungsgeflecht, das ihm bisher seine fragil ausbalancierte Identität verliehen hatte, abhanden kommt. Der zensierende Erzähler hat jetzt mehr denn je die Zügel in der Hand. Er ist es, der das Geheimnis der Choleraepidemie mit dem Geheimnis der verbotenen Liebe verschmelzt. Von nun an ist sein richterlicher Kommentar so explizit, daß er diesen indirekt desavouiert und den aufmerksamen Leser zu einer Gegenposition veranlaßt. Der als gefallen Interpretierte ist jetzt mit seiner unverstellten Natur in engerem Einvernehmen. Dies durfte 1911 nicht zugegeben werden. So muß überdeutlich Distanzierung signalisiert werden. Sie ist so massiv, scheinbar so unangefochten, daß sie keineswegs mit der Autorintention identifiziert werden darf. Erst wenn man hinter der Stimme der Zensur in ironischer Umkehrung die Stimme der Wahrheit vernimmt, wird man der großen Konfession, die hier stattfindet, gerecht werden.[50] Aschenbachs Trunkenheit wird mit der Unterwerfung unter den »Dämon« verknüpft, als den Nietzsche Dionysos, den er einen »grausamen, verwilderten Dämon«[51] nennt, kennzeichnet. Dieser ist hier ein asiatischer Gott, im Einklang mit seiner Beschreibung in Erwin Rohdes *Psyche*. Darum werden die orientalischen Züge Venedigs jetzt dominant. Die Erinnerung an die deutschen Vorfahren erhält dagegen jetzt soldatische Züge, die Opposition von Ost und West, Süd und Nord vereinfachende, polemische Akzente, die wir im *Zauberberg* wiederfinden werden. Plutarchs und Platons Zeugnisse von der heroischen Tapferkeit des antiken Liebenden werden in grotesker Situationsverkennung auf die eigene Situation angewandt, was nun freilich rückwirkend die frühere Berufung auf den Offiziersstand der Väter der Lächerlichkeit preisgibt. Das so übertragen verwendete Soldatische als scheinbare Fortsetzung der Familientradition soll hier den gleichen Traditionsbruch wie am Ende der *Buddenbrooks* signalisieren. Das schlechte Gewissen des biographisch realen Autors antwortet auf die perspektivische Verzerrung der Anschauungsweise des Protagonisten mit einem diese Verzerrung ironisch kommentierenden Begleittext, der aber wiederum relativiert werden muß, weil hinter seiner moralisierenden Desavouierung des Helden eine mit diesem solidarische Stimme vernehmbar wird, die die Übertragung militärischer Gesinnung auf künstlerische Haltungen als zeitgemäße Veränderung gutheißt. Das Hauptthema der demontierten Würde wird hier in der doppelten Brechung von antiker Reminiszenz und deren Verkehrung vergegenwärtigt, also innerhalb des klassischen Bezugssystems.

50 Vgl. Cohn (Anm. 26).

51 Friedrich Nietzsche, *Die Geburt der Tragödie aus dem Geiste der Musik*, in: F.N., *Werke in drei Bänden*, hrsg. von Karl Schlechta, Bd. 1, München ²1960, S. 62.

Das Gegenprinzip der »dionysisch« barbarischen Todesboten inkarniert der die Exzentrik seiner drei Vorgänger gleichfalls durch Würdelosigkeit steigernde Straßensänger. Er weist wiederum auf den ebenso »musikalischen« dionysischen Traum voraus, der die Würdelosigkeit mit nackter Sexualität in eins setzt. Dazu tritt der asiatische, bis zum Ganges vorgestoßene Dionysos, für den jetzt metonymisch die Cholerainfektion steht, wobei die erste Vision am Münchner Friedhof wieder aufgegriffen und nun realistisch inszeniert wird.
Wenn hier jedesmal eine Etappe der Handlung dem gemeinsamen Thema der Würdelosigkeit unterstellt wird, für die jedesmal Dionysos steht, den Nietzsche ja als den eigentlichen Gott feiert, dann muß einerseits das Verhältnis des Autors zu seinem Gewährsmann Nietzsche kritisch befragt werden wie andererseits dasjenige zu jenem Konzept der Würdelosigkeit selber. Dessen Gebundenheit an den Gegenpol der Würde zeigt ja die Verfälschung der antiken und noch der weimarischen Polarität von »Natur« und »Kunst«. Wenn die karikierte Würde notwendig die ebenso entstellte Würdelosigkeit hervorbringt, dann sind beider Zuordnungen zu ihren Leitgöttern verzerrt und daher nicht mehr wörtlich zu nehmen. Die enge Moralisierung im mythischen Kostüm höhlt beides aus, Moral und Mythos. Übrig bleibt der Eindruck des Unverhältnismäßigen, der solchen Appropriationen eignet. Eine große Bildungstradition verkommt hier zu formalisierten und verengten Aktualisierungen, die ihre eigene Unstimmigkeit thematisieren. Die Erzählung handelt von dieser zeitbedingten, daher »wahren« Entstellung.
Die antikisierende Schilderung dionysischer Orgien antwortet auf die »apollinischen« Festbilder des vorangegangenen Kapitels. Der Trieb zur Vereinigung mit dieser Gegenwelt, die auch die eigene ist, nimmt Pentheus' Zerstörung inmitten der dionysischen Feiern der *Bakchen* auf,[52] in der Brechung von Rohdes *Psyche*. Mit dem »fremden« Gott wird aus grie-

52 Vgl. Dierks (Anm. 8).

chischer Sicht der barbarische Charakter des Dionysos betont, der auch auf die deutsche Aktualisierung durch Nietzsche und jetzt durch diese Erzählung verweist. In Georges *Siebentem Ring* wird diese Brunst, wird diese Vermischung von Mensch und Tier gleichfalls dionysisch gestaltet (*Sonnwendzug*, *Lobgesang*).[53]

Angesichts dieser mit Hilfe des mythischen Traums fortschreitenden Auflösung nehmen sich die Gegenmaßnahmen ebenso »entstellt« aus: die Frisier- und Schminkszene zur künstlichen Verjüngung erinnert nicht nur an Goethes *Mann von funfzig Jahren*, sondern zunächst auch an das Verhalten des Verliebten im *Phaidros*, dann an die groteske dionysische Verkleidung der beiden Ältesten zu Beginn von Euripides' *Bakchen*, an Teiresias und Kadmos. Zugleich bindet diese Szene die Erzählung in den Kontext des unmittelbar davor in seinen Anfangskapiteln verfaßten *Krull*, nämlich in die ekelerregende Begegnung mit dem pickelübersäten, entblößten Schauspieler Müller-Rosé in dessen Garderobe. Dabei wird nun in gewollter Symmetrie das Thema der Pose, die im »antiken« Kapitel auf klassische Normen verpflichtet war, vom Jüngeren auf den Älteren umgeleitet und jetzt mit dem Krull-Thema des Betrugs verknüpft. Rückblickend erscheint die Stilisierung zum Meister selber als ein Werk der Pose, das sich nur graduell von dem jetzt offengelegten Betrug unterscheidet. Nur so kann man die vom Erzähler gesteuerte Betonung des Abstands zwischen dem Verfallenen und dem »Hochgestiegenen« verstehen, der, jetzt in vertikaler Richtung verdeutlicht, den doppelten Austritt aus der goethezeitlichen Balance bezeichnet. Der Rückblick umfaßt in pointierter, abweichender Wiederholung auch die Phaidros-Szene, die nun explizit auf den Künstler anspielt, dessen damals von George vorgelebtem Führertum mit Platon, Nietzsche (*Nur Narr! Nur Dichter!*[54]) und der Platon-Interpretation von Lukács[55]

53 George (Anm. 7), Bd. 1, S. 253 f. und 276 f.
54 Nietzsche (Anm. 51), Bd. 2, S. 1239–42.
55 Vgl. Anm. 13: »Sehnsucht und Form: Charles-Louis Philippe«.

eine Absage erteilt wird. Paradox ist dabei, daß die dem Künstler eigene »Richtung zum Abgrunde« (522), die Nietzsches Dionysosbild aufnimmt, zugleich als »auflösende Erkenntnis« erscheint, d. h. mit Nietzsches antidionysischem Sokratesbild verschmilzt. Sokrates aber hat bei Nietzsche gerade keine Neigung zum Abgrund, vielmehr ist seine Dämonie tragödienfeindlich, optimistisch, verwegen verständig. Thomas Mann mischt seine Ingredienzen neu, und so macht er auch aus Nietzsches Apollinischem eine Winckelmannsche Einfalt, eine Goethesche klassische »zweite Unbefangenheit«, die hier aber nur als Umweg zum eingeborenen Abgrund erscheint. Dieser wird durch Nietzsche mit Wagners *Tristan und Isolde* vergegenwärtigt. Die Schopenhauersche Auflösung des Individuums als Nietzschescher Regreß vom alexandrinischen Zeitalter unserer letzten Jahrhundertwende zum neu erfahrenen tragischen Zeitalter wird für Nietzsche und Thomas Mann in Wagner verwirklicht. An Aschenbach wird sie mit den in Nietzsches Sicht Euripides zugeschriebenen naturalistischen Mitteln und der Sokrates zugeordneten kritischen Ästhetik vollzogen, nicht echt »apollinisch« noch auch echt »dionysisch«, sondern, mit Nietzsche, durch »neue Erregungsmittel«, nämlich »paradoxe *Gedanken*« und »realistisch nachgemachte« Affekte.[56] Thomas Mann weiß sich also im Sinne Nietzsches als euripideisch-sokratischen Verfälscher der von Nietzsche der Tragödie eingeschriebenen Götterpolarität. Die Abschiedsszenerie mit verlassenem apollinischem Dreibein und Hermes als Seelengeleiter am Rande des Meeres, das Diotima im *Gastmahl* evoziert,[57] gibt den mythologischen Anspielungen den Status einer in sich geschlossenen alexandrinischen Vernetzung, die den modernen Abgrund des 1911 nicht aussprechbaren Eros »meisterlich« überbrückt. Die Nachwelt nimmt an dieser gekonnten Verdeckung teil. Der Held aber folgt wortlos dem geliebten Todesboten und löst sich, von ihm geführt, im Grenzenlosen auf.

56 Nietzsche (Anm. 51), Bd. 1, S. 72.
57 Platon (Anm. 40), S. 55.

Bis zuletzt bleibt das System komplexer Signalisierungen als Kommunikationsform zwischen Autor und Leser erhalten, um den vielbeschworenen Abgrund zu maskieren, der uns die unausgesprochene Wahrheit einer Identität von biographischem Autor, Schreibinstanz und Protagonisten verschweigt. Äußerste Beredtheit des Erzählers und des kunstvoll montierenden Komponisten überspielt so, was bis zuletzt verschwiegen bleiben soll.

## Literaturhinweise

Der Tod in Venedig. In: Die Neue Rundschau 23 (1912), Oktober und November, S. 1368–98 und 1499–1526.
Der Tod in Venedig. München: Hyperion, 1912 (Hundertdruck 13).
Gesammelte Werke in 13 Bänden. Bd. 8. Frankfurt a. M.: S. Fischer, 1974. S. 444–515.

Bahr, Erhard: Thomas Mann, *Der Tod in Venedig*. Erläuterungen und Dokumente. Stuttgart 1991. (Reclams Universalbibliothek. 8188.) Darin auch: Thomas Manns Arbeitsnotizen (S. 72–114). Dokumente zur Entstehungsgeschichte (S. 115–122). Literaturhinweise zu Luchino Viscontis Film und zu Benjamin Brittens Oper (S. 194 f.).
Baron, Frank: Das Sokrates-Bild von Georg Lukács als Quelle für Thomas Manns *Tod in Venedig*. In: Im Dialog mit der Moderne. Hrsg. von Roland Jost und Hansgeorg Schmidt-Bergmann. Frankfurt a. M. 1986. S. 96–105.
Cohn, Dorrit: The Second Author of *Der Tod in Venedig*. In: Probleme der Moderne. Festschrift für Walter Sokel. Hrsg. von Benjamin Bennet, Anton Kaes und William J. Lillyman. Tübingen 1983. S. 223–245.
Dierks, Manfred: Untersuchungen zum *Tod in Venedig*. In: M. D.: Studien zu Mythos und Psychologie bei Thomas Mann. Bern/München 1972. S. 13–59.
– Der Wahn und die Träume im *Tod in Venedig*. Psyche 44 (1990) Nr. 3. S. 240–268.
– Traumzeit und Verdichtung. Der Einfluß der Psychoanalyse auf Thomas Manns Erzählweise. In: Thomas Mann und seine Quellen. Hrsg. von Eckhard Heftrich und Helmut Koopmann. Frankfurt a. M. 1991. S. 111–137.
Frizen, Werner: »Venus Anadyomene«. In: Ebd. S. 189–223.
Heller, Erich: Autobiographie und Literatur. Über Thomas Manns *Tod in Venedig*. In: Essays on European Literature in Honor of Lieselotte Dieckmann. Hrsg. von Peter Uwe Hohendahl, Herbert Lindenberger und Egon Schwarz. St. Louis 1972. S. 83–100.
Kohut, Heinz: Thomas Manns *Tod in Venedig*. Über die Desintegration künstlerischer Sublimierung. In: Psychopathographien I: Schriftsteller und Psychoanalyse. Hrsg. von Alexander Mitscherlich. Frankfurt a. M. 1972. S. 142–167.

Martini, Fritz: Thomas Mann. *Der Tod in Venedig*. In: Th. M.: Das Wagnis der Sprache. Stuttgart 1954. S. 176–224.

von Matt, Peter: Zur Psychologie des deutschen Nationalschriftstellers. Die paradigmatische Bedeutung der Hinrichtung und Verklärung Goethes durch Thomas Mann. In: Perspektiven psychoanalytischer Literaturkritik. Hrsg. von Sebastian Goeppert. Freiburg 1978. S. 82–100.

Mayer, Hans: *Der Tod in Venedig*. Ein Thema mit Variationen (1975). In: H.M.: Thomas Mann. Frankfurt a. M. 1980. S. 373–385.

Nicklas, Hans Wilhelm: Thomas Manns Novelle *Der Tod in Venedig*. Analyse der Motivzusammenhänge und Erzählstruktur. Marburg 1968.

Petriconi, Hellmuth: *La Mort de Venise* und *Der Tod in Venedig*. In: Romanisches Jahrbuch 6 (1953/54) S. 133–151.

Reed, Terence James: Thomas Mann. *Der Tod in Venedig*. Text, Materialien, Kommentar. München/Wien 1983.

Renner, Rolf Günter: Das Ich als ästhetische Konstruktion. *Der Tod in Venedig* und seine Beziehung zum Gesamtwerk Thomas Manns. Freiburg 1987.

Sandberg, Hans-Joachim: Der fremde Gott und die Cholera. In: Thomas Mann und seine Quellen. Hrsg. von Eckhard Heftrich und Helmut Koopmann. Frankfurt a. M. 1991. S. 66–110.

Schmidt, Ernst A.: »Platonismus« und »Heidentum« in Thomas Manns *Tod in Venedig*. In: Antike und Abendland 20 (1974) S. 151–178.

– Künstler und Knabenliebe. Eine vergleichende Skizze zu Thomas Manns *Tod in Venedig* und zu Vergils zweiter Ekloge. In: Euphorion 68 (1974) S. 437–446.

Seidlin, Oskar: Stiluntersuchungen an einem Thomas Mann-Satz. In: O. S.: Von Goethe zu Thomas Mann: Zwölf Versuche. Göttingen 1963. S. 148–161.

Seyppel, Joachim: Adel des Geistes. Thomas Mann und August von Platen. In: Deutsche Vierteljahrsschrift für Literaturwissenschaft und Geistesgeschichte 33 (1959) S. 565–573.

Vaget, Hans Rudolf: Thomas Mann und die Neuklassiker. *Der Tod in Venedig* und Samuel Lublinskis Literaturauffassung. In: Jahrbuch der Deutschen Schillergesellschaft 17 (1973) S. 432–454.

Vordtriede, Werner: Richard Wagners *Tod in Venedig*. In: Euphorion 52 (1958) S. 378–396.

Wysling, Hans: »Geist und Kunst«. Thomas Manns Notizen zu einem »Literatur-Essay«. In: Paul Scherrer / H. W.: Quellenkriti-

sche Studien zum Werk Thomas Manns. Bern/München 1967. S. 123–232.
– Aschenbachs Werke. Archivalische Untersuchungen an einem Thomas Mann-Satz. In: Euphorion 59 (1965) S. 272–314.
Žmegač, Viktor: Zu einem Thema Thomas Manns. – Wege der Erotik der modernen Gesellschaft. In: Goethe-Jahrbuch 103 (1986) S. 152–167.

## *Der Zauberberg* als Chronik der Dekadenz

Von Eva Wessell

Thomas Manns Roman *Der Zauberberg* erfreut den Laien; der Experte hingegen plagt sich mit ihm. Das Werk, die Geschichte eines jungen Mannes, der nur kurz seinen Vetter besuchen fährt, der sich aber schließlich in einem Schweizer Luxussanatorium sieben Jahre vor der Arbeit drückt, hat die Grundelemente einer guten Fabel: Es gibt faszinierende Persönlichkeiten, brillante Dialoge, auch gewichtiges Schweigen, Satire und Tragik, Liebe und Tod. Der Roman enthält einige der schönsten Landschaftsgemälde der deutschen Literatur: Beschreibungen des tiefverschneiten Hochgebirges, des nebelfeuchten Meeres, eines donnernden Wasserfalls. Er enthält aber auch einige der gräßlichsten Szenen: Zottige Hexen, die Kinder zerreißen und deren Körper verschlingen, und ein Bild des Krieges, in dem ein junger Soldat die Hand eines Kameraden in den schlammigen Grund tritt.
Trotz dieser anregenden Details sperrt sich das Werk jedoch oft einer zügigen Lektüre. Der Roman ist lang und die Fabel locker. Figuren und Konfliktsituationen wechseln, und die erzählte Zeit verschwimmt. Fünf Kapitel enthalten die gesamte erste Hälfte des Textes, sie beschreiben weniger als ein Jahr, während der gleichlange Rest eine Zeitspanne von über sechs Jahren umfaßt und auf nur zwei Kapitel verteilt ist. Scheinbar endlose Dialoge retardieren das Geschehen, und zentral scheinende Ereignisse, etwa die Liebesnacht, werden kaum angedeutet. Andere, scheinbar nebensächliche, die okkulten Experimente zum Beispiel, belegen breiten Raum. Unvorbereitet trifft den Leser besonders, daß die Liebesgeschichte in der ersten Hälfte des Romans endet. Die Geliebte reist ab, und ihre Rückkehr bringt keine Fortsetzung der Affäre.
Der Autor selbst schwankt in der Beurteilung seines Werkes.

Er sieht es einerseits als »hermetisch« (994),[1] symphonisch und kontrapunktisch (XI, 611). Andererseits aber nennt er es ein »Untier« von einem Roman,[2] einen »Schwamm«,[3] locker gewoben und episodisch, und doch erfreut er sich an dem Urteil eines Kritikers, der ihm bescheinigt, »an der großen Linie der Idee trotz scheinbarer Abschweifungen« festgehalten zu haben.[4] Verständnis bringt er für den Leser auf, der bei der Lektüre Schwierigkeiten hätte (XI, 610 f.).

Den Rätseln, die der Roman aufgibt, ist die Forschung mit verschiedenen methodologischen Ansätzen begegnet. Das Werk wurde formanalytisch interpretiert und auf Erzählhaltung, Leitmotivik, Gattungszugehörigkeit untersucht; es wurde zum »Bildungsroman« erklärt, als Epochenroman ausgelegt und als alexandrinisch-artistisches Spiel mit Mythen und literarischen Vorbildern. Externe Zeichensysteme wurden an das Werk herangetragen, Schopenhauers Metaphysik etwa,[5] andererseits wurde der Roman nach der Entdeckung von Thomas Manns Tagebüchern aus den Jahren 1918 bis 1921 auf sein biographisch-zeitgeschichtliches Material hin untersucht.[6] Während die formanalytische, alexandrinisch-artistische und philosophisch-strukturanalytische Richtung strukturale Geschlossenheit findet, betont

1 Die Seitenzahlen beziehen sich auf die Ausgabe: Thomas Mann, *Gesammelte Werke in 13 Bänden*, Bd. 3, Frankfurt a. M. 1974; andere Texte von Mann werden mit Angabe von Band- und Seitenzahlen zitiert.

2 Brief an Ernst Bertram, 10. Juni 1923, in *Thomas Mann an Ernst Bertram. Briefe aus den Jahren 1910–1955*, hrsg. von Inge Jens, Pfullingen 1960, S. 122.

3 Brief an Georg C. Pratt, 24. November 1933, in: *Dichter über ihre Dichtungen*, Bd. 14: *Thomas Mann*, Tl. 1: 1889–1917, hrsg. von Hans Wysling unter Mitw. von Marianne Fischer, Zürich / München / Frankfurt a. M. 1975 [im folgenden zit. als: DüD], S. 542.

4 DüD, S. 503.

5 Vgl. hierzu Børge Kristiansen, *Thomas Manns Zauberberg und Schopenhauers Metaphysik*, 2., verb. und erw. Aufl., Bonn 1986.

6 Für eine Übersicht über die Interpretationsansätze vgl. Hermann Kurzke, *Thomas Mann, Epoche – Werk – Wirkung*, München 1985, S. 183; Volkmar Hansen, *Thomas Mann*, Stuttgart 1984 (Sammlung Metzler, 211), S. 75–80. Siehe auch Hans Wysling, »Probleme der *Zauberberg*-Interpretation«, in *Thomas Mann Jahrbuch* 1 (1988) S. 12–26.

die andere, die auf den Epochenroman setzt oder den Roman von der Biographie und der Zeitgeschichte her angeht, die Spannung des Textes zur außerliterarischen Umwelt. Eines ist deutlich: Der *Zauberberg* paßt nicht leicht in ein einzelnes Schema. Der Roman ist einerseits stimmig durchkomponiert – die Fabel baut zum Beispiel auf mythischen Substrukturen auf, die durchweg gelten. Andererseits aber findet der Leser oft Anekdotisches, das auf dem Weg über die Biographie in den Text gelangt ist. Nicht, daß es so ist, oder in welchem Umfang, steht hier zur Diskussion, sondern wie ein solches mixtum compositum entstehen konnte. Konzeption und Entstehungsgeschichte sowie Phasen der Entwicklung des Projektes geben Erklärungen, die nicht nur dieses Werk deuten helfen, sondern die Thomas Manns Kunstproduktion allgemein besser verstehen lassen.

Thomas Mann begann die Arbeit am *Zauberberg*, wie wir aus brieflichen Kommentaren wissen, im Sommer 1913. Die Novelle *Der Tod in Venedig* war im Juli 1912 beendet worden, und er unterbrach damit ein zweites Mal die fortlaufende Arbeit an seinem Roman *Die Bekenntnisse des Hochstaplers Felix Krull*. Ein persönliches Erlebnis, ein Besuch bei seiner Frau Katja in einem Waldsanatorium in Davos im Mai 1912, sollte novellistisch gestaltet werden.[7] Das Werk, so zeigen die brieflichen Äußerungen, war als »Novelle« oder »Erzählung« geplant, als ein kürzeres Prosawerk also, und als »eine Art von humoristischem«, auch »groteske[m] Gegenstück« zu der Novelle *Der Tod in Venedig*.[8] Später nannte er es auch

7 Zur Entstehung siehe: Hans Bürgin / Hans Otto Mayer, *Thomas Mann. Eine Chronik seines Lebens*, Frankfurt a. M. 1980, S. 39 und 43; Heinz Sauereßig, »Die Entstehung des Romans *Der Zauberberg*«, in: *Besichtigung des Zauberbergs*, hrsg. von H. S., Biberach a. d. R. 1974, S. 5–53; Peter de Mendelssohn, *Der Zauberer*, Frankfurt a. M. 1975, S. 938–942 und 1039 f. Siehe auch Thomas Manns Aufsätze *Einführung in den »Zauberberg«* (XI, 602–617) und *Die Schule des Zauberbergs* (XI, 599–601), beide 1939.

8 Brief an Hans von Hülsen, 9. September 1913, in: DüD, S. 451; an Ernst Bertram, 24. Juli 1913, in *Bertram* (Anm. 2) S. 18; an Ida Boy-Ed, 4. November 1913, in: Thomas Mann, *Briefe an Otto Grautoff 1894–1901 und Ida Boy-Ed 1903–1928*, hrsg. von Peter de Mendelssohn, Frankfurt a. M. 1975, S. 175 f.

ein »Satyrspiel« (XI, 607). Die kleine Arbeit war, wie auch das letztere Werk, für die *Neue Rundschau* bestimmt. Das ist eigentlich alles, was wir über den ursprünglichen Plan wissen. Außer einem kleinen Konvolut von überarbeiteten und ausgeschiedenen Seiten, die von 1913–15 und 1921 stammen,[9] sind sämtliche Arbeitsmaterialien, auch die Briefe Katja Manns aus dem Sanatorium, Notizen, Tagebücher dieser Zeit und das endgültige Manuskript verloren. Die Notizbücher der Arbeitsperiode (9 und 10) tragen leider wenig bei.

Thomas Mann hatte sicherlich zunächst nur ungenaue Vorstellungen, wie sich die kleine Geschichte, das »Gegenstück«, entwickeln sollte. Mit dem Begriff »Gegenstück« verband Thomas Mann gewöhnlich eine Komposition, die sowohl wiederholte als auch Neues brachte. So bezeichnet er 1921 den Essay *Goethe und Tolstoi* als ein »Gegenstück« zum *Zauberberg*[10] und 1926 den *Zauberberg* als ein Gegenstück zum Roman *Buddenbrooks* (XI, 395 f.). Im ersten Fall meinte er sicherlich die ernstere essayistische Behandlung des im *Zauberberg* unverbindlichen Spieles mit Gegensätzlichkeiten, im zweiten ist es die Darstellung einer gefährdeten Bürgerlichkeit, die sich auf einer »andere[n] Lebensstufe« (XI, 395) auf eine neue Art wiederholt.

Das Gemeinsame am *Tod in Venedig* und am *Zauberberg* ist die Reise aus dem Alltag und die Versuchung, aus den bürgerlichen und sozialen Verhältnissen herauszufallen. Anders ist offensichtlich die Person, der das geschieht. Während es sich im *Tod in Venedig* um einen Schriftsteller mit Würde und ästhetischer Moralität handelt, der alternde Goethe stand im Hintergrund,[11] tritt jetzt ein »einfacher junger Mensch« (11)

9 Sie befinden sich in der Thomas-Mann-Sammlung der Yale-Universität in den USA. Druck: James F. White, *The Yale Zauberberg-Manuscript. Rejected Sheets Once Part of Thomas Mann's Novel*, with a Preface by Joseph Warner Angell (Thomas-Mann-Studien IV), Bern/München 1980.

10 In: Thomas Mann, *Tagebücher 1918–1921*, hrsg. von Peter de Mendelssohn, Frankfurt a. M. 1979 [im folgenden zit. als: *Tagebücher*], 26. Juli 1921.

11 Vgl. den Brief an Paul Amann, 10. September 1915, in: Th. M., *Briefe an Paul Amann 1915–1952*, hrsg. von Herbert Wegener, Lübeck 1959, S. 32.

auf den Plan. An diese Verschiebung schließt sich auch der Humor an. Der einfache junge Mann, dessen scheinbare Normalität die Wirkung der Krankheit aufhebt und der den Tod liebt,[12] soll in Verwirrungen geraten, die ihm wohl den Untergang, aber auch eine orgiastische Steigerung bescheren. Die Parallelität entfaltet sich in einem Rahmen, in dem sich Gegensätzliches mit Wiederholtem mischt. Es geht nicht abwärts von München nach Venedig, sondern aufwärts von Hamburg nach Davos. Dazu paßt der Titel *Der Zauberberg*, »Der verzauberte Berg« im Notizbuch 9, ein Echo auf Nietzsches *Geburt der Tragödie*[13] und auf den Venusberg aus – z. B. – Wagners *Tannhäuser*. Aus dem Meer wird Schnee (ganz verschwindet das Motiv jedoch nicht, wie das spätere Kapitel »Strandspaziergang« zeigt), die Gondel wird zum Schlitten, auch zum »Musiksarge« (907), die Cholera zur Tuberkulose. Das Liebesobjekt wechselt vom Knaben Tadzio zur Frau, Clawdia Chauchat, zuerst Klaudia (homoerotische Elemente bleiben erhalten, die Hippe-Figur und Hans Castorps Faszination für Pieter Peeperkorn). Beide Erzählungen teilen das Motiv der verlorenen Zeit, eigentlich das Hadesmotiv, der verfehlten Abreisen, der Identifikation des Todes und der verbotenen Liebe mit dem Osten, mit Schattierungen im Russischen und Polnischen, den Hang zum Träumen. Kleinste Details wiederholen sich, wie der verspätete Eintritt in den Speisesaal – man tritt durch Glastüren – (vgl. 67 und 109 mit VIII, 473) und das kaum gelesene Buch zum Beispiel (vgl. VIII, 478 mit 12). Hader und Zwist, Duelle und Schlägereien erscheinen gegen Ende ebenfalls in beiden Texten (vgl. VIII, 523 f. mit dem Abschnitt »Die große Gereiztheit«).[14]

Gegensätzlich sollte auch der Stil sein. Während der *Tod in*

12 Vgl. den Brief an Hans von Hülsen, 9. September 1913, in: DüD, S. 451.

13 Vgl. Friedrich Nietzsche, *Werke in drei Bänden*, hrsg. von Karl Schlechta, München 1966, Bd. 1, S. 30 und 112.

14 Für einen ausführlicheren Vergleich beider Texte siehe Terence James Reed, »*Der Zauberberg*. Zeitenwandel und Bedeutungswandel 1912–1924«, in: *Besichtigung des Zauberbergs*, hrsg. von Heinz Sauereßig, Biberach a. d. R. 1974, S. 81–139, hier: S. 84–89.

Venedig mit Blick auf *Die Wahlverwandtschaften*[15] kompositionell streng und einheitlich war, klassisch sein sollte (vgl. X, 842), war der *Zauberberg* »ganz anders, bequem und humoristisch« geplant.[16] Im Jahre 1939, in einer »Einführung« in den Roman vor Studenten in Princeton, USA, sprach Thomas Mann von einer »ausgedehnten short story«, im Gegensatz zur »long short story«, dem *Tod in Venedig* (XI, 606 f.). Er wollte sich am »englisch-humoristisch ausladende[n] Stil« (XI, 608), vermutlich im Sinne Dickens'scher Romane, von dem letzteren Werk erholen. Wir erkennen, wie kurz die geplante Arbeitszeit war, die Thomas Mann für die kleine Erzählung bereithielt.

In der gleichen »Einführung« sagte er, daß ihn von Anfang an eine »heimliche Ahnung« beschlichen habe, daß der Stoff eine Neigung »zum Bedeutenden und zum gedanklich Uferlosen« habe (XI, 607). Das ist eine rückblickende Bemerkung. Von »Bedeutendem«, der Künstlerthematik zum Beispiel, sollte die humoristische kleine Erzählung ja gerade erlösen. Anders ist es mit dem zweiten Punkt. Die offene Konstruktion, das Fehlen eines streng gegliederten Konzeptionsschemas, konnte der kleinen Erzählung leicht ihr eigenes Momentum verleihen und die Ausdehnung der Fabel begünstigen.

Auch die neue Hauptfigur gab dazu Gelegenheit. Der Held, ein schlichter Bürger, konnte repräsentativ für Deutschland werden. Wurde die Hauptfigur erst einmal repräsentativ für Deutschland, so konnte Deutschlandkritik bald folgen. Das geschah in den Teilen, die nach 1922 geschaffen wurden. Bürgerlichkeit selbst aber war vielschichtig in Thomas Manns Wertwelt. Der Begriff stand für antiästhetisches Philistertum, für den modernen Bourgeois also, aber auch für positive Werte, wie Ordnung, Redlichkeit und gute Menschlichkeit, das heißt schlichte Liebe. Das Konzept war zu flexibel und vor-

15 Brief an Carl Maria Weber, 4. Juli 1920, in: Th. M., *Briefe 1889–1936*, hrsg. von Erika Mann, Frankfurt a. M. 1962 [im folgenden zit. als: *Briefe*], S. 176.

16 Brief an Hans von Hülsen, 9. September 1913, in: DüD, S. 451.

läufig, um ein geschlossenes Konstruktionsschema zu begünstigen.
Ausweitungsmöglichkeiten brachte auch eine zweite Figur, der Pädagoge und Humanist Settembrini, der, wie die erhaltenen Manuskriptseiten bestätigen, zur Urkonzeption gehört. Settembrini ist eine vielschichtige Figur. Er vertritt im *Zauberberg* die Werte des Flachlandes, der Arbeit. Gleichzeitig aber hat er auch ein kulturpolitisches Programm und kämpft für Menschenrechte, Demokratie und Aufklärung. Sofern Settembrini die bürgerliche Wertwelt vertritt, den Müßiggänger korrigiert, auf dessen Neigung zu der kranken Clawdia entmutigend einwirkt, ist Settembrini positiv; der Autor sympathisiert mit dessen spätbürgerlichem Humanismus. Als Propagandist für die bürgerlich-liberale Tradition hingegen ist er fragwürdig. Auch hier ist die Ausgangsposition flexibel, die Orientierung offen, so daß neue Einsichten wirksam werden konnten. Die Settembrini-Figur vertritt von Anfang an Ansichten ihres Autors; diese Rolle verstärkt sich nach 1919 und besonders nach 1922. Die Idee, überhaupt Pädagogen debütieren zu lassen – im *Tod in Venedig* gibt es wohl Informanten, aber keine Lehrer –, konnte zudem die Fabel belasten. Die Konstellation lud den Autor dazu ein, sich selbst pädagogisch zu versuchen. Dies geschah relativ bald. Thomas Mann sprach 1915 ernsthaft davon, er habe den *Zauberberg*, den er als »humoristische« kleine Erzählung geplant hatte, mit »pädagogisch-politischen Grundabsichten« konzipiert.[17]
Thomas Mann wußte auch zur Zeit der Konzeption noch nicht, wie die Fabel zu Ende zu führen sei. Auch hieran erinnerte er sich in der Einführung in Princeton (XI, 607). Der Held sollte einerseits sterben, Hans Castorp hätte in seinem verzauberten Berg vermutlich eine Art Liebestod erlitten,[18] andererseits aber sollten Humor und Leichtigkeit vorherr-

17 Brief an Paul Amann, 3. August 1915, in: *Amann* (Anm. 11), S. 29.
18 Hans Wysling, »Der Zauberberg«, in: *Thomas-Mann-Handbuch*, hrsg. von Helmut Koopmann, Stuttgart 1990, S. 397–421, hier S. 397.

schen. Beides ließ sich offensichtlich nicht vereinbaren. Thomas Mann machte in der Princetoner »Einführung« eine Nebensache aus dem noch offenen Schluß zur Zeit der Urkonzeption; das Ende würde sich schon »finden« (XI, 607). Wir wissen auch, daß es tatsächlich so war, daß der Ausbruch des Ersten Weltkrieges ihm diesen »Fund« in den Schoß legte. Die Forderung der Gattung Komödie gegen den Hintergrund einer fallenden Strukturlinie, Erbe des Vorbildes und der unsichere Schluß als Konsequenz, diese Faktoren führten schließlich dazu, daß die Erzählung zur Epochenchronik werden konnte. Der fertige Roman sollte diesen Anspruch erheben.

Schon im Dezember 1913 klagte Thomas Mann, daß die Arbeit »noch lange« nicht fertig sei.[19] Im Januar 1914 betonte er, es sollte »ja nicht« gedacht werden, daß das Ende bevorstünde, die Sache könne aber »etwas Lesbares« werden.[20] Im Juni 1914, knapp ein Jahr seit Beginn der Arbeit, hieß es, die Novelle werde »tüchtig lang«, sei »kaum zur Hälfte« gediehen, und »er setze allerlei Hoffnung« darauf.[21] Schließlich benutzte er im Mai 1915, nahezu zwei Jahre später, das erste Mal die Bezeichnung »Roman«.[22] Noch im Oktober 1915 wollte er sich auf die Arbeit konzentrieren,[23] brach sie aber bald ab. Das Werk war zu dieser Zeit bis einschließlich der Episode »Hippe« im jetzigen vierten Kapitel gediehen, wie wir aus dem erhaltenen Material schließen können.

Die Ursache des Abbruchs war die Arbeit an dem langen Essay *Betrachtungen eines Unpolitischen* (1918), den Thomas Mann im Oktober 1915, also mehr als ein Jahr nach Ausbruch des Ersten Weltkrieges, begann und in dem er die eigene Lebens- und Kunstauffassung gegen die Forderung einer neuen

19 Brief an Hans von Hülsen, 15. Dezember 1913, in: DüD, S. 452.
20 Brief an Ernst Bertram, 6. Januar 1914, in: *Bertram* (Anm. 2), S. 19.
21 Brief an Hans von Hülsen, 10. Juni 1914, in: DüD, S. 452.
22 Brief an Korfiz Holm, 6. Mai 1915, in: DüD, S. 455.
23 Brief an Philipp Witkop, 15. Oktober 1915, in: *Die Briefe Thomas Manns. Regesten und Register*, Bd. 1, bearb. und hrsg. von Hans Bürgin und Hans-Otto Mayer, Frankfurt a. M. 1976, S. 200.

Zeit verteidigte, die Kunst in den Dienst des politischen Fortschritts, der Demokratie stellen wollte. Damit meinte er auch die Forderung seines Bruders Heinrich, dessen polemische Essays *Geist und Tat*, *Voltaire–Goethe* (ursprünglich *Der französische Geist*; beide 1910) und *Zola* (1915) er als persönliche Aufforderung verstanden hatte, er solle sein Schreiben politisch ausrichten. Die *Betrachtungen* mußten geschrieben werden, so sagt er 1917, weil *Der Zauberberg* ohne die essayistische Streitschrift »infolge des Krieges [...] intellektuell unerträglich überlastet worden« wäre.[24]
Dennoch brachte der Kriegsausbruch selbst zunächst eine positive Entwicklung für das *Zauberberg*-Projekt. Thomas Mann fand den passenden Abschluß. Bereits am 22. August 1914, am 1. war der kaiserliche Mobilmachungsbefehl erlassen worden, teilte er seinem Verleger Fischer brieflich mit, daß »in die Verkommenheit« seines »Zauberberges« der Krieg von 1914 »als Lösung« hereinbrechen sollte.[25] Mit erschreckend starken Ausdrücken verurteilt er die vergangene »Friedenswelt« als »faulig«, von den »Zersetzungsstoffen der Civilisation« sittlich korrumpiert. Der Krieg bringe eine schon lange erhoffte »Reinigung, Erhebung, Befreiung«.[26]
Die Begriffe, die den Kriegseinbruch beschreiben, sind der Lebensphilosophie entliehen. Zunächst bricht also nicht Geschichte in die Welt des *Zauberbergs* ein, sondern eine Lebensmacht, die die zeitvergessene Welt »derer dort oben« steigert. Der Weg in den Verfall endet im ekstatischen Rausch, der aber, anders als im *Tod in Venedig*, eine neue Vitalität bringen soll. Diese liegt zwar jenseits des Romans, dennoch stellt der erweiterte Horizont den optimistischen Rahmen, der der Erzählung den Humor sichert. Nur der Autor weiß von diesem happy end, aber er wird von hier aus, wegen dieses Wissens, zur Feder greifen, um den Roman mit Zukunftsglauben zu bereichern. Dieses Element bleibt ein

24 Brief an Paul Amann, 25. März 1917, in: *Amann* (Anm. 11), S. 53.
25 22. August 1914, in: DüD, S. 454.
26 Brief an Samuel Fischer, 22. August 1914, in: DüD, S. 454.

Teil der Struktur. Noch 1923, als Thomas Mann die »Schneevision« in den Roman einschiebt, handelt er in Übereinstimmung mit der konzeptionellen Bereicherung, die der Kriegsausbruch gebracht hatte. Allerdings dämpfen die Hexen das Freudige der Sonnenleute.
Obwohl der Krieg so zunächst erzähltechnisch fruchtbar wurde, blieb die plötzliche Einrastung des Werkes in die Geschichte nicht ohne Konsequenzen. Die Parodie auf eine Studie zur Psychologie der Dekadenz, jetzt auf eine historische Epoche festgelegt, konnte zu ihrer Chronik werden. Die Gelegenheit, historische Themen zu behandeln, muß Thomas Mann interessiert haben. 1905, im Anschluß an Schillerstudien für die kleine Erzählung *Schwere Stunde*, hatte er, angeregt durch Schillers historische Abhandlungen, einen Roman über das Leben Friedrichs des Großen geplant. Der Roman kam realiter nicht zustande, er wird Gustav Aschenbach zugeschrieben (VIII, 450), aber Ende 1914 schrieb er den Essay *Friedrich und die große Koalition*. Einstimmung in geschichtliche Ereignisse kam einem sensitiven Dichter zu, der Repräsentativität suchte. Im oben zitierten Brief an den Verleger Fischer behauptet er, daß sein »Denken und Dichten nicht ohne Beziehung« zu den jüngsten Ereignissen sei, noch je gewesen wäre.[27] Selbst im *Tod in Venedig*, er stimmte einer dahingehenden Bewertung freudig zu, sei »soldatischer Geist«, der Geist der Zeit also.[28] Er verschweigt hier, daß er Aschenbach untergehen läßt.
Für den *Zauberberg* ergab sich nun die Gefahr einer extensiveren Reflexion auf die behandelte Epoche und die Versuchung, den Krieg im Text motivieren zu wollen. Wenngleich die Settembrini-Figur am meisten gefährdet schien (sie hat Züge des »Zivilisationsliteraten« aus den *Betrachtungen*; vgl. 225 u.a.; XII,219), so war es doch wahrscheinlich Hans Castorp selbst, der problematisiert wurde. Das war deshalb möglich, weil Bewohner der Welt des *Zauberbergs*, beson-

27 Ebd.
28 Ebd.

ders aber Hans Castorp, jetzt für Werte stehen konnten, die das Deutschland des Krieges verteidigte.

Thomas Mann schrieb nach 1914, während er die Arbeit am *Zauberberg* zunächst kurz unterbrach, drei Prosastücke, die als »Kriegsaufsätze« bekannt sind: *Gedanken im Kriege* (ersch. Nov. 1914), *Friedrich und die große Koalition* (ersch. Jan./Feb. 1915) und, an ein außerdeutsches Publikum gerichtet, *An die Redaktion des ›Svenska Dagbladet‹* (ersch. Mai 1915 in Schweden). Die Aufsätze sollten den Krieg als Selbstverteidigung Deutschlands und als Verteidigung deutscher Eigenart rechtfertigen. In *Gedanken im Kriege*, einem überaus scharfen und polemischen Essay, kontrastiert Thomas Mann die Begriffe »Kultur« und »Zivilisation«. Er identifiziert dabei Zivilisation mit »Geist«, wobei er mit diesem Geist die demokratisch-politische Kriegspropaganda der Entente meint (vgl. XIII, 528), eine Position, die auch Settembrini, der Polemiker, vertritt. Mit Kultur identifiziert er eine Organisation der Welt, hier die deutsche, die sich das Irrationale und Dämonische, das heißt, auch das Kreative hat bewahren können (ebd.). Etwas »Tiefstes und Irrationales« (XIII, 545) gehöre zur deutschen Seele. Der Krieg werde um die Erhaltung dieser großen, wenn auch gefährlichen Eigenart geführt.

Thomas Mann hatte die Antithese »civil und dämonisch« schon in dem oben genannten Brief an Samuel Fischer angeführt. Sie galt dort noch für Kriegskonflikte allgemein; jetzt wendet er sie verengt auf die kriegführenden Nationen an. Damit gewinnt Hans Castorps Widerstand gegen Settembrinis Wertwelt nicht nur eine heroische Nuance, sein Kulturbegriff ähnelt dem des Streiters der »Kriegsaufsätze«, und er hätte, literarisch hinreichend begabt, die polemischen Abhandlungen selbst schreiben können. Thomas Manns Werk ist autobiographisch getönt. Die Übertragung der Kriegspolemik auf die fiktive Figur mußte jedoch nicht nur den Humor gefährden, sie mußte in dem Moment problematisch werden, als ihr Autor Distanz zu ihr suchte. Das geschah sehr bald. Thomas Mann äußerte schon im November 1914 Bedenken zu seinem offenen Patriotismus. Der Aufsatz *Gedanken im Kriege* sei »reine Journalistik«.[29] Der Abbruch der Arbeit am *Zauberberg* ist somit nicht eigentlich ein Resultat des Kriegsausbruchs, dieser hatte die Arbeit gefördert, sondern die Folge der Politisierung des Autors unmittelbar danach. Wenngleich die Arbeit zunächst zum Stillstand kam, so hatte die humorvolle kleine Fabel, die die größere Tiefe und Komplexität der deutsch-romantischen Tradition gegen die Oberflächlichkeit und intellektuelle Konformität der westlichen Aufklärung ausspielen wollte, nebst ihrer Hauptfigur an Bedeutung und Würde gewonnen. Es ist etwas, das ihr Autor nicht rückgängig machen wollte.

Anfang 1915 beginnt Thomas Manns Korrespondenz mit dem österreichischen Philologen und Pazifisten Paul Amann. Am 3. August, etwa zweieinhalb Monate vor Abbruch der Arbeit, gibt ein Brief an ihn eine Übersicht über das *Zauberberg*-Projekt, das bereits seit Mai die Bezeichnung »Roman« trägt.[30] Hier, in dem an einen Philologen und europäisch denkenden Intellektuellen gerichteten Brief, erhebt der *Zauberberg* Anspruch auf große Thematik, zeitlich sensitive Kunst und jetzt auch Pädagogik:

> Ich hatte vor dem Kriege eine größere Erzählung begonnen [...], – eine Geschichte mit pädagogisch-politischen Grundabsichten, worin ein junger Mensch sich mit der verführerischsten Macht, dem Tode, auseinanderzusetzen hat und auf komisch-schauerliche Art durch die geistigen Gegensätze von Humanität und Romantik, Fortschritt und Reaktion, Gesundheit und Krankheit geführt wird, aber mehr orientierend und der Wissenschaft halber, als entscheidend. Der Geist des Ganzen ist humoristisch-nihilistisch, und eher schwankt die Tendenz nach der Seite der Sympathie mit dem Tode.[31]

29 Brief an Philipp Witkop, 11. November 1914, in: *Briefe*, S. 113.
30 Brief an Korfiz Holm, 6. Mai 1915, in: DüD, S. 455.
31 Brief an Paul Amann, in: *Amann* (Anm. 11), S. 29.

Im Frühjahr 1917 zeigten ein weiterer Brief an Paul Amann und eine Passage in den *Betrachtungen eines Unpolitischen*, die auch 1917 entstanden ist, daß der *Zauberberg*-Plan an Schärfe gewann, wenngleich er ruhte. Während der frühere Plan lediglich die Antithesenwelt beschreibt, gibt Thomas Mann in diesen Stellen Figuren preis. Sein junger Mann sei »zwischen einen lateinisch-rednerischen Anwalt von ›Arbeit und Fortschritt‹, einen Carducci-Schüler – und einen verzweifelt geistreichen Reaktionär gestellt«[32] (vgl. XII, 424). Die erste Figur ist Settembrini, die zweite aber die spätere Naphta-Figur.
Zu welchem Zeitpunkt diese Figur konzipiert wurde, wissen wir nicht. Thomas Mann erwähnt 1919, bei der Durchsicht der *Zauberberg*-Notizen der ersten Arbeitsphase, einen Pastor Bunge im Tagebuch, und zwar als Gegenspieler zu Settembrini.[33] Die Figur kann zur Grundkonzeption gehören, zumal das Motiv der religiösen Askese auch im *Tod in Venedig* anklingt. Dort wird Tadzios liebliche Jugendlichkeit und die weiche Verwöhntheit seiner Kleidung mit den klösterlich herb gekleideten Schwestern kontrastiert (VIII, 470).
Dennoch erscheint die Figur im Text spät und fehlt auch in den erhaltenen Manuskriptseiten der Frühphase; im Liebesabenteuer des Helden spielt sie keine Rolle. Erst im Rahmen der großen Antithetik, die im Brief an Paul Amann 1915 erscheint, wird sie notwendig. Clawdia, obwohl Symbol für Todesverlockung, asiatische Sinnlichkeit und Schlaffheit, war nicht reaktionär im Sinne eines ideologischen Programms. Es ist daher nicht unwahrscheinlich, daß sich die Naphta-Figur erst in der Folge des sich herausbildenden verschärften antithetischen Denkens der Kriegsjahre entwickelt hat. Sie war vielleicht auch schon das Ergebnis des Zweifels an der Rechtmäßigkeit des Patriotismus der ersten Kriegsaufsätze.
Das Konzept von 1915, das der Brief an Paul Amann wiedergibt, zeichnet sich durch die Schärfe der Antithesenwelt aus.

32 Brief an Paul Amann, 25. März 1917, in: ebd., S. 53.
33 *Tagebücher*, 14. April 1919.

Die Formulierungen sind exakt, kategorisch, vom »bequemen« und »humoristischen« Stil der Anfangszeit entfremdet. Das Werk ist dialektisch geworden, und, obwohl die Gegensätze im Roman versöhnlich, distanziert, objektiv und spielerisch dargeboten werden, öffnete sich die Fabel dem ideologischen Streitgespräch der Politik. Der Roman erhob zudem Anspruch auf eine »pädagogisch-politische« Wirkung, wollte also Direktiven geben.

Thomas Mann kehrte nach Abschluß der *Betrachtungen eines Unpolitischen* im März 1918 nicht unmittelbar zum *Zauberberg* zurück. Er schrieb zunächst zwei Idyllen, ein kürzeres Prosawerk, *Herr und Hund* (bis Oktober 1918) und eine Vers-Idylle, *Gesang vom Kindchen* (beendet März 1919). Beide Werke, die ersten »künstlerische[n] Gehversuche« nach den Abstraktionen des langen Essays, sollten Distanz schaffen und den Blick auf das Unberührte, das Bleibende, das Ungeschichtliche und Menschliche richten (XI, 588). Dafür gab es auch persönliche Gründe: 1918 und 1919 kamen im Hause Mann zwei Kinder zur Welt; das letztere wurde geboren, während man den Lärm von Straßenkämpfen in München hörte.

In idyllische Kunstvorstellungen konnte das *Zauberberg*-Projekt, so wie es sich unter den Kriegsbedingungen entwickelt hatte, nicht recht passen. Das lag zunächst an dem großen Antithesenschema, das dem Roman zugrunde lag, an der ins Geschichtliche geratenen Fabel und an der ihr untergeschobenen pädagogischen Intention. Aber auch das Ende war unsicher. Im Oktober 1918 kommentiert Thomas Mann den *Zauberberg* im Tagebuch und bezeichnet den Schluß des Romanes als »Problem«.[34] Der verlorene Krieg hatte den Roman zur Chronik der zum Untergang verurteilten Vorkriegswelt gemacht, und das humorvolle Spiel wurde noch mehr bedroht. Wichtiger war vielleicht, daß das Werk jetzt zum historischen Hintergrund passen mußte. Ein Brief an den Philologen und langjährigen Briefpartner Ernst Bertram vom

34 Ebd., 14. Oktober 1918.

September 1918, über dessen Buch *Nietzsche. Versuch einer Mythologie* (1918) zeigt ihn erstaunt über Bertrams Fähigkeit, die Wertwelt der *Betrachtungen* auf einer politikfreien Ebene, musikalisch und philologisch, das heißt, schöpferisch-künstlerisch und doch analytisch-intellektuell gestaltet zu haben. Traditionelle Ästhetik und moderne, zeitbewußte und daher zukunftsoffene Orientierung mischten sich also in Bertrams Werk. Das bestätigte Thomas Mann zunächst auch die eigene Art und Weise der Kunstproduktion, und er fühlte sich ermutigt: *Der Zauberberg* wie auch *Die Bekenntnisse des Hochstaplers Felix Krull* enthielten zwar »Todesromantik«, sprachen aber auch ein »Lebensja« aus.[35] Die Goethe-Lektüre, die die Niederschrift der Idyllen begleitete, unter anderem auch *Hermann und Dorothea*, bestärkte ihn in der Überzeugung, daß die historisch-künstlerische Meditation menschlich-zukunftsfreundlich sein könne. Er vermerkt im Tagebuch, daß die »Berührung mit der reinen, produktiven Goethe'schen Sphäre« ihm »Lust und Hoffnung« zum *Zauberberg* gebe.[36]

Diese Stimmung herrschte vor, als Thomas Mann am 8. April 1919 das Manuskript und die dazu gehörigen Notizen aus der Wohnung seiner Schwiegereltern in das eigene Haus zurückholte.[37] Schon bei der ersten Durchsicht des Konvoluts zeigt es sich, daß er den *Zauberberg* von allem zu reinigen plante, das »die Grenze des Ästhetischen streift oder überschreitet«.[38] Er bekennt sich zum »Reiz« der Sache und will mit dem »Thema der ›Zeit‹« einsetzen, Zeit also thematisieren, um den Leser in eine epische Rezeptionshaltung einzustimmen, in der Zeitkategorien ihre Verbindlichkeit verlieren. Ein »Vorsatz« und das jetzige zweite Kapitel (ursprünglich das erste, denn Thomas Mann tauschte Kapitel eins und zwei im Januar 1920 aus[39]) sowie wiederholte Exkurse zum Thema

35 Brief an Ernst Bertram, 21. September 1918, in: *Bertram* (Anm. 2), S. 76.
36 *Tagebücher*, 27. Februar 1919.
37 Vgl. ebd.
38 Ebd., 9. April 1919.
39 Vgl. ebd., S. 361–363.

Zeit, wie die Einleitung zum fünften Kapitel, der Vorsatz zum sechsten und schließlich der lange Exkurs im Abschnitt »Strandspaziergang« am Anfang des siebenten Kapitels sollten den fortschreitenden träumerischen Bewußtseinsverlust, der Hans Castorp befällt, auch im Leser sichern helfen.
Dennoch erschien der Versuch, den *Zauberberg* zu seiner ästhetischen Frühphase zurückzuführen, weder möglich noch wünschbar. München stand im April 1919 im Bürgerkrieg. Eine linke, von der USPD dominierte Räteregierung wurde in einer zweiten Phase radikalisiert und erst Anfang Mai von weißen Truppen gewaltsam beseitigt. Der Künstler und Familienvater Thomas Mann reagierte mit Schrecken, aber auch mit einer Bestandsaufnahme seiner gegenwärtigen literarischen Produktion. Am 12. April, bei der Lektüre von Knut Hamsuns *Segen der Erde*, findet er in diesem Buch Werte, einen »dichterisch empfundene[n] Kommunismus« und einen »menschlich-poetische[n] Anarchismus«, die »in tiefem Kontakt mit aller neuesten Sehnsucht« ständen. Seine eigenen Pläne, *Der Zauberberg* und *Die Bekenntnisse des Hochstaplers Felix Krull*, vom pathologischen Grundzug einer vergangenen literarischen Epoche geprägt, seien nicht mehr zeitgemäß, reichten nicht einmal an die Idyllen heran und entbehrten der Lebensfreundlichkeit des Hamsunschen Werkes. Sie seien »historisch, lange bevor sie fertig«[40]. Hamsuns Roman verband für ihn Zivilisationskritik mit einer positiven, dem Leben zugewandten Menschlichkeit. Der Künstler Hamsun vermittelte so in seiner Literatur kulturkonservative Werte, öffnete aber auch Perspektiven auf die Zukunft.
Das hätte Thomas Mann auch gern von seinem *Zauberberg* sagen mögen, und schon am 17. April 1919, nur fünf Tage später, findet er auch für seinen Roman eine lebensfreundliche und zukunftsweisende Formel:

> Unterdessen bedenke ich den Zbg, den wieder in Angriff zu nehmen jetzt wirklich erst der Zeitpunkt gekommen

40 Ebd., 12. April 1919.

> ist. Im Kriege war es zu früh, ich mußte aufhören. Der Krieg mußte erst als Anfang der Revolution deutlich werden, sein Ausgang nicht nur da sein, sondern auch als Schein-Ausgang erkannt sein [...]. Die Entlassung Hans Castorps in den Krieg [...] bedeutet seine Entlassung in den Beginn der Kämpfe um das Neue [...].

Das »Neue« soll eine umfassende Synthese sein. (Die Lektüre zu dieser Zeit ist ein Buch von Heinrich von Eicken, ein »wichtiges Hilfswerk für den Zbg«.[41]) Es bestehe in einer »neuen Konzeption des Menschen als einer Geist-Leiblichkeit«, einer umfassenden Synthese von »Seele und Körper, Kirche und Staat, Tod und Leben«, einer »Erneuerung des christlichen Gottesstaates ins Humanistische gewandt«.[42] Er berichtet in seinem Tagebuch auch von einem Gespräch mit Ernst Bertram am 21. April. Das »Neue« sei eine »im Werden begriffene Synthese von Christlichkeit und Humanismus«. Thomas Mann verknüpfte jetzt die Hoffnung auf Regeneration, die der Kriegsausbruch ausgelöst hatte, mit chiliastisch-teleologischen Vorstellungen und gab damit der Entwicklung seit Kriegsausbruch ein sinnvolles Ende. (Ähnlich heißt es noch 1922 in einem Vorwort zur Rede *Von deutscher Republik*, er habe die Republik auf 1914 datiert; XI, 811). Damit überspielte er den tragischen Ausgang des Krieges und löste das »Problem« des Schlusses, das die Weiterführung des Romans seit der Niederlage 1918 erschwert hatte. Im Lichte des Erlösungsmythos schien die zum Untergang verurteilte Vorkriegswelt neutraler, und das versöhnlich objektive Spiel mit den Ideologica ließ sich fortsetzen. Daß Thomas Mann sich in seiner humorvollen Allseitigkeit sicher fühlte, verdeutlicht ein Zusatz zu der oben zitierten Tagebucheintragung vom 17. April 1919. In einem Urteil über seine streitenden Pädagogen beschließt er, beide hätten sowohl »recht

41 Ebd., 16. April 1919. Es handelt sich um Heinrich von Eickens *Geschichte und System der mittelalterlichen Weltanschauung*, Stuttgart 1887.

42 Ebd., 17. April 1919.

wie unrecht«. Auch Hans Castorp soll zunächst seine verschmitzte Unschuld bewahren. Thomas Mann vermerkt am 9. und 12. Juni 1919 im Tagebuch – er ist gerade mit dem zweiten Kapitel beschäftigt –, daß Hans Castorps »geistige Zeitbestimmtheit«, seine »geistige [...] Situation«, besser gezeigt werden müsse. Er fügt auch sogleich ein Textstück in den *Zauberberg* ein, das diese Gedanken aufnimmt (50). Ein Brief an den konservativen Schriftsteller Josef Ponten vom 6. Juni zeigt Thomas Mann nahe der Erzählhaltung zur Zeit des Abbruchs:

> Ich schreibe nun wieder fort an dem »Zauberberg«-Roman, dessen Grundthema (Romantik und Aufklärung, Tod und Tugend: das Thema des »Tod in Venedig« noch einmal und auch das der »Betrachtungen«) mich aufs neue in Bann geschlagen hat.[43]

Dennoch konnten Spannungen nicht ausbleiben. Die Tatsache, daß der Roman »Zukünftiges« vermitteln sollte, öffnete ihn dem Zeitgeschehen. Daß neue Perspektiven die Konzeption einer Figur ändern konnten, zeigt die Naphta-Figur. Seit den Bürgerkriegserfahrungen in München im Frühjahr 1919 trägt Naphta jüdische, konservativ-revolutionäre Züge.[44] Thomas Mann hatte im Tagebuch von der »sprengstoffhaften Mischung aus jüdischem Intellektual-Radikalismus und slawischer Christus-Schwärmerei« gesprochen.[45] Wahrscheinlich dachte er an Eugen Leviné oder auch Leo Trotzki. Wie schnell diese Gedanken in den *Zauberberg* Einzug halten, zeigen neue Teile im Abschnitt »Herr Albin« im dritten Kapitel, mit dem Thomas Mann Ende Juni beschäftigt ist. Hier erscheint das Selbstmordmotiv zum ersten Mal. Naphta begeht später Selbstmord, und er benutzt Herrn Albins Pistole (vgl. 113–116, 973 f.).

Am 14. November 1919, schon mit neuen Teilen des vierten

43 Brief an Josef Ponten, in: *Briefe*, S. 163.
44 Siehe hierzu Herbert Lehnert, »Leo Naphta und sein Autor«, in: *Orbis Litterarum* 37 (1982) S. 47–69.
45 *Tagebücher*, 2. Mai 1919. Siehe auch Wysling (Anm. 6), S. 20 f.

Kapitels beschäftigt, klagt Thomas Mann im Tagebuch über ein Problem mit der Settembrini-Figur. Der Humanist sei »in künstlerischer Beziehung« »problematisch«. Seine »Lehren« seien im Roman »das sittlich einzig Positive und dem Todeslaster Entgegenstehende«. Der persiflierende Humor war aber gerade gegen diese Figur gerichtet gewesen, die humanistische, in der deutschen Klassik fortgeführte Lehren verkörperte, also für eine Anpassung an die neue Konzeption wenig geeignet war. Schon im oben zitierten Brief an Josef Ponten vom 6. Juni 1919 hatte Thomas Mann eingeräumt, daß er »offenbar zu sehr *Humanist* sei [...], um dem künstlerischen Bolschewismus Geschmack abgewinnen zu können«.[46] Im September 1919 arbeitet Thomas Mann am Abschnitt »Von den beiden Großvätern und der Kahnfahrt im Zwielicht« im vierten Kapitel; hier überdenkt Hans Castorp den Unterschied zwischen beiden Ahnherrn, findet aber auch Gemeinsames (216). Settembrini benutzt wenig später das erste Mal den Begriff »Humanität« (224), mit dem Thomas Mann ab 1921 das »Neue« bezeichnen wird. Eine Tagebucheintragung, schon von 1921, berichtet von Gesprächen mit dem konservativen Publizisten Paul Cossmann und schließt mit dem Fazit: »Der Humanismus nicht deutsch, aber unentbehrlich.«[47] Im Lichte der politischen Überzeugung seines Gesprächspartners konnte das provozierend sein. Dabei spielte Verteidigung hinein. Thomas Mann fand sich seit 1918 zunehmend von rechtskonservativen Ideologen und Politikern in Anspruch genommen, die sich auf den Autor der »Kriegsaufsätze« berufen wollten. Sein neuer Blick auf die humanistische Tradition beruhte darum sowohl auf dem Wunsch, das »Neue« politisch wirksamer zu formulieren, als auch darauf, sich von der Polemik der »Kriegsaufsätze« distanzieren zu wollen. Daß hier Selbstkritik hineinspielt, ist sicher. Daß damit auch die Hauptfigur seiner Erzählung, Hans Castorp, der schon längst ein Vertreter des deutschen

46 *Briefe*, S. 162.
47 *Tagebücher*, 31. Mai 1921.

Bürgertums geworden war, in ein kritischeres Licht geriet, zeigen die seit 1922 neuen Teile sehr bald.
Thomas Mann begann, im Zusammenhang mit den Vorbereitungen und der Niederschrift des Vortrags *Goethe und Tolstoi*, den er im September 1921 in Lübeck hielt und in Anlehnung an Goethe und dessen Wilhelm-Meister-Figur, von Hans Castorp als seinem jüngeren, autobiographischen Ich zu sprechen. Am 15. Juni, bei der Lektüre des Goethe-Biographen Bielschowsky, schreibt er in sein Tagebuch:

> Er [*Der Zauberberg*] ist, wie der Hochst. [*Felix Krull*], auf seine parodistische Art ein humanistisch-goethischer Bildungsroman, und H[ans] C[astorp] besitzt sogar Züge von W. Meister, wie mein Verhältnis zu ihm dem Goethe's zu seinem Helden ähnelt, den er mit zärtlicher Rührung einen ›armen Hund‹ nennt.

In *Goethe und Tolstoi* erklärt Thomas Mann das Verhältnis des autobiographischen Künstlers zu seiner fiktiven Figur genauer. Der autobiographische Autor stelle nicht nur das eigene, jüngere Ich aus sich heraus, mache es zu einem »Du«, sondern die »Anschauung seines Ebenbildes« führe auch – Thomas Mann formuliert hier vorsichtig als Frage – zur Einsicht in die »Verbesserungs- und Vervollkommnungsbedürftigkeit« des Ichs und damit zur pädagogischen Verpflichtung. Das »dichterische Ich« werde, dieser Verpflichtung eingedenk, an dem jüngeren fiktiven Ich zum »Führer, Bildner, Erzieher« (IX, 149 f.).
Thomas Mann hat den *Zauberberg* seit dieser Zeit gern als Bildungs- oder Entwicklungsroman bezeichnet, wenigstens aber als »Versuch«, die »Wilhelm Meister-Linie« fortzusetzen.[48] Obwohl er dem Werk kein individuelles oder gesellschaftliches Ergebnis zusichern will,[49] gefällt er sich in den Spuren Goethes und spricht von Hans Castorp als seinem

48 Brief an Max Rychner, 7. August 1922, in: DüD, S. 470.
49 Vgl. die Briefe an Philipp Witkop, 14. Dezember 1921 und an Julius Bab, 23. April 1925, in: DüD, S. 465, 496.

»Wilhelm Meisterchen«,[50] probiert dessen Rolle für sich selbst aus.[51] Er verwendet den Begriff »regieren«, Hans Castorps Bezeichnung für gedankliche Experimente, bereits im Juli 1921 im Tagebuch.[52] Vielleicht denkt er an den »Dichterfürsten« Goethe. Daß neue Gedanken den *Zauberberg* bereicherten und vielleicht auch anreicherten, bestätigen Briefe an Ernst Bertram[53] und die erneute Ausdehnung des Projektes. Noch im Mai 1921 glaubte Thomas Mann, den Roman vielleicht noch im Herbst des Jahres fertig zu haben.[54] Er erschien jedoch erst am 20. November 1924, mehr als drei Jahre später.

In *Goethe und Tolstoi* will Thomas Mann autobiographisches Künstlertum rechtfertigen. Der autobiographische Künstler, nur auf die »Rettung und Rechtfertigung des eigenen Lebens [...] bedacht« und ohne ein Programm, lehrt andere, während er selbst lernt und erzieht (IX, 151). Das schloß offensichtlich auch Kunst mit Komödiencharakter ein, und daß Thomas Mann seinen *Zauberberg* einbezog, ist opportunistisch, aber verständlich. Von »pädagogisch-politischen Grundabsichten« hatte er bereits 1915 gesprochen,[55] und hier fand sich nun ein Weg, diesen Anspruch theoretisch zu rechtfertigen. Damit erhält der *Zauberberg* kein »Programm«, dennoch kommt es zu Veränderungen: Der zweite Teil, mit dem Thomas Mann im Spätherbst 1921 begann,[56] erweitert nicht nur das pädagogische Menü für Hans Castorp, er zeigt Kritik an der Hauptfigur. Hans Castorps wachsende Lieblosigkeit, seine Streitsucht und seine Weigerung zu vermitteln überraschen. Damit ist Kritik am deutschen Bürgertum verbunden, dessen zunehmend reaktionärer, völkischer und

50 Brief an Ernst Bertram, 25. Dezember 1922, in: *Bertram* (Anm. 2), S. 116.
51 Brief an Ernst Bertram, 31. Mai 1924, in: ebd., S. 127. Vgl. auch DüD, S. 509.
52 *Tagebücher*, 8. Juli 1921.
53 Brief an Ernst Bertram, 13. und 29. November, in: *Bertram* (Anm. 2), S. 104 f.
54 Brief an Philipp Witkop, 21. Mai 1921, in: DüD, S. 464.
55 Brief an Paul Amann, 3. August 1915, in: *Amann* (Anm. 11), S. 29.
56 *Tagebücher*, 15. Oktober 1921.

schließlich faschistischer Politik Thomas Mann nach 1922 ein Gegengewicht zu verleihen sucht.
Der zweite Teil, der mit dem Abschnitt »Veränderungen« im sechsten Kapitel beginnt, führt Hans Castorp, ähnlich wie zum Beispiel Faust, aus der »kleinen Welt« des Sanatoriums hinaus in eine »große Welt«, die den Ort Davos und allerlei Naturgegenden im Umkreis einschließt. Das räumlich größere Spielfeld ist eine Metapher für das größere intellektuelle Spielfeld und den erweiterten Erlebnishorizont, in den jetzt auch Erfahrungen des »älteren Ichs« eingebracht werden können. Neue Figuren kommen hinzu, zuerst die Naphta-Figur, von der wir wissen, daß sie durch die Erfahrungen von 1919 vielschichtiger geworden war. (Eine Begegnung mit Georg Lukács im Januar 1922 in Wien half das Profil schärfen.) Später kommt die Peeperkorn-Figur hinzu, die neben einer Hauptmann- auch eine Goethe-Figur ist[57] und die goethekritische Züge aus dem Essay *Goethe und Tolstoi* erhält. (Die Figur ist mit Hilfe von Beobachtungen gestaltet, die Thomas Mann bei seinem ersten Treffen mit Gerhart Hauptmann im Oktober 1923 in Bozen machte; vgl. *Gerhart Hauptmann*, 1952, IX, 811–815.) Die Experimente mit dem Okkulten fielen in den Winter 1922/23 (vgl. *Okkulte Erlebnisse*, 1924, X, 135–171), und das technische Wunder des Grammophons, das Hans Castorp in so unerlaubter Weise genießt (»Fülle des Wohllauts«), hatte den Autor im Jahre 1919 ähnlich begeistert. Der für die Erzählung aktuelle zeitgeschichtliche Horizont wird erweitert. Das erste Gespräch mit Naphta und Settembrini ist kurz vor der Bosnienkrise im Herbst des Jahres 1908 angesetzt (527 ff.). Diese Krise wird Anlaß für Joachims Abreise und seinen Dienstantritt beim Militär. Das Gespräch enthält Reflexionen über den kommenden Krieg.
Das intellektuelle Spielfeld Hans Castorps wächst durch den größeren Überblick, den die »Kolloquien« vermitteln. Naphtas Gegenperspektive befreit ihn vom direkten Diskurs. Er soll vergleichen lernen und ist in der Lage, »Vorbe-

57 Siehe hierzu Wysling (Anm. 6), S. 23.

halt« (722) zu bewahren. Er ist weiterhin zu einer gewissen harmonisierenden oder synthetischen Haltung fähig, die über die Ergebnislosigkeit des vorbehaltvollen Spieles hinausführen könnte. Das zeigt sich am Schluß des ersten Kolloquiums, wo Hans Castorp Joachims Denken in Kategorien zurückweist: Gesundheit und intellektuelles Wachstum müßten einander nicht ausschließen, anders zu denken bedeute »Weltentzweiung« (536). Das ist wohl ein Wort Settembrinis (524), des Monisten, das er nachspricht, aber wenn Hans Castorp jetzt mit einer Tätigkeit beginnt, die er »›Regieren‹« nennt (541), so zeigt er die Bereitschaft und auch die mögliche Fähigkeit, das Gehörte zu verarbeiten. Diese Fähigkeit, Folge einer »Verschmitztheit« (805 u. ö.) und praktischen Lebensklugheit, ergibt sich aus der Bürgerlichkeit des Helden. Nichtfestlegung gehört zu Thomas Manns Kulturbegriff; sie ist positiv, wenn menschenfreundliche Liebe den nihilistischen Ausschlagsmöglichkeiten entgegenwirkt.

Hans Castorp findet ein Gegengewicht zu der krassen Radikalität seiner Pädagogen in seinem »Schneetraum«. Thomas Mann schrieb den Abschnitt »Schnee« im Frühsommer 1923,[58] also schon nach seiner pro-republikanischen Rede. Von Settembrini ermuntert (655), erwirbt Hans Castorp eine Skiausrüstung und unternimmt einen Ausflug in die winterliche Bergwelt. Er sieht dort schließlich, vom Portwein angenehm erwärmt, eine arkadische Landschaft, das Bild einer »schöne[n] junge[n] Menschheit« (679), diszipliniert, aber voll natürlicher Grazie. Von einem »schöne[n] Knabe[n]« (681), der Leser erinnert sich an Tadzio im *Tod in Venedig*, wird er in einen Tempel geführt, in dem ein grausiges Blutmahl stattfindet. Hexen, die im »Volksdialekt von Hans Castorps Heimat« keifen, zerfleischen Kinder und verschlingen sie (683). Hans Castorp interpretiert den Traum als Erlösung aus dem Zwiespalt der Argumente seiner Pädagogen; beide seien »Schwätzer« (685). Der Mensch stände in der »Mitte«

58 Sauereßig (Anm. 7), S. 27 und 32.

zwischen »Durchgängerei« und »Vernunft«, zwischen »Unform« und »Form«. Die »Treue« zum Tod mache »Liebe und Güte« möglich (685 f.).
Die Vision bringt Hans Castorp Einsicht in eine neue Form von Liebe, die es in dem Roman bisher nicht gab: caritative oder soziale. Mit Kategorien, die an Nietzsches mythisch-metaphysische Prinzipien dionysisch und apollinisch anschließen, überdeckt die Vision das Leid der menschlichen Existenz und macht so »verständig-freundliche Gemeinschaft« und den »Menschenstaat« möglich (686). Das utopische Bild ersetzt die Staatsutopien der beiden Pädagogen, Settembrinis humanistische Weltrepublik sowohl wie Naphtas totalen Staat. Menschlichkeit, die auf dem Wissen um das Leid begründet ist, soll an deren Stelle treten. Das Bild vermittelt keine praktischen Direktiven, und die Abgrenzung der Vision vom politischen Bereich kontrastiert mit den republikanischen Idealen der Rede *Von deutscher Republik.* »Humanität«, die »deutsche Mitte«, der Begriff, den Thomas Mann auch hier für das »Neue« einsetzt (XI, 852), ist darum mehr Sache des »Herzens«, als des »Denken[s] und Regieren[s]« (686). Hans Castorp vergißt den Traum (688); als Vorkriegsfigur kann er das »Neue« nicht kennen. Trotzdem vergißt er ihn nicht eigentlich, er kannte das Geträumte schon, und wußte es nun »für immer« (686). Damit sagt Thomas Mann, daß die deutsche bürgerliche Kultur die Handlungsmaximen vermitteln kann, die einen humanen Staat möglich machen. Dennoch ist die Vision nicht unproblematisch; die schöne Gemeinschaft kann den Kindermord nicht aufhalten. Dazu paßt der Krieg, in den das »junge Blut« am Ende des Romans geschwemmt wird (992). Die »Schneevision« macht diese Schrecken nicht rückgängig. Liebe, eine Lebensfreundlichkeit, die »verständig-freundlich« ist (686), intellektuelle Kontrolle also, muß das Gegengewicht stellen. Seit 1921 beobachtete Thomas Mann den Mißbrauch der bürgerlichen Kulturwerte durch eine konservative nationalistische Ideologie. Das Kapitel »Schnee«, 1923 geschrieben, entblößt die

Wurzeln von Kultur, bringt sie noch einmal in Erinnerung, will aber auch warnen. Diese Warnung schlägt sich im Roman auch im Porträt Hans Castorps nieder, dessen grundsätzlich positive Charakterzüge jetzt ins Negative zu schillern beginnen.

Der Schneetraum hatte die Pädagogen als »Schwätzer« entlarvt (685). Ihre pädagogischen Programme, in den Augen Hans Castorps entwertet, gelten nicht mehr. Nicht Liebe ist bei Hans Castorp die Konsequenz, sondern eine neue Selbstsicherheit, die ins Böse schlägt. Er fühlt sich jetzt als »Herr der Gegensätze« (685), sucht unabhängige Diskussionen und spielt die Pädagogen gegeneinander aus. Während eines Besuchs bei Naphta formuliert er verbindlich, spricht von »unserem Settembrini«, schließt aber mit der Weisung, an Settembrini »Rache« zu üben (704). Sein »Vorbehalt« wird zur »Widerspenstigkeit« (715). Im nachfolgenden »Großen Kolloquium über Pädagogik und Literatur« spielt er für einen Moment mit dem versöhnenden Gedanken des Schneetraumes, an den er sich zu erinnern scheint, aber wieder schweigt er, verhält sich »widerspenstig« und handelt nicht:

> Alles stellten sie auf die Spitze, diese zwei, wie es wohl nötig war, wenn man streiten wollte [. . .], während ihm doch schien, als ob irgendwo inmitten zwischen den strittigen Unleidlichkeiten, zwischen rednerischem Humanismus und analphabetischer Barbarei das gelegen sein müsse, was man als das Menschliche oder Humane versöhnlich ansprechen durfte. Aber er sprach es nicht aus, um nicht beide Geister zu ärgern, und sah, eingehüllt in Vorbehalt, wie sie weiter dahintrieben und einander feindlich behilflich waren, vom Hundertsten ins Tausendste zu kommen [. . .]. (722 f.)

Der Erzähler macht deutlich, daß Hans Castorp nicht bereit war, das versöhnende Wort zu sprechen.

Als Pieter Peeperkorn mit Clawdia als Reisegefährtin im Sanatorium einzieht, schweigt Hans Castorp nicht mehr, er beginnt Zwietracht zu säen. »An Diskussion gewöhnt durch seine demokratischen Erzieher« (785), fähig des »behenden kleinen Wortes« (839), wie Peeperkorn sagt, übernimmt er jetzt die Rolle des Argumentierenden. Hans Castorp plant auch Zusammenkünfte, um sich an dem dialektischen Streit zu freuen. Seine Absichten sind »boshaft« (806) und »durchtrieben« (807), seine Haltung zynisch, während er das »Spiel« des »peripathetische[n] Waffengang[es]« beobachtet (817). Dabei soll der Leser verstehen, daß Hans Castorp nicht nur eine besondere Gabe mißbraucht, sondern eine Gelegenheit verspielt. Seine Bürgerlichkeit, seine Lebensfreundlichkeit und Verschmitztheit brachte die Gemeinschaft zusammen; seine Gegenwart verband die Streitenden »untereinander« (804 f.).

Er wird trotzdem zum Handlanger für das Duell zwischen den Pädagogen. Ähnlich, wie er Kolloquien mit Beteiligung Peeperkorns organisiert, um den Effekt zu beobachten, führt er jetzt Settembrini und Naphta zusammen. Er weiß, daß »seine, des pädagogischen Objektes, Gegenwart vonnöten war«, um Kolloquien überhaupt zu »entzünden« (958). Dies tut er in der klaren Erkenntnis, daß rationaler Diskurs nicht länger möglich ist. Ein Zeichen dafür ist, daß die Sprachfähigkeit beider Disputanten verfällt; sie nähert sich dem abgerissenen Stammeln Peeperkorns, dem Vertreter von Irrationalität (Settembrini: »[. . .] und es gibt Lagen, wo, – Gegensätze, die, – kurzum«, 969; Naphta: »Ich bin Ihnen im Wege, Sie sind es mir, – gut denn«, 968).

Der Erzähler will Hans Castorps Beteiligung an der Katastrophe klarmachen. Unmittelbar nach der Aufforderung stellt er die rhetorische Frage:

> Hätten nicht die drei Unbeteiligten den Versuch machen können, beschwichtigend einzuwirken, mit einem Scherzwort die Spannung zu lösen, durch irgendein menschliches Zureden alles zum Guten zu wenden? Sie unternahmen ihn nicht, diesen Versuch. (967)

Und wenig später:

> Augenblicke [...] kamen dem jungen Mann, wo er seinen Geist aus der allgemeinen Verstrickung und Benebelung durch die inneren Umstände bis zu einem gewissen Grade befreien konnte und sich vorhielt, daß dies ja Wahnsinn sei und daß man es verhindern müsse. (970)

Aber ähnlich wie in den Kolloquien über Literatur und Pädagogik, wo er das humane Wort nicht hatte aussprechen wollen, bleibt Hans Castorp stumm. Er läßt einerseits den »Dingen ihren Lauf« (968), bleibt ein »Unparteiischer« (972 f., 976), andererseits besorgt er die Pistolen, wohl »gegen seine Überzeugung«, aber dennoch »aus reiner Unbefangenheit« (974). Das Wort »Unbefangenheit« ist ein Stichwort, das Hans Castorps zunehmenden Nihilismus beschreibt. Im Drama *Fiorenza* (1905), das mit dem Ressentimentsbegriff aus Nietzsches »Willen zur Macht« spielt, kann »wiedergeborene Unbefangenheit« Machtstreben bedeuten, das Kultur zerstört, weil es zur menschlich-warmen Liebe nicht fähig ist (VIII, 1064).

Die Aufforderung zum Duell, die Naphta ausspricht, entwächst einer Diskussion, die der Erzähler auf das »Problem der Freiheit« festlegt, das Naphta »im Sinne der Verwirrung behandelte« (964). Naphta beruft sich auf die Romantik und betont den »faszinierenden Doppelsinn dieser europäischen Bewegung [...], vor der die Begriffe der Reaktion und der Revolution zunichte würden, sofern sie sich nicht zu einem höheren vereinigten« (964, vgl. 636). Er benutzt Begriffe der Konservativen Revolution. Deren Bemühen, das »Neue« in einer Verbindung von Altem und Zukünftigem zu finden, wird in der Naphta-Figur als gefährliche, selbstzerstörerische Freiheit denunziert. Freiheit gehört jedoch zur romantisch-bürgerlichen Tradition und bleibt positiv. Naphtas Selbstzerstörung steht für einen falsch eingeschlagenen Kurs, für die Entwicklung zur radikalen Ideologie.

Auch Thomas Mann selbst hatte den Begriff »konservative

Revolution« im Frühjahr 1921 benutzt und dabei Nietzsche genannt (X, 598). Nietzsche ist auch im *Zauberberg* nicht abwesend. Am Ende des Abschnitts »Fülle des Wohllauts«, den Thomas Mann erst im Sommer 1924 fertigstellt, spielt er auf Nietzsche an, den Überwinder Wagners. Der »beste Sohn« des »Seelenzaubers« sei derjenige, der das Lied – hier Schuberts »Lindenbaum«, das für Romantik steht – überwinde, obwohl er es liebe (907). Im Aufsatz *Vorspruch zu einer musikalischen Nietzsche-Feier*, wenig später verfaßt, zitiert er aus diesem Abschnitt und spricht von Nietzsche als dem »revolutionäre[n] Selbstüberwinder«, der das Romantische, das »Zauberlied des Todes«, dort Wagners Musik, überwunden habe. Dadurch sei er »ein Freund des Lebens, ein Seher höheren Menschentums, ein Führer in die Zukunft« geworden (X, 182).

Naphtas Selbstmord, sein Nihilismus, steht im Gegensatz zu Nietzsche, der den geliebten Wagner selbst überwunden habe. Naphta wird somit zu einem Schreckbild, das für die völkische Bewegung und den deutschen Faschismus, den Thomas Mann 1925 als »romantische Barbarei« (IX, 169) bezeichnet, aber auch für linke Radikalismen steht. Hans Castorp hätte zu einer Nietzsche-Figur werden können; sein Autor entschied dagegen. Der Roman endet damit, daß Hans Castorp in die Schlachten des Ersten Weltkrieges gerät. Der Traum von Liebe bleibt offen, und der Autor setzt ein Fragezeichen ans Ende seines Buches (994).

Hans Castorp war »simpel« (994). Dennoch hätte der ursprünglich »humoristische« Ansatz, die »Verschmitztheit« des bürgerlichen Helden, einer hoffnungsvolleren Auflösung nicht eigentlich im Wege gestanden. Daß sie nicht zustande kam, daß der *Zauberberg* letztlich seinem Stilvorbild, dem *Tod in Venedig*, näher blieb als vielleicht intendiert, hat seinen Grund in der Verschränkung der Figur des simplen Helden mit dem Schicksal Deutschlands, aber auch dem Schicksal seines Autors. Hans Castorp, der das verbindende Wort nicht spricht, der die Waffen zum Duell beschafft, war auch ein jüngeres, autobiographisches Ich, liebevoll vom ›dichterischen Ich‹ geführt, aber auch ein Ich, an dem das ›dichterische Ich‹ sich der ›Verbesserungsbedürftigkeit‹ bewußt wurde.

## Literaturhinweise

Der Zauberberg. 2 Bde. Berlin: S. Fischer, 1924.
Gesammelte Werke in 13 Bänden. Bd. 3. Frankfurt a. M.: S. Fischer, 1974.

Kristiansen, Børge: Zur Bedeutung und Funktion der Settembrini-Gestalt in Thomas Manns Roman *Der Zauberberg*. In: Gedenkschrift für Thomas Mann 1875–1975. Hrsg. von Rolf Wiecker. Kopenhagen 1975. S. 95–135.
– Thomas Manns *Zauberberg* and Schopenhauers Metaphysik. Kopenhagen 1978, 1986.
Kurzke, Hermann: Wie konservativ ist *Der Zauberberg*? In: Gedenkschrift für Thomas Mann 1875–1975. Hrsg. Rolf Wiecker. Kopenhagen 1975. S. 137–158.
Lehnert, Herbert: Leo Naphta und sein Autor. In: Orbis Litterarum 37 (1982) S. 47–69.
Reed, Terence James: *Der Zauberberg*. Zeitenwandel und Bedeutungswandel 1912–1924. In: Besichtigung des Zauberbergs. Hrsg. von Heinz Saueressig. Biberach a. d. R. 1974. S. 81–139.
Sandt, Lotti: Mythos und Symbolik im *Zauberberg* von Thomas Mann. Bern 1979.
Saueressig, Heinz: Die Entstehung des Romans *Der Zauberberg*. In: Besichtigung des Zauberbergs. Hrsg. von H. S. Biberach a. d. R. 1974. S. 5–53.
Thomas Mann. Aufsätze zum *Zauberberg*. Hrsg. von Rudolf Wolff. Bonn 1988. (Sammlung Profile. 33.)
Weigand, Hermann: Thomas Mann's Novel *Der Zauberberg*. New York 1933, 1971.
Wysling, Hans: Probleme der *Zauberberg*-Interpretation. In: Thomas Mann Jahrbuch 1 (1988) S. 12–26.
– *Der Zauberberg*. In: Thomas-Mann-Handbuch. Hrsg. von Helmut Koopmann. Stuttgart 1990. S. 397–422.

## Führerwille und Massenstimmung: *Mario und der Zauberer*

Von Helmut Koopmann

Thomas Manns Novelle gehört zu den wenigen Erzählungen, die er nach dem *Zauberberg* schrieb; sie ist bis heute höchst unterschiedlich bewertet worden. Eine »Gelegenheitsarbeit«, so lautet ein Urteil[1] – »ein Hauptwerk Thomas Manns«, so der gegenteilige Kommentar.[2] Beide Voten können sich auf Äußerungen Thomas Manns berufen. Eine Stegreifleistung, so heißt es in Thomas Manns *Lebensabriß*, eine »Anekdote«, leicht ausgeführt, eine Arbeit, »zu der es keines Apparates bedurfte und die im bequemsten Sinn des Wortes ›aus der Luft gegriffen‹ werden konnte«.[3] Diese die eigene Leistung herabspielende Äußerung hat Thomas Mann auch in *On Myself* wiederholt und die Erzählung als »eine dichterische Unterbrechung« bezeichnet, eine »kleine Arbeit«, in die Niederschrift der *Joseph*-Romane eingeschoben.[4] Dem stehen andere Selbsturteile gegenüber: etwa jenes, daß die Erzählung »in ihrer Gesamtheit als Kunstwerk zu betrachten« sei,[5] und in die gleiche Richtung zielt die Bemerkung, daß hier »aus dem Persönlichen und Privaten etwas Symbolisches und Ethisches« erwachsen sei.[6] So geben die Äußerungen Thomas Manns allen recht: jenen, die hier etwas nicht sehr Schwergewichtiges erkennen möchten, wie auch jenen, die

1 Hermann Kurzke, *Thomas Mann. Epoche – Werk – Wirkung*, München 1985, S. 228.
2 Hans R. Vaget, »*Die Erzählungen*«, in: *Thomas-Mann-Handbuch*, hrsg. von Helmut Koopmann, Stuttgart 1990, S. 596.
3 *Dichter über ihre Dichtungen. Thomas Mann*, Tl. 2: 1918–1943, hrsg. von Hans Wysling unter Mitw. von Marianne Fischer, Frankfurt a. M. 1979 [im folgenden zit. als: DüD], S. 366.
4 Ebd., S. 370 f.
5 Ebd., S. 371.
6 Ebd., S. 369.

eine eigentliche, substantielle Aussage hinter der Schilderung des Reiseerlebnisses sehen wollen – und die Literaturwissenschaft hat sich bis heute schwer getan, die Novelle in ihrem Rang wie auch in ihrer Aussagekraft recht zu würdigen. Über eines allerdings bestand nie Zweifel: daß etwas Selbsterlebtes am Anfang der Geschichte stand und daß also eigene Erfahrungen weitgehend den Stoff lieferten für das, was Thomas Mann beschrieb.

Der Erlebniskern der Geschichte ist von Thomas Mann wiederholt benannt worden, am deutlichsten in einem Brief aus dem Jahre 1930 selbst:

> Der »Zauberkünstler« war da und benahm sich genau, wie ich es geschildert habe. Erfunden ist nur der letale Ausgang: In Wirklichkeit lief Mario nach dem Kuß in komischer Beschämung weg und war am nächsten Tage, als er uns wieder den Thee servierte, höchst vergnügt und voll sachlicher Anerkennung für die Arbeit »Cipolla's«. Es ging eben im Leben weniger leidenschaftlich zu, als nachher bei mir. Mario liebte nicht wirklich, und der streitbare Junge im Parterre war nicht sein glücklicherer Nebenbuhler. Die Schüsse aber sind nicht einmal meine Erfindung: Als ich von dem Abend hier erzählte, sagte meine älteste Tochter: »Ich hätte mich nicht gewundert, wenn er ihn niedergeschossen hätte.« Erst von diesem Augenblick war das Erlebte eine Novelle, und um sie auszuführen, brauchte ich das Atmosphäre gebende anekdotische Detail vorher, – ich hätte sonst keinen Antrieb gehabt, davon zu erzählen, und wenn Sie sagen: ohne den Hotelier hätte ich Cipolla am Leben gelassen, so ist die Wahrheit eigentlich das Umgekehrte: um Cipolla töten zu können, brauchte ich den Hotelier – und das übrige vorbereitende Ärgernis. Weder Fuggiero noch der zornige Herr am Strande, noch die Fürstin hätten sonst das Licht der Literatur erblickt.[7]

7 Ebd., S. 368.

Damit ist nicht nur der Stoff, sondern sind auch dessen Umformungen und Erweiterungen charakterisiert. Über kleinere Abweichungen vom Selbsterlebten hat Thomas Mann sich auch noch in anderen Briefen geäußert. So schreibt er an einen Bekannten:

> Es ist alles ganz richtig, wir waren im August-September 26 in Forte dei Marmi, das mit dem Torre di Venere der Novelle identisch ist, und wir haben zusammen mit Ihnen den Zauberer gesehen. Seinen wirklichen Namen erfuhr ich erst wieder von Ihnen, Gabriele, ich hatte ihn vergessen. In derselben Pension wohnten wir freilich nicht, sondern in einer anderen, analog gelegenen, die Pensione Regina hieß. Der Name der Wirtin war Angela Querci, woraus mir in der Novelle Angiolieri geworden ist [. . .].[8]

Daß die Geschichte, 1926 erlebt, erst drei Jahre später beschrieben wurde, hing freilich nicht mit den Zufälligkeiten einer willkommenen Arbeitsunterbrechung an den *Josephs*-Romanen zusammen, sondern mit der Zeitstimmung gegen Ende der zwanziger Jahre, die befürchten lassen mußte, daß sich auch in Deutschland Verhältnisse anbahnen würden, wie sie sich in Italien schon 1926 präsentiert hatten: eine politisch verunreinigte Atmosphäre war heraufgezogen, die auch das, was Thomas Mann 1926 in Forte dei Marmi erlebt hatte, jetzt in einem anderen Licht erscheinen lassen mußte. Aus dem eher harmlos-sonderbaren Erlebnis jenes Zauberabends, der Höhepunkt und Ende eines Badeurlaubs kennzeichnete, war ein geradezu symbolischer Vorgang geworden, die Novelle selbst nichts weniger als eine politische Geschichte. Sie bekam ihre Bedeutung daher, daß sie mit der Schilderung von Atmosphärilien eine Zeitstimmung einfing, die zwar nicht ursächlich das Heraufkommen einer Diktatur bedeutete, ohne die aber diese Diktatur nicht möglich gewesen wäre. Wir haben es nicht nur mit einer frühen Darstellung faschistischer

8 Ebd., S. 369.

Tendenzen zu tun, sondern auch mit einem Versuch, die eigentümlichen Gründe und äußeren Bedingungen für das Zustandekommen des Faschismus dingfest zu machen.
Diese liegen nun offenbar nicht im Faktischen. Die Leistung des Autors ist es, etwas beschrieben zu haben, was sich der Beschreibung im Grunde genommen entzieht. Sensibles, eher dem Bereich der Stimmungen und der Launen zugehörig als dem Kalkulablen, Irrationales und vom Verstand her nicht Steuerbares, das alles bricht sich mit der Urgewalt einer emotionalen Empörung Bahn. Und über die Brücke emotionaler Wirrnisse sind in dieser Geschichte die eher harmlosen Unstimmigkeiten, wie sie Thomas Mann 1926 begegneten, mit jenem Ereignis verbunden, das der Novelle ihren Titel und tragischen Gehalt gibt: mit dem Auftritt und der Ermordung des Zauberkünstlers Cipolla. Bereits die beiden ersten Sätze stellen die Verbindung her zwischen den atmosphärischen Belanglosigkeiten eines etwas verunglückten Badeaufenthaltes und dem in dieser Atmosphäre möglichen Tod eines Zauberkünstlers. Was die Stimmung hier wie dort ausmacht, sind »Ärger, Gereiztheit, Überspannung«, und im Tode Cipollas materialisiert sich dann »das eigentümlich Bösartige der Stimmung«. Vom »Spektakel« zur »Katastrophe«: an der symbolischen Bedeutung des Mordes an Cipolla kann kein Zweifel herrschen, aber ebensowenig daran, daß vor allem die »Stimmung« zu einem solchen »Choc« führen mußte (658)[9]. So belanglos die gereizte Atmosphäre auch zunächst anmuten mochte: sie ist bedeutungsvoller, als es dem Leser scheinen mag. Denn wir betreten ein von Thomas Mann bereits zuvor ausgeschrittenes Gelände; hier setzt sich fort, was schon im *Zauberberg* zur welthistorischen Erklärung dienen mußte; auch dort schon lieferte die »Stimmung« wichtige Gründe zur Aufklärung einer Katastrophe.

9 Die Seitenzahlen in Klammern beziehen sich auf *Mario und der Zauberer* in Bd. 8 von Thomas Manns *Gesammelten Werken in 13 Bänden*, Frankfurt a. M. 1974; andere Texte Thomas Manns werden mit Band- und Seitenzahl ebenfalls im Text zitiert.

Thomas Manns *Zauberberg* war sechs Jahre zuvor erschienen. Es ist also verständlich, daß auch von *Mario und der Zauberer* noch Verbindungen zu jenem Roman laufen. In gewisser Hinsicht scheint sich sogar das Ende des *Zauberbergs* in jenem »tragischen Reiseerlebnis« aus dem Jahre 1930 zu wiederholen: nicht nur, daß der Roman und die Novelle einen Endzustand beschreiben – das Ende kommt beidemal nicht überraschend, aber dennoch schockhaft, der »Donnerschlag« im *Zauberberg*, »zwei flach schmetternde Detonationen« in *Mario und der Zauberer*. Naphtas scharfzüngiger Fanatismus, seine dämonische Suggestionskraft, seine Unerbittlichkeit und seine Beziehungen zum Übersinnlichen, sein terroristischer Einschlag und das Teufelsmäßige seiner Erscheinung – auch das lebt in Cipolla weiter. Aber anderes ist noch bedeutungsvoller. Denn im *Zauberberg* ist der Ausbruch des Krieges nichts anderes als eine Folge jener »großen Gereiztheit«, von der das vorletzte Kapitel berichtet. »Was lag in der Luft? – Zanksucht. Kriselnde Gereiztheit. Namenlose Ungeduld. Eine allgemeine Neigung zu giftigem Wortwechsel, zum Wutausbruch, ja zum Handgemenge.« – »Erbitterter Streit, zügelloses Hin- und Hergeschrei« – derartige Sätze würden sich gut in die Cipolla-Geschichte einfügen. (III, 948). Wer »nicht die Kraft zur Flucht in die Einsamkeit besaß, wurde unrettbar in den Strudel gezogen«: Beide Male also Atmosphärisches, nicht nur als Ankündigung dessen, was folgen wird, sondern offensichtlich auch als Ursache für die sonst nicht verständlichen Ereignisse, in die die Stimmung mündet. Eine andere Erklärung für den Ausbruch des Ersten Weltkrieges hat Thomas Mann in diesem Roman nicht – auch der »Vorsatz« spricht von Irrationalem, einer »gewissen, Leben und Bewußtsein tief zerklüftenden Wende und Grenze« (III, 9), und so ist verständlich, wenn auch nicht unbedingt überzeugend, daß die hochgesteigerte Sensibilität, mit der Thomas Mann Zeitströmungen und fast noch nicht benennbare Tendenzen beobachtete, auch in der Geschichte vom Tod Cipollas zum prophetischen Erkenntnisinstrument für das wurde, was am Schluß dann so überraschend und dennoch nur zu folgerichtig eintrat. Thomas Mann hat beide Male Unwägbares, aber für ihn zweifellos Vorhandenes, viele an sich belanglose Einzelheiten und zusammenhanglose Ereignisse in ihrem gemeinsamen Gehalt an »Stimmung« zusammengesehen, um sich den Gang der Geschichte und deren bitteres Ende verständlich zu machen.

Eine politische Deutung der Novelle liegt also nahe; sie ist aber von Thomas Mann nur sehr einschränkend zugelassen worden. »Was *Mario und der Zauberer* betrifft, so sehe ich es nicht gern, wenn man diese Erzählung als eine politische Satire betrachtet. Man weist ihr damit eine Sphäre an, in der sie allenfalls mit einem kleinen Teil ihres Wesens beheimatet ist«, schrieb er 1932.[10] Und eine andere Warnung lautete, noch 1949 formuliert: »*Mario and the Magician* should not be regarded too much as an allegory. It is simply a story of human affairs which should interest the reader for its own sake and not for some hidden meaning«.[11] Diesen Absagen an jede rein politische Deutung – und erst recht an eine zu eng gefaßte – entsprechen freilich auf der anderen Seite Aussagen, die das Politische nicht in Abrede stellen. So schrieb Thomas Mann in jenem Brief, in dem er sich gegen die politische Satire verwahrte, auch: »Ich will nicht leugnen, daß kleine politische Glanzlichter und Anspielungen aktueller Art darin angebracht sind.«[12] Das wird flankiert von einer Aussage aus dem Jahre 1941:

> Ich kann nur sagen, daß es viel zu weit geht, in dem Zauberer Cipolla einfach eine Maskierung Mussolinis zu sehen, aber es versteht sich andererseits, daß die Novelle entschieden einen moralisch-politischen Sinn hat. Der europäische Faschismus war damals im Heraufziehen, seine Atmosphäre lernte ich bei dem Besuch in Italien, der die

10 DüD, S. 370.
11 Ebd., S. 372.
12 Ebd., S. 370.

> Erzählung zeitigte, kennen, und die Tendenz der Novelle gegen menschliche Entwürdigung und Willenszwang ist denn auch in der vorhitlerisch[en], nationalistisch-faschistischen Sphäre Deutschlands klar genug empfunden worden, so daß in diesen Kreisen die Erzählung heftig abgelehnt wurde. Immerhin, sie ist in ihrer Gesamtheit als Kunstwerk zu betrachten, nicht als tagespolitische Allegorie.[13]

Bedenken also einerseits gegen eine allzu einlinige politische Deutung, andererseits die Ermunterung, die Geschichte doch moralisch-politisch zu lesen, dazu die Warnung vor einem Diktator, ohne daß der Diktator Italiens damit direkt gemeint wäre, das alles spricht nicht für eindeutige Absichten oder Zielsetzungen bei der Niederschrift der Novelle. Die Vorstellung, daß hier aus etwas Persönlichem und Privatem »etwas Symbolisches und Ethisches« erwachsen sei,[14] ist allerdings auch nicht dazu angetan, der Geschichte zu einer eindeutigen Interpretation zu verhelfen, zumal Thomas Mann selbst die Grenzen zwischen Moral und Politik verwischt hat, wenn er 1932 schrieb: »das Politische ist ein weiter Begriff, der ohne scharfe Grenze ins Problem und Gebiet des Ethischen übergeht«[15] – und dort, im Ethischen, wollte er seine Geschichte angesiedelt wissen, nicht »im Politischen«: bestenfalls kann dieses also nur als Voraussetzung für eine Steigerung zum Allgemein-Grundsätzlichen betrachtet werden und hat offenbar keinen Selbstwert. Daß diese Art von Steigerung des Persönlichen zum Nationalen und des Nationalen zum Allgemeinen Sache des Schriftstellers schlechthin sei, hat Thomas Mann mehrfach in den zwanziger Jahren betont – am deutlichsten vielleicht in *Lübeck als geistige Lebensform*, wo die Idee der schriftstellerischen Repräsentanz endgültig zum poetischen Programm geworden war,

13 Ebd., S. 371.
14 Ebd., S. 369.
15 Ebd., S. 370.

wenn Thomas Mann sagte: »Man gibt das Persönlichste und ist überrascht, das Nationale getroffen zu haben. Man gibt das Nationalste – und siehe, man hat das Allgemeine und Menschliche getroffen – mit viel mehr Sicherheit getroffen, als wenn man sich den Internationalismus programmatisch vorgesetzt hätte« (XI, 385). Aber mit derartigen Ideen von Repräsentanz und Allgemeinheit ist der Geschichte auch nicht recht beizukommen. Niemand wird bezweifeln, daß hier am Ende mehr als ein persönliches, tragisches Reiseerlebnis beschrieben worden ist. Aber was die Dosierung des Verhältnisses von Politik und Ethik angeht, so kann nur die Novelle selbst darüber Auskunft geben. »Stimmung« und »Atmosphäre«, hier so wichtig, sind weder politische noch ethische Kategorien. Was mit ihnen transportiert wird, reicht jedoch sowohl ins Politische wie ins Ethische hinein. Um was es in *Mario und der Zauberer* tatsächlich geht, zeigt erst eine genauere Prüfung der eigentlichen politisch-ethischen Thematik.

Es empfiehlt sich, zunächst das beiseite zu schieben, was auf keinen Fall mitgemeint ist. Daß die Novelle »keine Gehäßigkeit gegen Italien und das Italienische« enthalte, hat Thomas Mann 1930 ausdrücklich betont.[16] So hat er denn auch etwa die scharfe Kritik Bruno Franks in seiner *Politischen Novelle* an den italienischen Verhältnissen nicht »in solcher Unbedingtheit« geteilt (X, 694). Zwar hat er sich zwei Jahre vor der Niederschrift von *Mario und der Zauberer* sehr abfällig über die neuesten italienischen Auswüchse geäußert:

> Ist diese bedrohliche narkotische Aufpulverung eines gesunden, naiven und liebenswürdigen Volkes, diese Marktschreierei von Würde, Moralität und Vorrang, diese brutale und falsch revolutionäre Verleugnung europäischer Eigen- und Errungenschaften, die auf die Dauer doch unveräußerlich sind, ist all diese Gewaltsamkeit und sich

16 Ebd., S. 367.

übernehmende Unnatur, diese Selbstberäucherung und Eisenfresserei, dies ganze unangenehme und kompromittierende Theater unumgänglich, um jene Arbeitsverfassung zu erzielen, sich tüchtig zu machen für die Zeit?

(X, 695)

Aber in der Novelle ist davon nicht die Rede. Die italienische Umgebung und die Mentalität der Zuschauer machen die Erlebnisse jenes Zauberabends vielmehr erträglicher, als es deutsche Verhältnisse je gestattet hätten. Was die Novelle zum Zeitdokument werden läßt, ist die sich überall abzeichnende Präformation für Diktatorisches, erkennbar in der Bereitschaft zur Unterwerfung unter den Willen eines anderen und in der immer schwächer werdenden Widerstandskraft gegen die Vergewaltigung durch einen fremden Willen. Diktatorisches einerseits und die Bereitschaft zur Unterwerfung unter einen fremden Willen andererseits waren ohnehin damals nicht etwas spezifisch Italienisches, sondern erfüllten, wie Thomas Mann nachträglich selbst festgestellt hat, die »europäische Gesamtatmosphäre«.[17]

Noch eine andere Vorstellung muß abgewehrt werden: so wenig Mussolinis Treiben direkt in die Geschichte hineingewirkt hat, obwohl dieser wie Cipolla sich einer Reitpeitsche bediente, um sich recht verständlich zu machen, so wenig ist Thomas Mann, was etwa die Wahl des Namens »Cipolla« oder die Gesprächssituation angeht, durch Boccaccios *Decameron* beeinflußt worden. Zwar taucht in der 10. Novelle des 6. Tages ein »frate cipolla« auf, beredsam und sehr sozial gesonnen, aber dennoch dürfte Thomas Mann, der 1945 Boccaccios Cipolla erwähnt,[18] dessen Namen und damit das literarische Vorbild nicht bei Boccaccio gefunden haben. Boccaccio berichtet von einem harmlosen Schwindel, Thomas Mann erzählt die Geschichte einer Entwürdigung. Viel wahrscheinlicher ist, daß Thomas Mann mit seiner Novelle

17 Ebd., S. 372.
18 Ebd., S. 371.

gegen Heinrich Manns *Die kleine Stadt* angeschrieben hat. Ein Torre di Venere ist dort zwar nicht erwähnt, wohl aber ein Venustempel. Aus Heinrich Manns Roman dürfte Thomas Mann auch den Namen Cipolla übernommen haben – dort gibt es eine Fürstin Cipolla, die in Rom lebt wie der Cipolla aus Thomas Manns Erzählung. 1943 hat Heinrich Mann noch in einem Brief an Alfred Kantorowicz geäußert: »Während des Jahrzehntes, das ohne Pflichten, ohne Werk war, habe ich das italienische Volk gut genug kennen gelernt, dass ich im nächsten Jahrzehnt – 1907 bis 09 – *Die kleine Stadt* schreiben konnte: das durchaus echte Italien vor dem Fascismus«.[19] Thomas Manns *Mario und der Zauberer* ist die Schilderung eines Italien, von dem der Faschismus gerade Besitz ergreift. *Die kleine Stadt* hatte schon auf *Buddenbrooks* und in gewissem Sinne auch auf *Königliche Hoheit* geantwortet, aber wechselseitige Reaktionen der beiden Brüder waren nicht auf ihre Frühzeit beschränkt. Gewisse Verbindungen der Cipolla-Geschichte laufen auch zur 1925 erschienenen *Kobes*-Novelle von Heinrich Mann: auch sie ist eine politische Allegorie, auch in ihr ist von Verführung die Rede, auch in ihr wird das Nationale in seiner Bösartigkeit bloßgestellt. Fast zwangsläufig aber mußte Thomas Mann, als er 1929 über Italien schrieb, das Italien-Buch des Bruders wieder in den Sinn kommen. Dort, bei Heinrich, die Entwicklung zur Demokratie, das hohe Lied der Freiheit, der »großen Ideen«, Aufklärung und Fortschritt als Leitbegriffe auch in jener etwas beschränkten Welt von Palestrina, wo die Geschichte spielt, Zukunftsgläubigkeit und der Sieg über Reaktion und Dunkelmänner – Heinrich Mann hatte einen Volkserziehungsprozeß beschrieben, der glücklich endet, trotz aller Kleinbürgermentalität. Ausgerechnet im Kleinbürgertum des Bergnestes in den Bergen vor Rom wird die Demokratie verwirklicht, auch wenn Heinrich Mann sehr deutlich sah,

19 Heinrich Mann, *Die kleine Stadt*, Frankfurt a. M. 1986 (*Studienausgabe in Einzelbänden*), hrsg. von Peter-Paul Schneider, Nachw. von Helmut Koopmann), S. 483.

daß diese Demokratie ihre humoristischen, ja tragisch-humoristischen Seiten hat: wird doch hier zur Kirchturmpolitik herabgewürdigt, was eigentlich die Freiheitsidee eines ganzen Jahrhunderts gewesen war. Aber der Roman will mehr sein als eine realistische Kleinstadtidylle, und Heinrich Mann schrieb 1910:

> Wir wollen glauben: an die Zunahme der Menschlichkeit glauben, trotz unserem Wissen vom Menschen, an die Zukunft des Volkes, trotz seiner Vergangenheit. Wir wollen uns nicht über das Thierische weglügen; nur wollen wir auch mit den guten Stunden der Geschichte rechnen, in denen das Thier, von einem Funken des Geistes getroffen, wie in dunkler Ahnung vom Menschen, der es werden soll, den Kopf ein Wenig höher vom Boden aufhebt.[20]

Von alledem kann bei Thomas Mann nicht die Rede sein. Gegen die Aufklärung ist die Verdunkelung des Verstandes gesetzt, die ästhetische Erziehung Heinrich Manns ist ins Gegenteil verkehrt. Zwar schaffen gewisse Gemeinsamkeiten noch eine Verbindungsbrücke: die Welt des Komödiantischen, der Spaß an öffentlichen Aufführungen. Traumhaft ist manches im Leben der kleinen Stadt wie in der Zaubervorstellung Cipollas. Das Theater als Wirklichkeit, die Wirklichkeit als Theater: davon leben beide Werke. Auch der Liebeswahn, hier, in Thomas Manns Erzählung, an Mario exemplifiziert, in Heinrich Manns Roman an Nello, schafft Verbindungen. Aber als Ganzes widerlegt Thomas Manns Erzählung Heinrich Manns Roman und dessen Fortschrittsgläubigkeit. In der *Kleinen Stadt* wäre Faschismus nicht möglich gewesen. Thomas Manns *Mario und der Zauberer* hingegen ist die Geschichte einer seelisch-geistigen Deterioration, wie sie Europa gegen Ende der zwanziger Jahre überfallen hatte, aufgebaut auf Erfahrungen des alltäglichen Lebens, und von einem intuitiven Blick für das, was

20 Ebd., S. 480 f.

sich aus der hier gezeigten Prädisposition zur Diktatur ergeben mußte. Deren Darstellung bietet zunächst einmal die Novelle dem Leser.

Reduziert man die erzählerischen Details auf Begriffe, so gehören zu den Voraussetzungen für das Aufkommen des Faschismus – dieses also verstanden als Anfälligkeit für diktatorische Übergriffe auf den freien Willen des Menschen – Fremdenfeindlichkeit (oder umgekehrt: nationalistische Überheblichkeit), aber auch (am Beispiel jenes Fuggièro) Grausamkeit, ferner eine »schwer verständliche« Prüderie in Angelegenheiten der »öffentlichen Moral« (was als »moralische Verwahrlosung« angeprangert wird, ist von naiver Harmlosigkeit), die Verwirrung von Begriffen, Unbelehrbarkeit, Liebedienerei und Eingriffe des Staates in Privates – und alles trifft sich in der »öffentlichen Stimmung, die, schwer greifbar in der Luft liegend«, den Strandaufenthalt zu einem permanenten Ärgernis macht, über das man nur mühsam hinwegzusehen vermag. Ein Zustand, jenem tatsächlich verblüffend ähnlich, der im *Zauberberg* als »die große Gereiztheit« dem Ausbruch des Ersten Weltkrieges voranging; und diese falsche Hypersensibilität, die sich mit dem Verlust des rechten Maßes verbindet, erscheint als »etwas wie eine Krankheit«, also als Zustand der Anomalie, eines nicht mehr intakten Beurteilungsvermögens, als Fehlen vernünftiger Urteile, als Verlust auch jeglicher Orientierungsmaßstäbe, mit deren Hilfe Konflikte, wie sie hier auftauchen und sich eigentlich in ihrer Lächerlichkeit oder Harmlosigkeit von selbst erledigen sollten, ausgeräumt werden könnten. »Empfindlichkeiten«, »Streitfragen des Ansehens und Vorranges«, »Politisches«, »wach aufgerichtete Ehrliebe«, das sind die Fixpunkte, zwischen denen sich die rätselhafte Animosität vor allem im Umgang verschiedener Nationalitäten miteinander ausbreitet, und eben dieser Sachverhalt ist aus der Sicht des rationalen Betrachters ebenso bestürzend wie lächerlich. »Auf irgendeine Weise fehlte es der Atmosphäre an Unschuld, an Zwanglosigkeit; dies Publikum ›hielt auf sich‹ –

man wußte zunächst nicht recht, in welchem Sinn und Geist, es prästierte Würde, stellte voreinander und vor dem Fremden Ernst und Haltung, wach aufgerichtete Ehrliebe zur Schau –, wieso?« (666) Ein irrationales Verhalten also, ein Aussetzen der Vernunft, ein Ende der Aufklärung, ein Sieg der Alltäglichkeit über generelle Vorstellungen, und angesichts dieser Zustände stellt sich dem Erzähler immer wieder die Frage der »Abreise« – eine frühe Vorwegnahme dessen, was dann ab 1933 »Exil« werden sollte. Einige Sätze lesen sich beklemmend, weil sie eben jene seelische Disposition zu antizipieren scheinen, die über Bleiben oder Nichtbleiben 1933 so oft entschieden haben mochte:

> Um alles zu sagen: Wir blieben auch deshalb, weil der Aufenthalt uns merkwürdig geworden war, und weil Merkwürdigkeit ja in sich selbst einen Wert bedeutet, unabhängig von Behagen und Unbehagen. Soll man die Segel streichen und dem Erlebnis ausweichen, sobald es nicht vollkommen danach angetan ist, Heiterkeit und Vertrauen zu erzeugen? Soll man ›abreisen‹, wenn das Leben sich ein bißchen unheimlich, nicht ganz geheuer oder etwas peinlich und kränkend anläßt? Nein doch, man soll bleiben, soll sich das ansehen und sich dem aussetzen, gerade dabei gibt es vielleicht etwas zu lernen. Wir blieben also und erlebten als schrecklichen Lohn unserer Standhaftigkeit die eindrucksvoll-unselige Erscheinung Cipolla's. (669)

Die hat auf den ersten Blick wenig oder nichts mit der atmosphärischen Gereiztheit am Strande des Tyrrhenischen Meeres zu tun. Um so stärker ist jedoch die untergründige Beziehung. Was die harmlos-alltäglichen, wenn auch unerfreulichen Stranderlebnisse mit dem Auftritt des Magiers und Hypnotiseurs verbindet, ist die allgemeine Anfälligkeit für Irrationales und ist der halberzwungene, halb gern geleistete Verzicht auf kritische Selbstbestimmung. Cipollas Künste können nur wirken, weil die Bereitschaft da ist, sie auf sich wirken zu lassen, auch wenn die Bastion der Aufklärung, die

zugleich die der Toleranz ist, anfangs noch aufrechterhalten wird.
Die Widerstandskraft gegen die magischen Künste des Hypnotiseurs ist verständlicherweise unterschiedlich groß und nur bei wenigen als entschlossener Wille zur Autonomie des Denkens und Wollens entwickelt, und diese wenigen verlassen sich auf ihre Verbalisierungskunst und ihre »civiltà«. Die drückt sich in »Erziehung« und Rechtschaffenheit aus, und sie ist mit dem Entschluß verbunden, »nach klarem Eigenwillen zu wählen und sich jeder wie immer gearteten Beeinflussung bewußt entgegenzustemmen« (689). Doch das Bollwerk der Selbstbestimmung, der kritischen Rationalität ist schlecht gegründet und bald schon über den Haufen gerannt. Was sich im Saal abspielt, ist »pure Behexung« (699), es ist eine »die Freiheit lähmende Verstrickung des Willens in sich selbst« (698), und wenn das Tun des Hypnotiseurs anfangs auch als Zauberkünstlerei angekündigt war, so geht es doch immer mehr »ganz offen und ausschließlich auf den Spezialversuch, die Demonstration der Willensentziehung und -aufnötigung« (696) hinaus. In Cipolla personalisiert sich die »Atmosphäre«, die sich in Torre di Venere so unbehaglich breitgemacht hat. Der Autor selbst stellt die Verbindung her zwischen jenen unangenehmen Belanglosigkeiten des Ferienaufenthaltes und dem ständigen Willensentzug am Abend des Hypnotiseurs:

> Es ging hier geradeso merkwürdig und spannend, geradeso unbehaglich, kränkend und bedrückend zu wie in Torre überhaupt, ja, mehr als gerade so: dieser Saal bildete den Sammelpunkt aller Merkwürdigkeit, Nichtgeheuerlichkeit und Gespanntheit, womit uns die Atmosphäre des Aufenthaltes geladen schien; dieser Mann, dessen Rückkehr wir erwarteten, dünkte uns die Personifikation von all dem; und da wir im großen nicht ›abgereist‹ waren, wäre es unlogisch gewesen, es sozusagen im kleinen zu tun. (695 f.)

Die hypnotische Kraft Cipollas zielt überall auf Unterwerfung; Widerstand ist nicht möglich, auch nicht bei jenen zwanghaft Tanzenden, die als ein sonderbarer Chor von Hampelmännern die Bühne bevölkern. Aber jener Mißbrauch des Menschen, wie er sich pausenlos an diesem Abend vollzieht, mündet in der Ermordung Cipollas durch den, der von ihm am stärksten getäuscht worden war. Das Ende, ein Ende mit Schrecken, ist dennoch »ein befreiendes Ende« (711).

So könnte man also die Geschichte lesen: als die einer bedrückenden Unterwerfung des freien Willens unter die finstere, nicht mehr mit dem Wort und dem Verstand beherrschbare Gewalt eines Seelenfängers und ungewöhnlich suggestiven Hypnotiseurs und Spiritisten. Aber man würde *Mario und der Zauberer* damit nicht gerecht. Denn hier stehen sich, genau besehen, nicht ein unmenschlicher Verführer und eine Schar von übertölpelten Unschuldsopfern gegenüber – die Erzählung ist komplizierter angelegt, und Schuld und Unschuld, Recht und Unrecht, Moral und Skrupellosigkeit, Herrschaftsgelüste und Opferbereitschaft sind stärker ineinander verwoben, als es zunächst aussieht. Ist die Verführung auch Schuld der Verführten selbst, da sie sich nicht als einbruchsgesichert erwiesen gegen die Zumutungen und Oktrois des Hypnotiseurs, sind sie selbst also nicht zufällig deswegen Überwundene, weil ihr Widerstandsvermögen so gering war, so ist auf der anderen Seite der Verführer Cipolla durchaus nicht die unmenschliche Bestie, die auf unabänderlicher und dauerhafter Unterwerfung besteht. Seine Verzauberungen sind kurzzeitiger Natur, buntscheckig ihrer Art nach, und was immer er inszeniert, läuft auf die nur zeitweilige Widerlegung der Willensfreiheit hinaus. Sein Programm lautet: »Die Freiheit existiert, und auch der Wille existiert; aber die Willensfreiheit existiert nicht, denn ein Wille, der sich auf seine Freiheit richtet, stößt ins Leere.« (689) Dieses immer wieder zu demonstrieren, ist er ausgezogen. Aber er arbeitet nicht allein mit Mitteln der Suggestion. Denn Cipolla ist ein Meister der Sprache, und er beherrscht sie besser als alle jene, die ihm Paroli bieten wollen. Die Eleganz seiner Rede kann sich mit der des Erzählers messen. Er vertritt sogar patriotische Ideale, wenn er den Tölpeln, die nicht lesen und schreiben können, skandalöse Unbildung vorwirft und gegen »Unwissenheit und Finsternis« (682) zu Felde zieht, die im modernen Italien nichts zu suchen haben. Er konstatiert nicht nur eine bedauernswerte »Unkenntnis der Elementarwissenschaften« (683), die »das Land dem Gerede aussetzt«, sondern einen humanen Mangel, über den er sich lustig macht. Er tut es mit sprachlicher Anmut und kritischer Schärfe, ironisch und dennoch überzeugend. Bei aller zahlreich vertretenen Unbildung ist die Zuhörerschaft Cipollas im ganzen so kultiviert, daß sie sich des Genusses »einer phänomenalen Unterhaltung« bewußt ist, und das Urteil »Lavora bene!«, so kommentiert der Erzähler die Reaktionen, »bedeutete den Sieg sachlicher Gerechtigkeit über Antipathie und stille Empörung« (690). Dieser Sieg wurde möglich nicht zuletzt durch die Sprachkunst Cipollas. Seine schauspielerische Leistung ist groß, die rhetorische noch wesentlich größer. Was immer er unternimmt, seine Beredsamkeit steigert sein Gaukelspiel, und wenn er warnt, »daß es Mächte gibt, die stärker als Vernunft und Tugend und nur ausnahmsweise mit der Hochherzigkeit der Entsagung gepaart sind« (700), dann spricht hier der Rationalist, der um die irrationalen Kräfte weiß, nicht aber der blindwütige Phantast. Es gehört zu den rhetorischen Charakteristika dieses Gauklers, daß er auf das Ungehörige seines Tuns selbst aufmerksam zu machen pflegt. »Nennst Du es Freiheit – diese Vergewaltigung Deiner selbst?«, so fragt er einen, dessen Wille gerade vergewaltigt wird. Die Sprache tut das Ihre dazu. Was er um sich verbreitet, ist willenloser und abgründiger Somnambulismus, doch zugleich klärt Cipolla unablässig über sich und sein Tun auf, spricht den Verstand an, der, auch wenn er sich als unzulänglich erweist, doch nie völlig ausgeschaltet ist. Und so zeigt denn die Erzählung, je weiter sie voranschreitet, daß die ursprünglich so eindeutigen Bewertungen solchen Tuns ins Zwielichtige geraten. Gewiß sind die Zuschauer Opfer, aber aus einer Opferwilligkeit heraus, die sie selbst zu verantworten haben. Ebenso gewiß ist Cipolla ein Hypnotiseur, aber er würde nichts bewirken ohne die Bereitschaft jener, die ihm, auch wenn sie eigentlich nicht wollen, doch gehorchen, und was er bewirkt, bewirkt er auch mit Hilfe der Sprache, also eines Instrumentariums, das dem eigentümlichen Magnetismus der Vorgänge entgegenstehen sollte. Und so stellt sich denn überraschend und doch nicht zufällig die Frage, wo denn die faschistischen Züge, da sie nun einmal die Geschichte von Anfang an mitbestimmen, an jenem Zauberabend zu finden sind – bei Cipolla oder seinen Opfern, da die Doppelseitigkeit dieses politischen Phänomens eine klare Trennung zwischen dem Verführer und dem Opfer schlechterdings unmöglich macht. Verführer und Verführte bilden ein ununterscheidbares und untrennbares Ganzes, und der »Faschismus« erscheint denn also als eigentümlich doppeldeutiges und zwiespältiges Phänomen.

In der Geschichte gibt es nur einen, der die nötige intellektuelle und emotionale Widerstandskraft aufbringt, um nicht in den Herrschaftsbereich des Magnetiseurs gezogen zu werden: den Erzähler selbst. Er, als Fremder, ist jener Verwirrung der Sinne nicht ausgesetzt, die alle Betroffenen zu Tätern und Opfern gleichzeitig macht, auch wenn er die Gefahren der faschistischen Atmosphäre deutlicher noch als die Einheimischen spürt. Wie sehr Thomas Mann sie gesehen und die Heraufkunft neuer Irrationalismen gefürchtet hat, zeigt auch die *Deutsche Ansprache* aus dem gleichen Jahr, in dem *Mario und der Zauberer* veröffentlicht wurde. Da ist als Zeitdiagnose die »Riesenwelle exzentrischer Barbarei und primitiv-massendemokratischer Jahrmarktsroheit, die über die Welt geht, als ein Produkt wilder, verwirrender und zugleich nervös stimulierender, berauschender Eindrücke, die auf die Menschheit einstürmen«, genannt (XI, 878). Und wir lesen weiter von dem »Abhandenkommen von sittigenden und strengen Begriffen wie Kultur, Geist, Kunst, Idee«, auch davon, daß alles erlaubt scheine »gegen den Menschenanstand«, daß die »lehrweise abgeschaffte Freiheit« nun »in zeitgemäßer Gestalt als Verwilderung, Verhöhnung einer als ausgedient verschrienen humanitären Autorität, als Losbändigkeit der Instinkte, Emanzipation der Roheit, Diktatur der Gewalt« wiedererscheine (XI, 879).

Die Unterschiede zur Novelle sind freilich nicht zu übersehen; was wir in der *Deutschen Ansprache* vor uns haben, ist die negative Erscheinungsform jener Erfahrungen, die in *Mario und der Zauberer* noch vergleichsweise milde beurteilt wurden. Wenn in der *Deutschen Ansprache* von der »exzentrischen Seelenlage einer der Idee entlaufenen Menschheit« die Rede ist, von »Groteskstil mit Heilsarmee-Allüren, Massenkrampf, Budengeläut, Halleluja und derwischmäßigem Wiederholen monotoner Schlagworte, bis alles Schaum vor dem Munde hat«, dann sind politische Auftritte gemeint, nicht die des Hypnotiseurs. So haben wir also in der *Deutschen Ansprache* nur die hochpolitische deutsche Variante einer bedrohlichen europäischen Stimmung vor uns, während Thomas Manns Erzählung von nichts anderem kündet als von der Macht des Irrationalen über die Rationalität – aber auch davon, daß die Macht des Irrationalen, wo sie mißbraucht ist, am Ende dadurch widerlegt wird, daß sich einer der Mißbrauchten ihrer entledigt: das unsichtbare Attentat auf den freien Willen wird durch ein sehr sichtbares Attentat, das sich gegen den Unterdrücker dieses Willens richtet, beendet. Zwar ist ein indirekter Zusammenhang mit den politischen Tagesereignissen zweifellos gegeben: auch in dem Essay *Die geistige Situation des Schriftstellers in unserer Zeit* ist von dem »Rückschlage gegen den Intellektualismus« die Rede (X, 303), auch dort vom Aufkommen des »Nächtig-Unbewußten«, von einem vitalistisch-irrationalen Weltbild, einer »lebensgläubigen, ja lebensmystischen Gegenbewegung« zum versinkenden Fortschrittsglauben einer versinkenden Welt. Auch dort wird »die Bewegung von Geistfeindlichkeit und Gegenaufklärung« in ihrer gefährlichen Brisanz angeprangert – aber hier zeigt sich erneut, daß *Mario und der Zauberer* nicht die direkte erzählerische Umsetzung einer politischen Erfahrung ist. Die Unterschiede sind schon deswegen beachtlich, weil in den Essays die Negativität jener vitalistisch-irrationalen Position mit einer Deutlichkeit dargestellt wird, die nichts zu wünschen übrig läßt – während in Thomas Manns Novelle hingegen Recht und Unrecht, Täter und Opfer, Verführer und Verführter eben nicht mehr eindeutig auseinanderzuhalten sind. In der Erzählung mag Thomas Mann sogar schon etwas von dem aufgedämmert sein, was fünfzehn Jahre später sein Denken so stark bestimmte, als es um die Frage ging, wer denn an der Katastrophe des Nationalsozialismus schuld sei und ob man zwischen Schuldigen und Unschuldigen klar trennen könne. So liegt es nahe, die Erzählung eher an einen anderen Essay Thomas Manns heranzurücken, der neun Jahre später geschrieben wurde und der ebenfalls von der – wenn auch peinlichen – Verwandtschaft des Opfers mit seinem Verführer handelt: an *Bruder Hitler.*

Auch Cipolla ist ein »Bruder«, freilich auch er ein fragwürdiger. Es mögen Vorstellungen von der Repräsentativität des Künstlers gewesen sein, die von der Zeitanalyse dann beinahe zwangsläufig zur Analyse der eigenen Stellung führen mußten – so wie umgekehrt die Deutung der Zeit am überzeugendsten von der eigenen Position her möglich schien. Nimmt man das bereits vor der Jahrhundertwende auffällige Mißtrauen dem »Künstler« gegenüber hinzu, wird verständlicher, warum Cipolla so interessant war. In ihm vereinigt sich, was zur Künstlerpsychologie Thomas Manns seit der Jahrhundertwende gehört: daß der Künstler Komödiant ist, ist ebenso deutlich sichtbar wie die Mischung aus Genialität und Kriminalität. Er ist Psychologe und gleichzeitig ein Hochstapler. Das eigentümlich Degenerative seiner Gestalt, das Künstliche seiner Verkleidung, seine Erschöpfung, die ihn immer häufiger zum Cognac-Glas greifen läßt und zu den nicht weniger stimulierenden Zigaretten, der Anflug von Genialität und gleichzeitig das schlechte Schauspielerische an ihm, die Maske, die auch er sich aufsetzt, und gleichzeitig die Fähigkeit zur Mimikry, zur Anpassung an jede Situation und jedes Publikum: keine andere Figur könnte deutlicher zeigen, in welchem Ausmaß der Künstler auch Komödiant ist. »Auf dem Grunde seines Wesens liegt das Kindische, Primitive und Spielerische«, so heißt es bei Thomas Mann später, 1940, in *On Myself* (XIII, 128) – ein Hinweis darauf, wie sehr ihn das Künstlerthema auch noch im Alter beschäftigte. Das Hanswurstartige Cipollas ist freilich nur die eine Seite, seine Überlegenheit die andere. Er ist ebenso irritabel wie auf Suggestionen aus, er hat das, was Thomas Mann den »Drang nach Popularität« genannt hat,[21] er ist ebenso Theatermensch wie Schauspieler, auf Wirkung bedacht und zugleich auf höchste Steigerung seiner Kunst, und wenn Thomas Mann in *Leiden und Größe Richard Wagners* von der »Verruchtheit« des Künstlers spricht (IX, 403), dann ist Cipolla wie kein anderer geeignet, auch diese Verruchtheit vorzuführen. Cipolla bezaubert in gleichem Maße, wie er Widerstand weckt. Vor allem aber das Hochstaplerische: es hat Thomas Mann fasziniert, wenngleich er seit *Tonio Kröger* »den ganzen *Verdacht*, den jeder meiner ehrenfesten Vorfahren droben in der engen Stadt irgendeinem Gaukler und abenteuernden Artisten entgegengebracht hätte«, ausdrücklich hervorgehoben hat (VIII, 298).

Auch Cipolla ist ein Verbrecher, ein hochmütiger dazu. Seine Intellektualität steigert sein Verbrechertum nur noch, und seine psychologischen Kenntnisse helfen ihm dabei. Dazu hat er einen Spürsinn, der sich in die Massen und seine Opfer hineinfragt. »Menschliebe« aber geht ihm ab. Er kann den

21 Hans Wysling, »›Geist und Kunst‹. Thomas Manns Notizen zu einem ›Literatur-Essay‹«, in: Paul Scherrer / H. W., *Quellenkritische Studien zum Werk Thomas Manns*, Bern / München 1967 (Thomas-Mann-Studien 1), S. 123–233; hier S. 173, Notiz 45.

Willen des Menschen nur vergewaltigen und daran seinen Spaß haben. So ist er denn ein Egozentriker hohen Grades, trotz aller seiner Verbindungen zum »Publikum«. Überhaupt ist sein Wesen von paradoxer Widersprüchlichkeit. Cipolla ist ebenso Landfahrer wie Bohemien, ebenso bindungslos wie angewiesen auf die Orientierung nach außen; ein Tatmensch, bei aller Kontemplativität seiner Existenz. Seine Nervosität, ja nervöse Labilität wird ausdrücklich hervorgehoben, ebenso aber sein Wille und seine stets ungehemmte Mobilität – kommt er doch schon auf die Bühne gerannt, um anzudeuten, wie beweglich er trotz seines Alters im wirklichen und gleichzeitig im übertragenen Sinne ist. Eines beherrscht er vorzüglich, ohne es je studiert zu haben: Psychologie. So kann er sich in die Probleme hineinfragen und sie aus den Zuschauern herausfragen. Ein Halbweltkünstler, der in seiner schwindelhaften Welt völlig zu Hause ist – aber Luziferisches hat er auch an sich, bei aller Clownhaftigkeit. Mephisto betont Faust gegenüber, wie schwer es ihm falle, alle dessen sonderbare Wünsche zu erfüllen – und daß es ihm schwerfällt, alles zu erfüllen, was das Publikum von ihm erwartet, sagt auch Cipolla wiederholt. Er ist ebenso Hasardeur wie Opportunist, ein Liebeszauberer und ein nur auf Wirkung bedachter, kaltherziger Schauspieler. Er amüsiert und erniedrigt sein Publikum in einem. Er ist ein Seiltänzer auf der Gunst des Publikums, er weiß es gleichzeitig zu demütigen wie auch anzuziehen. Varieté-Theater ist alles, der Artist heruntergekommen und doch in seiner letztmöglichen Steigerung dargestellt. »Jeder echte Comödiant neigt im Grunde zum Circus, zur Clownerie, zum parodistischen Spaß«, heißt es in Thomas Manns *Geist und Kunst.*[22] Ein verschlagener Betrüger, gleichzeitig ein in seiner Konsequenz ehrlicher Überkünstler, schillernd und pathetisch, Hochstapler und aufrichtiger Betrüger – alles ist Cipolla. Alle Motive, die

22 Zit. in: Hans Wysling, *Narzißmus und illusionäre Existenzform. Zu den »Bekenntnissen des Hochstaplers Felix Krull«*, Bern / Zürich 1982 (Thomas-Mann-Studien 5), S. 46.

schon im frühen *Felix Krull*-Plan eine Rolle spielen, sind bei Cipolla wiederzufinden: das Einsamkeitsmotiv, das Glücksmotiv, das Gefühl der Auserwähltheit und gleichzeitig die in jeder Form vorhandene und immer wieder auch depravierte Sehnsucht, auch das Erhöhungsgefühl und die Weltkenntnis, das Jonglieren-Können mit Namen, Daten und Fakten und der eigentümliche Kultus seiner eigenen Persönlichkeit. Er ist gleichzeitig Abenteurer und faschistischer Führer, Satan, der seine Trance-Opfer beglückt und ihnen nur das Surrogat des Lebens gibt, aber so, als wäre es das wirkliche Leben. So kann er auch in den intimsten Bereich des Menschen, seine Liebesbeziehungen, mühelos eintreten – eben dort freilich offenbart er sein Betrügertum endgültig. »Mundus vult decipi«: für niemand anders gilt das deutlicher als für Cipolla und seine Künstler-Soiree. Er manipuliert die Welt, wobei er weiß, daß die Welt auch ihn manipuliert. Er ist grausam und verständnisvoll, will durch die Illusion das Leben verbessern und zerstört es gleichzeitig. Und so konzentriert sich denn in ihm noch einmal die Künstlerpsychologie im Übermaß und in all ihrer Fragwürdigkeit. Eben darin ist *Mario und der Zauberer* offenbar auch so etwas wie eine Selbstabrechnung – ein Teilstück jener großen, lebenslangen Auseinandersetzung mit dem Künstler, dem Typus des fragwürdigen und ebenso hocherhobenen Ausnahmemenschen, die Thomas Mann immer wieder geführt hat, als Selbstbefragung und Selbstkritik in einem.

Die Künstlerfigur war ein Weltdeutungsschema, das Künstlerleben in seiner Interpretierbarkeit unbeschränkt; so konnte es denn also dazu kommen, daß *Bruder Hitler* geschrieben wurde und daß wenig später *Doktor Faustus* erneut den Höhenflug und das tief Problematische des Künstlers zeigte. 1929 nun, als *Mario und der Zauberer* entsteht, ist Thomas Mann allerdings etwas gelungen, das er später in seinem *Doktor Faustus* möglicherweise dann doch wieder zurückgenommen hat: er hat sich von diesem Typus des Künstlers, der gleichzeitig Dilettant und Hochstapler, Komödiant und Narziß, Herrscher und Verlierer war, distanziert – so deutlich, wie er das tun konnte, indem er sich, den Erzähler, als jemanden charakterisierte, der alles durchschaute und dem damit vom Künstlertum vor allem das erkenntniskritische Moment geblieben war, das er schon so früh an Nietzsche gesehen und bewundert hatte. Nicht weil der Erzähler Ausländer ist, bleibt er frei von den Bedrückungen des Zauberabends, sondern weil er Intellektueller ist und den faulen Zauber durchschaut, bei aller Bewunderung für das Erreichte, und seine kühle Distanz niemals aufgibt. Der »Choc« bleibt unkommentiert – aber er bedarf auch keiner Erläuterung mehr, zeigt er doch, wohin es mit einer solchen Künstlernatur gekommen ist. Es gelingt Thomas Mann, sich von dem ebenso bedrohlichen wie verführerischen Bild des Künstlers Cipolla abzusetzen, wobei bereits hier der Künstler auch als politischer Führer verstanden wird – und so ist verständlich, warum später *Bruder Hitler* geschrieben werden konnte, wohl auch geschrieben werden mußte. »Der Bursche ist eine Katastrophe; das ist kein Grund, ihn als Charakter und Schicksal nicht interessant zu finden« – dieser Satz aus *Bruder Hitler* läßt sich mühelos auf die Cipolla-Novelle übertragen (XII, 846). Auch Bruder Hitler gelingt ein Aufstieg »zu traumhaften Höhen, zu unumschränkter Macht, zu ungeheueren Genugtuungen und Über-Genugtuungen« (XII, 847) – wie Cipolla. Auch er hat eine »massenwirksame Beredsamkeit«, dies »komödiantisch geartete Werkzeug, womit er in der Wunde des Volkes wühlt, es durch die Verkündigung seiner beleidigten Größe rührt, es mit Verheißungen betäubt« (ebd.) – wie Cipolla. Dieser beutet aus, die kritischen Ängste zwar nicht eines Erdteils, aber doch seines Publikums, er weiß davon »große Teile [. . .] zu gewinnen, zu sich hinüberzuziehen«. Und das Glück fügt sich ihm. Für Cipolla gilt, was für Bruder Hitler gilt: »man kann unmöglich umhin, der Erscheinung eine gewisse angewiderte Bewunderung entgegenzubringen« (ebd.). Selbst der Satz »Wagnerisch, auf der Stufe der Verhunzung, ist das Ganze«

(XII, 848), läßt sich fugenlos in *Mario und der Zauberer* übertragen. Scharlatane beide, Wundermänner und künstlerische Bezauberer, auch der »Drang zur Überwältigung, Unterwerfung«, die Demagogie und die »Unersättlichkeit des Kompensations- und Selbstverherrlichungstriebes« (XII, 849) sind ihnen gemeinsam. Schließlich »der schlaflose Zwang zum Immer-wieder-sich-neu-beweisen-Müssen« (ebd.): eine in beiden Fällen etwas unangenehme und beschämende Brüderlichkeit. Man darf die Augen nicht verschließen, so Thomas Mann 1939, auch nicht vor der Erkenntnis der »Bereitschaft zur Selbstvereinigung mit dem Hassenswerten« (ebd.). »Neulich«, schreibt Thomas Mann im *Bruder Hitler*, »sah ich im Film einen Sakraltanz von Bali-Insulanern, der in vollkommener Trance und schrecklichen Zuckungen der erschöpften Jünglinge endete« (XII, 850). Thomas Mann hätte den Film nicht zu sehen brauchen – hatte er ähnliches doch neun Jahre zuvor in seiner eigenen Novelle beschrieben, jenen Trancezustand und die schrecklichen Zuckungen der Jünglinge.

Thomas Mann ist auch später nicht müde geworden, das falsche Künstlertum gegen das richtige abzusetzen – am deutlichsten in eben jenem *On Myself* aus dem Jahre 1940. »Nehmen Sie«, so heißt es da,

> den Fall des großen Schauspielers. An dem ist die primitive Wurzel der Kunst vielleicht am besten gewahr zu werden. Sie ist hier das Komödiantische, ein *äffischer* Grundinstinkt des Kopierens und Nachahmens, ein die eigenen körperlichen Eigenschaften exhibitionistisch ausbeutendes Gauklertum. Ich sage: die Wurzel, denn in höheren und glücklicheren Fällen zieht dies Urgauklertum von Geistigem, menschlich Bedeutendem viel an sich, wächst in die Sphäre künstlerischer Schöpfung, wird zum Phänomen der Persönlichkeit, zu einem künstlerischen Erlebnis ersten Ranges. Dieser Sublimierungsprozeß aber wäre nicht möglich ohne den primitiven Kern des komödian-

> tischen Instinktes, den man Talent, Theaterblut nennt, und der auf der Bühne durch keine Bildung, keine Intelligenz, keine Liebe zur Dichtung und keinen geistigen Ehrgeiz zu ersetzen ist. (XIII, 128 f.)

Zum »menschlich Bedeutenden« vermag Cipolla nicht zu gelangen, dafür ist seine dämonische Volksverführung zu stark. Die Ironie kennt er durchaus, aber sie ist zerstörerisch, kein Mittlertum. *Mario und der Zauberer* ist auch Selbstdarstellung, ein Klärungsversuch und ein Reinigungsakt, was gewisse Möglichkeiten des Künstlertums angeht, die Thomas Mann schon lange gesehen hat und die hier ihre politische Gefährlichkeit demonstrieren. Nur er, der Erzähler, vermag das zu erkennen – aus einer Art von Verwandtschaft heraus, die ihn freilich auch deswegen davor bewahrt, Cipolla zum Opfer zu fallen. So ist die Geschichte zugleich eine Künstlernovelle, freilich nicht in jenem verkleinerten Sinne, wie die Jahrhundertwende sie kannte.

Dennoch würde man die Geschichte falsch deuten, sähe man hier eine späte, in die Lebenswirklichkeit der ausgehenden zwanziger Jahre hinein verlängerte Artistengeschichte – dazu handelt *Mario und der Zauberer* zu sehr vom Mißbrauch einer im weitesten Sinne politischen Macht. Aber man würde ihr ebensowenig gerecht, sähe man hier nur die politische Stimmung und präfaschistische Atmosphäre dokumentiert – dazu ist die Erzählung zu sehr Künstlernovelle. Das eigentliche Zentrum der Geschichte, in dem sich Künstlerthematik und politische Tendenz treffen, liegt wohl auf einer dritten Ebene, die allein geeignet ist, die doppelte Perspektive von Künstlertragödie und politischer Tragödie miteinander zu verbinden. Das etwas verdeckte, aber dennoch zentrale Thema der Novelle ist das Verhältnis von »Masse« und »Führer«. In diese Problematik und Beziehung ist das alte Künstlerthema übergeleitet; damit hat Thomas Mann aber auch erzählerisch Stellung bezogen zu einem Thema, das gegen Ende der zwanziger Jahre zum politischen Thema der Zeit geworden war. Thomas Mann hat sich in den zwanziger Jahren verständlicherweise wiederholt mit dem Phänomen des Sozialismus beschäftigt, und daß er, als der Nationalsozialismus immer stärker hochkam, den Sozialismus als einzige Entscheidungsmöglichkeit seiner Zeit sah, das hat er mehrfach festgestellt, nicht zuletzt in der *Deutschen Ansprache*. Aber die Entscheidung für den Sozialismus war nicht nur eine praktisch-parteipolitische. Sie war weit mehr, zumal das Phänomen des Sozialismus in den zwanziger Jahren auch öffentlich ausführlicher diskutiert worden ist.

Thomas Mann folgt in solchen Überlegungen dem von ihm hochgeschätzten belgischen Sozialisten Hendrik de Man, der einiges »nicht nur zur Psychologie des sogenannten Nationalsozialismus, sondern über die geistige und politische Situation im ganzen vorgebracht« hatte – so in einem für das Verständnis von *Mario und der Zauberer* wichtigen Essay Thomas Manns über *Die Wiedergeburt der Anständigkeit* (XII, 656). Thomas Mann behandelt dort, Hendrik de Man folgend, die Zusammenhänge, »die überall zwischen der Intensität nationalistischer Strömungen und der Stufe der Massenintelligenz bestehen«. Alle krisenhaften Affektsteigerungen seien von »einer entsprechenden Intelligenzhemmung begleitet«, und auf die Masseintelligenz wirke »der nationalistische Affekt« besonders stark, »weil er auf einer ›ausgesprochen symbolischen Denkweise‹ beruhe« (ebd.). Die symbolische Denkweise ist für de Man identisch mit einer prälogischen Denkweise, die in der Menschennatur überhaupt begründet sei. Hendrik de Man hat in seinem Aufsatz ausführlicher eben das Phänomen beschrieben, von dem *Mario und der Zauberer* handelt, und die Tatsache, daß Thomas Mann aus der Schrift de Mans zitiert, belegt zur Genüge, daß dessen Feststellungen ein ausgezeichneter Kommentar zur Erzählung Thomas Manns sind, so wie umgekehrt diese Erzählung eindringlich eben das illustriert, was de Man beschrieben hatte. Der Kommentar de Mans lautet:

»In erster Linie hat das Bestreben, mit unseren eigenen psychischen Kriegs- und Nachkriegserlebnissen fertig zu werden, auch in gebildeten Kreisen dazu geführt, daß man gegen die Überschätzung der Rolle des rationalen Denkens im sozialen Leben durch unsere Väter und Großväter reagiert hat. Dieser Reaktion verdanken wir zum Beispiel in der Tiefenpsychologie manche neue und wertvolle Einsicht in die Gewalt der alogischen und unterbewußten Impulse unseres Handelns. Schade ist nur, daß man dabei die doch so wesentliche Grenze zwischen wissenschaftlicher Erkenntnis einer Ursache und ethischer Billigung eines Motivs zu verwischen pflegt. Daß wir einen Mord als Affekthandlung aus unterbewußten Motiven verstehen können, bedeutet noch nicht, daß er damit ethisch gerechtfertigt wäre. Es ist eines der unerfreulichsten Merkmale der heutigen Geisteslage überhaupt, daß die wissenschaftliche Entdeckung oder Wiederentdeckung der großen Rolle des affektmäßigen, prälogischen und symbolischen Denkens zu einer *vulgärwissenschaftlichen Vergötterung* des neumodisch Instinktiven, des Primitiven, des Irrationalen, ja des Vernunftwidrigen geführt hat. [...] Es will mir scheinen, daß alle Intellektuellen, die in den letzten Jahren der Modekrankheit der Vergötterung des Irrationalen verfallen sind, *eine Mitschuld tragen an dem Triumph der Ungeistigkeit* in den politischen Massenbewegungen, denn sie haben dazu beigetragen, den Führern dieser Bewegung die offene Berufung auf irrationale Motive zu erleichtern.« (XII, 656 f.)

»Meine Zustimmung beim Lesen war die freudigste«, so der Kommentar Thomas Manns. Das ist verständlich, denn wenn *Mario und der Zauberer* etwas demonstriert, dann »die Gewalt der alogischen und unterbewußten Impulse unseres Handelns«. Freilich: nicht jeder ist betroffen, aber jeder kann betroffen werden, sofern er sich mit den Kräften einläßt, die Cipolla verkörpert. Dahinter steht die Einsicht, daß die Folgen des Ersten Weltkrieges mit Ursache sind für die überall dem Irrationalen eingeräumte Macht, daß da also ein Phänomen nicht intellektuell bewältigt worden ist, daß dessen Nichtbewältigung aber nun ein erneutes Einbrechen des Irrationalen in den Bereich des Humanen zur Folge hat. Es gibt wohl keine für Thomas Manns Zeitverständnis wichtigere Darstellung der zwanziger Jahre, als sie Hendrik de Man geliefert hatte. Für *Mario und der Zauberer* aber dürfen wir folgern, daß Thomas Mann hier eben jenen Zustand beschreibt, der mit dem Mißbrauch des Naiven identisch ist. Mehr noch: hier ist auch dargestellt, daß die Intellektualität im allgemeinen kein Bollwerk ist gegen den Einbruch jener Macht des Unterbewußten. Man darf annehmen, daß Thomas Mann nicht nur den 1931 in der *Europäischen Revue* erschienenen Vortrag gekannt hat, sondern mehr von diesem Autor. Hendrik de Man hat 1926 ein Buch *Zur Psychologie des Sozialismus* veröffentlicht, das auch das bot, was Thomas Mann an dem Verfasser dann 1931 rühmte: eine geistig-politische Analyse der Zeit (vgl. XII, 656). Daß *Zur Psychologie des Sozialismus* auch gleichzeitig so etwas wie eine geistige Biographie des Verfassers war, konnte die Lektüre nur noch anziehender machen. Wir wissen nicht, ob Thomas Mann das Buch gekannt hat, aber es steht zu vermuten. Was Thomas Mann sympathisch sein mußte, war die Vorstellung, daß dieses Buch ebenfalls für Intellektuelle geschrieben war, und er hätte zustimmen können, wenn dort stand: »[. . .] auch Intellektuelle erblicken in der Politik immer nur die Verwirklichung einer Idee, die zugleich sittlich und vernunftsmäßig begründet ist.«[23] Besonders aber hätte ihn ein Kapitel wie »Die Intelligenz und der Staat« fesseln können; dort finden wir Äußerungen, die einen unmittelbaren Bezug zu *Mario und der Zauberer* haben. De Man beschäftigt sich mit Sozialpsychologie, und seine Analyse des neuen Führertums, ohne das auch die Demokratie nicht auskommt, zeitigt überraschende Einsichten. Es heißt dort etwa:

23 Hendrik de Man, *Zur Psychologie des Sozialismus*, Jena ²1927, S. 11.

> Zwischen Massenstimmung und Führung findet eine Wechselwirkung statt, wobei die Interessen der Massen und ihre gefühlsmäßigen Reaktionen auf große Ereignisse gewissermaßen die Grenzen abstecken, innerhalb welcher die Führer – Parteiinstanzen, Parlamentsfraktionen, Redaktionen – sich für diese oder jene Politik entscheiden können, ohne das für ihren Einfluß notwendige Einverständnis der Massen einzubüßen.[24]

Es sei nichts anderes als die »besondere Art der Wechselwirkung zwischen Führerwillen und Massenstimmung«, die, so de Man, das Führungsproblem in der Demokratie bestimme[25] – und eben dieses kennzeichnet auch das besondere Verhältnis Cipollas zu seiner Zuhörerschaft: Führerwille und Massenstimmung stehen, wie Cipolla ja selbst erklärt, in jenem Wechselbezug, in dem »Befehlen und Gehorchen« zusammen »nur ein Prinzip, eine unauflösliche Einheit« bilden. Das Durchsetzen des Willens: auch für den sozialistischen Parteiführer ein Problem, und de Man sieht deutlich genug, daß es sich nicht darum handelt, daß – etwa auf einer Parteiversammlung – ein bestimmender Massenwille und ein dadurch bestimmter Einzelwille das Verhältnis von Herrschaft und Unterwerfung charakterisieren, sondern daß dieses Verhältnis immer eines ist »von Angriff und Verteidigung; dabei sucht der einzelne sich zu rechtfertigen und zu behaupten, er erprobt, wieweit er seinen eigenen Willen durchsetzen kann, ohne die Unterstützung derer zu verlieren, durch die sein Wille erst wirksam wird«.[26] Gäbe es eine bessere Charakteristik dessen, was Cipolla mit seiner Zuhörerschaft macht, machen kann und nicht mehr machen darf, als diese Bemerkungen von Hendrik de Man? Und nicht weniger illustrativ ist jener Satz, daß der Führer »die Massenstimmung steigert und leitet, weil er sie als Hilfsmittel seiner Politik, als Druckmittel auf seine Gegner braucht« – und auch jener: »Jede

24 Ebd., S. 149.
25 Ebd., S. 150.
26 Ebd., S. 151.

Führerschaft beruht auf einem psychologischen Faktor, der sich in Statuten nicht festlegen läßt: dem Vertrauen.«[27] Wir finden in de Mans Buch weitere Feststellungen, die im eigentlichen Wortsinne auf Thomas Manns Erzählung übertragbar sind. So lesen wir: »Es ist noch niemals ein starker Mann gekommen, weil man nach ihm gerufen hat; wirkliche Führer werden nicht von einer Masse erwählt, sie zwingen sich ihr auf.«[28] Und Gleiches gilt für die eigentümliche Philosophie des Rollentausches, die Cipolla entwickelt:

> Die Rollen schienen vertauscht, der Strom ging in umgekehrter Richtung, und der Künstler wies in immer fließender Rede ausdrücklich darauf hin. Der leidende, empfangende, der ausführende Teil, dessen Wille ausgeschaltet war, und der einen stummen in der Luft liegenden Gemeinschaftswillen vollführte, war nun er, der solange gewollt und befohlen hatte; aber er betonte, daß es auf eins hinauslaufe. Die Fähigkeit, sagte er, sich seiner selbst zu entäußern, zum Werkzeug zu werden, im unbedingtesten und vollkommensten Sinne zu gehorchen, sei nur die Kehrseite jener anderen, zu wollen und zu befehlen; es sei ein und dieselbe Fähigkeit; Befehlen und Gehorchen, sie bildeten zusammen nur ein Prinzip, eine unauflösliche Einheit; wer zu gehorchen wisse, der wisse auch zu befehlen, und ebenso umgekehrt; der eine Gedanke sei in dem anderen einbegriffen, wie Volk und Führer ineinander einbegriffen seien, aber die Leistung, die äußerst strenge und aufreibende Leistung, sei jedenfalls seine, des Führers und Veranstalters, in welchem der Wille Gehorsam, der Gehorsam Wille werde, dessen Person die Geburtsstätte beider sei, und der es also sehr schwer habe. (691 f.)

Wenn Cipolla diese Philosophie des unauflöslichen Ineinanders von Befehlen und Gehorchen entwickelt, dann klingt

27 Ebd.
28 Ebd., S. 152.

das wie eine Übersetzung jener Sätze von Hendrik de Man über den Führer:

> Das Problem ›Massen und Führer‹ ist in seiner heutigen Form nur von der Sozialpsychologie her zu verstehen. [...] er muß allerlei wissen, was die Masse nicht wissen kann, weil es eine in hohem Grade spezialisierte Fachbetätigung erfordert; und er muß allerlei tun, was die Masse nicht mittun kann, weil es in der täglichen Kleinarbeit [...] geschieht. Die Mittel, die der Masse zu Gebote stehen, um den *Willen* ihres Führers zu beeinflussen, schließen keines ein, wodurch sie seine *Meinung* bilden könnte [...]. Die Demokratie sorgt für die ihr unentbehrliche Führerschaft, indem sie sagt: wir werden es niemandem zu leicht machen, Führer zu werden. Darum ist jedoch die Führerschaft um so wirklicher.[29]

Das war von Hendrik de Man alles gegen die »Verzweiflungspolitik des Nationalfaschismus«[30] gesprochen. Und wenn Thomas Mann vom »Intellektuellen-Sozialismus«[31] lesen konnte, dann hätte ihm das nicht unangenehm sein dürfen.

Das Buch von Hendrik de Man enthält noch mehr, was Thomas Mann interessiert haben dürfte – eine längere Passage über das »Glück«, auch über die Beglückung der Massen durch »die Faschisten«.[32] Dazu gehört ebenfalls das Loblied auf die Freudsche Tiefenpsychologie, nicht zuletzt auch die Einsicht, daß nicht alles der Hypnose unterworfen werden könne. De Man spricht von einer Kraft, die »der ernsthafte Forscher«

> nicht mehr zergliedern oder aus einer anderen ableiten kann, und die fester als alle anderen in einer unzugänglicheren Bewußtseinsregion verwurzelt ist. Er weiß nicht

29 Ebd., S. 149–153.
30 Ebd., S. 156.
31 Ebd., S. 161.
32 Ebd., S. 382 f.

> immer, wie er sie nennen soll. Freud tauft sie ›Zensur‹, Alfred Adler ›Gemeinschaftsgefühl‹, dem Hypnotiseur ist sie die ›persönliche Hemmung‹, die den Hypnotisierten daran hindert, im Schlafe gewisse ihm befohlene Handlungen zu vollziehen, die er im wachen Zustande als unsittlich betrachten würde. Dabei handelt es sich um nichts anderes, als was der Sprachgebrauch das Gewissen nennt.[33]

Ist nicht auch bei Mario so etwas wie eine unzugänglichere Bewußtseinsregion zu finden, sind die Schüsse auf Cipolla letztlich nicht Ausdruck seines »Gewissens«? Schließlich: ein Sammelband Thomas Manns, 1929 erschienen, trägt den Titel *Die Forderung des Tages.* Ein Kapitel im Buch de Mans ist überschrieben mit »Die Lehre und die Forderung des Tages«.[34] Thomas Mann hat die Formel von Goethe übernommen. Aber möglicherweise war de Mans Kapitelüberschrift ein zusätzlicher Anlaß für Thomas Mann, seinen Band ähnlich zu nennen.

*Mario und der Zauberer* – so wenig die Erzählung ein politisches Gleichnis ist, so sehr ist sie doch ein Beitrag zu jenen politischen Problemen, das Verhältnis von »Führer« und »Masse« betreffend, von denen auch Hendrik de Man handelt. Also doch eine politische Allegorie – aber nur dann, wenn der Begriff des Politischen weit genug gefaßt ist. Er zielt auf Grundsätzliches, nicht auf Tagespolitisches. Die Geschichte Thomas Manns enthält eine Warnung, ist die Erzählung von einer Ausartung und Verwilderung, sie liefert ein Negativbeispiel zum Thema vom Führer und der Menge der Gefolgsleute. Indirekt ist sie zugleich ein Appell an die eigentlichere und tiefer liegendere Kraft des Menschen, an jene, die, wie de Man es nannte, nicht mehr zergliederbar ist und die von ihm als »Gewissen« bezeichnet worden war. So ist die Erzählung denn eine deutliche Warnung, der Verführung und Massensuggestion zu widerstehen, und die Novelle

33 Ebd., S. 397.
34 Ebd., S. 344.

zeigt, daß nicht nur der Intellektuelle dazu fähig ist, sondern auch der Nichtintellektuelle – kraft jener »persönlichen Hemmung«, die der Hypnotisierte der Unterwerfung entgegensetzen kann. Thomas Mann berichtet also von mehr als von einer Reisegeschichte, die in einem fremden Land spielt. Er greift ein in die Debatten um die Probleme eines modernen Sozialismus und liefert den erzählerischen Kommentar zu den Überlegungen Hendrik de Mans. Hendrik de Man meinte zwar, wenn er von »Führer« und »Masse« sprach, in erster Linie Probleme einer sozialistischen Parteiführung. Thomas Mann, jeder Massenpartei abhold, hat die generellen Aspekte, die dabei viel zeitbezogener waren, beschrieben.

Das Problem des Verhältnisses von »Führer« und »Masse« hat auch andere Autoren der späten zwanziger Jahre beschäftigt. In Döblins *Berlin Alexanderplatz* ist auf den letzten Seiten des Romans indirekt und doch ausdrücklich genug ebenfalls davon die Rede. Und es will nicht als Zufall erscheinen, daß Hermann Broch die Geschichte von Mario und dem Zauberer in direktem Sinne geradezu fortschrieb: in seinem Roman *Die Verzauberung*. Sie behandelt ein ähnliches Phänomen, auch dort ist die Rede von Massenwahn und der Suggestivkraft eines Verführers, die mit einem Menschenopfer enden. Brochs Roman ist freilich in einer Zeit angesiedelt, in der die schlimmen Befürchtungen, von denen *Mario und der Zauberer* handelt, durch noch schlimmere übertroffen worden waren.

## Literaturhinweise

Tragisches Reiseerlebnis. Novelle. In: Velhagen & Klasings Monatshefte 44 (1930) H. 8. S. 113–136.
Mario und der Zauberer. Ein tragisches Reiseerlebnis. Berlin: S. Fischer, 1930.
Gesammelte Werke in 13 Bänden. Frankfurt a. M.: S. Fischer, 1974. Bd. 8. S. 658–711

Bance, Alan F.: The Narrator in Thomas Mann's *Mario und der Zauberer.* In: The Modern Language Review 82 (1987) S. 382–398.
Böhme, Hartmut: Thomas Mann: *Mario und der Zauberer.* Positionen des Erzählers und Psychologie der Herrschaft. In: Orbis Litterarum 30 (1975) S. 286–316.
Eigler, Friederike: Die ästhetische Inszenierung von Macht: Thomas Manns Novelle *Mario und der Zauberer.* In: Heinrich Mann-Jahrbuch 2 (1984) S. 172–183.
Freese, Wolfgang: Thomas Mann und sein Leser. Zum Verhältnis von Antifaschismus und Leseerwartung in *Mario und der Zauberer.* In: Deutsche Vierteljahrsschrift für Literaturwissenschaft und Geistesgeschichte 51 (1977) S. 659–675.
Hartwig, Alfred: Problemhafte Gestaltung des Unterrichts. Einige Gedanken zu »Thomas Mann in Klasse 10«. In: Deutschunterricht 28 (1975) H. 3. S. 165–176.
Leneaux, Grant F.: *Mario und der Zauberer*: The Narration of Seduction or the Seduction of Narration? In: Orbis Litterarum 40 (1985) S. 327–347.
Mandel, Siegfried: Mann's *Mario and the Magician*, or Who is Silvestra? In: Modern Fiction Studies 25 (1979/80) Nr. 4. S. 593–611.
McIntyre, Allan J.: Determinism in *Mario and the Magician.* In: The Germanic Review 52 (1977) S. 205–216.
Müller-Salget, Klaus: Der Tod in Torre di Venere. Spiegelung und Deutung des italienischen Faschismus in Thomas Manns *Mario und der Zauberer.* In: Arcadia 18 (1983) S. 50–65.
Pörnbacher, Karl: Erläuterungen und Dokumente: Thomas Mann, *Mario und der Zauberer.* Stuttgart 1980. (Universal-Bibliothek. 8153.)
Sautermeister, Gerd: Thomas Mann: *Mario und der Zauberer.* München 1981.

Schwarz, Egon: Fascism and Society: Remarks on Thomas Mann's Novella *Mario and the Magician*. In: Michigan Germanic Studies 2 (1976) S. 47–67.

Speirs, R. C.: Some Psychological Observations on Domination, Acquiescence and Revolt in Thomas Mann's *Mario und der Zauberer*. In: Forum for Modern Language Studies 26 (1980) S. 319–330.

Vaget, Hans Rudolf: *Mario und der Zauberer*. In: Thomas-Mann-Handbuch. Hrsg. von Helmut Koopmann. Stuttgart 1990. S. 596 bis 601.

Wehner, James V.: The Nature of Evil in Melville's *Billy Budd* and Mann's *Mario und der Zauberer*. In: The Comparatist 4 (1980) S. 31–46.

Weiss, Walter: Thomas Manns Kunst der sprachlichen und thematischen Integration. Düsseldorf 1964.

Wuckel, Dieter: *Mario und der Zauberer* in der zeitgenössischen Presseresonanz. In: Werk und Wirkung Thomas Manns in unserer Epoche. Ein internationaler Dialog. Hrsg. von Helmut Brandt und Hans Kaufmann. Berlin/Weimar 1978. S. 346–356.

## Der sozialisierte Narziß: *Joseph und seine Brüder*

Von Herbert Lehnert

*Joseph und seine Brüder* ist nacheinander in vier Bänden unter je eigenen Titeln erschienen, ist aber *ein* Roman, das Hauptwerk Thomas Manns. Er konzipierte ihn fast genau in der Mitte seiner literarischen Laufbahn. Den Anlaß, sich mit der biblischen Erzählung zu beschäftigen, gab die Bitte eines befreundeten Malers, Hermann Ebers, Sohn eines Ägyptologen, der einen einleitenden Text für eine Bildermappe wünschte, in der er die Josephsgeschichte illustriert hatte (XI, 136)[1]. Diese Mappe erhielt Thomas Mann am 10. April 1924, nachdem schon vorher, 1922 und 1923, von dem Plan die Rede gewesen war.[2] Der Keim der Konzeption entstand also während der Arbeit am *Zauberberg*. Aus der Einleitung für Ebers wurde nichts, aber die biblische Erzählung hatte den Autor zum Erzählen angeregt.
Die Antwort auf die Frage, was Thomas Mann reizte, die biblische Geschichte auszugestalten, ist der Schlüssel zum Verständnis der Struktur des Romans, des Bedeutungssystems, das das Werk zusammenhält, ihm Form gibt. In der Struktur steckt das, was der Autor den Lesern vermitteln wollte, die Botschaft des Werkes. Solche Botschaften sind nicht einfach und nicht eindeutig, ein Roman ist keine Philosophie. Die Botschaft eines modernen Romans kann ausgesprochen widersprüchlich sein. Das gilt besonders für Thomas Mann, in dessen Erzählwelt der Außenseiter dem an die

1 Band- und Seitenzahlen beziehen sich auf die Ausgabe: Thomas Mann, *Gesammelte Werke in 13 Bänden*, Frankfurt a. M. 1974.
2 Das läßt sich aus dem Wortlaut einer Postkarte an Hermann Ebers schließen (*Dichter über ihre Dichtungen. Thomas Mann*, hrsg. von Hans Wysling unter Mitw. von Marianne Fischer, Tl. 2, München / Frankfurt a. M. 1979 [im folgenden zit. als: DüD]), S. 105; vgl. auch S. 665.

Gesellschaft angepaßten Menschen in vielen Variationen gegenübersteht. Alternativen zur gewohnten Wirklichkeit sind phantasiebegabten Lesern, die in einer festen bürgerlichen Ordnung leben, ein Bedürfnis.

Die Gestaltung der Polarität von Außenseitern gegenüber den an die Gesellschaft angepaßten Menschen, den »Bürgern«, nahm Thomas Mann aus eigenem Welterleben. Er unterbaute es sich philosophisch mit Hilfe von Nietzsche und Schopenhauer. Der den Normalmenschen durchschauende geistige Künstler kannte Nietzsches Immoralismus, seine Entlarvungsphilosophie der Vorwände sowie Schopenhauers blinden Willen, den Urgrund der Welt. Schopenhauers Ästhetik, in der die Kunst von den Leiden der Welt erlöst, und Nietzsches »Leben«, der Quell der Kreativität gegenüber dem tödlichen systematischen Begriffsdenken, auch seine Polarität des Apollinischen und Dionysischen, kamen dazu. Diese Begriffe decken sich nicht, sie bilden kein philosophisches System, aber sie können das Spielfeld der Phantasie grundieren.

Der Außenseiter-Status der Figuren des Frühwerks ist oft durch eine anomale Sexualität signalisiert, die mit ästhetischer Sensitivität assoziiert ist. Thomas Buddenbrook hat seine willige Freundin durch eine frigide Künstlerin ersetzt, Hannos Freundschaft mit einem angehenden Schriftsteller hat homoerotische Züge, während er seine pubertäre Sexualität im Klavierspiel ausgibt, der Schriftsteller Spinell ist impotent und erlebt Sexualität im Klavierspiel der geliebten Frau, Tonio Kröger findet keine Nachfolgerin für die blonde Inge, und die »Abenteuer des Fleisches«, die er im Süden erlebt, machen ihm Schuldgefühle, erzeugen »Ekel und Haß gegen die Sinne« und »ein Lechzen nach Reinheit und wohlanständigem Frieden« (VIII, 290).

Einen solchen Frieden hatte sich schon der kleine Herr Friedemann gewünscht; seine Sexualität zerstörte ihn. Wir wissen, daß es diese Erzählung war, von der der junge Autor deshalb befriedigt war, weil es ihm gelungen war, in ihr etwas

Intimes auszusprechen. In einem frühen Brief an einen Jugendfreund vom 6. April 1897 hatte er von der Erzählung *Der kleine Herr Friedemann* seine Fähigkeit datiert, »die diskreten Formen und Masken zu finden, in denen ich mit meinen Erlebnissen unter die Leute gehen kann«; es kann sich da nur um die Bedrohung handeln, als die der junge Autor seine homoerotische Veranlagung empfand.[3]

Nach Veröffentlichung der *Buddenbrooks* plante Thomas Mann den Gesellschaftsroman »Maja«, in dem die Außenseiterin eine Frau sein sollte. Die erhaltenen Notizen für den Roman zeigen, wie Thomas Mann die Gefühle für seinen Freund Paul Ehrenberg in die Perspektive dieser Frau überträgt. Aus diesen Notizen sind Fragmente von Liebesgedichten in die Darstellung der Leidenschaft Mut-em-enets in *Joseph in Ägypten* eingegangen (V, 1113–1115; 1496).[4] Bei Beginn der Darstellung von Mut-em-enets geschlechtlicher Not vertritt der Erzähler den Autor und spricht von der »Idee der Heimsuchung«: »Das Lied vom errungenen, scheinbar gesicherten Frieden und des den treuen Kunstbau lachend hinfegenden Lebens, von Meisterschaft und Überwältigung, vom Kommen des fremden Gottes war im Anfang, wie es in der Mitte war.« (V, 1085 f.) In der »Lebensspäte« findet das erzählende »Wir« sich »zu jener alten Teilnahme angehalten« (V, 1086). Das Lied vom scheinbaren

3 Thomas Mann, *Briefe an Otto Grautoff 1894–1901 und Ida Boy-Ed 1903–1928*, hrsg. von Peter de Mendelssohn, Frankfurt a. M. 1975, S. 90. – Die Auswirkung von Thomas Manns Konflikt zwischen seiner homoerotischen Anlage und seinem Erfolgswillen stellt dar: Karl Werner Böhm, *Zwischen Selbstzucht und Verlangen*, Würzburg 1991.

4 An Julius Bab schreibt Thomas Mann am 9. November 1936, die Liebesgedichte in *Joseph in Ägypten* seien »wohl 40 Jahre alt und *echt*, damals in leidenschaftlichem Zustande wirklich abgerissen hingestammelt« (DüD, S. 198). Die Notizen sind abgedruckt bei Hans Wysling, »Zu Thomas Manns ›Maya‹-Projekt«, in: Paul Scherrer / Hans Wysling, *Quellenkundliche Studien zum Werk Thomas Manns*, Bern 1967, S. 31. – Zur Wagner-Nähe dieser Lyrik siehe Eckhard Heftrich, »Potiphars Weib im Lichte von Wagner und Freud«, in: *Thomas Mann Jahrbuch* 4 (1991) S. 58–74. Vgl. das Thema der Verführung bei Reinhard Baumgart, »Joseph in Weimar – Lotte in Ägypten«, in: ebd., S. 75–88.

Frieden ist die Erzählung *Der kleine Herr Friedemann*, das von der überwältigten Meisterschaft *Der Tod in Venedig* (vgl. XIII, 135 f.). Aschenbach und Friedemann werden aus einer selbstgewählten Idylle durch sexuelle Leidenschaft hinausgeworfen und zerstört.

Die wiederzuerzählende Josephsgeschichte stellte ihr Autor sich eine Zeitlang als »historische Novelle« vor.[5] Noch im August 1926, während der Vorarbeiten, schon für einen »Roman«, nannte er den Plan »Joseph in Ägypten«.[6] Der Titel »Joseph und seine Brüder« erscheint einige Zeit früher im selben Jahr in einem Interview. Der erstere Titel und eine Reihe von Lebenszeugnissen[7] zeigen an, daß sein ursprüngliches Interesse den ägyptischen Teilen der Josephsgeschichte galt. Der erste der beiden Teile, aus denen seit 1935 zwei Bände werden sollten, ist die Geschichte des keuschen Joseph bei Potiphar, die sich als Erneuerung des Themas der fragilen sexuellen Besonderheit anbot.

Das Thema der geschlechtlichen Ambivalenz zieht sich durch den ganzen Roman. Die Beschneidung habe einen ambivalenten, eigentlich weiblichen Sinn und Josephs Schönheit als Siebzehnjähriger schließt »ein gewisses weibliches Bewußtsein« ein (IV, 80). Als die Brüder ihm die Ketônet, »das Mutterkleid« (IV, 556) zerreißen, bettelt er »in Ängsten der Jungfräulichkeit: ›Zerreißt es nicht!‹« Die Engel werden als androgyne Wesen gezeigt (IV, 142), und ob die Sphinx, die

5 DüD, S. 92.

6 Ebd., S. 93.

7 Am 4. Februar 1925 erwähnt er in einem Brief an Ernst Bertram »etwas schattenhafte Pläne, die ich im Geheimen hege«, um derentwillen er die Einladung einer Reederei zu einer Mittelmeerreise angenommen habe, wobei es ihm »hauptsächlich um Ägypten zu tun ist« (DüD, S. 83). Ein Bericht von dieser Reise (XI, 355–365) legt Gewicht auf den Besuch am Nil. Anfang November 1925 erwähnt er brieflich seine ägyptischen Studien und bestellt sich ein Buch über Israel in Ägypten (An Ida Herz, 2. November 1925, DüD, S. 85). Der Bericht über eine Pariser Reise, die Ende Januar 1926 stattfand, enthält den Ausdruck des Stolzes über ägyptische Kenntnisse, gibt Potiphar einen ägyptischen Namen und nennt dessen Frau Mut-em-enet (XI, 56 f.). *Pariser Rechenschaft* entstand zwischen Februar und April 1926 (nach DüD, S. 77).

Joseph betrachtet, männlich oder weiblich sei, »darauf gab es keine Antwort« (IV, 745). Auch der Nilgott Chapi ist zweigeschlechtlich (V, 1598). Selbst Jaakob will wie die Mutter, nämlich Ischtar, Joseph aus der Unterwelt holen (IV, 650). Daß Josephs Schönheit die seiner Mutter ist, wird oft motivisch wiederholt und in das mythisch-symbolische Bedeutungssystem einbezogen. Joseph identifiziert sich mit dem Gott Tammuz, der stirbt und aufersteht. Wie dieser mit seiner Mutter Ischtar ist auch Joseph eins mit »der Mutter« (IV, 500). Ischtar, wiederum kann auch männlich sein (IV, 457).[8] Der religiös-mythische Themenkomplex eignet sich besonders dazu, sexuelle Eindeutigkeit durchlässig zu machen, denn er hängt mit dem Mythischen als Zeichen für das Kreative zusammen.
Die sexuelle Macht ist im Mythischen spürbar. Dagegen ist der geistige Gott, den Abraham »entdeckt« und »hervorgedacht« hat (IV, 426), »das Ganze« (IV, 430), er ist über dem Geschlechtlichen. Dessen Ambivalenz ist gesteigert in ihm:

> Des Menschen waren Zeugung und Tod, aber nicht Gottes, und kein Gottweib sah dieser an seiner Seite, weil er nicht zu erkennen brauchte, sondern Baal und Baalat in einem und auf einmal war. (IV, 432)

An der Übersexualität des demungeachtet männlichen Übervaters und Schöpfergottes richtet sich Josephs Widerstand gegen Mut-em-enet aus. Er beruft sich auf Vaterfiguren, Jaakob, hinter ihm Gott und, in der Nähe, Peteprê/Potiphar (IV, 1138–43, 1259). Daß er trotzdem mit der sexuell eindeutigen Mut-em-enet umgeht, liegt an seiner Neigung, mit seiner mythischen Umwelt zu spielen. Seine Kreativität ist menschlich und daher gegenüber dem absoluten göttlichen Geist notwendig schuldhaft.

8 Siehe dazu Werner Frizen, »Venus Anadyomene«, in: *Thomas Mann und seine Quellen*, hrsg. von Eckhard Heftrich und Helmut Koopmann, Frankfurt a. M. 1991, S. 189–223.

Potiphars Eunuchen-Eigenschaft gehört zum Thema der sexuellen Ambivalenz oder Neutralität. Josephs Keuschheit, seine Weigerung, sich der ägyptischen Zivilisation zu ergeben, ist in den Anspielungen an geschlechtliche Ambivalenz ausgedrückt, mit denen er sich bei Potiphar/Peteprê einschmeichelt (IV, 887, 895–897). Eine positive Seite der geschlechtlichen Außerordentlichkeit ist dessen Gericht. Er richtet »wie ein Gott«, »erhaben über das Menschenherz« (V, 1496). Auch der Schriftsteller soll aus überlegener Position, wie Gott, über seine Schöpfung und die darin enthaltenen Lebensprobleme urteilen können. Die Verbindung des Themas der sexuellen Ambivalenz mit Kunst deutet der Text einmal direkt an: Die Vertauschbarkeit von Tammuz und Ischtar sei ein Bild des »Weltganzen«, das auch aus den Bildungen des »Weltschmucks«, also aus der Kunst (V, 1377) spreche.

Die bisexuelle Fähigkeit, Liebe als Mann und als Frau zu empfinden, erzeugt Leiden am Außenseitertum zugleich mit dem Gefühl der Überlegenheit über die anderen. Die sexuelle Ambivalenz verbindet Thomas Mann darum in seinem Werk mit einer Kunst, die mit dem »Weltganzen«[9] spielen will, während eine advokatorische Rhetorik in ihrer Aggressivität ihm männlich erscheinen konnte. Daher hat der Bruderzwist mit Heinrich etwas mit Thomas' sexueller Besonderheit zu tun, die er als Bestandteil seiner Begabung auffaßte. Heinrichs normale Sexualität konnte ihm, vielleicht unterbewußt, als Mangel erscheinen. Der Streit entstand nicht zufällig aus der Kritik des jüngeren an der Aufdringlichkeit sexueller Motive in Heinrichs Romanen *Die Göttinnen* und *Die Jagd nach Liebe* (beide 1903).[10] Auch nach der Versöhnung der

9 Vgl. Lothar Pikulik, »Joseph vor Pharao. Die Traumdeutung in Thomas Manns biblischem Romanwerk *Joseph und seine Brüder*«, in: *Thomas Mann Jahrbuch* 1 (1988) S. 99–116.

10 Siehe meinen Vortrag »Weibliches, Männliches und Väterliches als Ausdruck des Bruderzwistes«, der im *Thomas Mann Jahrbuch* 5 (1992) erscheinen wird.

Brüder im Jahr 1922, demselben Jahr, in dem ich die Anfänge der Konzeption des Joseph-Romans ansetze, schwelte der Konflikt weiter. Der kreativ begabte Joseph mit seiner sexuellen Vorbehaltenheit im Unterschied zu und im Konflikt mit seinen »normalen« älteren Brüdern, seine Überzeugung, daß ihm, wie dem jüngeren Jaakob gegenüber Esau, der Segen zukomme, bot eine neue Gelegenheit zur Darstellung seiner Selbstbehauptung gegen den älteren Heinrich, während er sich doch dessen Forderung, der Schriftsteller solle öffentlich für den politischen Fortschritt eintreten, kulturelle, soziale und politische Orientierungen anbieten, seit etwa 1921 kooptierte.

Zum Verständnis des Romans *Joseph und seine Brüder* trägt der öffentliche Streit zwischen den Brüdern bei, dessen Wurzeln früher liegen. Im Roman gehört, ausgleichend und widersprüchlich, wie auch das Bruderverhältnis war, der in Joseph gestaltete Selbstbehauptungswille des künstlerisch begabten Träumer-Narziß zusammen mit der Erkenntnis der Schuld, die diesem in der »Grube« bewußt wird (IV, 571 f.; 574 f.).[11] Sein narzißtisches Spiel mit den mythischen Bildern seiner kreativen Überlegenheit und Erneuerungsfähigkeit durchsetzt sich mit mitmenschlicher Moral.

Die biblische Josephserzählung bot eine Handlung an, die diesem Schuldgefühl, diesem Bedürfnis nach Ausgleich und Korrektur, nach Vermittlung zwischen dem kreativen Außenseiter und seiner sozialen Umgebung, entgegenkam. Der träumende junge Joseph ließ sich als kreativ begabter Narziß darstellen, dessen Überlegenheit am Ende sozial nutzbar wird. Freilich nur am Ende, nachdem zweimal sein Fall in die Grube gezeigt hat, wie schwer dem kreativ begabten Narziß seine Anpassung fallen muß, eine wie große Spannung zur sozialen Nutzbarkeit er überwinden muß.

Diese Spannung, nicht etwa die Wertschätzung der künstle-

11 Zur moralischen Entwicklung Josephs vgl. Raymond Cunningham, *Myth and Politics in Thomas Mann's »Joseph und seine Brüder«*, Stuttgart 1985, S. 67 f., 164; eine einseitige, aber trotzdem lehrreiche Interpretation.

rischen Überlegenheit, ist das Thema, das Thomas Manns Werk durchzieht. Was bei einem Schüler Nietzsches und Schopenhauers eigentlich überraschen muß: der mit Kreativität oder künstlerischer Sensibilität begabte Mensch wird in seinem Verhältnis zu seiner sozialen Umwelt oft genug in Frage gestellt. Das gilt schon für Thomas Buddenbrook, ein deutliches Beispiel ist Spinell in der Erzählung *Tristan*. Die Außenseiterstellung des repräsentativen Schriftstellers, des Prinzen in *Königliche Hoheit*, wird grotesk dargestellt; dann wird er verheiratet und mit volkswirtschaftlichen Studien beschäftigt. Aschenbach in *Der Tod in Venedig* gewinnt Erfolg und gesellschaftliche Würde in seinem Schriftstellerberuf, aber seine homoerotische Leidenschaft, Symbol für die entfremdete Außenseiterstellung, die ihm zukommt, zerstört ihn und seine Würde. Im Kontrast zu Aschenbachs Würde gerät im *Zauberberg* ein einfacher junger Mann in eine gesellschaftlich entfremdete Situation, in der er sich dennoch behauptet und sich den ihm angebotenen Ideologien widersetzt. Allerdings schwimmt er in den späteren Partien willenlos im orientierungslos gewordenen Europa. Diese Partien wurden nach dem Krieg geschrieben, aber die Dialektik zwischen überlegener Ideologieverweigerung und einer daraus resultierenden Orientierungsschwäche gehört von Anfang an zum Kern des Romans. Der Humor des Verhältnisses zwischen Settembrini und Hans Castorp wird in den späteren Teilen nur mehr ins Politisch-Relevante verschoben.

Eine repräsentative Stellung strebte Thomas Mann nach Ausbruch des Krieges 1914 an. Das Paradox dieses Strebens ist, daß er eine soziale Stelle und Würde, ähnlich wie sein fiktiver Aschenbach und in Konkurrenz mit seinem Bruder, eben wegen dieser Konkurrenz unter dem Zeichen des Unpolitischen anstrebte. Er hielt Deutschlands geographische Mittellage, seine Offenheit für westliche und östliche Einflüsse für ein Symbol seines freien »ironischen« Künstlertums, das die Wirklichkeit als Ganzes überschauen möchte und daher das politische Engagement, wie Heinrich es forderte, verweigerte. In dem Kriegsaufsatz *Gedanken im Kriege* (1914) stellte er die Begriffe »Kultur« und »Zivilisation« als Gegensätze hin. Kultur sei Geschlossenheit, Stil, Form, Haltung, Geschmack, mit Barbarei und Dämonie vereinbar, sei die Heimat des Genies, der Kunst. Zivilisation sei »Vernunft, Aufklärung, Sänftigung, Sittigung, Skeptizismus, Auflösung, – Geist« (XIII, 528). Unter dem Wort Kultur verstand er eine Organisation der Gesellschaft, in der Kreativität gedeihen kann, während Zivilisation die Begabungen rational ausgleichend nivelliere und darum dem »Genie«, der Kreativität feindlich sei. Der Krieg schien dem Außenseiter eine Gelegenheit zu bieten, sich zu integrieren, seinem Volk nützlich zu sein. Die kulturelle Freiheit, die der deutsche bildungsbürgerliche Verwaltungsstaat bot, dessen monarchische Spitze die Interessenkonflikte zu neutralisieren hatte, erklärte Thomas Mann in dem weitschweifigen Kriegsessay *Betrachtungen eines Unpolitischen* für verteidigenswert. Er hielt seine Ansicht für konservativ, ohne zu wissen oder zu bedenken, daß unter diesem Parteinamen in Deutschland nicht die Freiheit der Kunst, sondern politische und wirtschaftliche Interessen vertreten wurden. So zielte seine Idee an den politischen Realitäten vorbei.

Die etwas rätselhafte Bemerkung im Tagebuch von 1919, daß »›auch‹ die ›Betrachtungen‹ ein Ausdruck meiner sexuellen Invertiertheit sind«,[12] steht dort im Zusammenhang mit einem Buch von Hans Blüher, *Die Rolle der Erotik in der männlichen Gesellschaft*, in dem dieser dem Männerbund eine sozial-integrierende Funktion zuschreibt. Vermutlich blickte Thomas Mann im September 1919 auf sein Kriegsbuch zurück als vergeblichen Versuch eines isolierten Außenseiters, zur Integration seiner Gesellschaft beizutragen, im Streit gegen den Bruder, den er für angepaßter hielt.

Zwar bekämpfte er den »Geist« als Ideologie in den *Betrachtungen eines Unpolitischen*, aber er hatte schon vor dem

12 Thomas Mann, *Tagebücher 1918–1921*, hrsg. von Peter de Mendelssohn, Frankfurt a. M. 1979, S. 303.

Ersten Weltkrieg, in einem geplanten Essay »Geist und Kunst«, von dem es nur Fragmente und Notizen gibt, die Ansicht entwickeln wollen, daß der kritische Geist an der künstlerischen Produktion mitwirken muß.[13] In den *Betrachtungen* selbst ist die »Ironie«, der musikalische Vorbehalt, die Distanz, etwas undämonisch Geistiges, das Liebe zum Leben ausdrückt (XII, 568 f.). Die verhärtende Ideologie will er bekämpfen, nicht den kritischen Geist ausrotten.[14]
Während der überlegene und kreative Außenseiter Tonio Kröger den »Geist« vertreten hatte, war in der Kriegspolemik der »Geist«, das heißt die kritische Intelligenz, auf die andere Seite der Kreativität geraten, auf die Seite der nivellierenden Zivilisation. Gegen den Begriff »Humanität« polemisierte Thomas Mann, wenn er das Wort beim »Zivilisationsliteraten« fand. Jedoch ist Menschlichkeit von der verteidigten Kreativität nicht gut zu trennen. Er nahm den Begriff also auch für sich in Anspruch. Aus diesen Verwirrungen mußte er Auswege finden, wenn er die nationale Autorität verteidigen wollte, die ihm zugewachsen war, auch durch die *Betrachtungen eines Unpolitischen*.
Am Ende des Ersten Weltkriegs fand Thomas Mann sich in einer anderen Gesellschaft, als die war, in der er aufgewachsen war und für die er geschrieben hatte. Seit die Festigkeit der Bürgerwelt zerbrochen, das Bildungsbürgertum verarmt war, die sichernde Autorität sich in der Gestalt Kaiser Wilhelms II. als bedeutungslos erwiesen hatte, seit gar deren Wiederherstellung mit ideologisch verbohrten reaktionären Tendenzen betrieben wurde, die zu Morden führten, ent-

13 Hans Wysling, »›Geist und Kunst‹. Thomas Manns Notizen zu einem ›Literatur-Essay‹«, in: Scherrer/Wysling (Anm. 4), S. 123–233.

14 In Nietzsches nachgelassenem Aufsatz *Über Lüge und Wahrheit im außermoralischen Sinne* hatte sich Thomas Mann den folgenden Satz unterstrichen: »Es giebt Zeitalter, in denen der vernünftige Mensch und der intuitive Mensch nebeneinander stehen.« (*Nietzsches Werke*, Band 10, Leipzig 1903, S. 206; Thomas Manns Ausgabe [Naumann] im Thomas-Mann-Archiv, Zürich.) F. N., *Werke in drei Bänden*, hrsg. von Karl Schlechta, Bd. 3, München 1956, S. 321.

stand eine andere Situation. Das Spiel mit Weltsinnverneinung, mit Nihilismus konnte beängstigend wirken.
Das Fragezeichen am Ende des *Zauberberg* (1924) bezog sich auf die Liebe, auf eine mögliche Zukunft sozialer Kohäsion. Wie aber sollte soziale Kohäsion in einem Staat von 60 Millionen entstehen, wenn dessen Bildungsschicht orientierungslos geworden war? Heinrich Manns Forderung, der Dichter habe eine nationale und soziale Mission, dürfe und solle Richtungen angeben, bekam ein anderes Gesicht. Zwar verweigerte Thomas Mann nach wie vor, sich einer bestimmten Ideologie zu verschreiben, war aber dennoch bereit, dem geschlagenen und politisch verwirrten deutschen Volk, seinen Lesern, kulturelle Vorbilder zu präsentieren, natürlich kreativer, nicht ideologischer Art.
Die *Betrachtungen eines Unpolitischen* hatte er schon 1920 in dem Aufsatz *Klärungen* zurechtzurücken gesucht. Es gelte »Seele und Geist« wiederzuvereinigen (X, 596-598),[15] ein Begriffspaar des Philosophen Hermann Graf Keyserling. »Seele« nimmt Thomas Mann für Kultur und Kreativität. Die Vereinigung von kreativer »Seele« und kritischem Geist hat Thomas Mann im ersten Vorspiel des *Joseph*-Romans an das Ende des »Romans der Seele« gesetzt (IV, 39–49).[16] Im zweiten Vorspiel nimmt er diesen Faden witzig wieder auf.
In *Klärungen*, also schon 1920, wehrte Thomas Mann sich gegen die nationalistische Rezeption der *Betrachtungen eines Unpolitischen* (XII, 602). Er habe sich nicht der »Macht«

15 Der vollständige Text in: Thomas Mann, *Aufsätze, Reden, Essays*, Bd. 3, hrsg. von Harry Matter, Berlin 1986, S. 36–55, hier S. 46. Der Titel des Aufsatzes ist dort *Brief an Hermann Grafen Keyserling*. Diesen Titel gab Thomas Mann dem gekürzten Text, als er ihn in die Aufsatzsammlung *Rede und Antwort* (1922) aufnahm; diese gekürzte Fassung in den *Gesammelten Werken* X, 593–603. Unter dem Titel »Klärungen: Brief an Hermann Grafen Keyserling« erschien der Erstdruck in *Das Tage-Buch* vom 31. März 1920.
16 Siehe DüD, S. 338, eine Selbstinterpretation von 1951, in der Thomas Mann die Vereinigung von Geist und Seele als »Weltanschauung« und als »Hauptmotiv« wie in einer Oper bezeichnet.

angedient oder den »Geist« verraten (XII, 598–600). Ein Jahr später hielt er in seiner Heimatstadt Lübeck den Vortrag *Goethe und Tolstoi*, seine erste öffentliche Rede. Er wiederholte sie an mehreren Orten des In- und Auslandes. In diesem Vortrag will er den geistigen Schriftstellern Schiller und Dostojewski Wert neben den eigentlichen Größen Goethe und Tolstoi zuerkennen. Besonders an Goethe zeigt der Redner, wie autobiographische Selbstliebe, künstlerischer Narzißmus, durch »Verbesserungs- und Vervollkommnungsbedürfnis« in große erzieherische Romankunst übergeht, ein »Objektivierungsprozeß« (IX, 150) ist. 1925 stellte Thomas Mann unter dem gleichen Titel ein längeres Essay zusammen. Das geschah während der Konzeptionsphase des *Joseph*-Romans. In Zusätzen von 1925 wendet er sich an seine Leser mit der Aufforderung, sich von den Nationalsozialisten ab- und der Sozialdemokratie zuzuwenden.
Weil Oswald Spenglers Modebuch *Der Untergang des Abendlandes*, dessen ersten Band (1918) Thomas Mann 1919 las, mit dem Unterschied zwischen kreativer, sich entwikkelnder Kultur und stabiler, nivellierender Zivilisation arbeitete, schätzte er diese Geschichtsphilosophie eine Zeitlang sehr. Als er aber merkte, daß Spengler dem Abendland nicht nur ironisch-spielend seine Zukunft in einer cäsarisch-regierten Zivilisation zuteilte, nicht nur diesen unkreativen Zustand zur Warnung vor einer kulturellen Gefahr aufrichtete, sondern ihn als einzig mögliche Zukunft, als Fatum hinstellte, wandte er sich von Spengler ab.[17] An eine offene Zukunft, eine Kultur, die sich selbst kreativ verbessert, wollte Thomas Mann glauben. Seine Kritik an Spengler hat er in *Joseph der Ernährer* eingebracht, humoristisch in der Form eines »rei-

17 Siehe Helmut Koopmann, »Der Untergang des Abendlandes und der Aufgang des Morgenlandes. Thomas Mann, die Josephsromane und Spengler«, in: H. K., *Der schwierige Deutsche. Studien zum Werk Thomas Manns*, Tübingen 1988, und Herbert Lehnert / Eva Wessell, *Nihilismus der Menschenfreundlichkeit. Thomas Manns »Wandlung« und sein Essay »Goethe und Tolstoi«*, Frankfurt a. M. 1991, S. 45–60.

menden Sprichwortes«:[18] »Wer nicht das Einst der Zukunft ehrt, ist nicht des Einst der Vergangenheit wert und stellt sich zum heutigen Tag verkehrt.« (V, 1555) Das ist programmatisch für den Roman, der über sein mythisch-historisches Spiel hinausreichen und Orientierungen für die humane Zukunft geben will, wenn auch keineswegs eindeutige.

Spenglers Denkmethode des Pan-Symbolismus muß ihn trotzdem beeindruckt haben. Während die Kulturen singulär seien, interkulturelle Einflüsse nicht stattfänden, schreibt Spengler seinen eigenen Symboldeutungen interkulturelle Gültigkeit zu. Weil die Kulturen einem organischen Gesetz des Blühens und Vergehens unterlägen, sei Geschichte voraussehbar. Zwar nahm Thomas Mann Spenglers Behauptung der Singularität der Kulturen und seinen Determinismus kritisch auf, aber die Idee, daß künstlerische Symbole über ihren Spielcharakter und über ihre geschichtliche Einbettung hinaus gültige Wahrheiten liefern können, muß ihn angesprochen haben. Im Gegensatz zu dem nihilistischen *Zauberberg*, der Ideologien gegeneinander ausspielt, will *Joseph und seine Brüder* die Orientierung einer neuen Humanität geben, die im Roman in Josephs Doppelsegen ausgedrückt ist, auf das humane und zugleich genial-künstlerische Zusammenwirken von väterlichem, kritischem, veränderndem Geist (der Segen von oben) mit der mütterlichen, bewahrenden, toleranten, intuitiven und formbewußten Seele (der Segen aus der Tiefe; IV, 49; XI, 625; V, 1804). Derselbe Segen soll das »Fest der Erzählung«, also den Text selbst erfüllen (IV, 54).

In Zeitungsaufsätzen und Reden führte Thomas Mann seit 1921 die »Klärung« der *Betrachtungen* fort. In einem Geburtstagsartikel für Ricarda Huch, der 1924 in der *Frankfurter Zeitung* erschien, spricht er von der »Verschmelzung im Dritten Reich« von »Geist« und »Natur« als »Ziel der Humanität« (X, 431). Er meint nach wie vor die notwendige Beteiligung des kritisch-rationalen Geistes an der kreativen

18 Die Charakterisierung ist die des Autors in einem Brief an seine Übersetzerin: DüD, S. 265.

Kultur, freilich so, daß er diese Kultur nicht mehr als Gegensatz zu dem Begriff »Zivilisation« definiert. In der Rede »Die Stellung Freuds in der modernen Geistesgeschichte« (1929) erkennt er dem »moderne[n] Irrationalismus« eine »notwendige und echte Korrektur« gegen »die Philisterei der monistischen Aufklärung« zu (X, 269).[19] In dem Aufsatz *Goethes Wahlverwandtschaften* formuliert er: »In seiner [Goethes] ›Iphigenie‹ gewinnt die Idee der Humanität, als Gegensatz der Barbarei, das Gepräge der Zivilisation – nicht in dem polemischen und schon politischen Sinn, in dem man heute das Wort zu gebrauchen pflegt, sondern in dem der ›sittlichen Kultur‹.« (IX, 181) Auch am Ende dieses Aufsatzes erscheint der Topos »drittes Reich«. Große Kunst sei von jeher dessen Künderin gewesen. Kunst sei »Vorbild der Menschheit; und der Dichter, im Bunde gleichermaßen mit beiden Mächten, Natur und Geist, ist wohl der Menschheit Meister zu nennen.« (IX, 186) Ähnliche Formulierungen finden sich in mehreren Aufsätzen Thomas Manns aus dieser Zeit, mit politischer Intention in der Gedenkrede für Rathenau, in der er das »Dritte Reich einer religiösen Humanität« aus der deutschen literarischen Tradition hervorgehen läßt, und der er »jenseits von Optimismus und Pessimismus« (auch das eine »Klärung« der *Betrachtungen*) eine *erzieherische* Liebe zuspricht (XI, 860). In diesen Zusammenhang gehört auch Thomas Manns entschiedener Widerspruch gegen die Unterscheidung von Dichter und Schriftsteller.[20]

19 Als Beispiel für solche korrigierende intuitive »Zusammenschau« nennt er (X, 269) Edgar Dacqué, *Urwelt, Sage und Menschheit* (vgl. Anm. 31). Alfred Baeumlers Bachofen-Einleitung dagegen (von der unten die Rede sein wird) wirft er mangelnden Respekt für Nietzsche vor (X, 264). Thomas Manns Angriffe auf die Denkweise der Konservativen Revolution in dieser Rede, die für demokratisch gesinnte Studenten bestimmt war, sind vielfach auf Alfred Baeumlers Bachofen-Einleitung zu beziehen, obwohl die gegenaufklärerische Gesinnung in Dacqués Buch eher entschiedener ist als die in Baeumlers Einleitung. In *Doktor Faustus* erscheint Dacqué als Egon Unruhe im Kridwiß-Kreis, der Gedanken der Konservativen Revolution diskutiert (VI, 482).

20 Vgl. hierzu: Hans Wysling, *Dichter oder Schriftsteller? Der Briefwechsel zwischen Thomas Mann und Josef Ponten 1919–1930*, Bern 1988.

Den Topos »drittes Reich« gab er auf, als die Nationalsozialisten den Buchtitel des konservativen Revolutionärs Arthur Moeller van den Bruck übernahmen. Daß er ihn verwendet hatte, kann man mit der Herrschaft hegelianischer Denkweisen in der deutschen gelehrten Welt erklären, in der Thomas Mann mitzusprechen wünschte. Es handelte sich um Anpassung; man darf Thomas Manns Gebrauch des Begriffes nicht absolut, überhaupt nicht sehr ernst nehmen. Einen stabilen Endzustand, eine Synthese, die die Polaritäten aufhöbe, kann er nicht eigentlich gemeint haben. Vielmehr dachte er sich die »neue Humanität« als ein Spielfeld, auf dem die Polaritäten bestehen bleiben. In einer viel früheren Äußerung von 1912 hatte er den »Dichter [...] die Synthese selbst« genannt (XI, 564). Das meinte er damals im Sinne seines Aufsatzplanes »Geist und Kunst«, in dem er das Zusammenwirken von Kreativität und Kritik als Leitbild ästhetischer Kultur anvisiert hatte.[21] Der in seiner Phantasie lebende Dichter kann nicht gut als stabile Synthese gedacht werden, am wenigsten Thomas Mann, der jede ideologische Festlegung verweigerte.

Die Begriffe »drittes Reich« und »neue Humanität« benutzte Thomas Mann als eine Art kulturpolitischer Parolen, die eine Aussicht über die gegenwärtige kulturelle Anomie hinweg bieten sollten. Sie hatten in den zwanziger Jahren den politischen Sinn, die deutschen Bildungsbürger von der gegenaufklärerischen Ideologie abzubringen, der er selber durch Polemik Vorschub geleistet hatte. Das wollte er richtigstellen. Diese »neue Humanität« sollte weder von aufklärerischem Optimismus noch von romantisch-konservativem Irrationalismus beherrscht sein. »Neue Humanität« will eine kulturelle Situation ohne ideologischen Zwang wiedergewinnen, ähnlich wie er sie in den *Betrachtungen* zu verteidigen gemeint hatte. Er verkündet also keine demokratische Utopie. Die Anlehnung an die Sozialdemokratie, die er seinen Lesern

21 Siehe Hans Wysling, »›Geist und Kunst‹«, in: Scherrer/Wysling (Anm. 4), S. 123–233.

seit 1925 empfahl, sollte der Rettung der Kultur vor der verengend-gewaltsamen rechten Ideologie dienen. Der demokratische Sozialismus, den er meint, ist immer ein Sozialismus »von oben« in der Tradition des sozialreformerischen Beamten-Bildungsbürgertums in Deutschland. Auch Josephs Sozialreform ist autoritär. Mit dem New Deal Franklin Roosevelts hat sie kaum etwas zu tun.[22]

*Joseph und seine Brüder* ist das Spielfeld, auf dem die »neue Humanität« sich mit ihren Spannungen, Kontrasten und Widersprüchen entfalten kann. Die kreative Kultur der Religionsgründung Abrahams und Jaakobs ist nicht gegen den kritischen Intellekt gerichtet, sondern nimmt diesen in sich auf, wie Thomas Mann es schon in den ästhetischen Partien der Vorkriegsaufsätze und in den Überlegungen zum geplanten repräsentativen Aufsatz »Geist und Kunst« gehalten hatte. Joseph hat kritische *und* kreative Intelligenz. Der Gegensatz zwischen Kultur und Zivilisation wird jetzt zum Spiel. Der geistige Jaakob hat Vorurteile gegen die Zivilisation, es ist ein Land des Todes für ihn. Joseph ist neugierig auf Ägypten, denn der kreative Träumer-Narziß spielt mit dem Tod. Er nimmt die »Grube« an, weil er an seine Auferstehung glaubt. Das tut er im Anschluß an den Tammuz-Mythos, aber in der Darstellung dieses Mythos spielt der Erzähler immer wieder auf Jesus Christus an. Joseph spielt mit dem Mythos seiner Umgebung, was seinem Vater Sorge macht, er gehört aber auch zu dessen geistiger Religion, die auf das Christentum zuläuft. Seine Mutter steht dem Mythos nahe, sein Vater dem geistigen Gott. Joseph steht zwischen ihnen, soweit es die Grundorientierung nach dem Vater irgend zuläßt.

Diese zuletzt gültige Neigung zum paternalistischen geistigen Gott stimmt zu dem bewußten Führen seines Lebens in

22 Obwohl Thomas Mann das behauptet: DüD, S. 315, 336. Cunningham (Anm. 11), der richtig die politische Seite Josephs betont, betrachtet S. 201–320 die New-Deal-Parallele als gültig, macht aber auch auf Parallelen mit dem nationalsozialistischen Staatssozialismus aufmerksam. Ich kann ihm nicht folgen, wenn er Josephs Aufstieg mit dem Hitlers in Verbindung bringt.

einer Umgebung, die nicht einmal die Lebensjahre zählt. Der mythischen Zeitlosigkeit, mit der Joseph spielt, die zu seiner träumerisch-kreativen Begabung paßt, steht die gerichtete Zeit entgegen. Joseph hat den göttlichen Auftrag der Rettung. Er muß auf die Zukunft, auf ein Ziel hin leben, seine Neigung zum mythisch-ästhetischen Spiel beschränken, Träume nicht mehr träumen, sondern deuten, und nach der rationalen Deutung handeln: »Da ich ein Knabe war, träumte ich [. . .]. Jetzt, wo ich schon ein Mann bin, kam die Zeit des Deutens.« (V, 1420) Die biblische Josephserzählung bot die Möglichkeit, eine Kreativität darzustellen, die sich der kritischen und moralischen Kontrolle eines höchsten Wertes unterstellt. Für diesen steht der Name Gott. Gott ist nicht der Gegenstand eines dogmatisch festlegbaren Glaubens, denn er steht in einer funktionellen Verbindung zu den Menschen. Er bezeichnet nicht viel mehr als die Notwendigkeit eines Gegengewichtes gegen die gefährliche freie, ästhetische Indifferenz der Kreativität.

Wie nahe Thomas Mann die Spannung zwischen Zeitlichkeit und einer Wertsuche, die sich religiöser Bildkomplexe bedient, zur Zeit der Konzeption des Romans war, beweisen die Pläne dreier Novellen, von denen »Joseph in Ägypten« ursprünglich eine werden sollte. Die anderen beiden Novellen sollten von Philipp II. von Spanien und von Luther und Erasmus handeln. In dem Interview, in dem er diese Pläne nennt, kommen diese beiden Sätze vor, die sich auf die geplanten Novellen beziehen: »Das Religiöse wird unsere ganze nächste Zukunft bestimmen. Das Ästhetische in jeder Form ist endgültig vorbei.«[23] Schon in den *Betrachtungen eines Unpolitischen* hatte er gelegentlich religiösen Glauben gegen den falschen Glauben der Ideologie ausgespielt und den Glauben an Gott mit dem an »die Liebe, an das Leben und an die Kunst« gleichgesetzt (XII, 504).

Jedoch steht die Erwartung von Dauer und Wert in Spannung mit dem Bewußtsein der Zeitlichkeit. Religion hat Geschich-

23 DüD, S. 93.

te und ist der Geschichte unterworfen. Ein Licht auf diese Spannung wirft eine Betrachtung der beiden anderen geplanten Novellenstoffe. »Luther und Erasmus« wollte Thomas Mann auch gegen Ende seines Lebens wieder gegeneinander stellen.[24] 1926 dürfte er Luther gegenüber positiver eingestellt gewesen sein als gegen Ende seines Lebens (vgl. X, 375 f.). Mit anderem Vorzeichen dürfte ein polarer Gegensatz der Reiz für die Novelle gewesen sein: das religiös-dämonische Genie, das den Gang der Geschichte für sich hat, gegen den geistigen Konservativen, der sich der Geschichte vergebens entgegenstellt. Denn das ist auch das Thema Philipps II., wie es ihn damals beschäftigte. Das geht aus der 1925 verfaßten Erzählung *Unordnung und frühes Leid* hervor, in der Professor Cornelius Sätze für seine Vorlesung vorbereitet »über den sachlich aussichtslosen Kampf des langsamen Philipp gegen das Neue, den Gang der Geschichte, die reichzersetzenden Kräfte des Individuums und der germanischen Freiheit, über diesen vom Leben verurteilten und also auch von Gott verworfenen Kampf beharrender Vornehmheit gegen die Mächte des Fortschritts und der Umgestaltung.« (VIII, 633) Dabei wird der dem Konservativen zuneigende Professor selbst ironisch behandelt, weil er sich »vor den Frechheiten der Gegenwart« in die Liebe zu seinem kleinen Töchterchen als Liebe zum »Ewige[n]« gerettet hat (VIII, 627), wofür er bestraft wird, nicht so schlimm freilich wie Jaakob in *Joseph und seine Brüder*, aber doch ähnlich. Der Sinn für das Religiöse ist spielhaft vieldeutig, bietet keine Sicherheit. Wie in den beiden anderen Erzählungen wollte Thomas Mann wohl auch in der über Joseph Religion und Geschichte konfrontieren.

Thomas Mann hat später, seit 1935, von dem Übergang »zum Typischen und Mythischen« gesprochen[25] und diese »mythisch-typische Anschauungsweise« in der Rede »Freud und

24 Ebd., S. 560 f.
25 Ebd., S. 170. Vgl. IX, 493 in »Freud und die Zukunft«; siehe hierzu Heftrich (Anm. 4).

die Zukunft« erklärt als »Blick für die höhere Wahrheit, die sich im Wirklichen darstellt, das lächelnde Wissen vom Ewigen, Immerseienden, Gültigen, vom Schema, in dem und *nach* dem das vermeintlich ganz Individuelle lebt« (IX, 493). Er bietet in seinem Roman, auf den sich diese Äußerungen beziehen, eine Art von religiöser Sicherheit an. Das ist *ein* Teil seiner Intention. Auf Gott bezogen soll das Kreative als Krone des Menschlichen ein ernsteres Gewicht haben. Aber die Wendung zum sichernden Religiösen ist weit weniger grundsätzlich, als sie erscheinen mag. Der Roman bleibt beim kreativen Spiel mit Glauben, Religion und Mythos, so bedeutsam dieses Spiel auch ist.[26]

Es handelt sich also um eine relative, beziehungsreiche, kreative Anerkennung des Religiösen oder des Typisch-Humanen.[27] Sie stimmt zu dem Ausgleich von kritisch-fortschrittlichem Geist und bewahrender »Seele« der »neuen Humani-

26 Schon in der »Rede über Lessing« (1929) setzt Thomas Mann den Mythos und das Typische gleich und fügt hinzu: »[...] das Wesen des Mythos ist Wiederkehr, Zeitlosigkeit, Immer-Gegenwart.« (IX, 229) Er will dort den Aufklärer Lessing dem klassischen Typus zuordnen und so seine Wiederkehr möglich erscheinen lassen. Lessing ist modern und zugleich vorbildlich im Sinne der Tradition. Ganz ähnlich ist die Gleichsetzung von Mythos und Typus in der Rede »Freud und die Zukunft« (1936) auf die Aufklärung in Freuds Lehre bezogen. Der »Erheiterung des Unbewußten zum Spiel« im Josephsroman (IX, 499) soll Freuds Lehre der Erkenntnis in einer »neuen Anthropologie« entsprechen (IX, 500). – Auch im Vortrag »Joseph und seine Brüder« folgt auf die Identifikation des Mythischen und Typischen der Hinweis auf Humanität als Forderung, die sich aus der historischen Erfahrung ergebe (XI, 656 f.). So erscheint die Berufung auf das Zeitlose in Thomas Manns Selbstinterpretationen immer in Verbindung mit der Anwendung des Bewußtseins der Zeitlichkeit auf die Intention des Romans. – Vgl. auch Thomas Manns Brief an Robert Faesi vom 15. November 1945, in dem er der Formulierung einer Dissertation zustimmt, die den Gebrauch des Mythos in der modernen Literatur erklärt als Versuch, dem »von seinen Ursprüngen emanzipierten Menschen« einen »überindividuellen Sinn abzugewinnen«. Charakteristisch ist jedoch, daß er im selben Brief auf die »Ironie und Humoristik« aufmerksam macht, »die meistens dabei obwaltet« (DüD, S. 318).

27 In »Meerfahrt mit Don Quijote« hat Thomas Mann davon gesprochen, daß er den Mythos »humanisiere«, sich »an einer Vereinigung von Mythos und Humanität versuche, die ich für menschheitlich zukünftiger halte als den

tät«. Der Autor bringt deren Prinzip in den Text ein, und zwar in Josephs Rede vor Pharao, wobei er diesen Gott auf bezeichnende Weise mit der Freiheit des Ich in Verbindung bringt: »Dies aber ist gesittetes Leben, daß sich das Bindend-Musterhafte des Grundes mit der Gottesfreiheit des Ich erfülle, und ist keine Menschengesittung ohne das eine oder das andere.« (V, 1422) Der Unterschied zwischen der Rede einer fiktionalen Figur und der essayistisch angebotenen kulturpolitischen Parole der »neuen Humanität« ist, daß das Spiel, in das die Figur eingespannt ist, deren Gefährdung deutlich machen kann, ihr ursprüngliches Verhaftetsein in einem artistischen Narzißmus.

Der Erzähler will einmal die »Ichbezogenheit« rechtfertigen, indem er sie als den negativen Aspekt der »Frömmigkeit« bestimmt. Daß Gott und das Gott hervordenkende fromme Ich Abrahams und Jaakobs sich gegenseitig heiligen (IV, 319), aus Göttern Menschen, aus Menschen Götter werden kön-

einseitig-augenblicksgebundenen Kampf gegen den Geist« (IX, 464 f.). Die oft nachgesprochene griffige Formel »Umfunktionierung des Mythos« (XI, 658) übernahm er aus einem Brief Ernst Blochs aus New York vom 23. Juni 1940 (im Thomas-Mann-Archiv, Zürich) in seinen Washingtoner Vortrag »Joseph und seine Brüder« von 1942. Blochs Formel erlaubte ihm, den Roman als eine Art von Widerstandshandlung vorzustellen. Nur in einem eingeschränkten Sinne ist es richtig, daß Thomas Mann den Mythos »dem Faschismus aus den Händen genommen und bis in den letzten Winkel der Sprache hinein *humanisiert*« habe (XI, 658). Die Formulierung gibt sich als ideologisches Gegen-Programm gegen die faschistische Ideologie. Sie entspricht natürlich Thomas Manns politischen Absichten, aber eignet sich als Kennzeichnung des Romans nur bedingt. Dessen Humanismus hat die kreative Fähigkeit des Menschen im Zentrum. Das hat auf seine machtverdorbene Weise auch der Führergedanke des Nationalsozialismus. Josephs Staatssozialismus ist von dem des Faschismus nur durch den besseren Willen unterschieden. Thomas Manns bildungsbürgerlicher Humanismus nimmt durchaus Autorität für den kreativen Menschen in Anspruch. Aber wie alle fiktionalen Werke Thomas Manns ist der *Joseph*-Roman das Spielfeld für Kontraste, Polaritäten und Widersprüche. Darin unterscheidet er sich allerdings von jeder Ideologie. – Die ähnlichen Formulierungen in zwei Briefen an Karl Kerényi vom 18. Februar und 7. September 1941 (DüD, S. 234 und 242) stehen beide im Kontext mit Kerényis Zusammenarbeit mit Carl Gustav Jung. Sie sind wohl auch als versteckte Kritik an dieser Zusammenarbeit aufzufassen, die er scheinbar lobt.

nen (IV, 190), daß der kreative, aus der Anpassung hervortretende Mensch religiösen Wert hat, ist einer der Grundgedanken des Romans. Er soll Jaakobs Glauben rechtfertigen, daß sogar die »hartnäckige Teuerung« in Ägypten und Kanaan eine von Gott geplante »Veranstaltung« sei (V, 1720). Der Erzähler trägt diese Überlegungen so vor, daß sie den modernen Leser ansprechen; sie sollen über die Darstellung der biblischen Vorzeit hinausreichen. Aus der »Nichtachtung des eigenen Selbst« könne »auch für die Welt nichts Gutes kommen«.

> Wer sich nicht wichtig nimmt, ist bald verkommen. Wer aber auf sich hält, wie Abraham es tat, als er entschied, daß er, und in ihm der Mensch, nur dem Höchsten dienen dürfe, der zeigt sich zwar anspruchsvoll, wird aber mit seinem Anspruch vielen ein Segen sein. (V, 1721)

Darin steckt dieselbe Rechtfertigung des narzißtisch-artistischen Dichters wie in *Goethe und Tolstoi*, wo Thomas Mann das »Gefühl der Verbesserungs- und Vervollkommnungsbedürftigkeit, diese Empfindung des eigenen Ich als einer Aufgabe« als Ursprung der Wilhelm-Meister-Romane beschrieben hatte (IX, 150). Das Gemeinsame ist das Streben zum »Höchsten«, beim modernen Dichter zu einem festgefügten Text, der mit dem Weltganzen spielt und damit höher zielt als auf schnelle populäre Wirkung.

Zwar rechtfertigt der Erzähler des *Joseph*-Romans die fromme Ichbezogenheit der Patriarchen so, daß sie durchscheinend wird für die narzißtisch-geniale Aufgabe des modernen Schriftstellers. Aber, daß und wie der Autor diese Rechtfertigung seines Erzählers einschiebt, macht auf ihre Fragwürdigkeit, einen Zweifel des Autors aufmerksam. Schon daß die »Kalamität« der Teuerung »viele Völker« bedrücke, muß Widerstand und inneren Protest der Leser gegen Jaakobs Bewußtsein hervorrufen, in dem diese Kalamität Gottes Plan ist. Jaakobs »Meinung«, daß, »wenn es sich um ihn und die Seinen handle, der Rest der Welt schon dies und das in Kauf nehmen müsse« (V, 1720), widerspricht seiner »Frömmigkeit« noch deutlicher und reduziert den scheinbar allgemeingültigen Gedankengang des Erzählers zu einer bloß spielerischen Teilwahrheit.

Die Versöhnung des narzißtischen Ich mit dem Wohl der Allgemeinheit wird im Roman als Ganzem nicht eindeutig als positive Utopie dargestellt. Die geniale Gottesnähe des jungen Träumers Joseph ist kein idealer Zustand. Den erreicht er auch nicht am Ende, wenn er Gottes Auftrag erfüllt und Liebe und Verantwortung für seine Mitmenschen gelernt hat.[28] Joseph der Ernährer kann die Kultur seines Stammes retten, aber er zahlt für seine Anpassung an die Welt. Mit dem Narzißmus verliert er seine artistischen Eigenschaften und wird zum »Volkswirt« (V, 1687), der seine kreative Begabung segensreich in der Zivilisation anwenden kann, aber auch verbraucht. Nicht der angepaßte Exilant Joseph erhält den religiösen Segen, sondern der schuldanfällige Juda.[29] Josephs Gottesauftrag hat ihn von den dichterischen Träumen weggeführt.

*Joseph und seine Brüder* variiert den Gegensatz von Kultur und Zivilisation der *Betrachtungen*; der Gegensatz wird ausgleichsfähig. Nicht nur ist Abrahams und Jaakobs religiöse Kulturgründung geistbetont, am Ende rettet die ägyptische Zivilisation die religiöse Gründung. Jaakobs geistige Kultur

28 Thomas Mann widersprach mehrfach der in den USA verbreiteten Ansicht, die Geschichte Josephs sei eine »success-story« (DüD, S. 300 f., 302 f., 304, 314, 344). – Vgl. Eckhard Heftrich, »Geträumte Taten. *Joseph und seine Brüder*«, in: *Thomas Mann 1875–1975*, hrsg. von Beatrix Bludau, Eckhard Heftrich und Helmut Koopmann, Frankfurt a. M. 1977, S. 659–676; Burghard Dedner, »Mitleidsethik und Lachritual. Über die Ambivalenz des Komischen in den Josephsromanen«, in: *Thomas Mann Jahrbuch* 1 (1988) S. 27–45; Eberhard Scheiffele, »Die Joseph-Romane im Lichte heutiger Mythos-Diskussion«, in: *Thomas Mann Jahrbuch* 4 (1991) S. 161–183.

29 Zu Judas Schuld vgl. Dietmar Mieth, *Epik und Ethik. Eine theologisch-ethische Interpretation der Josephromane Thomas Manns*, Tübingen 1976, S. 137–139. – Juda spielt beim Verkauf Josephs, des Vertreters der neuen geist-leiblichen Humanität, eine Judas-ähnliche Rolle, indem er Joseph küßt (IV, 612). Wenn er am Ende trotz seiner Schuld den religiösen Segen erhält,

geht in der ägyptischen Zivilisation jedoch nicht auf. Zwar kann Joseph beiden gerecht werden, aber es findet keine Synthese statt. Joseph bleibt der Ägypter mit Distanz, der er geworden war, Jaakobs Familie bleibt der Kultur des Patriarchen treu. Ihr setzt Jaakob vor seinem Ende mit der Shiloh-Prophezeiung eine Heils-Zukunft, an der Joseph nicht teilnehmen wird. Der kreative Mensch Joseph hat sozialen Nutzen gestiftet, aber nicht als Dichter. Der Dichter bleibt auf einsames Erleben angewiesen, darf seine schuldhafte Besonderheit nicht verlieren und kann deshalb nicht zugleich Volksführer oder Administrator sein.

Zu der religiösen Dimension gehört das Spiel mit dem Mythos, das eine konservative und eine kreativ-wandelbare Seite hat. Die mythisch-zeitenthobenen Motive der Wiederkehr, des In-Spuren-Gehens stehen in Spannung zu den Motiven des Hinaustretens aus der zeitenthobenen mythischen Welt in der Religion Abrahams, Jaakobs und Josephs wie zu den Vordeutungen auf die christliche Heilserwartung, die die Moderne seit dem christlichen Weltalter regiert und die Josephs Ich-Gefühl schon mitbestimmt. Das Kreative braucht beide Zeitformen.

Wir können den Gebrauch mythischer Motive im *Joseph*-Roman besser verstehen, wenn wir die Benutzungsspuren in einigen der vielen Quellenschriften für *Joseph und seine*

dann liegt nahe, daß mit Juda auch das schuldige Deutschland mitgemeint ist. In *Lotte in Weimar* spielt der Gedanke, daß Juden und Deutsche eigentlich einander ähnlich seien, eine Rolle (II, 733), auch in *Doktor Faustus* (VI, 541 f.). Das »Wahlvolk« im zweiten Vorspiel (V, 1288) ist in erster Linie natürlich das jüdische. Aber die Beschreibung dieses vom Teufel vorgeschlagenen Experiments paßt auch auf die Deutschen, auf deren Kult der Kreativität, den Thomas Mann teilte und der die Göttlichkeit in das Genie legte, was die Josephsfigur selbst spiegelt. Andererseits paßt die Beschreibung auf deutsche kosmopolitische Tendenzen und religiös-philosophische Spekulationen, die einem engen Gottesbegriff entgegenwirken (V, 1290). Mehr auf die Deutschen als auf die Juden paßt die 1940 vorausgesehene »einer Weltwende gleichkommende Umkehr und Heimkehr« (V, 1289). Schuldbeladen ist das Genie Adrian Leverkühn, dessen deutsche Repräsentanz nicht zweifelhaft ist.

*Brüder* verfolgen. Diese Schriften boten dem Autor Material, auch einige konzeptionelle Möglichkeiten. Wir dürfen uns aber nicht verführen lassen, den Autor von seinen Quellen völlig abhängig zu denken. Schon in *Der Tod in Venedig* hatte er mythische Figuren benutzt, um den realistischen Aspekt seiner Erzählung zu lockern, die Leser auf eine symbolische Struktur aufmerksam zu machen. Realistisch beschriebene Figuren sind zugleich mittelalterliche Todesfigur, Hermes und Dionysos. Während die so entstehenden realistisch-symbolischen Figuren fragwürdige, unangenehme Gestalten sind, wird am Ende Hermes in dem schönen Tadzio verkörpert (VIII, 525), in dem Aschenbach vorher einmal Hyakinthos »zu sehen glaubte« (VIII, 496). Wenn wir von den mythischen Motiven, die nur Bildfunktion haben (wie z. B. die Göttin Eos; VIII, 495), absehen, werden die fiktiven Figuren, in denen Mythisches angedeutet ist, dadurch nicht deutlicher, sondern ihr mythischer Aspekt löst sie von ihrer bürgerlich-individuellen Bedeutung, die jedoch zugleich auch festgehalten wird. Ihre Bedeutung wird aufgeladen, wobei sie unscharf, aber offen für kreative Rezeption der Leser wird.[30]

Eine frühe Anregung für den Gebrauch des Mythos im Roman war ein spekulatives Buch, das zum Okkulten neigt, Edgar Dacqués *Urwelt, Sage und Menschheit. Eine naturhistorisch-metaphysische Studie* (1924).[31] Für die frühe Benutzung als Quelle spricht, daß zwei Hauptquellen, Alfred Jeremias' *Das Alte Testament im Lichte des Alten Orients*[32] und Micha Josef Bin Gorions *Die Sagen der Juden*[33] in Tho-

30 Vgl. Käte Hamburger, *Der Humor bei Thomas Mann. Zum Joseph-Roman*, München 1965, S. 44 f.

31 Edgar Dacqué, *Urwelt, Sage und Menschheit*, München 1924; Thomas Manns Exemplar im Thomas-Mann-Archiv der ETH Zürich.

32 Alfred Jeremias, *Das Alte Testament im Lichte des Alten Orients*, Leipzig ³1916. Thomas Manns Exemplar im Thomas-Mann-Archiv der ETH Zürich.

33 In Thomas Manns Bibliothek im Zürcher Archiv: *Die Sagen der Juden*, ges. und bearb. von Micha Josef Bin Gorion [zur Zeit der Veröffentlichung Pseudonym für Micha Joseph Berdyczewski], Frankfurt a. M. ²1919, Bd. 1: *Von der Urzeit*, Bd. 2: *Die Erzväter*, Bd. 3: *Die zwölf Stämme*.

mas Manns Exemplar angestrichen sind,[34] so daß es wahrscheinlich ist, daß er diese Quellenschriften vor der Lektüre Dacqués noch nicht kannte. Dacqué will das mechanistische Weltbild und die darwinistische Entwicklungslehre durch einen anthropozentrischen Pansymbolismus ersetzen, für den Thomas Mann durch Spengler vorbereitet war. Für »das genial erfaßte Ideenbild«[35] erhebt er eine Art von überwissenschaftlichem Anspruch. Er beruft sich auf Schopenhauer und auf eine unkonventionelle »lebendige Religion«.[36]
Anstreichungen, Unterstreichungen und Randbemerkungen in Thomas Manns Exemplar bezeugen lebhaftes Interesse an Symbolen, die in mehreren Kulturen auftreten, an magischer Natursichtigkeit (vgl. IV, 112 f.) und an Zusammenhängen von Sagen und Naturereignissen in fernster Vergangenheit. Sintflutsagen aus verschiedenen Zeiten und Zonen will Dacqué auf dieselbe von ihm angenommene kosmische Katastrophe zurückführen. Lokale Flutereignisse sollen dann die alten Sagen neu belebt haben. Diese Spekulationen, die ihren

34 In einer Randbemerkung in seinem Exemplar des Buches von Dacqué schreibt Thomas Mann »Tamuz«, eine Schreibung, die Jeremias anwendet. Später und im Text des Romans schrieb Thomas Mann »Tammuz«. Vergleichende Hinweise auf Dacqué finden sich in Thomas Manns Exemplar der Bachofen-Auswahl von Manfred Schroeter (s. u., Anm. 46), die 1926 erschien und die Thomas Mann vor dem Frühjahr 1926 gelesen haben muß, weil sie in *Pariser Rechenschaft* angeführt wird (XI, 48–51), an der er von Februar bis April 1926 schrieb (DüD, S. 77). Außerdem sprechen Randbemerkungen Thomas Manns, die auf Parallelen der Spekulationen Dacqués mit dem *Zauberberg* zielen, dafür, daß dieses Werk ihn noch lebendig beschäftigte. Vielleicht hat er das Buch noch während der Arbeit am *Zauberberg* gelesen. Sicher ist allerdings nur der terminus ante quem Frühjahr 1926. – Einen Überblick über die Quellen zum Joseph-Roman habe ich in meinen Berichten »Thomas Manns Vorstudien zur Josephstetralogie« in *Jahrbuch der Deutschen Schillergesellschaft* 7 (1963) S. 458–520 und »Thomas Manns Josephstudien 1927–1939«, im gleichen Jahrbuch, Band 10 (1966) S. 378–406 gegeben. Die irrige Angabe in dem ersteren Bericht S. 468, daß Thomas Mann sich die bibliographischen Angaben zu Jeremias *Das Alte Testament im Lichte des Alten Orients* in Dacqués Buch nicht angestrichen habe, habe ich im zweiten S. 403 berichtigt.
35 Dacqué (Anm. 31), S. 4.
36 Ebd., S. 11.

Niederschlag im ersten Vorspiel gefunden haben, riefen bei Thomas Manns Lektüre Randbemerkungen hervor:

> Identifizierung späteren Eigenerlebnisses mit weit zurückliegenden Real-Mythos.[37]
> Identifizierung Aneignung Erweiterung des Ich-Erlebnisses.[38]

Von Anfang der Konzeptionsphase an bringt Thomas Mann also die Informationen, die die mythische zeitenthobene Wiederholung, das In-Spuren-Gehen mit Inhalt füllen, in Verbindung mit den Ich-Erlebnissen seiner Romanfiguren, vornehmlich natürlich Josephs.
Eine dritte Notiz Thomas Manns in Dacqués Buch bezieht sich auf dessen Spekulation, die »spätzeitliche« biblische Sage vom Turmbau zu Babel (Esagil ist der Name des Turms) könne zurückgehen auf magische Kräfte urweltlicher Menschenwesen:

> Übertragung auf Esagil. Verwischung und Vermischung. Sintflut. Abraham. Joseph u. Tamuz.[39]

»Verwischung und Vermischung« der Mythen in Romanfiguren war ihm wichtig. Von dem panbabylonischen Theologen Jeremias, dessen Werk *Das Alte Testament im Lichte des Alten Orients* Thomas Mann ungefähr zur gleichen Zeit wie Dacqué gelesen haben wird, stammt der Gedanke, daß die biblische Josephsfigur mit dem Tammuz-Mythos in Verbindung stehe.[40] Tammuz ist der zerrissene und auferstehende Gott; der Glaube an ihn drückt die Hoffnung auf Erneuerung aus. Josephs mythische Erneuerung in der ersten Grube erweckt etwas Neues in ihm, ein Schuld- und Verantwor-

37 Auf S. 145 in Dacqués Buch (Anm. 31) im Thomas-Mann-Archiv der ETH Zürich; zit. in: Manfred Dierks, *Studien zu Mythos und Psychologie bei Thomas Mann*, Bern 1972, S. 82.
38 Auf S. 147 in Dacqués Buch (Anm. 31); Dierks (Anm. 37), S. 82.
39 Auf S. 239 in Dacqués Buch (Anm. 31); Dierks (Anm. 37), S. 82.
40 Jeremias (Anm. 32), S. 300.

tungsgefühl, das ihn endlich zum Sozialen führen wird (IV, 572–585). Mythisches und zielgerichtetes Zeitbewußtsein wirkt zusammen, aus beiden fließt die Kreativität. Thomas Mann geht es um eine Denk- und Darstellungsweise, in der Personen wirken, die ein Ich-Gefühl haben, aber außerdem mit einem mythischen Grund verbunden sind, in denen, in Anlehnung an Schopenhauers Willen zum Leben, die Individuation offen ist, so daß »Verwischung und Vermischung« stattfinden kann.[41]

Die Verfasser der bisher genannten Quellenschriften, dazu noch Dimitri Mereschkowskis Aphorismensammlung *Die Geheimnisse des Ostens*[42], behandeln die Mythen mit religiösem Ernst; Jeremias war ein gläubiger Theologe, Mereschkowski und Dacqué wenden sich an die ungläubige Moderne mit einer Art von welterlösender Tendenz, die Dacqué mit Wissenschaftlichkeit verbinden möchte; Bin Gorion wollte jüdische Glaubenstradition wiedererwecken. In Thomas Manns Roman sind die mythischen Motive humorvoll-spielerisch eingesetzt; der Text rechnet auf Sympathie und Distanz der Leser.

Ein Gegengewicht gegen die Quellen, die von Gläubigen

41 Vgl. Dierks (Anm. 37), der sehr genau zeigt, wie die Sprache des Mythos in *Joseph und seine Brüder* aus dem Bedürfnis entsteht, die realistische Welt der Vorstellung in Richtung auf den Bereich des zeit- und raumlosen Willens im Sinne Schopenhauers zu transzendieren. Obwohl Dierks zugesteht, daß Thomas Manns Aufnahme der Quellen verbunden ist mit selbständiger Setzung von Akzenten und eigenen Kombinationen (S. 78), würde ich das Spielhafte in der Planung Thomas Manns wie in den Texten selbst mehr betonen.

42 D[imitri] Mereschkowski, *Die Geheimnisse des Ostens*, übers. von Alexander Eliasberg, Berlin 1924; zwei Exemplare in Thomas Manns Bibliothek im Thomas-Mann-Archiv der ETH in Zürich. Thomas Mann bestreitet zwar, daß das Buch »ein gewaltiger Anregungsfaktor gewesen sei«, DüD, S. 331, aber er hat sich Exzerpte aus dem Buch angelegt. Diese und die Benutzungsspuren zeigen, daß es neben Jeremias und den *Sagen der Juden* eine der drei wichtigsten Quellen ist, die einen Einblick in die Konzeption des Romans gestatten. Vor allem Mereschkowskis Neigung zu Querverbindungen zwischen Religionen und Mythen und Durchblicke von orientalischen Mythen zum Christentum haben ihn angeregt.

oder von Sozialreformern stammten, war Sigmund Freuds *Totem und Tabu*. Diese Abhandlung bot wissenschaftliches Ernstnehmen magischer und mythischer Riten und Gebräuche ohne Gläubigkeit an. In der Wiener Ausgabe der *Gesammelten Schriften* in Thomas Manns Besitz hat er in dem 1924 erschienenen 5. Band den folgenden Satz unterstrichen: »Der Kern des seelisch Unbewußten bildet die archaische Erbschaft des Menschen, und dem Verdrängungsprozeß verfällt, was immer davon beim Fortschritt zu späteren Entwicklungsphasen als unbrauchbar, als unvereinbar und ihm schädlich zurückgelassen werden soll.«[43] Intensive Benutzungsspuren finden sich in *Totem und Tabu* im 10. Band, der 1925 erschien. Randbemerkungen, die sich auf die Handlung beziehen, beweisen, daß die erste Lektüre während der Konzeptionsphase des *Joseph*-Romans stattfand, vermutlich Ende 1925, spätestens Anfang 1926.[44] In *Totem und Tabu* fand Thomas Mann Ambivalenzen als Erkenntnisquellen behandelt. Ihn beeindruckte, daß der Vatermord der Urhorde im Unterbewußtsein moderner Menschen noch eine Rolle spiele, daß über den Totemismus Beziehungen zwischen Tieropfer, Gottopfer und dem die Urschuld sühnenden Selbstopfer Jesu bestünden, daß die Totemmahlzeit sublimiert in unserer Kultur als christliches Abendmahl weiterlebe. All das bestärkte ihn darin, daß sein artistisches Spiel mit einer vergangenen Kultur eine menschheitliche Bedeutung habe. Eine Fußnote Freuds hat Thomas Mann sich angestrichen: »Den Projektionsschöpfungen der Primitiven stehen

43 S. 372, am Ende der Abhandlung »Ein Kind wird geschlagen«. Die Ausgabe im Thomas-Mann-Archiv der ETH, Zürich.

44 Ein Zitat aus *Totem und Tabu* erscheint in der Antwort auf eine Rundfrage der Vossischen Zeitung über »Die Todesstrafe« (X, 881), die am 10. März 1926 erschien. Eine Randbemerkung »Freud, Totem« in Alfred Baeumlers Einleitung zu der Bachofen-Ausgabe von Manfred Schroeter (s. u., Anm. 46), die Thomas Mann in der von Februar bis April 1926 geschriebenen *Pariser Rechenschaft* diskutiert, läßt auf frühere Lektüre schließen. Eine zweite Lektüre fand für die Rede »Die Stellung Freuds in der modernen Geistesgeschichte« von 1929 statt. Vgl. Dierks (Anm. 37), S. 136 f., und meinen Bericht über die Vorstudien (Anm. 34), S. 478–486.

die Personifikationen nahe, durch welche der Dichter die in ihm ringenden entgegengesetzten Triebregungen als gesonderte Individuen aus sich herausstellt.«[45]
Nicht nur Freuds Gegenstand, auch seine Methode steht literarischer Kreativität nahe. Jedoch ging seine Methode auf Heilung aus, benutzte das Eintauchen in die primitiven Schichten der Menschenseele, um diese rational bewußt zu machen und als Störungsfaktoren zu neutralisieren. Diese zivilisatorische, aufklärende, antireaktionäre Tendenz stellte Thomas Mann in den beiden Freud-Reden von 1929 und 1936 heraus (X, 256–280; IX, 478–501), weil sie in das kulturpolitische Programm paßte, das er seit *Goethe und Tolstoi* öffentlich vertrat.
Die Thesen des Mutterrechtlers Johann Jakob Bachofen hat Thomas Mann vornehmlich in der Darstellung der Eltern Peteprês verwendet, die den Wandel in der ägyptischen Gesittung verfehlen. Wie Thomas Mann sich gegen den Anti-Rationalismus der konservativen Revolution und ihrer akademischen Anhänger wehrte, kann man an den Randbemerkungen ablesen, mit denen er das einleitende Essay von Alfred Baeumler zu einer Auswahl von Schriften Johann Jakob Bachofens bedachte, die er als Quellenschrift für den Roman benutzte.[46] Er registriert einseitig-ideologische Bevorzugung eines romantischen Irrationalismus. Eine Rand-

45 Sigmund Freud, *Gesammelte Schriften*, Bd. 10, Wien 1925, S. 82.
46 *Der Mythos von Orient und Occident. Eine Metaphysik der alten Welt aus den Werken von J. J. Bachofen*, hrsg. von Manfred Schroeter, mit einer Einl. von Alfred Baeumler, München 1926. – Thomas Mann war Baeumler dankbar gewesen, weil er in einem Artikel »Metaphysik und Geschichte«, der 1920 in der *Neuen Rundschau* erschien, die *Betrachtungen eines Unpolitischen* als zukunftsträchtig gegen Spenglers *Der Untergang des Abendlandes* ausgespielt und zur Lösung Thomas Manns von seiner anfänglichen Faszination durch Spengler beigetragen hatte. 1926, während der Konzeptionsphase des *Joseph*-Romans, versteht er Baeumler im Sinne der Konservativen Revolution, für die er damals, 1920, einige Sympathie gehabt, von der er sich inzwischen aber entschieden gelöst hatte. Siehe Lehnert/Wessell (Anm. 17), S. 50–52 und 61–73, und Marianne Baeumler [u. a.], Thomas Mann und Alfred Baeumler, Würzburg 1989.

bemerkung lautet: »revolutionärer Obskurantismus«, eine andere sogar: »frecher Obskurant«.[47] Speziell wendet er sich gegen Baeumlers deutliche Ablehnung der Psychoanalyse. In *Pariser Rechenschaft* hat Thomas Mann dann Baeumlers Essay zwar als »tief und prächtig« gelobt, aber ihm den »revolutionären Obskurantismus« als politisch inopportun vorgeworfen (XI, 48–51).[48]

Den bewahrenden, zeitüberhobenen, göttlich-genialen Aspekt des Mythengebrauchs bringt der Text als Motiv der »Sphäre« zum Ausdruck (IV, 189), die »rollt«, so daß sich Irdisches im Himmlischen wiederfindet, Menschen zu Göttern werden und umgekehrt. Anregungen zu diesem Thema fand Thomas Mann in mehreren seiner Quellenschriften, Dacqué, Jeremias, Mereschkowski und Baeumler/Bachofen, wenn diese das mythische Erleben in der alten Welt beschrieben. Im Roman wird das Motiv eingeführt in den einleitenden Kapiteln zu Rebekka/Jaakobs Segensbetrug.

> Schwere Geschichten! [...] Geschichte ist das Geschehene und was fort und fort geschieht in der Zeit. Aber so ist sie auch das Geschichtete und das Geschicht, das unter dem Boden ist [...]. (IV, 185)

Das Wortspiel mit »Geschichte« dient dazu, urtümliche Schichten, die zeitlich nicht greifbar sind, mit der zeitlich

47 *Der Mythos von Orient und Occident* (Anm. 46), S. CLXXVII, CCLI. Siehe meinen Vorstudien-Bericht (Anm. 34), S. 486–496, und Marianne Baeumler (Anm. 46), S. 152 f.

48 Siehe Helmut Koopmann, »Vaterrecht und Mutterrecht. Thomas Manns Auseinandersetzung mit Bachofen und Baeumler als Wegbereitern des Faschismus« in: Koopmann (Anm. 17), S. 65–78. – Baeumler fühlte sich mißverstanden, er habe als Hegelianer argumentiert, also kein »Zurück« predigen wollen. Mag diese Absicht auch vorhanden gewesen sein; wenn man Baeumlers Text liest, kann man verstehen, warum Thomas Mann ihn der Konservativen Revolution zuordnete. Daß Thomas Mann nicht ganz falsch gesehen hatte, bewies Baeumler nachträglich, als er 1933 ein führender akademischer Nationalsozialist wurde. – Die einschlägigen Texte einschließlich des Abschnittes aus *Pariser Rechenschaft* bei Marianne Baeumler (Anm. 46), S. 154–166. Vgl. das Essay Marianne Baeumlers dort S. 11–71.

ablaufenden Geschichte zu verbinden. In dem Kapitel »Urgeblök« benimmt sich Jizchak, als ob er sein Urbild, Abrahams Sohn, sei und zugleich als Isaaks Ersatzopfer, indem er als Widder blökt. Das Kapitel spielt, von Freuds *Totem und Tabu* informiert, auf einen ursprünglichen Vatermord an, für den das Totemtier, der Widder, eintritt. Dieser Hinblick auf das »Ur-Unflätige« (IV, 186) wird ergänzt durch einen Zukunftsblick auf die Passion Jesu: »Aber wahrlich ich sage euch, es wird geschlachtet werden der Mensch und der Sohn statt des Tieres und an Gottes Statt und aber[mals] werdet ihr essen.« (Ebd.) Die letztere Wendung bezieht sich auf das christliche Abendmahl, das in Freuds Deutung von der Totemmahlzeit hergeleitet ist.[49] Das Bild von Jizchaks mythischer Identifikation mit dem Totemtier, in der die Zeit ausgeschaltet ist, ist zusammenkomponiert mit einer Anspielung auf einen Rest magisch-mythischer Urzeit, der im Christentum erhalten ist, von dessen Heilserwartung die zwischen Vergangenheit und Zukunft gespannte Zeit herrührt. Auf diese Heilserwartung spielt paradoxerweise die Jizchak-Figur in ihrer rezidiven Verfassung an.

Anspielungen auf christliche Bilder und Begriffe, auch neutestamentliche Sprache in Luthers Übersetzung, durchziehen den *Joseph*-Roman. Oft werden sie auf ganz andere als die gewohnten Situationen angewandt. Wenn zum Beispiel die Mutter Pharaos »Mutter Gottes« genannt wird (u. a. V, 1386), dann lockert dieses Spiel nicht nur den in christlichen Traditionen verfestigten Sprachgebrauch, sondern macht zugleich auf dessen Verwurzelung in mythischen Traditionen auf-

49 Freud (Anm. 45), S. 161–194. Thomas Manns Exemplar hat viele Anstreichungen. Auf S. 167 hat er notiert:

> Freuds *unreaktionäre* Betonung des Urmenschlich-Unbewußten-Vorintellektuellen. Seine Unbenutzbarkeit für den bösen Willen.
> »Die Christen essen ihren Gott.« Das Fleisch ihres geopferten Gottes.
> Das Christentum, als Ur-Belebung des Religiösen *und* seelisch-sittliche Verfeinerung, in ähnlicher Weise Rückfall und Fortschritt zugleich, wie die Reformation, die gegen den Zustand der Kirche zugleich mittelalterliche Reaktion und Renaissance-Befreiung war.

merksam.[50] Dichterische Sprache macht im erzählenden Nacheinander Zeit bewußt und kann sie doch jederzeit anhalten, umkehren, aufheben, kann in eine Art von mythisch-zeitlosem Bewußtsein eintreten. Das offene, nicht mythologisch festgelegte Mythische ist analog zum kreativen Umgang mit dem Wirklichen.[51]

Der mythische Bereich bietet Muster von Handlungen an, die wiederholbar, aber auch variierbar sind: Gottopfer (IV, 186), Vatermord, Brudermord, Sohnesmord (IV, 191 f.), auch die Reisen Abrahams und Eliezers (IV, 121–127 u. a.). In diese zeit- und verantwortungslosen mythischen Wiederholungen greift die Religion des einen und höchsten, asexuellen, überirdischen, geistigen Gottes ein. Abraham, heißt es im Text, habe »offenbar« geglaubt, ein mythisches »Schema« erfüllen zu müssen, als er zur Tötung seines Sohnes bereit war. »Gott aber verwehrte es ihm.« (IV, 192) Gott ist also in der gerichteten Zeit, beschützt und verlangt den Fortschritt (XII, 571).[52]

Die Erzählung ist ein Mittel zwischen Zeitlosigkeit und Zeitgebundenheit, zwischen zeitüberhobener und aktueller Bedeutung. Geschichten als kulturelle Schöpfungen sind das Medium der Vertauschbarkeit von Menschen und Göttern. Das Motiv der »rollenden Sphäre« meint eigentlich die Vertauschbarkeit von Menschen- und Göttergeschichten, also kulturbildenden Mythen, wie die Geschichten Jaakobs: »Die Geschichten kommen herab, so, wie ein Gott Mensch wird, werden irdisch und verbürgerlichen sozusagen [...].«

50 Vgl. Kenneth Hughes, *Mythos und Geschichtsoptimismus in Thomas Manns Joseph-Romanen*, Bern 1975, S. 66–68.

51 Thomas Mann hatte den Mythos nicht als kreatives Erneuerungsmittel nötig, solche Meinungen sind vielmehr der Dekadenz-Ideologie verfallen, die Thomas Mann manchmal teilte, wodurch sie nicht gültig wird.

52 Thomas Manns Selbststilisierung in »Freud und die Zukunft«, er habe »als Erzähler den Schritt vom Bürgerlich-Individuellen zum Mythisch-Typischen« getan (IX, 493; ähnlich XI, 656), die oft nachgesprochen wird, ist zumindest einzuschränken. Der Mythos erweitert die symbolische Bedeutung, die in Thomas Manns Texten immer wirksam war, und das individuelle Ich verschwindet nicht.

(IV, 422; vgl. 436) Die kulturbildenden Geschichten sollen nicht nur verklärend sein. Die Geschichten Jaakobs handeln von der Sorge um Gott und von menschlichen Verfehlungen, von Schuld gegen Gott und die Menschen. Bei Gelegenheit von Mut-em-enets Zauberversuch reflektiert der Erzähler über den trotz ihres kulturellen Tiefstands göttlichen Charakter der Hundsgöttin:

> Solche Gottheiten gibt es und muß es geben, denn die Welt hat Seiten, welche, von Ekel und Blutschmutz starrend und zur Vergöttlichung scheinbar wenig geeignet, dennoch so gut wie die gewinnenderen der ewigen Repräsentation und Vorsteherschaft, der geistigen Verkörperung sozusagen, oder der persönlichen Vergeistigung bedürfen [. . .]. (V, 1228 f.)

Das Wort »Repräsentation« läßt erkennen, daß eigentlich Dichtung gemeint ist, deren Interesse über oder unter die Konformität des Üblichen, Konventionellen, Dezenten hinauszureichen hat. Dichtung muß auch das Primitive, Unter-Kulturelle ins Auge nehmen und moralisch zeichnen. Im »Vorspiel in oberen Rängen« ist es »die *erzählbare* Welt des Geschehens, die Welt der Formen und des Todes« (meine Hervorhebung), die Gott schuf (V, 1287). Gegen Ende dieses Vorspiels stellt der Erzähler das Verhältnis Gottes zur Welt als analog zu dem des Erzählers zu seiner Geschichte dar (V, 1290).

Mythische Beziehungen dienen, wie schon im *Tod in Venedig*, dazu, die realistischen, individuellen Vergegenwärtigungen der Romanfiguren verschwimmen zu lassen. Joseph hat ein androgynes Verhältnis zum Mond, identifiziert sich aber auch mit dem sonnenhaften Fruchtbarkeitsgott Tammuz sowie mit dessen Mutter Ischtar. Tammuz wiederum wird mit dem ägyptischen Osiris identifiziert, und Joseph übernimmt auch dessen Rolle. Wenn der Text die schöne Erscheinungsform des jungen Joseph im Sinne geschlechtlicher Ambivalenz beschreibt (IV, 393–395), spielt der Erzähler auf den hunds- oder schakalköpfigen Anup an, den die Leser während der Wanderungen Jaakobs als »Öffner der ewigen Wege« kennengelernt haben. Der Tiergott ist schon hier dem Hermes Psychopompos angenähert (IV, 221). Später, in Jaakobs Traum, weiß der ägyptische Gott, daß er seinen Tierkopf »schon noch los« werde (IV, 291), nämlich als Hermes.[53] Der »Mann auf dem Felde«, der Joseph nach Dotan geleitet und der keine Mutter hat (IV, 538), ist sowohl ein Engel als auch Hermes, ein »Führer« und Öffner der Wege, des Weges zu Josephs symbolischem Tod (IV, 535–547). Der junge Pharao, ein kreativ begabter Narziß, ist in seiner mythischen Welt »Gott und Mensch« (V, 1418), »Vater und Mutter der Länder, denn des Königs Geschlecht ist doppelt« (V, 1435). Joseph ist dem ägyptischen Thot nahe, den unser Text mit Hermes identifiziert. Der junge Pharao bietet Joseph die Hermes-Rolle an (V, 1424–28; 1437; 1441; 1454). Hermes selbst ist ein Gott der Beziehungen.[54] Mythische Anspielungen eröffnen einen anderen, weiteren Bedeutungsmodus als die realistische Vergegenwärtigung, reduzieren die Individuation, öffnen Zeit und Raum.[55]

Für die verwischende, vermischende, den Text offenhaltende Funktion der mythischen Anspielungen diene die Szene als Beispiel, in der Joseph Rubens Hochmutsvorwurf beantwortet. Joseph spielt mit den Wörtern »Wirklichkeit« und

53 Vgl. hierzu und zum Folgenden: Hans Wysling, *Narzißmus und illusionäre Existenzform*, Bern 1982, S. 238–253. Dort S. 239 ein Zitat aus einem Brief an Kerényi, in dem Thomas Mann davon spricht, er habe den Anup in Jaakobs Traum »genau in der Pose des Hermes von Lysipp in Neapel auf seinen Stein gesetzt« (auch XI, 631). Abbildung und Text bei *Bild und Text bei Thomas Mann*, hrsg. von Hans Wysling und Yvonne Schmidlin, Bern 1975, S. 202 f. – Thomas Manns Selbstinterpretation, Joseph gleite von der Nachfolge des Tammuz »in eine Hermes-Rolle« (XI, 664), die viel nachgesprochen wird, bezieht sich auf eine Gewichtsverlagerung, gilt nicht absolut.

54 Neben Mereschkowski wurde seit 1934 Karl Kerényi zum Anreger Thomas Manns für interkulturelle religiöse und mythische Beziehungen. Siehe dessen Ausgabe des Briefwechsels: Thomas Mann / Karl Kerényi, *Gespräch in Briefen*, Zürich 1960, mit Einleitungen von Kerényi.

55 Siehe Dierks (Anm. 37). Dierks leitet den Mythosgebrauch bei Thomas Mann von Schopenhauer her (vgl. Anm. 41).

»Wahrheit« und dem Namen »Mami«, der Rahel und Ischtar bedeutet (IV, 499 f.). Sein Gebrauch der mythischen Formel – »ich und die Mutter sind eins« – und ein Blick – »groß und offen« – bringen den »Turm« Ruben zum Wanken. »Wollte er auf das Göttliche anspielen [. . .] *oder* . . .« (IV, 500). Zu ergänzen ist: ist er ein Gott? Die Szene wirkt wie ein Tonartenwechsel in der Musik. Was eben noch eine realistische Auseinandersetzung unter Brüdern war, wird überlagert von einer impliziten Epiphanie, als ob ein Leitmotiv in anderer Tonart der realistischen Szene eine neue Bedeutung gebe. Dabei bleibt die ursprüngliche, familiäre Bedeutung der Szene erhalten. Joseph als Instrument göttlichen Willens, als überlegen begabter Mensch, ambivalent sogar über sein Geschlecht hinausreichend, zukünftiger Heilbringer, ist von höherem Rang als Ruben. Sein mythisches Spiel ist angemessen, aber zugleich unangemessen; er ist auch einer der Brüder und fehlbar wie sie.

Joseph, der die Tammuz- und Hermesmythen lebt, spielt »witzig berechnend« (IV, 581), kreativ, mit den mythischen Mustern. Das macht ihm die Erfüllung eines ungewußten Gottesauftrages möglich, einer zukünftigen Rettung. Diese geistige Richtung auf die Zukunft legt ihm eine Verantwortung auf, hindert ihn, für den zeitlosen Lebensgenuß zu leben, den Mut-em-enet ihm bieten will, begründet seine sexuelle Besonderheit. Seine Kreativität neigt mehr zum Mythischen, aber er bleibt der Sohn seines Vaters und dessen Gott ergeben. Sein »Auftrag« bringt ihn dazu, in seinem mythischen Spiel auch gespannte Zeit zu verkörpern. Umgekehrt wird Jaakobs Geistigkeit gezwungen, sich anzupassen. Auch er muß bei Laban Zugeständnisse an die mythische Lebenswelt machen. Am Ende werden seine anti-ägyptischen Vorurteile widerlegt, die ägyptische Zivilisation (die auch einmal »kostbare Hochkultur« genannt wird: V, 1406) ist nicht äffisch, ihre mythische Form ist eher fröhlich, und sie bringt sogar den gottsuchenden Idealisten Echnaton hervor.

Der gerichteten Zeit ist das Thema der Gottsuche und die

Entwicklung zum Ich zugeordnet. Abrahams »Entdeckung« Gottes ist kein abgeschlossener Vorgang. Die kulturelle Entwicklung ist durch Gott sanktioniert, ist Gottes Wille. Dem gilt die Sorge des rechten Erkennens dieses Willens, das auch fehlen kann. Seit das Göttliche in einem höchsten Gott konzentriert ist, gibt es einen Religionsfortschritt.[56] An der fortschreitenden religiösen Gesittung wirkt die rollende Sphäre aus der mythischen Zeit mit: »Der Bund Gottes mit dem in Abram [...] tätigen Menschengeist war ein Bund zum Endzwecke beiderseitiger Heiligung, ein Bund, in welchem menschliche und göttliche Bedürftigkeit sich [...] verschränken.« (IV, 319)

In der ägyptischen Zivilisation wirkt nicht nur mythische Dauer, sondern auch gerichtete Zeit. Der Erzähler legt Gewicht auf den Wandel der Sitten in Ägypten, der die Entmannung Peteprês den schuldigen Eltern als verfehlt erscheinen läßt (IV, 860–878) und die Opferung der Frauen und des Hofstaats beim Tod eines Königs abgeschafft hat (V, 1363). Der junge Pharao, der sich Echnaton nennt, ist die ägyptische, zivilisatorische Parallele zu Jaakobs Gottessorge. Er ist beinahe noch radikal geistiger, zum Schaden seiner Herrschaft. Wenn der Erzähler die Ägypter Josephs Vorsorge als Zauberei ansehen läßt (V, 1504), dann weist er auf Josephs Modernität hin und damit auf das Ineinander der mythischen und der gerichteten Zeit.

Dieses Ineinander ist in die Form eingegangen. Nachdem das erste Vorspiel den »Brunnen der Vergangenheit« (IV, 9), die mythische Zeitlosigkeit spielerisch vorgestellt hat, beginnen *Die Geschichten Jaakobs* mit assoziativ aneinandergesetzten Geschichten. Josephs Tradition und Umwelt ist die mythische Welt, deren geringere Bestimmtheit im Vergleich mit der modernen den Spielmöglichkeiten der ästhetischen Kreativität nahekommt. Josephs Lebenslauf dagegen wird in der Zeitfolge wie ein biographischer Roman erzählt. Der genial

56 Vgl. Hughes (Anm. 50), S. 77–83.

begabte Joseph nimmt an der mythischen, durch seinen Auftrag aber auch an der zielgerichteten Zeit teil.
Allerdings hat die gerichtete Zeit, Josephs handelndes Ich und der nachmythische Gott, ein Übergewicht im Wertesystem des Romans. Das zeigt sich besonders in der Behandlung Mut-em-enets. Zwar gibt der Text ihrer Geschlechtsnot viel Raum, aber ihre Besessenheit, zuletzt ihre Hexenhaftigkeit (V, 1228), ihre hetzerische Ansprache, die der Erzähler wie faschistische Propaganda analysiert (V, 1262 f.), verschieben ihre Bewertung ins Negative. Aus der »Ehrenrettung«[57] Muts, dem Mitleiden der Leser, gleitet die Darstellung ins Misogyne. Das gilt, kaum verhüllt, auch sonst. Rahel ist zwar lieblich und tapfer, aber kaum eigentlich bedeutend, Lea ist vornehmlich neidisch und verschwindet klanglos aus der Handlung, nur von ihrem Grab ist am Ende die Rede. Thamar schließlich kann nur als Hure ihren Gebärwillen durchsetzen. Allenfalls Teje, die Mutter Pharaos, ist eine Frau, die der Text ernstnimmt, sie bleibt Ausnahme. Das Überwiegen der Männer im öffentlichen Handeln der Zeit ist natürlich historisch stimmig; dennoch, die Behandlung der Frauenfiguren und die überwiegend positive Bewertung der patriarchalischen Herrschaft (deren Willkür der Kritik ausgesetzt ist, die aber trotzdem großartig wirken darf) beeinträchtigt die Modernität des Romans.
In Josephs »Auftrag«, nämlich der Rettung seiner Kultur, ist religiöse Ergebung und menschliche Freiheit. Joseph unterwirft sich dem Willen Gottes, handelt aber auch als bewußtes Ich und ist Gott behilflich, dessen Zeit die auf Zukunft gespannte ist. Josephs Erhöhungen sind sein Werk, aber sie sind auch Tammuz-Nachfolge. Sein Auftrag ist die Verwandlung des narzißtischen Selbstgenusses in soziale Verantwortung, eine Höherentwicklung der Zivilisation, die der Außenseiter leisten kann, der etwas außerhalb des vollen Lebens steht, der dessen Begierden und Interessen nicht voll teilt und

57 So an Heinrich Mann am 1. April 1936, *Thomas Mann Jahrbuch* 1 (1988) S. 204 und an Agnes Meyer am 13. Mai 1939, DüD, S. 219.

deshalb Autorität ausüben kann. Das Intim-Autobiographische kann und soll, wie es Thomas Mann in *Goethe und Tolstoi* am Beispiel Goethes demonstriert hatte, sozialen Wert gewinnen.

Jedoch bietet Thomas Mann auch in diesem Werk keinen absoluten Wert an. Die Verweigerung von Festlegungen zeigt sich in dem Spiel des Autors und des Erzählers mit der Autorität des Bibeltextes. Obwohl der Erzähler so tut, als sei er mit seinen Lesern über dessen Autorität einig, greift er dennoch in ihn ein, behauptet sogar, einige der Bibel-Geschichten »endgültig richtiggestellt« zu haben (IV, 316). Humorvoll reizt der Autor die Leser, die naiven Behauptungen seines Erzählers an der ihnen geläufigen Vorstellung historisch-wissenschaftlicher Faktizität zu messen. Zugleich können die Leser gewahr werden, was dem Wahrheitsanspruch der Mythen und des Bibeltextes mit der Fiktion gemeinsam ist: sie sind weder verifizierbar noch falsifizierbar.[58] Die Schein-Naivität, mit der der Erzähler eine biblische Episode berichtet, hat dieselbe Wirkung: Der Erzähler stellt dar, als ob er den Aberglauben teile, wie Jaakob durch das »Versehen« der Mutterschafe gefleckte Lämmer und Zicklein erzielt und fügt hinzu, das sei ein »ursprünglich zweckfrei[er]« Gedanke gewesen, »erprobt rein um der Wissenschaft willen« (IV, 356). Humoristisch müssen es die Leser verstehen, wenn der Erzähler zwar mit einer Zeitberechnung den Bibeltext verbessert, aber die Reihenfolge der Geburten der Kinder Jaakobs nicht ändern will, weil er sich an die »von Gott veranstaltete Gebärordnung« hält (IV, 246). Die Reimerei, mit der das Kind Serach Jaakob ansagt, daß Joseph lebt (V, 1705–1715), kommt in einem Kapitel vor, das »Verkündigung« heißt; aber die Verkündigung von Gottes Gnade, die Aufhebung der Strafe für die Bevorzugung Josephs, geschieht so, daß der

58 Dies ist ein Beispiel für Käte Hamburgers Begriff von Uneigentlichkeit als Quelle des Humors (Hamburger, Anm. 30, S. 11–52). Vgl. auch Peter Pütz, »Verwirklichung durch ›lebendige Ungenauigkeit‹. *Joseph* von den Quellen zum Roman«, in: *Thomas Mann und seine Quellen* (Anm. 8), S. 173–188.

religiöse Ernst in Humor und Kindlichkeit aufgelöst wird.[59] Der Autor reizt seine Leser, die Zuverlässigkeit seines Erzählers zu bezweifeln, zugunsten der Offenheit modernen Erzählens. Das humorvolle Spiel mit der Bibel-Autorität und das mit der mythengläubigen fiktiven Umwelt sagt zugleich die Wünschbarkeit und die Unmöglichkeit eines sichernden Glaubens aus.

Mitten in der Darstellung der mythischen Welt spricht der Text die Leser mit bekannten Zitaten aus ihrer Bildungswelt an. Wenn zum Beispiel der Erzähler Jaakob, wenn er bei Laban ankommt, »Flüchtling und Unbehauster« nennt (IV, 232) und Laban das wiederholt (IV, 295), dann kennt der Leser das als die Worte, mit denen Goethes Faust seine modern-entfremdete, unbürgerliche Existenz kennzeichnet.[60] Jaakobs Frömmigkeit sichert ihn nicht, er ist seiner mythisch-magischen Umwelt entfremdet, seine Gottsuche gibt ihm einen modernen Zug. Wenn Laban die Verlassenheit Jaakobs ausnutzt, dann beruft er sich auf »die Gesetze des Wirtschaftslebens« (IV, 242; vgl. IV, 265). Gemeint ist das Gesetz von Angebot und Nachfrage, das Grundprinzip der kapitalistischen Wirtschaftsform. Der Text samt Kontext, Jaakobs vergeblicher Berufung auf sein Verwandtschaftsverhältnis, spricht aus der mythischen Welt heraus und übt Kritik am Kapitalismus, wenn dieser Menschen verdinglicht.

Die Kunst dieses Romans will gegenüber verengenden Ideo-

59 Thomas Mann nahm als Anregung für diese Verse Goethes Gedichte und die Psalmen in Anspruch (DüD, S. 276). Das Heitere und die Leichtigkeit der Verse überwiegt jedoch.

60 Vers 3348. – Wenn der Erzähler Jaakob Laban als »Erdenkloß« auffassen läßt (IV, 233 u. ö.), dann findet sich dieses Wort allerdings in der Lutherbibel anläßlich der Erschaffung Adams (1. Mose 2, 7), aber der Leser denkt wohl eher an Goethes Verwendung des Wortes in seinem Gedicht »Erschaffen und Beleben« aus dem *West-östlichen Divan*. Dieses humorvolle Gedicht paßt zu der Spielatmosphäre des Romans und dazu, daß der Text das Religiöse immer in die Analogie des Dichterisch-Kreativen bringt. Thomas Mann wollte auch das Verhältnis Pharao – Joseph als Anspielung auf das Verhältnis Karl August – Goethe verstanden wissen (DüD, S. 321).

logien einen religiös getönten Humanismus bieten, der die Aussicht eines menschlichen Fortschritts zu vernünftigerer sozialer Verantwortung mit Bewahrung der mythisch-irrationalen Wurzeln der Kreativität verbinden soll, dessen Humor jedoch jede festlegende Sicherheit abwehrt.

## Literaturhinweise

Die Geschichten Jaakobs. (Joseph und seine Brüder. Der erste Roman.) Berlin: S. Fischer, 1933.

Der junge Joseph. (Joseph und seine Brüder. Der zweite Roman.) Berlin: S. Fischer, 1934.

Joseph in Ägypten. Roman. (Joseph und seine Brüder. Der dritte Roman.) Wien: Bermann-Fischer, 1936.

Joseph der Ernährer. (Joseph und seine Brüder. Der vierte Roman.) Stockholm: Bermann-Fischer, 1943.

Gesammelte Werke in 13 Bänden, Frankfurt a. M.: S. Fischer, 1974. Bd. 4 und 5.

Baumgart, Reinhard: Joseph in Weimar – Lotte in Ägypten. In: Thomas Mann Jahrbuch 4 (1991) S. 75–88.

Berger, Willy R.: Die mythologischen Motive in Thomas Manns Roman *Joseph und seine Brüder*. Köln 1971.

Cunningham, Raymond: Myth and Politics in Thomas Mann's *Joseph und seine Brüder*. Stuttgart 1985.

Dedner, Burghard: Mitleidsethik und Lachritual. Über die Ambivalenz des Komischen in den Josephsromanen. In: Thomas Mann Jahrbuch 1 (1988) S. 27–45.

Frizen, Werner: »Venus Anadyomene«. In: Thomas Mann und seine Quellen. Hrsg. von Eckhard Heftrich und Helmut Koopmann. Frankfurt a. M. 1991. S. 189–223.

Hamburger, Käte: Der Humor bei Thomas Mann. Zum Joseph-Roman. München 1965.

Heftrich, Eckhard: Geträumte Taten. *Joseph und seine Brüder*. In: Thomas Mann 1875–1975. Hrsg. von Beatrix Bludau, Eckhard Heftrich und Helmut Koopmann. Frankfurt a. M. 1977. S. 659–676.

– Potiphars Weib im Lichte von Wagner und Freud. Zu Mythos und Psychologie im Josephsroman. In: Thomas Mann Jahrbuch 4 (1991) S. 58–74.

Hohmeyer, Jürgen: Thomas Manns Roman *Joseph und seine Brüder*. Marburg 1965.

Hughes, Kenneth: Mythos und Geschichtsoptimismus in Thomas Manns Joseph-Romanen. Bern 1975.

Koopmann, Helmut: Der Untergang des Abendlandes und der Aufgang des Morgenlandes. Thomas Mann, die Josephsromane und

Spengler. In: H. K.: Der schwierige Deutsche. Studien zum Werk Thomas Manns. Tübingen 1988. S. 38–64.

– Vaterrecht und Mutterrecht. Thomas Manns Auseinandersetzung mit Bachofen und Baeumler als Wegbereitern des Faschismus. In: Ebd., S. 65–78.

Mieth, Dietmar: Epik und Ethik. Eine theologisch-ethische Interpretation der Josephsromane Thomas Manns. Tübingen 1976.

Pikulik, Lothar: Joseph vor Pharao. Die Traumdeutung in Thomas Manns biblischem Romanwerk *Joseph und seine Brüder*. In: Thomas Mann Jahrbuch 1 (1988) S. 99–116.

Pütz, Peter: Verwirklichung durch »lebendige Ungenauigkeit«. *Joseph* von den Quellen zum Roman. In: Thomas Mann und seine Quellen. Hrsg. von Eckhard Heftrich und Helmut Koopmann. Frankfurt a. M. 1991. S. 173–188.

Scheiffele, Eberhard: Die Joseph-Romane im Lichte heutiger Mythos-Diskussion. In: Thomas Mann Jahrbuch 4 (1991) S. 161 bis 183.

Wisskirchen, Hans: Sechzehn Jahre. Zur europäischen Rezeption der Roman-Tetralogie *Joseph und seine Brüder*. In: »Die Beleuchtung, die auf mich fällt, hat . . . oft gewechselt«. Neue Studien zum Werk Thomas Manns. Hrsg. von H. W. Würzburg 1991. S. 85–145.

# »Lebensglanz« und »Altersgröße« Goethes in *Lotte in Weimar*

Von Volkmar Hansen

In einer europäischen Nachkriegszeit, am 22. September 1816, trifft, aus Hannover kommend, die am Beginn der Sechziger stehende, seit sechzehn Jahren verwitwete Charlotte Kestner mit ihrer Tochter Klara in Weimar ein. Sie wohnt einige Wochen bei ihrer Schwester Amalie, die mit dem Kammerherrn Ridel verheiratet ist. Als der seit dem 6. Juni verwitwete Goethe von ihrer Ankunft hört, lädt er die aus den *Leiden des jungen Werthers* so vertraute und durch die fortschreitende Publikation von *Dichtung und Wahrheit* aktuell gewordene Gestalt zusammen mit der Tochter und Ridels zu einem Essen am 25. September ein. Über die Vorgeschichte, wie auch die gesamte Begegnung, sind wir am ausführlichsten durch einen Brief Klara Kestners an ihren Bruder vom 29. September unterrichtet. Goethe, der kurz zuvor den *Werther* selbst einmal wiedergelesen hat, ist schon durch Ridel und seinen Sohn August auf den Familienbesuch vorbereitet:

> Nachdem wir nun drei Tage hier waren, also am Mittewochen, da Goethe durch den Onkel erfahren, daß Mutter hier sei, ließ er den Onkel par carte mit seiner sämtlichen Familie freundschaftlich zum Essen einladen. Mutter hätte ihn gern erst einmal allein gesehen; doch da dies für Goethe eine überaus große Artigkeit sein sollte, so wurde zugesagt [...].

Die Sonderrolle, die sich Charlotte wünscht, erfüllt sich auch am Tag des Besuchs nicht:

> Mutter war auch nicht ganz à son aise und wollte erst mit dem Onkel vorausgehen und wir dann nachkommen; doch hieraus wurde nichts, indem der große Mann uns

> seine Equipage schickte, uns abzuholen. Wir fuhren also hin und wurden unten an der Treppe von dem Sohn empfangen. Im Vorsaal kam er selbst uns entgegen, doch treuer dem Bilde, was ich durch Dich von ihm hatte, als dem, was uns der gute Onkel gab. Denn Rührung kam nicht in sein Herz! Seine ersten Worte waren, als ob er Mutter noch gestern gesehen: »Es ist doch artig von Ihnen, daß Sie es mich nicht entgelten lassen, daß ich nicht zuerst zu Ihnen kam.« (Er hat nämlich etwas Gicht im Arm.) Dann sagte er: »Sie sind eine recht reisende Frau«, und dergleichen gewöhnliche Dinge mehr. Mutter stellte mich ihm vor, worauf er mich einiges fragte, unsre Reise betreffend und ob ich noch nie in dieser Gegend gewesen sei, welches ich doch ganz unerschrocken beantwortete. Darauf gingen wir zu Tisch, wohin er Mutter führte und auch natürlich bei ihr saß; ihm gegenüber der Onkel und ich daneben, so daß ich ihm ganz nahe war und mir kein Wort und kein Blick von ihm entging.

Klara, die selbst mit »Herzklopfen« der Begegnung entgegengesehen hat, fühlt sich durch die mangelnde Herzlichkeit, die »Teinture von höfischem Wesen«, im »Innersten oft beleidigt« und hält als Ergebnis fest:

> Leider aber waren alle Gespräche, die er führte, so gewöhnlich, so oberflächlich, daß es eine Anmaßung für mich sein würde, zu sagen, ich hörte ihn sprechen oder ich sprach ihn; denn aus seinem Innern oder auch nur aus seinem Geiste kam nichts von dem, was er sagte. Beständig höflich war sein Betragen gegen Mutter und gegen uns alle, wie das eines Kammerherrn. Der Onkel entschuldigte ihn, wie ich mich ziemlich freimütig über ihn äußerte, mit seiner Steifigkeit und selbst Blödigkeit. Erstere hat er nun physisch und freilich diesen Tag auch geistig im höchsten Grade; denn alle sagten, er sei so liebenswürdig gewesen, wie sie ihn beinahe nie gesehen.

Nach dem Essen zeigt sich Goethe weiter verbindlich, indem er eine Mappe holen läßt, die Schattenrisse Charlottens, »des seligen Vaters und Eurer fünf Ältesten« enthält. Vor der Rückfahrt wird den Gästen das Haus am Frauenplan vorgeführt:

> Der Sohn, welcher die Honneurs machte, scheint ein ziemlich unbedeutender Mensch zu sein. Er sieht seinem Vater in den Augen ähnlich, hat aber eine sehr flache Stirn; übrigens ist er eher hübsch als häßlich. Dieser war ausgezeichnet artig gegen Mutter, führte sie in den Garten, wohin wir folgten. Er ist nicht von Bedeutung; der Eingang aber ist sehr hübsch, indem er durch eine Art Laube, die schon an dem Hause anfängt, den Garten mit einem Gartenzimmer vereinigt, worin sehr viele Büsten der berühmtesten Schriftsteller unserer Zeit und die hiesige herzogliche Familie aufgestellt sind. Auch Goethens und seiner Frauen Büste steht darin, von der wir abscheuliche Dinge hören, mit denen ich mein Papier nicht beflecken werde. Gottlob, daß sie tot ist! Und doch, sollte man es glauben, ehrt er ihr Andenken mit Rührung.

Die Schilderung der für Mutter wie Tochter enttäuschenden Begegnung mit Goethe wird ergänzt durch die Erwähnung eines Theaterbesuchs – und damit hätten wir schon beinahe alle Ingredienzien zusammen, die Thomas Mann für den Kern seiner Erzählung *Lotte in Weimar* benötigte: »Ich sah die ›Rosamunde‹ von Körner, ein schreckliches Trauerspiel, was mir zu traurig war«. Dieses Bild hellt sich erst etwas auf, als Klara ihrem Bruder am 14. Oktober berichten kann:

> Goethen sahen wir noch nicht wieder. Er leidet noch immer an der Gicht am rechten Arm. Vor acht Tagen schrieb er Mutter ein sehr freundschaftliches Billett, mit Bedauern angefüllt, durch sein Kranksein verhindert zu sein, sie öfter zu sehen. Er bot ihr zugleich seine Loge im Theater und seinen Wagen zum Abholen an. Dieses war durch den Kanzler Müller veranlaßt, der durch Mutter erfahren, daß

es ihr so schwer werde, einen Platz im Theater zu finden, und es ihm erzählt hatte. Vielleicht sehen wir ihn heute in einer kleinen Gesellschaft bei Müllers, der ihn persönlich einladen wollte.

Nur noch zu flüchtigen Salon-Begegnungen ist es gekommen, bei denen der Weimarer Gesellschaftsklatsch nicht verzichtet hat, Charlottes Neigung zum Kopfzittern zu registrieren. Der Brief vom 4. Oktober, in dem Charlotte einem anderen ihrer Söhne »von dem Wiedersehen des großen Mannes« berichtet, gibt – wohl nur mit wenigen Abstrichen versehen – ihren Gesamteindruck wieder:

> ich habe eine neue Bekanntschaft von einem alten Mann gemacht, welcher, wenn ich nicht wüßte, daß er Goethe wäre, und auch dennoch, hat er keinen angenehmen Eindruck auf mich gemacht. Du weißt, wie wenig ich mir von diesem Wiedersehen oder vielmehr dieser neuen Bekanntschaft versprach. War daher sehr unbefangen. Auch tat er nach seiner steifen Art alles mögliche, um verbindlich gegen mich zu sein. Er erinnerte sich Deiner und Theodors mit Interesse, ließ mir seinen Sohn eine Pflanze zeigen, die ihm Theodor geschickt hatte etc., und, was mich sehr freute, er sprach mit großem Interesse von [Johann] Stieglitz. So stehen die Sachen. Er ist nicht wohl und geht nicht aus. Also eine Frage, ob die *alten neuen Bekannten* ihre Bekanntschaft fortsetzen und sich in ihren alten Tagen auch gefallen.[1]

Das Wiedersehen zwischen Geliebten, die durch eine abgrundhafte Distanz voneinander getrennt gewesen sind, gehört zu den variabelsten Motiven der Weltliteratur. Selbst der Tod kann zwischen diesem Wiedersehen stehen, wie das Mythologem von Orpheus und Eurydike lehrt, dem Cocteau in

1 *Goethe in vertraulichen Briefen seiner Zeitgenossen*, zsgest. von Wilhelm Bode, neu hrsg. von Regine Otto und Paul-Gerhard Wenzlaff, 3 Bde., Berlin/Weimar 1979; hier Bd. 2, S. 659 ff.

*Orphée* surrealistische Gestalt verliehen hat. In Heines *Schlachtfeld bei Hastings* watet die verstoßene Edith Schwanenhals durch ein Meer von Blut, um den Leichnam des geliebten Königs wiederzufinden. Für die deutsche Tradition seien zudem die Erzählungen von dem verschollenen Bergmann erwähnt, der nach fünfzig Jahren aufgefunden und von seiner Braut wiedererkannt wird, weil ihn Kupfervitriol unentstellt konserviert hat; unter den Romantiker-Erzählungen solcher »ewigen Jugend« hebt sich Johann Peter Hebels *Unverhofftes Wiedersehen* heraus. Entfremdung andererseits, als Gegenpol der den Tod überdauernden Motivvariante, kann schon nach kurzer Zeit unüberbrückbar werden, wie der aus Rußland heimkehrende Beckmann in Borcherts *Draußen vor der Tür* erfahren muß.
Auch der ununterdrückbare Antrieb zum Wiedersehen kann ganz unterschiedlich geprägt sein, ist Rache bei dem Edmond Dantès, die ihn in Dumas' *Comte de Monte-Cristo* vorantreibt, ist vergeltende Gerechtigkeit bei der Claire Zachanassian in Dürrenmatts *Besuch der alten Dame*. Bei solcher Variationsbreite des Motivs konnte Thomas Mann die harmlos-humoristische Seite seines Stoffs nicht entgehen, und er hat sie in öffentlichen Äußerungen vor Studenten in Princeton angesprochen. In der Vorlesung *Goethe's Werther* im November 1939 resümiert er kurz vor der Veröffentlichung des Romans die »Anekdote«, auf die sich »eine nachdenkliche Erzählung, ja ein Roman gründen ließe«, das »Wiedersehen persönlicher Art«:

> Eine alte Dame, nur vier Jahre jünger als er, kam zu Besuch nach Weimar, wo eine ihrer Schwestern verheiratet war, und meldete sich bei ihm an. Es war Charlotte Kestner, geborene Buff, die Lotte von Wetzlar, Werthers Lotte. Sie hatten einander vierundvierzig Jahre nicht gesehen. Sie und ihr Mann hatten damals unter der rücksichtslosen Bloßstellung, die ihre Verhältnisse durch die Werther-Dichtung erfahren, recht sehr gelitten. Jetzt aber, wie die

> Dinge sich entwickelt hatten, war die gute Frau eher stolz auf ihre Eigenschaft als Modell der Heldin des Jugendwerks eines so groß gewordenen Mannes. Ihr Erscheinen in Weimar erregte ein Aufsehen, das dem alten Herrn keineswegs lieb war. Seine Exzellenz lud die Frau Hofrat zum Mittagessen ein und behandelte sie mit einer steifen Courtoisie, die sich in dem Briefe spiegelt, den sie über dies Wiedersehen an einen ihrer Söhne schrieb. Es ist ein tragikomisches, menschliches und literarhistorisches Dokument.

Nach einem Zitat aus dem Brief, das auch im Roman erscheint (751)[2], läßt er seine Betrachtung in Andeutungen »über Gefühl und Dichtung, über Würde und Verfall des Alters« einmünden, die ein »eindringliches Charakterbild Goethe's, ja des Genies überhaupt«, versteckt-spielerisch ankündigen (IX, 654 f.). In der Vorlesung *On Myself*, jetzt schon nach dem Erscheinen des Romans im Mai 1940 vorgetragen, variiert er vor demselben Zuhörerkreis die Selbstinterpretation des Motivs, indem er auf die »Lustspielelemente« ausdrücklich hinweist, so daß er »lange geschwankt« habe, ob er nicht ein Bühnenstück daraus hätte machen sollen. In der für ihn so charakteristischen Weise von Repetition und punktueller Fortschreibung entfaltet Mann das Motiv erneut:

> mit der Ankunft einer distinguierten alten Dame, die den Gasthof der kleinen Residenzstadt, in dem sie absteigt, in begreiflichen Aufruhr versetzt – sie ist keine Geringere als Madame Charlotte Kestner, geborene Buff, dieselbe Lotte Buff, der Goethe in »Werthers Leiden« ein Denkmal gesetzt hat. Das Modell ist nach so vielen Jahren immer noch nicht ganz mit dem Erlebnis fertig, und es erhofft sich aus einem Wiedersehen mit dem würdig und berühmt gewordenen Jugendfreund sozusagen ein happy end, eine Aussprache, die den befreienden Schlußpunkt unter die alte

2 Band- und Seitenangaben im Text beziehen sich auf die Thomas-Mann-Ausgabe *Gesammelte Werke in 13 Bänden*, Frankfurt a. M. ²1974; bei Zitaten aus dem Goethe-Roman, in Bd. 2 abgedruckt, fehlt die Bandangabe.

> quälende Frage setzt: warum jene »Liebe zu einer Braut« – denn Lotte war ja damals schon verlobt mit dem Mann, dessen Namen sie jetzt trägt, als Witwe und Mutter vieler Kinder – und was war es eigentlich, das den jungen Stürmer und Dränger zu ihr und dann jäh in die Flucht trieb; wie er ja immer vor den Frauen, die er liebte, auf der Flucht war bis ins hohe Alter? (XIII, 167 f.).

In der autobiographischen Vorlesung weist der Autor, der ja nur wenige Jahrzehnte nach Goethes Tod geboren worden ist, zudem auf die Wurzeln hin, die den Roman mit frühen Interessen und Werkplänen verbinden. Während die eigentliche Phase der Vorbereitung und Niederschrift des Romans vom Sommer 1936 bis zum Erscheinen im Dezember 1939 durch die Tagebücher, das Manuskript und durch Arbeitsnotizen gut überschaubar ist, liegt bei der bis in die Jugendzeit zurückreichenden Vorgeschichte noch manche Wegstrecke im Dunkeln.[3] Die Schulzeit mit dem allgegenwärtigen »Klassiker« Goethe wird bis hin zur Schiller-Erzählung *Schwere Stunde* (1905) mehr von der Lektüre über Goethe als dem Studium der Werke selbst bestimmt, wie ein früher Plan seiner Bibliothek erkennen läßt. Immerhin liest er fasziniert zum erstenmal Eckermanns *Gespräche mit Goethe*, die ihn über das letzte Lebensjahrzehnt Goethes unterrichten und ihm zugleich ein gattungsbezogenes Interesse an solchen mittelbaren Goethe-Äußerungen überhaupt vermitteln. Aus zweiter Hand nimmt er Goethe-Bilder von Heine, Börne und Nietzsche auf, informiert sich bei dem dänischen Literaturkritiker Brandes, erarbeitet sich historische Zusammen-

3 Den grundlegenden, in Hinblick auf die Früh- und Spätzeit aber ergänzungsbedürftigen Überblick leistet Hinrich Siefken, *Thomas Mann. Goethe – »Ideal der Deutschheit«*, München 1981. Vgl. auch *Thomas Mann und seine Quellen. Festschrift für Hans Wysling*, hrsg. von Eckhard Heftrich und Helmut Koopmann, Frankfurt a. M. 1991; darin: H. K., »Aneignungsgeschäfte. Thomas Mann liest Eckermanns Gespräche mit Goethe«, S. 21–47, und H. Siefken, »Goethe ›spricht‹. Gedanken zum siebten Kapitel des Romans *Lotte in Weimar*«, S. 224–248.

hänge durch Sekundärliteratur zu Napoleon und Friedrich II. Manns Perspektive dürfte von der Schillers in seiner Erzählung nicht weit entfernt sein, die ihn aus einer Arbeitskrise am *Wallenstein* heraus an den Großen und Göttlichen, dem er nur das Heldische entgegenzusetzen hat, denken läßt: »an ihn, den anderen, den Hellen, Tastseligen, Sinnlichen, Göttlich-Unbewußten, an *den* dort, in Weimar, den er mit einer sehnsüchtigen Feindschaft liebte . . . [. . .] Der andere hatte es leichter! Mit weiser und glücklicher Hand Erkennen und Schaffen zu scheiden, das mochte heiter und quallos und quellend fruchtbar machen. Aber war Schaffen göttlich, so war Erkenntnis Heldentum, und beides war der, ein Gott und ein Held, welcher erkennend schuf!« (VIII, 377) Ein starker Impuls ist von dieser Konfrontation für Mann ausgegangen, denn er schafft sich jetzt Werkausgaben an, so daß zur Zeit des *Tod in Venedig* sogar in den Notizen ein alternativer Erzählplan, *Goethe in Marienbad*, erwogen wird. Es sollte also die *Marienbader Elegie* mit ihren eröffnenden Versen

> Was soll ich nun vom Wiedersehen hoffen,
> Von dieses Tages noch geschloßner Blüte?[4]

den Hintergrund bilden; ein Erlebnis Goethes mit einem Fräulein Lade aus dem Jahr 1814, das durch Biedermanns vielbändiges Werk *Goethes Gespräche* überliefert ist, sollte anscheinend stofflich ergänzend herangezogen werden.[5]
Eine Phase intensiver Beschäftigung setzt mit dem Ersten Weltkrieg ein, in der ihm Goethe zum Repräsentanten eines deutschen Kulturbegriffs wird. Dem Preußenkönig, in dem

4 *Goethes Werke. Hamburger Ausgabe in 14 Bänden*, hrsg. von Erich Trunz, München 1972 [im folgenden zit. als: HA], Bd. I, S. 381.

5 Das Erlebnis ist überliefert in einem Interview aus dem Jahr 1913 (vgl. *Frage und Antwort. Interviews mit Thomas Mann 1909–1955*, hrsg. von Volkmar Hansen und Gert Heine, Hamburg 1983, S. 37 f. und 40). Als Informationspolitik, die die homoerotische Komponente des *Tod in Venedig* verdecken soll, deutet den Plan einer Goethe-Erzählung Karl Werner Böhm, *Zwischen Selbstzucht und Verlangen. Thomas Mann und das Stigma Homosexualität*, Würzburg 1991, S. 323 ff.

Essay *Friedrich und die große Koalition* in seinen Ansprüchen als dämonisches Genie legitimiert,[6] wird in den *Gedanken im Kriege* das Genie Goethes an die Seite gestellt, abgegrenzt vom zivilisierend-westlichen Geist. Doch Kunst sei, so heißt es 1914, »wie alle Kultur« eine »Sublimierung des Dämonischen«, Goethe wird zum »dämonischen Deutschen und kultiviertesten Sohn der Natur, der je lebte« (XIII, 529). Der zum Kompendium eines deutschen Sonderwegs ausgewachsene Essay *Betrachtungen eines Unpolitischen* lenkt den Blick auf Goethe als nationale Identifikationsgestalt, doch erst in der ersten Hälfte der zwanziger Jahre kommt es zu einer intensiven Auseinandersetzung, die ihn zugleich aus nationalistischer Enge herausführt. Eine 1921 erschienene Neuausgabe von Riemers *Mitteilungen über Goethe* spiegelt sich bald in verschiedenen Äußerungen. Der Essay *Goethe und Tolstoi* betont schon das erzieherische Moment, obwohl er noch an Goethe als Verkörperung einer deutschen »Politik der freien Hand« festhält (IX, 61 und 95; 90). Die bedeutendste Vorwegnahme der Vorstellungswelt des Goethe-Romans verbirgt sich in dem Abschnitt »Gnadenorte« (IX, 75 ff.). Die »Weltanziehungskraft solcher Gnadenorte« wie Weimar oder Jasnaja Poljana kontrastiert er mit den konkreten Erfahrungen bei Begegnungen: »[...] obgleich in den meisten Fällen der große Augenblick sich zu einer frostigen Enttäuschung gestaltet haben wird«. Als Beispiel für »erkältende Erinnerungen an dortige Empfangs- und Huldigungsszenen« (IX, 106) greift er die Erinnerung des Schauspielers Friedrich an einen »glazialen Empfang« auf:

> »Goethes ganze Figur«, erzählt er, »kam mir steif und abgemessen vor, und vergeblich suchte ich in seinem Gesicht einen Zug, der mir den gemütvollen Verfasser von Werthers Leiden oder von Meisters Lehrjahren verraten hätte ... Wie mißmutig mich der gegen alle meine Erwar-

6 Vgl. Anna Ruchat, *Thomas Manns Roman-Projekt über Friedrich den Großen im Spiegel der Notizen: Edition und Interpretation*, Bonn 1989.

> tungen glaziale Empfang und die unfreundliche Aufnahme gestimmt, kann man sich denken ... Gar zu gerne hätte ich zu Goethe gesagt: Was sind Sie für ein hölzerner Patron, Sie können unmöglich Wilhelm Meisters Lehrjahre geschrieben haben – verschluckte es aber [...].« (IX, 77)

Die Grundkonstellation von Persönlichkeit und Machtausübung, in der nur noch die intime Seite der Motivation Charlotte Kestners fehlt, ist damit vorgegeben, wie auch der ganze Essay die komplexeste Vorstufe zum Roman darstellt. Das Nachwort zu einer von ihm selbst favorisierten Neuausgabe der schon lange geschätzten *Wahlverwandtschaften* schließt 1925 diese Aneignungsphase, die Beschäftigung mit einem Roman, der sich so gut eignet, um auf der einen Seite »die ideelle Transparenz der Charaktere« im »Licht des Gedankens« hervorzuheben (IX, 178), auf der andern, um am Beispiel einer »entsagenden Leidenschaft des Ergrauten für ein junges Leben« die problematische »Nicht-Christlichkeit« Goethes in Frage zu stellen. Die »grundeigentümliche, süße und namenlos unheimliche Friedensstimmung gegen Ende des Romans« mündet in den »schaulich-sublimen Schluß [...], die volkstümliche Wundertätigkeit ihres Leichnams, das seraphische Ende«. (XI, 185) Ihr Echo findet diese Interpretation in dem eigenen Romanschluß, wenn Goethe gegenüber Lotte Abschied nimmt: »In meinem ruhenden Herzen, teure Bilder, mögt ihr ruhen – und welch freundlicher Augenblick wird es sein, wenn wir dereinst wieder zusammen erwachen« (764) – und damit wörtlich auf die *Wahlverwandtschaften* zurückgreift.[7]
Ende der zwanziger Jahre zeichnet sich für Mann, schon im Hinblick auf das Centenarjahr 1932, konkret der Plan einer Biographie ab. Die Anregung ist von dem Autor selbst ausgegangen; in einem Brief an den befreundeten Literaturhistoriker Ernst Bertram im Dezember 1930 schreibt er, daß »ich selbst es war, der ihn«, den Gedanken eines Goethe-Buchs,

7 HA VI, 490.

»schon vor Monaten im Gespräch mit Fischer und seinem Schwiegersohn halb spielerisch aufwarf«.[8] Einwände formuliert er dort selbst, einmal den, als Konjunkturjäger zu erscheinen, und weiter, mitten in der Arbeit am *Joseph* zu stehen. Dieses »Hauptargument gegen den Goethe-Plan« scheint den Ausschlag gegeben zu haben, so daß Mann 1932 mit den beiden Festreden *Goethe als Repräsentant des bürgerlichen Zeitalters* und *Goethe's Laufbahn als Schriftsteller* (mitsamt einigen Absplitterungen) vertreten ist, nicht jedoch mit einem Goethe-Buch. Eine Biographie hätte, wie der Vergleich mit Arbeiten von Gundolf und Emil Ludwig in dem Brief an Bertram zeigt, den Charakter eines intellektualen Romans angenommen. Der prinzipielle Anspruch, aus einer subjektiven Perspektive zum Literaturhistoriker zu werden, findet sich in *Lotte in Weimar* ebenso wieder wie die Doppelheit einerseits der Bevorzugung des alten Goethe und andererseits doch der Einarbeitung einer ganzen Lebensentwicklung. In der Festrede, die das neuzeitliche »Halbjahrtausend« zum »Zeitalter Goethe's« macht (IX, 299), wird zugleich das »humoristische Bild von Bürgerlichkeit« angesprochen, das jener Goethe bietet, der sich um »gutes Essen und Trinken« bemüht und sich von Zelter mit »Teltower Rübchen« versorgen läßt. Als »ausgiebig bezeugte« Tatsache stellt Mann an einem Beispiel vor, wie »ausnehmend schmackhaft« im Haus am Frauenplan gegessen wurde. Der »Literator und Islandfahrer Martin Friedrich Arendt« berichtet dort am Mittagstisch von seinen Erlebnissen, doch eine kleine Szene schließt sich an:

> Es gibt einen Hammelbraten mit Gurkensalat, und nach Verspeisung mehrerer Portionen bringt der gute Arendt es nicht über das Herz, die mit Gurkensaft vermischte Bratenbrühe umkommen zu lassen. Er faßt seinen Teller mit beiden Händen und hebt ihn zum Munde, erschrickt aber

8 *Thomas Mann an Ernst Bertram. Briefe aus den Jahren 1910–1955*, hrsg. von Inge Jens, Pfullingen 1960, S. 170–172.

im letzten Augenblick und blickt um Erlaubnis bittend auf den Hausherrn. Und der große Wohlerzogene legt volles Verständnis für die Begierde seines Gastes an den Tag; mit der größten Bonhomie und Treuherzigkeit fordert er ihn auf, sich nur ja nicht zu genieren, und während er ihn schlürfen sieht, läßt er nicht etwa ein Schweigen aufkommen, das auf den Genießenden doch vielleicht bedrückend wirken könnte, sondern er *spricht*, er setzt mit wärmster Überzeugung das Leckere einer solchen Mischung von Bratenbrühe und Gurkensaft auseinander und schafft durch dieses Perorieren dem Schlemmer volle Freiheit, seine Lust zu büßen.

Zu einer der Keimzellen des Romangeschehens wird die Schilderung durch Manns Kommentar:

> Man muß ihn sich vorstellen dabei, wie er etwa auf dem Bild von George Dawe vom Jahre 1819 aussieht, einem Bild, das ich immer als besonders lebenswahrscheinlich empfunden habe, mit diesen Augen voll kindlicher Verschlagenheit, tiefer und gütiger Erfahrenheit, diesem wissenden Wohlwollen für das Menschliche, um der heiteren Szene ganz ansichtig zu werden und sich ihren Charme ganz gegenwärtig zu machen. (IX, 303 f.)

Die Kombination eines Essens, das sich im Januar 1809 abgespielt hat, mit einem Bild aus dem Jahr 1819 verweist schon ganz in die Romanspielzeit, 1816. Neben den biographischen Erwägungen und den essayistischen Realisationen muß sich zugleich der Wunsch nach einer dichterischen Gestaltung als Alternative gebildet haben, so daß Mann am 19. November 1933 ins Tagebuch eintragen kann: »Der Novellen- oder Theaterstoff des Besuches der alten Lotte Buff-Kestner in Weimar fiel mir wieder aufs Herz. Er bildet zusammen mit der Faust-Idee die produktive Ausschau«.[9]

9 Thomas Mann, *Tagebücher 1933–1934*, hrsg. von Peter de Mendelssohn, Frankfurt a. M. 1977, S. 251.

Der Fundus an Goethe-Kenntnissen lag bereit, selbst der Wille zum Werk war schon in konkreter Stofflichkeit vorhanden – was konnte den Autor aber dazu bewegen, die Arbeit am *Joseph* zu unterbrechen? Zudem mußte er sich ja als Exilierter des Handicaps bewußt sein, nicht erneut Goethes Haus in Augenschein nehmen zu können, ein Mangel, dessen er sich noch bei der *Ansprache in Weimar* schmerzlich bewußt ist (XIII, 792). Der Berührungspunkt des hochstaplerischen Identifikationsspiels mit Joseph und Goethe war Mann schon im Dezember 1930 nicht entgangen, und auch der Wunsch, eine überschaubare Aufgabe einzuschieben, bildete eine latente Bereitschaft aus; doch erst die politischen Rahmenbedingungen haben den Ausschlag gegeben. 1936, das ist das Jahr, in dem Manns Entschluß gefallen ist, nicht mehr nur durch die produktive Leistung und kleine Nebenbemerkungen eine Alternative zum Nationalsozialismus darzustellen, sondern aktiv aus dem Exil heraus die Konfrontation zu suchen. Für diese neue Phase der Auseinandersetzung mußte ihm der *Joseph* eine zu mittelbare Form der Abgrenzung sein, Goethe dagegen zielte ins Zentrum. Für ihn selbst war die Beschäftigung mit Goethe in den zwanziger Jahren eine Brücke zur Weltöffentlichkeit gewesen, wie am nachdrücklichsten ein erster werbender Brief der *German Letters* in der amerikanischen Zeitschrift *The Dial* 1922 belegt (vgl. XIII, 261 ff.). Wenn er 1926 die Deutschen »das Volk Goethe's« nennt (XIII, 586 f.), so hatte ihm 1932 eine Reise nach Weimar anschaulich werden lassen, wie weit die »Vermischung von Hitlerismus und Goethe« in dem »Nest« gekommen war: »eine Zentrale des Hitlertums«, beherrscht vom »Typus des jungen Menschen, der unbestimmt entschlossen durch die Stadt schritt und sich mit dem römischen Gruß begrüßte« (XIII, 71). Hatte Mann schon in den letzten Jahren der Weimarer Republik mit zunehmender Deutlichkeit auf nationalsozialistische Vereinnahmungen Goethes reagiert, so mußte ihm vom Exil aus dieser Anblick noch widerwärtiger werden: aus Thüringen hatten die Nazis ein Zentrum der

Bewegung und aus dem Hotel »Zum Elephanten« eine Lieblingsabsteige des Führers gemacht. Ein Goethe-Buch konnte daher ein Akt der Reinigung sein, ein vielschichtig-freies Bild eines Repräsentanten Deutschlands entwerfen und damit zugleich dem Flüchtling die eigene Identität, die nur noch in der deutschen Sprache und Kultur gesichert war, gewährleisten. Die aktualisierenden Züge des Romans sind also nur beiläufige Gaben eines viel tiefer hineinreichenden Bewußtseins der Befreiung. Mit Beschönigung ist diese Erfahrung bei Mann nicht verbunden, und die Leidenschaft, mit der in den amerikanischen Kriegsgefangenenlagern um die negativen Züge im Bild Goethes und deutscher Nationalität gestritten worden ist, bestätigt dieses Diktat durch die historische Stunde. Mann hat dem Roman ein Motto aus dem *West-östlichen Divan* vorangestellt, welches das »Reich« des Großherzogs Carl August von jenem anderen »Reich« der lärmenden »Transoxanen« abhebt:

> Durch allen Schall und Klang
> Der Transoxanen
> Erkühnt sich unser Sang
> Auf deine Bahnen!
> Uns ist für gar nichts bang,
> In dir lebendig,
> Dein Leben daure lang,
> Dein Reich beständig![10]

Entsprechend geeignet war der Roman, um nach dem Kriegsende andere deutsche Traditionen wieder zu vermitteln, und er erschien 1946 als erstes Buch Manns in einer Lizenzausgabe.[11] Dankbar hat der Autor registriert, daß es in der Nach-

10 Unter dem Titel *An Schach Sedchan und Seinesgleichen* im »Buch der Betrachtungen«; HA II, 40. – Über die Wirkung der Ausgabe auf Kriegsgefangene vgl. Richard Haage, *Thomas Manns ›Lotte in Weimar‹ – eine Bereicherung unseres Goethe-Bildes?*, Kiel 1949, S. 5 f.

11 Die Ausgabe gilt als Musterbeispiel einer mit Druckfehlern übersäten Arbeit (ca. 1450 sind bekannt); vgl. Klaus Kanzog, *Einführung in die Editionsphilologie der neueren deutschen Literatur*, Berlin 1991, S. 21 f.

kriegszeit in Weimar zu Vorträgen über den Roman gekommen ist (XIII, 793, 798). Übersetzungen im Ausland und erfolgreiche Dramatisierungen des siebten Kapitels ließen den Roman zu einem der Bausteine werden, die Manns einzigartige Stellung in der Nachkriegszeit begründeten. Nach dem Goethe-Roman hat sich Mann vor allem in Reden des Jahres 1949 erneut mit dem Werk Goethes auseinandergesetzt, jedoch nur wenige Striche, wie sie sich aus seiner Lektüre von Werken der Sekundärliteratur (u. a. Fritz Strich und Barker Fairley) ergaben, zu seinem Bild ergänzt. Spürbar ist die Goethe-Welt jedoch noch bis in die neugeschriebenen Partien des *Krull* hinein. Es bestätigte sich also, was der Autor im Oktober 1940 auf eine Interviewfrage geantwortet hatte. Für Columbia Broadcast fragte John T. Frederick nach weiteren Plänen für Goethe-Erzählungen und erhielt als schriftlich sorgfältig vorbereitete Antwort: »No, that is a thing, that can be done only once. I shall never lose my preoccupation with Goethe but further books on him are out of the question for me«.[12]

## *»Laß sie, sie wissen nichts von Freiheit«*

Um die künstlerische Seinsform und den Rang Goethes herauszuarbeiten, wählt Thomas Mann die Form des historischen, Zeit, Ort und Horizont des Jahres 1816 in Weimar evozierenden Romans. Im Kern zielt der Autor darauf ab, von Goethe ein gültiges Bild zu vermitteln, schreckt dabei aber vor reinen Erfindungen, wie der Placierung Lottes im Gasthof und ihre dort geführten Gespräche, nicht zurück. Es geht ihm um die innere Wahrheit des Goethe-Bilds und um Detailtreue zugleich, sogar in den fingierten Teilen. Sein Montageverfahren stattet auch diese Teile mit genügend offe-

12 Typoskript im Thomas-Mann-Archiv, Zürich (TMA Mp 146 ue). Vgl. Thomas Mann, *Tagebücher 1940–1943*, hrsg. von Peter de Mendelssohn, Frankfurt a. M. 1982, S. 162, 164 und 167.

nen und kryptischen Zitaten, Beschreibungen, Ereignisschilderungen, Charakterzügen aus, um einen stimmigen Eindruck von Glaubwürdigkeit zu vermitteln.[13] Dolf Sternberger spricht dieses Phänomen in der erregten Nachkriegsdebatte an: »Es ist überhaupt nichts eigentlich erfunden in dem ganzen Buch, obgleich beinahe alle Situationen erfunden sind«.[14] Unterlaufen ihm dabei minimale sachliche Fehler, so handelt es sich nicht um gewollte Verfremdungen.[15] Der Gesamteindruck ist der des Fotorealismus, der eine Balance zwischen der Wirklichkeitsabbildung der Fotografie und übergenau-gespiegelter Symbolik sucht. Mit Goethes Porträt ist die geschichtliche Stunde so verwachsen, daß auch die geschichtliche Bedeutung für den Exilierten sich mühelos rekonstruiert, zugleich aber das Interesse an psychischen Konstellationen offen hervortritt.

Ausgelöst durch den Wunsch nach Kurbädern, stehen im Mittelpunkt des siebten Kapitels, das uns Goethe in einem gelegentlich unterbrochenen Monolog vorführt, Reflexionen, die ins konstruktive Zentrum des Romans führen:

> Ist aber doch ein groß, wunderbar Ding um diesen Ruin und um das Alter und eine lächelnde Erfindung der ewigen Güte, daß der Mensch sich in seinen Zuständen behagt und sie selbst ihn sich zurichten, daß er einsinnig mit ihnen und so der Ihre wie sie die Seinen. Du wirst alt, so wirst du ein Alter und siehst allenfalls mit Wohlwollen, aber geringschätzig auf die Jugend herab, das Spatzenvolk. Möchtest du wieder jung und der Spatz sein von dazumal? Schrieb

13 Vgl. Werner Betz, »Lateinisches, Goethisches, Paragoethisches in Thomas Manns *Lotte in Weimar*«, in: *Deutsche Weltliteratur. Von Goethe bis Ingeborg Bachmann. Festgabe für J. Alan Pfeffer*, hrsg. von Klaus W. Jonas, Tübingen 1972, S. 189–202.

14 Dolf Sternberger, »Thomas Mann und der Respekt«, in: *Thomas Mann im Urteil seiner Zeit. Dokumente 1891–1955*, hrsg. von Klaus Schröter, Hamburg 1969, S. 343–350; hier S. 346.

15 Beispiele nennt Bernhard Blume, *Thomas Mann und Goethe*, Bern 1949, S. 111 f. Eine Ausnahme ist die bewußte Verwechslung des Schreibers John mit dem gleichnamigen späteren Zensor.

> den »Werther«, der Spatz, mit lächerlicher Fixigkeit, und das war denn was, freilich, für seine Jahre. Aber leben und alt werden danach, das ist es erst, da liegt der Spielmann begraben. All Heroismus liegt in der Ausdauer, im Willen zu leben und nicht zu sterben, das ists, und Größe ist nur beim Alter. Ein Junger kann ein Genie sein, aber nicht groß. Größe ist erst bei der Macht, dem Dauergewicht und dem Geist des Alters. Macht und Geist, das ist das Alter und ist die Größe – und die Liebe ists auch erst! Was ist Jugendliebe gegen die geistige Liebesmacht des Alters? Was für ein Spatzenfest ist das, die Liebe der Jugend, gegen die schwindlichte Schmeichelei, die holde Jugend erfährt, wenn Altersgröße sie liebend erwählt und erhebt, mit gewaltigem Geistesgefühl ihre Zartheit ziert – gegen das rosige Glück, worin lebensversichert das große Alter prangt, wenn Jugend sie liebt? Sei bedankt, ewige Güte! Alles wird immer schöner, bedeutender, mächtiger und feierlicher. Und so fortan! (626)

Formale Wertungen wie »Lebensglanz« (424) oder »Altersgröße« erfahren hier eine Vertiefung, die aus dem Zusammenhang von Steigerung und Dekadenz kommt und zu den Grundeinsichten Manns zählt. Hanno Buddenbrooks Vitalitätsverlust und seine Überschreitung der Kaufmannswelt in der künstlerischen Begabung, Josephs Fall beim Hirtenvolk und sein endlicher Aufstieg im glanzvollen Ägypten werden im Goethe-Roman ergänzt durch die physische Dekadenz des Alterns und die kompensierende Entwicklung zur Größe. Bemerkenswerterweise weist Mann dem Genie-Begriff nur eine sekundäre Rolle in dem Entwicklungsprozeß zu, verweigert sich einer populären Kulthaltung, die mit dem irrationalistischen Romantizismus eine auch politisch wirksame Verbindung eingegangen ist.[16] Deutlich unterscheidet sich dieses Bild von dem durch Nietzsche vermittelten, mit

16 Vgl. Jochen Schmidt, *Die Geschichte des Genie-Gedankens in der deutschen Literatur, Philosophie und Politik 1750–1945*, 2 Bde., Darmstadt 1985.

dem es z. B. in der Bevorzugung des späten Goethe auch Gemeinsamkeiten hat.[17] Die Rückbindung von Größe an die konkrete Person gibt der Darstellung einen »naturalistischen« Zug, ordnet die Mythe im Rationalisationsprozeß westlicher Gesellschaften ein. Die Veränderbarkeit Goethes wird in der Wahl des Liebesobjekts konkret von anderen Gestalten abgehoben. Lottes Wiedersehenswunsch gerät in die Nähe zur Groteske (»Gans«, 692), während die Bindung an Marianne von Willemer, im Selbstgespräch des Alternden angesprochen, Ausdruck einer Naturbegünstigung ist, der Gabe der Verjüngung durch neue Liebeserfahrung. Das Persönlichste, die Liebe, trägt so zur Re-Mythisierung bei, so daß zwischen den Polen von Größe und Alltagserscheinung ein vielschichtiges, aber auch beispielgebendes Bild entstehen kann. Stefan Zweig, der es als bitter erkauftes Privileg des Exilierten empfunden hat, »dieses deutscheste Buch, das beste und vollendetste, das seit Jahren und Jahren in unserer Sprache geschaffen wurde«, lesen zu dürfen, hält diesen Eindruck fest: »Es ist ein Porträt von einer Wirklichkeit und gleichzeitig von einer inneren Durchdringung, wie es nicht annähernd in irgend einem mir bekannten Romane gelungen ist. Das Kleinliche, das jedem Irdischen anhaftet, ist beobachtet und bewahrt, aber allmählich verdämmert es im immer voller sich ergießenden Licht hinter dem Gewaltigen der Erscheinung«.[18]

Der Titel des Romans setzt mit seiner umgangssprachlichen Vertraulichkeit des Rufnamens in Verbindung mit Weimar voraus, daß der Leser selbsttätig einen Zusammenhang zwischen dem Werk Goethes, vor allem der Lotte im *Werther*, und dem Wissen um »Goethe's Liebesleben« herstellt, von dem Mann 1948 schreiben wird: »Die Kenntnis seiner Liebschaften ist bildungsobligatorisch, im bürgerlichen Deutsch-

17 Vgl. Ernst Bertram, *Nietzsche. Versuch einer Mythologie*, Berlin 1922; bes. das Kapitel »Weimar«, S. 181–200.

18 Stefan Zweig, »Thomas Mann: *Lotte in Weimar*«, in: Schröter (Anm. 14), S. 316 f.

land mußte man sie herzählen können wie diejenigen des Zeus.« (IX, 745) Oder, von Hesse im *Glasperlenspiel* zum Inventar des feuilletonistischen Zeitalters gerechnet: »Vorträge über Goethe, in welchen er im blauen Frack aus Postkutschen stieg und Straßburger und Wetzlarer Mädchen verführte«.[19] Das Assoziationsfeld »Lotte« erschließt daher zentrale stoffliche Zugänge zur Person Goethes im Roman.

Der Zugang durch das Werk Goethes zeichnet sich durch die Breite und Tiefe aus, umfaßt Abgeschlossenes, Entstehendes, Geplantes, umfaßt Erzählprosa, Lyrik, Dramen mit derselben Selbstverständlichkeit wie Gebrauchsformen. *Werther* und der Goethe der Zeit am Wetzlarer Reichskammergericht liefern sogar handlungstragende Elemente, denn Lotte trägt demonstrativ bei ihrem Besuch eine Imitation des Kleids, in dem Goethe sie zuerst wahrgenommen hat, und ebenso demonstrativ ist das Fehlen der Schleife (u. a. 392), womit sie die Identität mit dem jungen Mädchen herbeizwingen will, die »Reise ins Jugendland« (390 ff.). Eifersüchtig registriert sie, daß im Briefroman von schwarzen Augen die Rede ist und nicht von ihren blauen (u. a. 378 f., 470), die Identität also in Frage gestellt wird (448 f.); insistierend besteht sie auf der besonderen Popularität des *Werther* innerhalb der Wirkungsgeschichte von Goethes Œuvre (585). Eine »Nische im Dom der Menschheit« (473, 761) gebührt ihr durch die Anteilnahme von »hoch und niedrig« (378) an dem Roman, der die »Schau- und Wißbegier aller Stufen, von der kindlich-volkstümlichsten bis zur geistigsten« (418) hervorgerufen hat. Die Kennzeichnung als doppelte Optik, wie Mann wiederholt höchste Wirksamkeit umschrieben hat, ist für Goethe selbst nur ein Baustein seiner Entwicklung zur Größe: »Als ob man noch vierundvierzig Jahre lebte und wüchse, nachdem man mit vierundzwanzig den ›Werther‹ geschrieben, ohne hinauszuwachsen über die Poesie!« (624)

Ein zweites Werk, der *West-östliche Divan*, tritt unter den

19 Hermann Hesse, *Gesammelte Werke in 12 Bänden*, Bd. 9, Frankfurt a. M. 1970, S. 21.

Werken besonders hervor. Wir erleben das Entstehen dieser letzten großen Lyriksammlung Goethes, die 1819 zuerst erschien und 1827, bei der Neuauflage, erheblich angereichert werden sollte. Konkret erleben wir, wie er eine erste Auswahl für ein *Taschenbuch für Damen auf das Jahr 1817* bei Cotta zusammenstellt (674 f.).[20] Manns Goethe-Porträt wird dadurch um zwei biographische Komponenten bereichert, durch die Darstellung der schöpferischen Potenz (übrigens auch der physischen; 617) zur Zeit von Lottes Besuch und durch die Erlebnisse der beiden Rheinreisen unmittelbar nach dem Ende der Kampfhandlungen 1814 und 1815. Im Mittelpunkt der Erlebnisse hat die Begegnung mit Marianne gestanden, die, wie erst einige Jahrzehnte später bekannt wird, auch wenig umgeformte Gedichte zum *Divan* beigesteuert hat. Der Roman bietet die Begegnung in den Facetten des ahnenden Wissens des Goethe-Umkreises (580 ff.) und durch Goethe selbst (630 f.).

Ins Zentrum des Romans führen beide Werke, weil sie beide Seiten der Goetheschen Existenz beleuchten, den im Werk gespiegelten Entwicklungsprozeß und zugleich die Typenidentität der Frauen, die er liebt. Sie wird am deutlichsten in der Eifersucht Lottes auf Friederike Brion, die Sesenheimer Pfarrerstochter, der gründenden Gestalt dieses Typus. Als »Spiegelbild und ander Du« spricht Goethe sie daraufhin tröstend an, erläutert die »Einheit im Vielen«: »Und du und sie, ihr alle seid nur Eine in meiner Liebe – und in meiner Schuld.« (761 f.) In der Vorlesung *Goethe's Werther* beschreibt Mann den Typus Lotte: »Sie ist zierlich, blond, blauäugig, von heiterem, tüchtigen Charakter, ohne höhere Bildung, aber auf gesunde Art feinfühlig, kindlich und ernst zugleich.« (IX, 644) Schon im Umkreis von Goethes Sohn August wurde der Typus offen angesprochen, denn mit seiner Braut Ottilie hat er »den Typ seines Vaters« (552) gewählt. Die kluge Adele Schopenhauer darf die »Besonder-

20 Tübingen 1816, S. III–XVI.

heit dieses Mädchenreizes«, von dem es nur mit der schwarzäugigen Maximiliane von Brentano eine mondäne Abwandlung gibt, erkennen (502). In dem Gespräch zwischen Lotte und August, dem »jungen Goethe« (587) in »gegenwärtiger Gestalt« (567), rückt Mann die Typus-Identität bei der Wahl in die Nähe inzestuös-wahlverwandter Beziehungen. Ottilie erscheint als Wiederkehr Lottes im »Tochterbild«, macht August beinahe zu ihrem Sohn (563) und schafft seltsame Überkreuzbeziehungen (611, 614f.). Eine weitere Komponente kommt zur Frauenliebe Goethes durch die Kennzeichnung als »Tochter des Volkes« für Friederike hinzu (587), die der sozialen Differenz. Seine »narzißhafte« Erotik, die »als tiefsten Reiz die Heimsuchung holder Schlichtheit durch einen Kömmling aus glänzend-fremder Geistes- und Liebeswelt« kennt (IX, 745),[21] seine »Ehescheu« (654), zu der ihn ein »Dämon« (587) zwingt, zwingt ihn zugleich zu Schuld. Wird diese gemildert durch das Bewußtsein seiner Rolle als ›Dritter im Bunde‹ wie bei Lotte und Kestner, bei Maximiliane und Brentano, bei Marianne und Willemer? Die Annäherung geschieht im Bewußtsein, Liebe wachzurufen, schließlich geliebt zu werden, und läßt sich als erlebte Schuld nur in der Kompensation durch das Werk, im *Götz von Berlichingen* und im *Clavigo*, als Egmont oder sogar als Faust abbüßen (586). Als »Strafgericht« für »Liebesverrat« (IX, 591) trägt das Werk zugleich die Frustration zwischen einem Nicht-»besessen«-haben der geliebten Frauen (IX,123) und einem »zuzeiten« priapischen Gartengottleben aus, dem auch der »Zug von entschlossener Sinnlichkeit« bei der Wahl seiner Frau Christiane zugerechnet wird (IX, 730). Die »Entsagung« (570, 588) um der eigenen, sittigenden Aufgabe willen wird ergänzt durch Andeutungen von Homoerotik.

21 Spielt der Roman nur auf *Willkommen und Abschied* als Szene an, so wird sie u. a. in der *Phantasie über Goethe* ausgeführt (IX, 746); zum Quellenaspekt vgl. Herbert Lehnert, »Dauer und Wechsel der Autorität. *Lotte in Weimar* als Werk des Exils«, in: *Internationales Thomas-Mann-Kolloquium 1986 in Lübeck*, hrsg. von Eckhard Heftrich und Hans Wysling, Bern 1987, S. 30–52; hier S. 40.

Zunächst darf Adele Schopenhauer distanziert von dem »kriegerischen Nationalgeist« berichten, der einen »nicht erfreulich erhöhten Enthusiasmus des Mannes für das eigene Geschlecht, wie er uns schon aus den Sitten der Spartaner herb-befremdlich entgegentritt«, bewirke (526 f.), bis Goethe selbst über Winkelmanns Verständnis für »Schönheit und sinnlichen Humanismus« (680 f.) und dem »heute bekenntnislosen Enthusiasmus« zu einem »artigen blonden Kellnerburschen« kommt, der mit den Schenkenliedern des *Divan* verbunden wird. Die »Verführung durchs eigene Geschlecht« erscheint als »Rache und höhnende Vergeltung« für die Betörung durch das eigene Spiegelbild (682), gibt dem Liebesverrat an den Geliebten aber zugleich eine andere Färbung.

Gut vier Jahrzehnte trennen *Werther* und *Divan*, beides mit Frauen desselben Typus verbundene Werke, und machen die geschichtliche Zeit zu einer nur relativen Gemeinsamkeit. Mann, der der Zeit schon im *Zauberberg* zentrale Überlegungen gewidmet hat, stellt dem »Nixenweib« Zeit, das »glatt und treulos« entschlüpft (630), »öde und sterbenslangweilig« stehen bleiben kann (686 f.), ja »Verkümmerung« als »das Schrecklichste« zeitigt (587), eine Zeit gegenüber, die geehrt und »emsig erfüllt« (622) werden muß. Dem didaktischen Imperativ

> Ihrer sechzig hat die Stunde
> Über tausend hat der Tag.
> Söhnchen werde dir die Kunde,
> Was man alles leisten mag (IX, 309)

haben beide gehorcht, Lotte in der Rolle als Hausfrau und Mutter vieler Kinder, Goethe in der Steigerung des Lebens durch den Geist (639 f.). Diese Steigerung bewahrt ihn davor, traumatisch an die Wetzlarer Zeit zurückzudenken, während Lotte auch die »ohnmächtige Rolle« der Zeit erfährt, die »immer neu und unmittelbar anstrengende Gegenwart« der früheren Situation zu erfahren (463).

Einen weiteren wesentlichen Werkschlüssel, neben dem *Werther* und dem *West-östlichen Divan*, geben uns die Überlegungen Goethes, seine ›Innensicht‹ der Ereignisse, im siebten Kapitel in die Hand. Bis auf die Stufe des Festordners hinunter (688 ff.) reicht die produktive Anstrengung in diesem Kapitel, durch die uns zugleich das »prägnante«, auf zukünftige Gestaltung ausgerichtete Erlebnis zuteil wird, das vom Badeschwamm hervorgerufene »Galateagesicht« (640 f.). Auf ein »geheimes Archiv«, einen »Walpurgisbeutel«, in dem sich u.a. das *Tagebuch*-Gedicht und die »Anfänge des ›Faust‹ mit ›Hanswurstens Hochzeit‹ und dem ›Ewigen Juden‹ zusammen« befinden, hat Goethes Sohn August Lotte schon aufmerksam gemacht (600 f.), und der Dichter selbst »sekretiert«, sortiert die Texte aus, die jenseits des Schicklichen liegen (625). In der begleitenden Essayistik Manns werden für das Geheimarchiv unterschiedliche Motive genannt. 1932, in der Rede *Goethe's Laufbahn als Schriftsteller*, dominiert »das persönliche Geheimnis der Konzeption«, der »psychologische Reiz« des »Persönlichen und Intimen« als Inspirationsquelle für Goethe. Die Gefährdung des produktiven Reizes durch Gespräche mit Dritten wird am Beispiel des *Achilles*-Fragments und des Romanplans *Der Egoist* demonstriert (IX, 355 f.).[22] In der Vorlesung *Über Goethe's Faust*, 1939 in der Zeitschrift *Maß und Wert* zusammen mit Partien des Romans abgedruckt, wird die »vorsichtige Verschwiegenheit über sein dichterisches Tun« auf eine generelle »Neigung zur Geheimniskrämerei« zurückgeführt und an eine »im Grunde esoterische Auffassung« der Kunst zurückgebunden, die aus dem Bewußtsein der Verantwortlichkeit für »eine sehr gemischte Menschheit« kommt (IX, 581 f.).
Zur ›Innensicht‹ zählen auch Werkerwähnungen, die noch aus einer Konzeptionsphase stammen, also eine Art Werkstattbericht möglich machen. Einen solchen Einblick vermittelt die Interpretation von Goethes *Paria*-Trilogie, deren be-

22 Eine geringfügig variante Übernahme in einer Ansprache 1932 (X, 329 f.).

sonderes Gewicht schon dadurch deutlich wird, daß Thomas Mann sie, wie das Tagebuch zeigt, erst nachträglich in das Manuskript eingefügt hat. Das Problem der Verführung läßt sich dadurch in seiner Doppelperspektive des »schuldlos schuldig werden« diskutieren; in der Verschränkung von »erleiden« und »von uns ausgehen lassen« wird die indische Szenerie zum »Paradigma aller Versuchung und Schuld« und eignet sich besonders, um die unterschiedliche produktive Welt des Dichters darzustellen, der sich im Gegensatz zum »berührten« Weib die »krystallne Kugel« des Wasserballs als »Zeichen der Reinheit« formen kann (681 ff.). Das Motiv der Verführung schafft nicht nur eine weitere Beziehung zum fertiggestellten dritten Band der *Joseph*-Tetralogie[23], in dem die Frau des Potiphar, verführt vom »keuschen« Joseph, sich in eine Verführerin verwandelt, sondern wird zum Antrieb für ein erzählerisches Nachspiel, *Die Vertauschten Köpfe*.
Erschlossen wird durch den Goethe der ›Innensicht‹ auch die enge Bindung an Schiller und dessen Bedeutung für den *Faust*. Goethes Einsamkeit tritt in dem Verlust dieses Gesprächspartners, dem eigentlichen Du, hervor: »Wer redet mir zu, versteht es und lobts, bevor es vorhanden? [. . .] Wär Er noch da, der vor so manchen Jahren – schon zehne sinds – von uns sich weggekehrt! Wär Er noch da, zu spornen, zu fordern und geistreich aufzuregen!« (619) Sieht man einmal von der naturmagisch-narzistischen Seite dieser Formulierung ab, die Schillers Tod als aktive Handlung versteht und daher mit Schillers Drängen – »weil *er* keine Zeit hatte« (622) – korrespondiert, so wird hier das Bild einer symbiotischen Künstlerbeziehung angedeutet. Bei aller Polarität der Charaktere, die an Schillers Essay *Über naive und sentimentalische Dichtung* und den Eingangsversen von *Das Glück* orientiert ist, wird die wechselseitige Sympathie sichtbar, etwa wenn Goethe den »Tell«-Stoff geschenkt erhält, um »sein hochherzig aufwiegelnd Theater« damit zu treiben (618). Zur

23 *Joseph in Ägypten* erschien in Wien 1936.

Folie für Goethe wird Schiller tauglich, wenn neben »einzig ebenbürtig« die Distanz durchscheint zu dem »stolzen Kranken, dem Aristokraten des Geistes und der Bewußtheit, dem großen rührenden Narr der Freiheit«, der als »Volksmann« gilt, obwohl er »vom Volke rein nichts verstand und auch von Deutschheit nichts« (620). Schiller, der »Edelmann« der Natur, ahnt in dem ersten Entwurf der *Geschichte der Farbenlehre* eine umfassendere Naturgeschichte des Kosmos (629), er drängt zur Vollendung des *Faust* (677 ff.) und wird noch im Tod zum direkt angesprochenen, auch attackierten Diskussionspartner (680).
Auch Goethes Vielseitigkeit wird nicht als schlichtes Faktum angesprochen, sondern darin die Gefahr der Zersplitterung gesehen. Die zentrifugalen Kräfte werden aufgefangen in der Person Goethes, die weder monolithisiert noch heroisiert wird. Der einfachste Zugang zu der Ebene der kritisch bewerteten Züge wird in dem äußeren Erscheinungsbild erschlossen. Gegenüber aber etwa einem Negativbild wie dem von Martin Walsers Eckermann-Stück *In Goethes Hand*, in dem das Äußere als stets zunehmende schönende Verlogenheit bloßgestellt wird, um ein Lehrstück über die Kulturmechanismen der untergegangenen bürgerlichen Welt daraus zu machen,[24] bleibt Mann von den »Möglichkeiten unbeschränkter Selbstbefreiung und Selbstüberwindung« des Bürgerlichen überzeugt (IX, 332) und läßt nüchtern ein phasenhaft unterschiedliches Erscheinungsbild, dessen Tiefpunkt am Beginn des Jahrhunderts liegt, durchscheinen (711 ff.). In dem Arbeitsmaterial Manns hat sich eine Zeichnung erhalten, die Goethe um etwa 1810 festhält.[25]

24 Martin Walser, *In Goethes Hand*, Frankfurt a. M. 1982, S. 77 ff. (II, 2).

25 Vgl. *Bild und Text bei Thomas Mann. Eine Dokumentation*, hrsg. von Hans Wysling unter Mitarb. von Yvonne Schmidlin, Bern/München 1975, S. 320 ff.; hier S. 340. Zum kritischen Blick auf Goethe vgl. Peter von Matt, »Zur Psychologie des deutschen Nationalschriftstellers. Die paradigmatische Bedeutung der Hinrichtung und Verklärung Goethes durch Thomas Mann«, in: *Perspektiven psychoanalytischer Literaturkritik*, hrsg. von Sebastian Goeppert, Freiburg 1978, S. 82–100.

Als charakterisierende, nicht etwa denunzierende Kritik werden Goethe Züge mitgegeben, die seine Größe durch persönliche Schwächen eingrenzen. Da wäre zunächst sein Plädoyer für die Zensur zu erwähnen, in diesem Fall an Okens Zeitschrift *Isis* demonstriert. Goethe stellt sich gegen die demokratische Tendenz des Jahrhunderts (IX, 357), verfaßt ein Gutachten, in dem er für ein einfaches Verbot als Unterdrükkungsmittel plädiert. Die Essenz der Überlegungen dieses Gutachtens, die gerade aus dem Respekt vor der Geistigkeit Okens kommen, wird im Monolog von Goethe formuliert (636f.). Zusammen mit der entpolitisierten Fortschrittsorientierung tritt Goethe als »eine ungeheuer *hindernde* Kraft« auf, wie Ludwig Börne in den *Briefen aus Paris* am 20. November 1830 geschrieben[26] und Thomas Mann an anderer Stelle zitiert hat (IX, 738 f.). Eine zweite Grenze wird in der Auseinandersetzung um die *Farbenlehre* angesprochen, Goethes verfehlter Vorstellung vom Sonnenlicht, das nicht aus prismatischen Farben zusammengesetzt sein soll. Die hartnäckige Verletzung naturwissenschaftlicher Methodik wird ergänzt durch ein Schimpfen auf Newton (u. a. 626 ff., 736).[27] »Auf groben Klotz ein grober Keil«, oder, in der Sprache Goethes: »A corsaire, corsaire et demi« (687f.), lautet Goethes Devise in solchen Fällen des Widerspruchs.
Eine den ganzen Roman durchdringende Kritik trifft, ambivalenter, das Moment bewußter Herrschaft des »Jupiters von Weimar« (IX, 64). Sie wird für Lotte schon in dem Gespräch mit dem bemerkenswert vielseitigen klassischen Philologen Riemer sichtbar, der – wie gebannt – dem Zauberkreis dieser Herrschaft nicht entkommen kann, seine eigenen Interessen vernachlässigt, indem er einen Ruf an eine Universität aus-

26 Ludwig Börne, *Sämtliche Schriften*, hrsg. von Inge und Peter Rippmann, 5 Bde., Bd. 3, Düsseldorf 1964, S. 71.

27 Eine Eintragung ins zweite Notizbuch (1897/98) läßt erkennen, wie früh Mann die affektive Besetzung der Licht-These bei Goethe registriert hat (Tomas Mann, *Notizbücher 1–6*, hrsg. von Hans Wysling und Yvonne Schmidlin, Frankfurt a. M. 1991, S. 71).

schlägt oder die Wahl seiner Frau nach den Wünschen des Hauses Goethe einrichtet (415 ff.)[28] und dafür mit dem Preis des Maulens zahlt. Sie wird zudem sichtbar im Sohn August, der sich vom Vater zu einem Napoleon-Kult gewinnen läßt, an den Freiheitskriegen nicht teilnimmt, die Freundschaft mit dem Romantiker Achim von Arnim aufgibt und als Frau schließlich den Typ des Vaters wählt. Sie wird nicht zuletzt sichtbar in der Tafelrunde des achten Kapitels, die das Ungleichgewicht der Teilnehmer in der ausschließlichen Fixierung auf den Schriftsteller erkennen läßt und in ein tragikomisches Gelächter ausbricht, als vom »großen Mann« als einem »öffentlichen Unglück« die Rede ist (734). »Egoismus« (IX, 356) als eine Folge von »Meisterschaft« wird an Anhängern wie dem Romantiker Sulpiz Boisserée und dem Klassizisten Heinrich Meyer exemplifiziert. Goethe hat ihnen gegenüber eine doppelte Empfindungsweise (642 f.), die in ein und demselben Band seiner Zeitschrift *Kunst und Altertum* zum Ausdruck kommt. Im ersten Heft, im Februar 1816, erscheint *Kunst und Altertum in den Rhein- und Maingegenden*, ein Aufsatz Goethes, in dem er der deutschen Kunst des Mittelalters entgegenkommt,[29] 1817, im zweiten Heft, der antiromantische Aufsatz Meyers über die *Neudeutsch religios-patriotische Kunst.* Die herrscherliche Geste des mittelbaren Angriffs auf die Romantiker faßt der Goethe

28 Ein Vorgriff zugleich auf die Wahl Helenas durch Serenus Zeitblom im *Doktor Faustus.* Vgl. Hubert Ohl, »Riemers Goethe. Zu Thomas Manns Goethe-Bild«, in: *Jahrbuch der Deutschen Schillergesellschaft* 27 (1983) S. 381–395.

29 Goethe wollte die konfessionelle Spaltung Deutschlands überwinden helfen; vgl. A. G. Steer jr., »Sankt-Rochus-Fest zu Bingen. Goethes politische Anschauungen nach den Befreiungskriegen«, in: *Jahrbuch des Freien Deutschen Hochstifts*, 1965, S. 186–236. Zur weiteren Entwicklung des Konflikts vgl. Friedrich Sengle, »Die politisch-religiösen Voraussetzungen der nazarenischen Bewegung und Goethes vergebliches Friedensangebot«, in: F. S., *Neues zu Goethe*, Stuttgart 1989, S. 194–210. Notizen Manns zur Reise hat veröffentlicht Terence James Reed, »Thomas Mann and Tradition. Some Clarifications«, in: *The Discontinuous Tradition. Studies in German Literature in Honour of Ernest Ludwig Stahl*, hrsg. von Peter Felix Ganz, Oxford 1970, S. 158–181; hier S. 170.

des Romans in die Formel: »Laß sie, sie wissen nichts von Freiheit.« (644)
Die Spannung, die sich ergibt aus der Diskrepanz zwischen der Darstellung von Größe in ihren verschiedenen Aspekten und einer Kritik, die auch die Trinkgewohnheiten nicht ausspart, wird ausgetragen in der wertenden Sicht, die sich in die zeitgenössische Auseinandersetzung um den heidnischen oder christlichen Goethe fassen läßt. Der Leser erlebt die Basis des Vorwurfs des Heidentums in dem »Carmen panegyricum in laudem Muhammedis«, dem *West-östlichen Divan* (661). Hammer-Purgstalls Hafis-Übersetzung ist der begeisternde Ausgangspunkt für »das spiegelnde Wiedererkennen, das heiter-mystische Traumspiel der Metempsychose, gehüllt in Jahrtausendgeist« (645), für den produktiven Imperativ der Verjüngung: »und da du nicht lesen darfst, ohne gestimmt, befruchtet und verwandelt zu werden«, werden nicht nur »Maskenspiele« möglich, sondern die Erneuerung durch die vorislamische und islamische Welt des Vorderen Orients erzwungen (664).[30] Diese Offenheit, die Aufhebung bedeutet im Sinn von Nehmen, Negieren und Synthese, spricht Goethe in der Selbsteinschätzung als »alter Pagane« an, der »vom Christentum mehr los hat als sie alle« (619), oder mit »meine Heiden da machens mir, der ich doch selbst ein Heide bin, zu arg« (645). Eine kleine Szene aus dem *Sankt-Rochus-Fest zu Bingen* gibt den Blick auf den christlichen Gegenpol frei: Eine Prozession wird kurz vor ihrem Höhepunkt am 16. August 1814 durch eine Dachsjagd gestört, und Mann gibt die Essenz von Goethes Schilderung umformuliert wieder mit: »Wie sie den verlaufenen Dachs, den blutenden, unbarmherzig erwürgten am allerchristlichsten Fest!« (620)[31]
Solche Ambivalenz der Urteilsmöglichkeiten ist auf Konkretisierung angewiesen, läßt sich nur durch die Reaktion auf

30 Vgl. Katharina Mommsen, *Goethe und die arabische Welt*, Frankfurt a. M. 1988.
31 Vgl. HA X, 401–428; hier S. 413 f.

heikle Fragen der Zeit genauer erfassen. Die sich teilweise überschneidenden Themen, die Mann zu diesem Zweck anschneidet, sind Romantik und Napoleon, Deutschtum und Judentum. In allen diesen Fragen, ebenso wie zum Goethe-Bild insgesamt, gibt es wesentliche Berührungspunkte zur Auffassung Heines, dessen Werk Mann von Jugend auf kennt.[32] Lottes Besuch in Weimar macht die veränderte Zeit in kulturhistorischen Details wie dem »Abhandenkommen der Scherenschnitte« (480 f.), der Ersetzung von Witz durch Geist und Bildung (489), der Charakteristik eines Typus von »Edelfrau« des »verflossenen Jahrhunderts« – »von nüchtern-resolutem Verstande, der kein Federlesens machte, geistreich auf eine kaustisch-derbe, allen Flausen abholde Art« (495) – sichtbar und läßt eine Verweigerung gegenüber dieser Entwicklung in zwei Personen manifest werden. Lotte ist indigniert über die »neuen Götter« der romantischen Generation wie Uhland und Hoffmann, verteidigt ihren »Dichter des ›Werther‹« dagegen (490), und auch August von Goethe weiß dem »Zeitgeist« der »Romantiker, Neuchristen und unpatriotischen Schwarmgeister« nichts abzugewinnen (599 f.), isoliert sich und wird zur Gestalt eines zur Gewalt neigenden Gelegenheitstrinkers. Beiden Positionen steht Adele Schopenhauers Einsicht in die pietätlos-rangblinde Zeit gegenüber, »die das Alte verläßt und das Neue heranbringt« (491). Goethe lebt aus Adeles Einsicht heraus, interessiert sich plötzlich wieder für die Gotik des Kölner Doms (641 ff.) und schaut den patriotischen Bergfeuern zur Erinnerung an die Völkerschlacht zu (582).

Adeles »Schwäche für kleinere Nouveautés des literarischen Lebens«, so Lotte zu deren Generationsinteresse für die Romantiker, führt zu einem umfassend-vielschichtigen Bild von dieser Bewegung, das eine Schicht des Romans ausmacht. Dies führt zunächst ins gesellschaftliche Leben von Weimar.

32 Vgl. Volkmar Hansen, *Thomas Manns Heine-Rezeption*, Hamburg 1975, S. 228 ff., und Hans Wysling, »Thomas Manns Goethe-Nachfolge«, in: *Jahrbuch des Freien Deutschen Hochstifts*, 1978, S. 498–551.

Die Schriftstellerin Johanna Schopenhauer, die Mutter Adeles und des Philosophen Arthur (500, 540f.), führt als zeittypische Erscheinung einen Salon, in dem sich die bürgerliche und die adlige Gesellschaft kennenlernen, in dem u. a. »die Brüder Schlegel und die Savignys« verkehrt haben (483). Für Goethe ist der Salon von besonderer Bedeutung, denn dadurch erhält auch seine sonst gemiedene Frau Christiane Zutritt zur Gesellschaft. Die literarische Romantik wird mit dem »Sinn für die Poesie des Volksmärchens« (494), der Erwähnung von Kleist (536) oder Arnims *Zeitung für Einsiedler* (606 ff.) angesprochen und erscheint mit dem »Reiz« der »Doppelexistenz« auch in einem anspruchsvolleren Motiv (500, 508). Die malerische Romantik findet mit der Erwähnung des Nazareners Cornelius und des Lübeckers Overbeck sowie C. D. Friedrichs (490), die philosophische mit Fichte (505, 535) und Schleiermacher (535), die wissenschaftliche mit Savigny und Arndt (536) Eingang in den Roman. Die romantische, gefühlvoll-vaterländische Empfindungsweise (496f.) verkörpert sich in der Gestalt des Freiheitskämpfers Ferdinand Heinke (519ff.), der im Verlauf der Kämpfe des Jahres 1813 verwundet und von den national begeisterten Mädchen heimlich gesundgepflegt wird. Goethes Haltung gegenüber der patriotisch-freiheitlichen Bewegung ist anfangs scharf ablehnend, bringt ihn in offenen Konflikt mit Sprechern der Erneuerungsbewegung wie Luden oder Passow (509f., 536), läßt ihn auch nach dem Sieg noch von »Greuel, Greuel« sprechen (625).

Der Generation Thomas Manns ist die Kenntnis der Haltung Goethes, seine eisige Vereinsamung noch selbstverständliches Bildungsgut. Ernst von Salomon wird sie aus der Perspektive des nationalen Lagers noch im *Fragebogen* beiläufig erwähnen.[33] Unter den zahlreichen Publikationen, die 1913 zur Erinnerung an die Geschehnisse von 1813 erschienen, ist

33 Ernst von Salomon, *Der Fragebogen*, Hamburg 1951, S. 150 f. In *An die japanische Jugend* (1932): Goethe, der »deutsche Weltbürger«, verhielt sich »kalt bis zur Verachtung«, »selbst als das Nationale so viel historische Berechtigung besaß wie 1813« (IX, 288).

Mann vor allem von *Deutschland marschiert. Ein Roman von 1813* von Kurt Martens angesprochen worden. In einem Brief vom 14. Juni 1913 gratuliert Mann dem Autor zur »Größe und Würde« des Stoffs, lobt die Distanz zur »bramarbasierenden Blutrünstigkeit« sowie die Gestaltung von Goethe und Körner, kritisiert die Napoleons.[34] Unter dieser dialektischen Perspektive schließt sich Manns Goethe-Roman sogar an die Tradition des Einsamkeitspathos im deutschen Künstlerroman an.

Es ist vor allem der Franzosenhaß dieses Patriotismus, der Goethe aufbringt, ergänzt durch seine Sympathie für die Größe Napoleons, den er als »einen Mohammed« begrüßt hat (513).[35] Der Kaiser der Franzosen bleibt auch nach den Niederlagen von 1813/14 und 1815 ein Orientierungspunkt für ihn, obwohl er sich vor der Öffentlichkeit mit dem Festspiel *Des Epimenides Erwachen* salviert hat (513). Ein Schlüsselerlebnis ist für ihn die persönliche Begegnung mit dem Kaiser 1808 in Erfurt gewesen, in deren Verlauf ihm der »Cäsar« eine herausragende Rolle in Paris angeboten hat (511 f.).[36] Die haßvolle deutsche Kriegslyrik, die auch für Adele »über Vernunft und Anstand« hinausgeht, relativiert in Thomas Manns Augen sogar die Tyrannis-Kritik, und Napoleon erscheint wieder »als Sohn des Volkes und der Revolution«, als »Bringer der neuen Zeit« (536), der auf St. Helena als neuer Prometheus (660) festgesetzt ist.

Aus den Konflikten um die Freiheitsbewegung entwickelt der Goethe des Romans eine Gefährdung, die in einer Kritik »des« Deutschen verankert wird und die »Freiheitssinn« und »Vaterlandsliebe« zur »Fratze« machen kann. Vor den »Fol-

34 Vgl. »Thomas Mann, Briefe an Kurt Martens II: 1908–1935«, hrsg. von Hans Wysling und Thomas Sprecher, in: *Thomas Mann Jahrbuch* 4 (1991) S. 185–260; hier S. 200 f.

35 Vgl. das »Napoleon«-Kapitel in Bertram (Anm. 17), S. 201–214; hier S. 207 f. In Manns Nachlaßbibliothek (TMA, Zürich) ist das Buch von Andreas Fischer, *Goethe und Napoleon*, Frauenfeld ²1900, erhalten.

36 Vgl. dazu zuletzt die Vorträge *Goethe und Napoleon* von Pierre Grappin und Gonthier-Louis Fink. In: *Goethe Jahrbuch* 107 (1990) S. 71–80 und S. 81–101.

gen« graut es ihm, »weil es die noch edle, noch unschuldige Vorform ist von etwas Schrecklichem, das sich eines Tages unter den Deutschen zu den grassesten Narrheiten manifestieren wird, und wovor Sie selbst sich, wenn etwas davon zu Ihnen dränge, in Ihrem Grabe umkehren würden« (511). Einer einfachen Übertragung heldischer Züge des Griechentums stellt er die Verhältnisse im modernen Staat gegenüber: »Der Deutsche, statt sich in sich selbst zu beschränken, muß die Welt in sich aufnehmen, um auf die Welt zu wirken. Nicht feindliche Absonderung von anderen Völkern darf unser Ziel sein, sondern freundschaftlicher Verkehr mit aller Welt, Ausbildung der gesellschaftlichen Tugenden, auch auf Kosten angeborener Gefühle, ja Rechte.« (510)
Zur Halbwertzeit nationalsozialistischer Herrschaft in Deutschland läßt Mann im Monolog Goethe zusammenfassend seine Beziehung zu dem »Sackermentsvolk« der Deutschen entwickeln, »aus dem – und dem zuwider – du lebst, zu dessen Bildung berufen du dies unbeschreiblich prekäre und penible, nicht nur durch Rang, auch durch Instinct schon isolierte Leben führst«. »Durch tausend nährende Wurzeln« auf diese Berufung vorbereitet, fehlt es zugleich nicht an »Distanz«, an »Antipathie« gegen einen Wesenszug:

> Daß sie den Reiz der Wahrheit nicht kennen, ist zu beklagen, – daß ihnen Dunst und Rausch und all berserkerisches Unmaß so teuer, ist widerwärtig, – daß sie sich jedem verzückten Schurken gläubig hingeben, der ihr Niedrigstes aufruft, sie in ihren Lastern bestärkt und sie lehrt, Nationalität als Isolierung und Roheit zu begreifen, – daß sie sich immer erst groß und herrlich vorkommen, wenn all ihre Würde gründlich verspielt, und mit so hämischer Galle auf die blicken, in denen die Fremden Deutschland sehn und ehren, ist miserabel. (657 f.)[37]

37 Manns Worte, im Nürnberger Prozeß als authentische Goethe-Worte zitiert, haben die Sammlung von Goethe-Äußerungen *Die Deutschen*, hrsg. von Hans-Joachim Weitz, Konstanz 1949, angeregt (erw. Neuaufl. Frankfurt a. M. 1965 und 1978).

Der Wunsch nach einfacher Anerkennung kann daher auch von einem exilhaften Repräsentationsanspruch übersteigert werden: »Sie meinen, sie sind Deutschland, aber ich bins, und gings zugrunde mit Stumpf und Stiel, es dauerte in mir«, und Deutschtum definieren als »Freiheit, Bildung, Allseitigkeit und Liebe« (657).[38]

Da die Deutschen nach der »inneren wie äußeren Stellung unter den Völkern die allerverwunderlichste Verwandtschaft mit dem jüdischen« aufweisen, droht »eines Tages der gebundene Welthaß gegen das andere Salz der Erde, das Deutschtum, in einem historischen Aufstand frei« zu werden, »zu dem jene mittelalterliche Mordnacht nur ein Miniaturvor- und -abbild sei ...« (733). Mit unverkennbar aktualisierenden Zügen schließt Mann zur Zeit der deutschen Annektion Böhmens und der sogenannten Reichskristallnacht diese negative Prophezeiung an die Schilderung einer Pogromnacht in Eger an (727 ff.). Die Kritik an solchem antijüdischen Barbarismus verbindet sich bei Goethe mit einer leichten Form traditioneller Judenfeindlichkeit, so daß die Juden »befremdlich, ja abstoßend« wirken können, aber in der Substanz ein bevorzugtes Volk bleiben. »Charakter und Schicksal der Juden« erscheinen »pathetisch, ohne heroisch zu sein« (729); sie sind gekennzeichnet durch »höhere Specialbegabungen dieses merkwürdigen Samens, den Sinn für Musik und seine medicinische Capacität« sowie dadurch, daß sie als »Volk des Buches« mit einem ausgeprägten Diesseitsverständnis von Religion in der Lage sind, »irdischen Angelegenheiten den Dynamismus der Religionen zu verleihen« (732 f.). Die Rassenüberlegungen der Nationalsozialisten nehmen sich vor diesem Hintergrund, ohne direkt angesprochen zu sein, absurd aus.

38 »Daß ein Schriftsteller der europäischen Welt ein nationales, dem eigenen Lande aber ein europäisches Gesicht zukehrt, ist seit Goethe's Tagen in Deutschland nichts Neues« (XIII, 102); »volksecht und europäisch wie Goethe, wie Mozart« (XIII, 839; ähnlich XIII, 317 f.). Zum Antäischen Goethes gehört auch die nationale Dimension (666, 668; IX, 91 f.).

Tragen diese Themen dazu bei, ein präzis abgegrenztes Profil Goethes zu gewinnen, so gibt es eine gegenläufige Tendenz des Entziehens der Gestalt, die Herausarbeitung des Zugs einer »elbischen All-Ironie«, die im später von Mann gern herausgehobenen Riemer-Kapitel ihr Reflexionszentrum hat (439–446), aber in zahlreichen Einzelaspekten im ganzen Roman präsent ist. Riemer stellt seine Beobachtungen unter das Motto der Gottähnlichkeit Goethes, eine »Einerleiheit des Alls mit dem Nichts«, so daß in *einem* Blick »aus einem Auge der Himmel und die Liebe und aus dem andern die Hölle der eisigsten Negation und der vernichtendsten Neutralität hervorschaut«. Seine »Duldsamkeit, sein Geltenlassen, seine Concilianz« werden daher von der Milde abgegrenzt und mit dem Begriff der »absoluten Kunst« verbunden: es sei »nichts genießbar ohne einen Zusatz von Ironie, id est von Nihilism«. Der Goethe des Monologs bestätigt diese Außensicht, wenn er formuliert: »Das Leben wäre nicht möglich ohne etwelche Beschönigung durch wärmenden Gemütstrug, – gleich drunter aber ist Eiseskälte« (655). Das nimmt Nietzsches in *Über Wahrheit und Lüge im außermoralischen Sinn* formulierte Einsicht vorweg, daß auf einem der Gestirne »des in zahllosen Sonnensystemen flimmernd ausgegossenen Weltalls« für die »hochmütigste und verlogenste Minute« der Entwicklungsgeschichte »kluge Thiere« die Fiktion einer auf den Menschen ausgerichteten Natur erfanden.[39] Den erschreckendsten Ausdruck findet diese Art der Nähe Goethes zur Natur im Tischgespräch, als er die – authentische – Geschichte von einem »Feldspat-Zwillingskrystall« erzählt, den er vertraulich mit Du angeredet hat (»Ja, wie kommst denn du daher«; 725). Diese Erzählung hat Mann als Gegenstück zu einem Bericht Gorkis von Tolstoi ausgewählt, der in *Goethe und Tolstoi* ebenfalls in einem Zusammenhang von Nihilismus und Negation aller Begeisterung steht: Tolstoi wirkte

39 *Nietzsches Werke. Kritische Studienausgabe*, hrsg. von Giorgio Colli und Mazzino Montinari, Abt. 3, Bd. 2: *Nachgelassene Schriften 1870–1873*, Berlin / New York 1973, S. 369.

wie ein »uralter, lebendig gewordener Stein, der Anfang und Ausgang aller Dinge weiß«, das Ende »des ganzen Weltalls vom Samenkorn bis zur Sonne« kennt (IX, 118). Als Spinoza-Schüler entfernt sich Goethe von »einer anthropozentrischen Humanität, dem emanzipatorischen Menschheits-Begriff« (IX, 135). Auch in Manns späterer Essayistik gehört der nihilistische Zug zu einer Konstante der Goethe-Porträts (IX, 740 f., 762). Wenn Mann, wie 1932 in *Contrastes de Goethe*, von einer »magnifique synthèse, non seulement de l'esprit allemand, mais de l'humanité elle-même« spricht (XIII, 318), ist diese Menschheitslage mitzuhören, die in Hans Castorps Forschungen, Adrian Leverkühns imaginierter Tiefseefahrt und Krulls Unterrichtung über die Entwicklungsgeschichte des Weltalls dichterisch Gestalt gewinnt.

Das Bild des Romans für diese letzte Schicht im Dasein Goethes gipfelt im Motiv des Kusses, der im Riemer-Kapitel als ein Vergleich Goethes mit dem Gedicht präsent ist (446). Zunächst erleben wir Lotte, die die *Werther*-Vorstellung vom Kuß bei der gemeinsamen Ossian-Lektüre zu Goethes »Prinzen- und Vagabundenkuß« beim Himbeersammeln korrigiert (390), ein solch unvergeßliches Erlebnis auch für Goethe, daß er bei der Erinnerung den Geruch von Himbeeren zu verspüren meint. Der Wollust der »anonym-creatürlichen« Zeugung steht das Glück des »noch individuellen und hoch unterscheidenden« Kusses gegenüber, der sich zum Symbol für Poesie eignet, »des geistigen Kusses auf die Himbeerlippen der Welt« (647; vgl. 446). Im Bewußtsein Goethes von der Typenidentität kehrt die Geliebte zurück zum Kuß, »immer jung«, und rückt die Vorstellung von der früheren, »in ihrer der Zeit unterworfenen Gestalt, alt«, die »daneben noch irgendwo lebt«, in die Nähe der Komik (649). Die tiefste, das künstlerische und das kosmologische Moment vereinigende Interpretation erfährt ein Kuß, den ein Besucher der Gemäldegalerie einer Reproduktion der Charitas von Leonardo da Vinci aufgedrückt hat; wegen der Kälte in der Galerie ist der heimliche Kuß fixiert worden und kann daher von späteren Besuchern gesehen werden (740 ff.). Der »geheime Kuß ins Nichts« wird von Goethe zunächst Mimesis-Betrachtungen der »Philosophie des Schönen« ausgesetzt; er stellt »die Kunst, dies völlig einzigartige und eben darum reizvollste aller Phänomene«, in die Gegensätze himmlisch und irdisch, geistig und sinnlich, göttlich und sichtbar, um das »komische Weh« des Kusses des »Verführten« schließlich auszuweiten zur conditio humana: »Genau genommen aber sei kein rührend-bedeutenderes Gebilde dankbar als diese Zufallsmaterialisation einer blutwarmen, dem Eisig-Unerwidernden aufgedrückten Zärtlichkeit. Es sei geradezu etwas wie ein kosmischer Spaß, et cetera« (742).

*»Vollendete Kunstform«*

Es fehlt im Goethe-Roman nicht an Äußerungen, die die Einzigartigkeit künstlerischer Begabung hervorheben. Am eindringlichsten ist Goethes Tischerzählung »einer seltsamen und moralisch anmutigen Künstlerlaufbahn«, einer »begnadeten« Sängerin, die zweimal nur durch äußere Umstände zur Bühnenkarriere gezwungen wird und nach wenigen Jahren des Triumphes stirbt (736 ff.). Die »moralische« Lehre, die Goethe andeutend zieht, ist die der unbedingten Verpflichtung gegenüber der Bestimmung eines Daseins zu »wirklicher Identification mit dem Schönen«, und gegenüber solch »untragischer Tragik« wird sein eigenes Verhalten als das eines bewußten Priestertums offenbar. Manns Versuch, in den Spuren einer solchen Tradition der angenommenen Bestimmung durch Begabung zu gehen und in die Kunstauffassung der Moderne fortzuschreiben, realisiert sich erst im Kunstanspruch des Romans als »Vorbild der Menschheit«, des Künstlers als »der Menschheit Meister« (IX, 186). Das Ergebnis dieses Bemühens hält Stefan Zweig protokollierend fest:

> Vollkommen in den Proportionen, vollendet, ja in einem noch nie erreichten Grade durchbildet in der Sprache, scheint mir »Lotte in Weimar« alles frühere nicht nur durch geistige Überlegenheit zu übertreffen, sondern auch durch eine innerliche Verjüngtheit, ein Brio des Vortrags, der beinahe spielhaft leicht das Schwierigste bewältigt und weise Ironie mit einer noblen Getragenheit in einer selbst bei Thomas Mann noch überraschenden Weise bindet. Alles, was die gefesselte und geknechtete Binnenliteratur Hitlerdeutschlands in den sieben wahrhaft magern Jahren produziert hat, ergibt zusammengerechnet nicht Gehalt und Gewicht dieses einzigen Buches aus dem Exil.[40]

Unmittelbar anschließen kann Mann an das androgyne Kunstverständnis, z. B. jenen Goethe, der mit der geistigen Patriarchenreise in den Orient und mit der leiblichen Reise in die Maingegend die mütterliche Wohngegend endlich wieder aufsucht (645). Als Doppelheit von Geben und Nehmen fließen Weltinteresse und Spiegelung des eigenen Ich in diesem Kunstverständnis zusammen.
Ausgangspunkt für einen weiteren Zug dieses Kunstverständnisses kann wiederum eine Bemerkung Zweigs sein:

> Dichterische Biographie, unerträglich, soweit sie romantisiert, schminkt und verfälscht, ist hier zum erstenmal vollendete Kunstform geworden; Goethes Bildnis, dessen bin ich gewiß, wird für die nächsten Generationen einzig gegenwärtig bleiben in dieser sublimen Formung Thomas Manns.[41]

Für Mann gehört seit seinem Frühwerk die Häßlichkeitsbeschreibung zu den modernen Kunstaufgaben; im Goethe-Roman tritt sie am krassesten bei der Beschreibung Adele Schopenhauers hervor:

40 Zweig (Anm. 18), S. 316.
41 Ebd., S. 317.

> Die junge Dame, Anfang Zwanzig nach Charlottens Schätzung, war recht unschönen, aber intelligenten Ansehens, – ja, schon die Art, wie sie vom ersten Augenblick an und dann immerfort das doch unverkennbare Schielen ihrer gelb-grünen Augen teils durch häufigen Lidschlag, teils durch hurtiges Umher- und namentlich Emporblikken zu verbergen suchte, erweckte den Eindruck einer nervösen Intelligenz, und ein zwar breiter und schmaler, aber klug lächelnder und sichtlich in gebildeter Rede geübter Mund konnte die hängende Länge der Nase, den ebenfalls zu langen Hals, die betrüblich abstehenden Ohren übersehen lassen, neben denen gelockte accroche-cœurs unter dem mit Röschen umkränzten, etwas genialisch geformten Strohhut hervorkamen und in die Wangen fielen. Die Gestalt des Mädchens war dürftig. Ein weißer, aber flacher Busen verlor sich in dem kurzärmeligen Batistmieder, das in offener Krause um die mageren Schultern und den Nacken stand. Durchbrochene Halbhandschuhe, am Ende der dünnen Arme, ließen ebenfalls dürre, rötliche Finger mit weißen Nägeln frei. (478 f.)

Es ist nicht schwer zu begreifen, weshalb Mann im Zusammenhang mit Tolstoi diese Art der Beschreibung von Körperlichkeit als unchristlich-heidnisch bezeichnet hat (IX, 126). Sie ist Ausdruck der »natürlichen Kühnheit« der Kunst (635), die in »parodistischer Schalkheit [. . .] das Frechste gibt, gebunden an würdigste Form« (640). Im Gegensatz zu Schiller beansprucht Goethe für sich, »das Häßliche« zu sehen und als »Parodie«, als »Liebe und Parodie« (622) zu einem Teil der Kultur zu machen. 1941 zitiert Mann Goethe mit: »In every artist there is a seed of temerity without which no talent is thinkable.« (XIII, 720; vgl. IX, 343)

Erst vor diesem Hintergrund offenbart der humoristische Grundton des Romans und seine versöhnliche Schlußgeste seine menschenfreundliche Intention. Die Gestalt des gebildet-zitatenfreudigen Kellners Mager (»Er sagte ›Mahcher‹

nach seiner mitteldeutsch weichen Sprechweise«; 376) eröffnet den Roman, und ihm bleibt das längst ins Repertoire geflügelter Worte übergegangene Schlußwort: »buchenswert« (765). Keineswegs aber nutzt Mann die neun Kapitel zu einer durch solche Rahmung nahegelegten Zentralgipfelung. Hervorgehoben ist »Das siebente Kapitel« schon durch den bestimmten Artikel, und auch inhaltlich erhält es ein anderes Gewicht als die vorangegangenen sechs, mit denen zusammen es am 22. September 1816 spielt. Ist die Romanstruktur nur eine Variation der mythischen Kombination der geistigen Drei und der elementaren Vier, die im *Zauberberg* der Figur des Peeperkorn ihr großartiges Profil gibt? Zunächst fällt auf, daß es noch weitere Schemata in diesem Roman gibt, die sich mit diesem Schema nicht decken. Folgt man der erzählten Zeit, dann ergibt sich als Zeitschema: die Gegenwart von 1816, die *Werther*-Zeit, 1806, 1813 und wieder die Gegenwart 1816. Betrachtet man die einzelnen Kapitel genauer, so klaffen Themen- und Kapitelgrenzen auffällig auseinander, sind ähnlich summierend angelegt wie die chronikalisch aufgebauten *Buddenbrooks*.[42] Lottes Tochter Klara erscheint sowohl im ersten als auch im zweiten Kapitel, über die journalistenhaft auftretende Miss Rose Cuzzle, der Größe zur Berühmtheit geschrumpft ist, erfahren wir etwas im zweiten und dritten Kapitel, Adele Schopenhauer tritt in den Kapiteln vier und fünf auf, wobei das fünfte Kapitel mit seinem Untertitel »Adele's Erzählung« den Erzähltypus in *Wilhelm Meisters Wanderjahren* imitiert, die Situation August von Goethes wird in den Kapiteln fünf und sechs psychologisch durchsichtig gemacht. Neue Themenkomplexe werden im dritten Kapitel mit der Politik und im sechsten mit der Witwenthematik eingeführt. Lottes wohlkomponiertes Einführungsbillett kommt im ersten, sechsten und siebten Kapi-

42 Eine historisierende Chronistenrolle wird gegen Schluß im Roman sichtbar (749 u. 751). Vgl. Eckhard Heftrich, »*Lotte in Weimar*«, in: *Thomas Mann-Handbuch*, hrsg. von Helmut Koopmann, Stuttgart 1990, S. 423–446; hier S. 444.

tel vor. Rechnet man leitmotivische Elemente wie die Augenfarbe Lottes, Benennungsstereotypen wie »Dichter des *Werther*, des *Faust*, der *Iphigenie*« oder versteckt plazierte feuilletonhafte Miniaturen wie Goethe als Vorleser (487 f.), Goethe und der Wein (507), Goethe und seine gesundheitliche Verfassung (569 ff.), Goethe als Summe der Vorfahrenfähigkeiten (653 ff.) hinzu, dann entsteht eine offene, parzellierende Struktur,[43] die den Vorzug bietet, nach dem siebten Kapitel nicht ins Spannungslose abfallen zu müssen und die durch ihre Deutungsvariabilität den *Doktor Faustus* vorwegnimmt. Das Wiedersehen im achten Kapitel, »unbefriedigend bis zur Traurigkeit« (756), ist selbst wieder in Szenen der Hin- und Rückfahrt, des Empfangs, des Essens, der Besichtigung von Sammlungen und der Verabschiedung um versteinerter Süßwasserschnecken willen eingebettet, das neunte faßt raffend Lottes Zeit in Weimar bis Mitte Oktober zusammen, schildert den Besuch einer Aufführung von Körners *Rosamunde* und bringt im Landauer das von Lotte ersehnte, nur in ihrer Traumwirklichkeit existente Wiedersehen intimerer Art. Gerade die Gestalt Lottes ist es, die den Spannungsabfall verhindert. Erzählerisches Mittel ist die Steigerungsfähigkeit der Protagonistin, deren Sehweise im achten Kapitel die kritische Perspektive des Lesers führen darf und im neunten Kapitel Einsichten gewinnt, die die Einsichten Manns sind; die Verteilung der Opferrolle nach beiden Seiten hin gehört dazu. Lotte erhält daher eine Ebenbürtigkeit zurück, die in Wetzlar in der Wechselseitigkeit der Liebe existent war. Der ins Diesseits verlegte imaginierte *Wahlverwandtschaften*-Schluß erweist sich aber weiter als »konzilianter Schnörkel«, wenn man das erfüllte Wiedersehen in den Kapiteln »Ich bin's« und »Zanket nicht« in *Joseph, der Ernährer*, zuerst 1943 in Stockholm erschienen, daneben hält.

43 Eine alternative Ordnung hat Lieselotte Oestreich, »Maß und Zahl in Thomas Manns Roman *Lotte in Weimar*«, in: *Wissenschaftliche Zeitschrift der Universität Greifswald* 1 (1951/52), Gesellschafts- und Sozialwissenschaftliche Reihe, Nr. 2/3, S. 90–105, vorgeschlagen (Kunst: Kapitel 1, 4, 7; Leben: Kapitel 2, 5, 8; Geist: Kapitel 3, 6, 9).

Der sprachlichen Anmut, dieser »höchsten und letzten Wirkung der Kunst« (640),[44] tut diese Einschränkung keinen Abbruch, und so sieht es – vorläufig? – danach aus, als hätte Mann erreicht, was er in *Goethe's Laufbahn als Schriftsteller* als dichterische Aufgabe bezeichnet hat, die »endgültige Formung menschlicher Erkenntnisse« durch die »schriftstellerische Leidenschaft«, den »lebensbeherrschenden Trieb zu schöner Genauigkeit« (IX, 342).

44 Vgl. XIII, 849; zum Begriff ›Anmut‹ in Abgrenzung zu Schiller vgl. IX, 100 f.

## Literaturhinweise

Lotte in Weimar. Stockholm: Bermann-Fischer, 1939.
Gesammelte Werke in 13 Bänden. Frankfurt a. M.: S. Fischer, 1974. Bd. 2, S. 365–765.

Collett, Helga: Das Konvolut zu Thomas Manns Roman *Lotte in Weimar*: Eine Untersuchung. M. A. [masch.] Kingston 1971.
Delgado Mingocho, Maria Teresa: O Romance *Lotte in Weimar* de Thomas Mann. Tradicao e Demanda. Diss. Coimbra 1986.
Haage, Richard: Thomas Manns *Lotte in Weimar* – eine Bereicherung unseres Goethe-Bildes? Ein Vortrag. Kiel 1949.
Lange, Gerhard: Struktur- und Quellenuntersuchungen zu *Lotte in Weimar*. Bayreuth 1970.
Zapfl, Edith: Thomas Mann: *Lotte in Weimar*. Diss. [masch.] Wien 1950.

## *Das Gesetz* – Hebräische Saga und deutsche Wirklichkeit

Von Jacques Darmaun

Die Erzählung *Das Gesetz* ist ein direkter Niederschlag des *Joseph*-Romans[1]. Es handelt sich in diesem Fall um ein Auftragswerk[2], das unmittelbar auf die Forderung der Zeit, den Kampf gegen den Nationalsozialismus, ausgerichtet ist. Die jüdische Saga wird unter greller gegensätzlicher Beleuchtung gezeigt, die Verbindung zur Gegenwart betont. Der Erzähler identifiziert sich nämlich just mit Moses[3], um in dessen Namen die Gesetzestafeln gegen den Verbrecher und Anti-Christen Hitler zu schwingen. – Wie aber nun, wenn dieser und jener sich insgeheim die Hand zu reichen scheinen? Weist dann nicht die strahlende Menschheitsfabel zugleich eine komplexere, düstere Kehrseite auf, die, obwohl sie anfangs gar nicht auffallen will, Aufmerksamkeit verdient?

1 Die Tetralogie *Joseph und seine Brüder*, in: Thomas Mann, *Gesammelte Werke in 13 Bänden*, Frankfurt a. M. 1974, Bd. 4 und 5. Nach dieser Ausgabe wird im folgenden mit Angabe der Band- und Seitenzahl zitiert. Bei Zitaten aus *Das Gesetz* (Bd. 8) werden nur die Seitenzahlen angegeben. – Seit etwa August 1926, der Zeit der Vorarbeit zum *Joseph*-Roman, bis zum 4. Januar 1943 hat Thomas Mann nicht aufgehört, sich mit dem biblischen Stoff zu befassen. Aus dessen Welt und gleichsam als Fortsetzung ging die Sinai-Erzählung hervor.

2 Ursprünglich war ein Film geplant, wonach zehn bekannte Schriftsteller jeweils eines der zehn Gebote abhandeln sollten. Das Filmprojekt allerdings scheiterte, und es kam schließlich Weihnachten 1943 zur Herausgabe eines Buches unter dem Titel *The Ten Commandments* mit dem Untertitel *Ten short Novels of Hitler's War against the Moral Code.*

3 Aus dem hebräischen »Mosche« entsteht die bei Luther und in der Religionswissenschaft übliche Schreibung »Mose«, die auch Thomas Mann in seiner Erzählung gebraucht. Deswegen wird auch hier diese Schreibweise – einschließlich der Genitivbildung »Mose's« – übernommen, soweit von der Hauptgestalt der Erzählung die Rede ist. Ansonsten wird die gebräuchlichere, aus dem Griechischen abgeleitete Form »Moses« verwendet.

### *Israels Erbe*

Zum geistigen Kern der hebräischen Botschaft vorstoßend, wird nämlich von vornherein die Genese einer Ethik von universeller Bedeutung unterstrichen. Die Entstehung der Moral wird an Mose's Entwicklung gezeigt.
Am Anfang ist eine peinigende innere Zerrissenheit, die das Wesen von Mose prägt. In ihm stehen sich das mütterliche, ägyptische Erbe einerseits – Sinnlichkeit, Heftigkeit und Leidenschaft des Körpers – und die väterliche Erbschaft andererseits – der Stempel des Geistigen, der Trübsinn[4], ein verschwommener Zug von Unruhe und Nostalgie, die im Innersten dieses »Nomadenblutes« (813) die Glut der Revolte gegen die Sklaverei schüren – gegenüber.
Dieser Kampf der Sinne und des Geistes tobt heftig. Das innere Aufbrausen entäußert sich in ungestümen Gesten und Handlungen, ja, Mose's feuriges Temperament führt ihn sogar dazu, aus Gerechtigkeitssinn zu töten. Er kennt die Sünde bis zur Lust am Morden (vgl. 808).
Dieselbe Glut aber nährt seine Sehnsucht nach dem Klaren, Reinen. So hat er nichts von einem Übermenschen, ist in sich zerrissen, geteilt. Seine Nase, die er sich im Kampf gegen einen ägyptischen Leibwächter gebrochen hat, symbolisiert seine Rebellion gegen Unrecht und den Riß der Revolte zwischen Geist und Körper. Mit der ganzen Kraft seines Geistes stemmt sich Mose gegen das mütterliche Erbe, durch das er die schlimmsten Ausuferungen Ägyptens in sich trägt. Sein kraftvoller Körper mit den wuchtigen Armen, den massigen Händen steht in krassem Gegensatz zu seiner reinen, selbstlosen Seele. Diese verzweifelt fuchtelnden Fäuste und sein Stottern sind Zeichen eines Körpers, der ihn stört, sind Zeichen des fortwährenden Kampfes um die Beherrschung dieses Körpers. So erlebt Mose beispielhaft in seinem Innersten das Streben Israels nach Veredlung und Läuterung,

4 Vgl. S. 811: »Er hatte traurige Augen.«

das Bemühen, der Natur den Stempel des Geistigen aufzudrücken.
Der Moses der Bibel empfängt seine Mission von Gott. Der Mose Thomas Manns hört diesen Appell in sich selbst, der zur Berufung wird. Die Visionen des Propheten sind Widerspiegelung seines innersten Bemühens.[5] Die tiefsten Gegensätze erwecken in Mose jene Gier nach dem Absoluten, jene geistige Unnachgiebigkeit, wie sie der Abraham-Gestalt aus der Joseph-Tetralogie eignet. Mose's »unordentliche« Geburt (808) schürt um so mehr den Willen, eine unantastbare, heilige Ordnung zu errichten. Seine Herkunft unterstreicht seine Situation als Paria, weil er von überall und nirgends abstammt. Durch seine Werke und den ausgeprägten Willen, gegenüber den Instinkten dem Geist den Vorzug zu geben, erschafft er sich selbst. Aber gerade dadurch schreibt er sich in den Stammbaum Israels ein, dessen Zusammenhalt mehr im Geistigen als in dem des Blutes besteht.[6]
Seine Aufgabe ist es, ein »abgesondertes Volk des Geistes, der Reinheit und der Heiligkeit« (810) zu schmieden. Zu dem geistigen Eifer gesellt sich Findigkeit: Mose muß dem Volk, um es nicht vor den Kopf zu stoßen, die tatsächlichen Schwierigkeiten des ungeheuren Unternehmens, das die Befreiung vom ägyptischen Joch darstellt, verhehlen. Er muß sich mit seinen eigenen Schwächen abfinden, sich auf die Hilfe von Aaron, Mirjam, Joschua, Kaleb und sogar auf die seines Schwiegervaters stützen. Wir sehen ihn, wie er einen Filter erfindet, um bitteres Quellwasser in der Wüste trinkbar zu machen. Der Erzähler zeigt Mose als einen Beobachter, der alle Fehler seines Volkes registriert, um daraus Grundsätze abzuleiten und sie dem Volk einzuprägen. Seine

5 Vgl. S. 809: »als flammendes Außengesicht«.
6 Dies geht aus der Novelle, wie schon aus dem Joseph-Roman, hervor. Vgl. hierzu auch Goethes *Noten und Abhandlungen zum besseren Verständnis des West-östlichen Divans*, in: *Goethes Werke. Hamburger Ausgabe in 14 Bänden*, hrsg. von Erich Trunz, München 1972 [im folgenden zit. als: HA], Bd. 2, hier bes. den Abschnitt »Israel in Ägypten«, S. 207–225.

Zehn Gebote sind im Wesentlichen das Werk der Erfahrung, der Kern von Lebensregeln, die der Menschheit gestatten, sich zum Reich Zion zu erheben. Mose geht in seinem Willen, das universelle Gesetz zu formulieren, sogar so weit, das Alphabet zu erfinden. Kurz, Mose ist ein neuer Prometheus, er trägt das heilige Feuer, das die Menschheit erleuchtet.
Seine Aufgabe ist um so schwieriger, als sich das Volk in einem jämmerlichen Zustand befindet. Es wird als eine unförmige Masse beschrieben. Der Erzähler entlehnt der Übersetzung Luthers den Ausdruck »Pöbelvolk«[7], verstärkt ihn noch durch »Gehudel«, »Blut«, »Vatergeblüt«, »Blutsgenossen«, »Geblüt«, »Fleisch«, »Horden«[8]. Diese Bezeichnungen setzen die Hebräer zu Sklaven herab, zu einem »elende(n), bedrückte(n) und in der Anbetung konfuse(n) Fleisch« (810). Dieses Volk ist besonders »halsstarrig«:

> Sie waren Nomadenblut, mit der Überlieferung frei schweifenden Lebens, und stündlich geregelte Arbeit, bei der man schwitzte, war ihnen im Herzen fremd und kränkend. [...] Seit mehreren Geschlechtern in einem Übergangslande zeltend zwischen der Väterheimat und dem eigentlichen Ägypten, waren sie von gestaltloser Seele, ohne sichere Lehre und schwankenden Geistes. (813 f.)

Der Erzähler läßt den Zehn Geboten Lebensmittel- und Hygienevorschriften vorausgehen, die eigentlich erst in viel späteren Passagen des Levitikus und des Deuteronomiums verstreut sind. Durch diese Umkehrung haben die allgemeinen Anweisungen Mose's nicht mehr denselben Stellenwert wie in der Bibel. Statt einer simplen Warnung vor möglichen, vielleicht hier und da, in Israel wie anderswo verbreiteten Schwächen nehmen die Verfügungen beschreibenden Cha-

7 4. Mose 11, 4.
8 »Pöbelvolk« 835, 842, 847, 863, 870; »Gehudel« 832 f., 836, 847, 854, 860; »Blut« 809 f., 813, 816, 819, 828, 850, 865, 871, 875; »Vaterblut« 874; »Vatergeblüt« 815, 864; »Blutsgenossen« 828; »Geblüt« 818, 831, 835, 838, 840, 842, 847, 855; »Fleisch« 810, 819, 840, 854, 875; »Horden« 846.

rakter an, als ob sich das Volk in einem derart heruntergekommenen Zustand primitiver Tierhaftigkeit befände, daß Mose's Gesetz die konstatierte Verderbnis notwendigerweise korrigieren müsse (vgl. 850). Primitivste Hygienevorschriften, Lebensmittelverbote und sexuelle Einschränkungen sind ohnehin schon ein widernatürlicher Bruch mit dem Gewohnten, wie erst recht die darauf folgenden ethischen Anweisungen! Sie stehen in völligem Gegensatz zu dem, was bisher die Norm war, sie sind die Unnatur.
Dieses Volk befindet sich im Kindheitszustand der Menschheit und verhält sich auch entsprechend, bald vor Mose und seinem Rachegott ängstlich zitternd, bald Mose als Propheten anbetend, mal ihn steinigend und sich immer beklagend. Kurz, der Kult um das Goldene Kalb, dem das Volk in Mose's Abwesenheit verfällt, ist diesem groben »Pöbel« (848) natürlicher als der Zustand, in den Mose es erheben will.

Diese »ungestalte« Menschheit (810) wird mit dem rohen Stein verglichen, der den Steinmetz dazu treibt, dieser rohen Materie die Formen seines Geistes abzuringen. Der Schöpfertrieb bemächtigt sich Mose's:

> Er selbst hatte Lust zu seines Vaters Blut, wie der Steinmetz Lust hat zu dem ungestalten Block, woraus er feine und hohe Gestalt, seiner Hände Werk, zu metzen gedenkt. (850)

Der Schriftsteller verleiht seinem Helden

> die Züge – nicht etwa von Michelangelo's Moses, sondern von Michelangelo selbst, um ihn als mühevollen, im widerspenstigen menschlichen Rohstoff schwer und unter entmutigenden Niederlagen arbeitenden Künstler zu kennzeichnen. (XI, 154 f.)

Die Worte von Maurice Barrès über Michelangelo, »der sich eine Welt zu erschaffen sehnt, in der das Universum seinem

Willen gehorcht«[9], gelten auch für Thomas Manns Mose. Das gewaltige Unternehmen, die Menschheit zu erziehen, geht nur langsam voran. Alles muß dem Volk beigebracht werden, Hygiene- und Ernährungsvorschriften, Grundsätze über das Eigentum und die Regeln des Anstandes, die höchsten moralischen Maximen, bis hin zur Quintessenz: »Liebe deinen Nächsten wie dich selbst.«[10] Tu dem anderen nicht an, was er dir nicht antun soll! Handle derart, daß deine Taten zur universellen Regel werden können! Die Kantische Ethik schimmert durch die Unterweisungen Mose's hindurch.[11] Die Moral kennt keinen Unterschied zwischen den Kindern Israels und den Fremden.

> Du warst ein geschundener Knecht in Ägyptenland – gedenke dessen bei deinem Gehaben gegen die, die fremd sind unter dir, die Kinder Amaleks zum Beispiel, die dir Gott in die Hände gab, und schinde sie nicht! [...] Mache überhaupt nicht einen so dummdreisten Unterschied zwischen dir und den anderen [...]. Darum liebe ich dich nicht allein, sondern liebe ihn gleicherweise und tue mit ihm, wie du wünschen würdest, daß er mit dir täte, wenn er du wäre! (853)

Sehr klar nimmt die Botschaft Israels universelle Bedeutung an. Mit dem Alphabet entdeckt Mose Worte, die sich an alle richten, weil der Gott Israels der Herr des Universums ist:

> [...] und wie Jahwe der Gott der Welt war allenthalben, so war auch, was Mose zu schreiben gedachte, das Kurzgefaßte, solcher Art, daß es als Grundweisung und Fels des Menschenanstandes dienen mochte unter den Völkern der Erde – allenthalben. (865)

9 Maurice Barrès, *Du sang, de la volupté, de la mort*, Plon 1909, S. 252: »Entrons où vit son peuple [...] c'est ici le lieu du plus terrible effort [...] pour échapper à tout ce qu'il y a de bas dans la condition humaine.«

10 3. Mose 19, 18.

11 Vgl. Immanuel Kant, *Grundlegung zur Metaphysik der Sitten*, hrsg. von Theodor Valentiner, Einl. von Hans Ebeling, Stuttgart 1961 [u. ö.], S. 68: »Handle so, als ob die Maxime deiner Handlung durch deinen Willen zum *Allgemeinen Naturgesetze* werden sollte.«

Die Genealogie der Moral, wie sie in der Joseph-Tetralogie skizziert ist, wird hier wiederholt. Es handelt sich um ein wirkliches »Abrichten« der menschlichen Gattung, zunächst aus Furcht vor Bestrafung, bis sich die Achtung vor Gott und dem Gesetz schließlich zu einer ehrwürdigen Tradition gefügt hat. Dann entsteht das Gewissen wie eine zweite Natur: »Halte dein Herz im Zaum!« (865) Das »contra naturam vivere« ist der Leitgedanke der Botschaft Israels. Thomas Mann folgt Freud, für den sich die jüdische Religion, »die mit dem Verbot begonnen hat, sich ein Bild von Gott zu machen, [. . .] im Laufe der Jahrhunderte immer mehr zu einer Religion der Triebverzichte«[12] entwickelt hat.
Diese Arbeit der Instinktsublimation ist – für Thomas Mann wie für Freud – der Grundstein der Kultur. Der »Fels der Moral« ist »das A und O des Menschenbenehmens« (874). Jahwe »ist der Herr allenthalben, darum ist sein das ABC, und seine Rede, möge sie auch an dich gerichtet sein, Israel, ist ganz willkürlich eine Rede für alle« (874), ein Wort, das »in dein Fleisch und Blut [. . .] gemetzt sein« (875) soll. So ist der ewige und »unverbrüchliche« Bund mit Israel einfach der »Bund zwischen Gott und Mensch«. (875)
Aus Mose spricht das Buch der Bücher, der prometheische Logos, der dem menschlichen Geist das göttliche Feuer bringt. Sein gebrochenes Nasenbein bezeugt seinen trotzigen Willen, brüderliche Gerechtigkeit zwischen den Menschen herzustellen. Vielleicht muß man in der gebrochenen jüdischen Nase ein Symbol sehen; für Thomas Mann ein Synonym des irdischen Kampfes Israels, um hienieden das Reich Gottes zu errichten.
Der Prophet der Erzählung ist teilweise von dem Porträt angeregt, das Heine von Moses, dem Erbauer von »Menschenpyramiden«, gezeichnet hat:

12 Sigmund Freud, *Der Mann Moses und die monotheistische Religion*, Frankfurt a. M. 1975, S. 118.

> [...] er nahm einen armen Hirtenstamm und schuf daraus ein Volk, das [...] den Jahrhunderten trotzen sollte, ein großes, ewiges, heiliges Volk, ein Volk Gottes, das allen anderen Völkern als Muster, ja der ganzen Menschheit als Prototyp dienen konnte [...].[13]

Mehr noch als in der Tetralogie wird die Aktualität der Botschaft Israels betont. In einer Zeit, in der die Grundlagen der Kultur von einem nazistischen Deutschland verhöhnt werden, identifiziert sich Thomas Mann mit Moses, dem Verteidiger des Geistigen, gegen dessen barbarische Verneinung durch Hitler. Mann verdammt die Anbetung des Goldenen Kalbs einer in die Barbarei zurückgefallenen Menschheit. Er schleudert seinen Fluch über den verrückten Bösen: es wäre »besser, er wäre nie geboren« (875).

Die Zehn Gebote, »die in Urzeiten der Menschheit gegeben wurden als ihr sittliches Grundgesetz« (XI,1070), werden als wichtiges Fundament des hebräischen und menschheitlichen Erbes hervorgehoben. Der entstehende Mosaismus nimmt unter der Feder Thomas Manns den Charakter einer Religion an, die Heines Worte zufolge »nichts als ein Akt der Dialektik [ist], wodurch Materie und Geist getrennt, und das Absolute nur in der alleinigen Form des Geistes anerkannt wird.«[14]

Durch solche Darstellung reiht sich Mann in eine Strömung ein, die von Hegel über Heine zu Freud führt und aus Israel »ein Volk des Geistes«[15] macht. Dieses leuchtende Bild wird von einem dunkleren begleitet, das die Schwächen Israels anklagt.

13 Heinrich Heine, »Geständnisse«, in: H. H., *Sämtliche Schriften in 12 Bänden*, hrsg. von Klaus Briegleb, München 1976, Bd. 11, S. 481.

14 Heinrich Heine, »Über Börne«, in: *Sämtliche Schriften* (Anm. 13), Bd. 7, S. 40.

15 Ebd., S. 119.

*Die Kehrseite*

Schimmert nicht vielleicht durch den Humor der Erzählung eine gewisse Mißbilligung des orthodoxen Judentums und der jüdischen Absonderung hindurch? Scheint nicht Thomas Mann die Hebräer des Stammesstolzes und der Herrschsucht zu bezichtigen?
Die Kritik an der mosaischen Religion ist von der Art des Voltaireschen Humors. Der zwanglose und scherzhafte Ton ist für die religiöse Orthodoxie gotteslästerlich. Die Komik entsteht durch das Aufeinanderprallen von sehr genauen biblischen Zitaten und persönlichen, ja modernen Hinzufügungen und Veränderungen.[16] Der Originaltext wird mit einem ironisch-belustigenden Kommentar des Autors verflochten, z. B.: »Das nächste Mal will ich bei jedem ein Schäuflein sehen, oder der Würgeengel soll über euch kommen!« (848) Mose's Drohungen, die in keinem Verhältnis zur Sünde stehen, rufen ein Lächeln hervor, wie nicht weniger die übergenaue Auflistung der Lebensmittelvorschriften, die altmodisch oder übertrieben sind. Die Riten werden der Lächerlichkeit ausgesetzt, und das jüdische Osterfest, das symbolische Gedenken an den überstürzten Auszug aus Ägypten, wirkt komisch, wenn Thomas Mann erzählt:

> Im übrigen war man, so groß wie klein, zum Aufbruch völlig bereit gewesen. Die Lenden gegürtet, hatte man, während der Würgeengel umging, bei gepackten Karren gesessen, die Schuhe schon an den Füßen, den Wanderstab an der Hand. Die goldenen und silbernen Gefäße, die man von den Landeskindern entliehen, nahm man mit. (829)

Die Passah-Tradition sieht nach einer frommen Lüge aus, die Gewinnsucht der Hebräer wird unterstrichen. Der Glaube wird nicht besser dargestellt: Jahwe »hatte eine bewegli-

16 Vgl. hierzu: Käte Hamburger, *Thomas Mann: »Das Gesetz«. Dichtung und Wirklichkeit*, Berlin 1964, S. 111.

che Gegenwart« (841), die Bundeslade ist »eine Art von Kasten [...] auf welchem nach Mose's Aussage die Gottheit unsichtbar thronte« (841), wozu der Kommentator mit trockenem Humor hervorhebt: »und er [Mose] mußte es wissen« (841). Kurz, die biblische Geschichte wird entweiht.

Der Schriftsteller nimmt auf burleske Art einen guten Teil der von Goethe in den Notizen und im Anhang zum *West-östlichen Divan* formulierten Kritik an Mose's Werk[17] auf. Er entlehnt besonders Goethes ernüchternde Entmystifizierung der hebräischen Legende. Bei Goethe wie bei Thomas Mann ist das Volk von unbeschreiblicher Grobheit, unvergleichlich roher und ungeschliffener als in der Bibel, als ob es alle Laster besäße, die es außer Kraft zu setzen gelte.

Mose hat nicht die hohe Statur, die Heine ihm verleiht.[18] Ein stammelnder, mittelmäßiger Feldherr, jähzornig, unfähig, seine Sinnlichkeit zu beherrschen, braucht er Mirjam und den salbungsvoll redenden Aaron als sein Sprachrohr, Joschua und Kaleb für seine militärische Strategie und für die Aufrechterhaltung der Disziplin, die Äthiopierin zum Ausgleich seiner Sinne. Der Gott Mose's taugt auch kaum mehr: ein eifersüchtiger, jähzorniger, in seinen Wutausbrüchen ungerechter Gott, der sogar so weit geht, den Ehebruch zu schützen (vgl. 858 ff.). Er ist nur der Widerschein von Mose's innerem Verlangen: »Wie der Mann, so auch sein Gott.«[19] Der Prophet identifiziert sich so mit Gott, daß die Unterscheidung unmöglich ist, ob Gott tatsächlich existiert oder ob Mose nur mit seinen inneren Stimmen Zwiesprache hält.

Mit der halbjüdischen Abstammung seines Mose narrt der Erzähler einmal mehr die jüdische Saga. Wenn Freud aus Moses einen Ägypter macht, geht er in erster Linie von einer religionsgeschichtlichen Hypothese aus, nämlich das Judentum an die Religion Echnatons zu binden.[20] Nichts derglei-

17 Vgl. Goethe, »Israel in der Wüste«, in: HA II, 207–225.

18 Heine (Anm. 13), S. 480: »Welche Riesengestalt! [...] Wie klein erscheint der Sinai, wenn Moses darauf steht!«

19 HA II, 223.

20 Freud (Anm. 12), S. 39.

chen führt bei Thomas Mann zu der für das orthodoxe Judentum schwerwiegenden Verdrehung. Er begründet und betont zwar durch die jüdisch-ägyptische Abstammung die innere Zwiespältigkeit Mose's und verleiht seinem Verhalten psychologische Glaubwürdigkeit. Darüber hinaus sichert die nicht vollständige Dazugehörigkeit zum jüdischen Volk dem Propheten den notwendigen Abstand, um das Volk beurteilen und korrigieren zu können. – Dennoch ist solche Begründung zu vordergründig. Offensichtlich handelt es sich darum, die Legende zu entmystifizieren, indem Mose zumindest väterlicherseits nicht mehr der Sohn des Stammes Levi, sondern durch seine »unordentliche« Geburt der Sohn eines Niemand, eines Paria, eines Outsiders ist. Die jüdische Religion entsteht dann aus dem Rachegeist eines Deklassierten. Die religiöse Berufung des Propheten findet so eine ganz prosaische Erklärung, die zur burlesken Entmythisierung beiträgt.

Die erhabene jüdische Saga wird überhaupt auf Menschliches, allzu Menschliches zurückverwiesen. Die zehn Plagen, die Ägypten heimsuchen, werden zu bloßen Naturerscheinungen, die von den Hebräern ausgenutzt werden. Der Würgeengel, der die zehnte Plage, die Vernichtung der Erstgeborenen bringt, hat Joschuas Gesicht. Thomas Mann nimmt die Deutung wieder auf, die Goethe den Ereignissen gibt:

> Unter dem Schein eines allgemeinen Festes lockt man Gold- und Silbergeschirre den Nachbarn ab, [...] wird eine umgekehrte Sizilianische Vesper unternommen; der Fremde ermordet den Einheimischen [...], und geleitet durch eine grausame Politik, erschlägt man nur den Erstgebornen, um [...] den Eigennutz der Nachgebornen zu beschäftigen [...]«.[21]

»Meine Freunde!« bricht der Erzähler aus: »Beim Auszuge aus Ägypten ist sowohl getötet wie gestohlen worden. Nach

21 HA II, 211 f.

Mose's festem Willen sollte es jedoch das letzte Mal gewesen sein.« (829) Nichts davon ist jedoch zu sehen. Menschliches Handeln muß das Ausbleiben Gottes ersetzen. Auch der Sieg über Amalek ist das Werk Joschuas und seiner Feldherrgabe. Und wenn Israel gewinnt, so deshalb, weil Mose seinen Arm erhebt. Aus dieser Geste erfahren die Kämpfer psychologische Ermutigung. Sogar auf dem Berge Sinai ist Gott trotz der Erklärungen des Propheten abwesend: »Da liegt, [...] was Er für dich geschrieben [...].« (870) Mose ist der Wahrheit näher, wenn er zugibt: »Die zehn Worte sind's, die ich bei Gott für euch schrieb in eurer Sprache, und schrieb sie mit meinem Blut.« (871) Noch kann keine Rede von Gottes Anwesenheit sein, wenn nicht von einer rein innerlichen. Die Erfindung des Alphabets ist die letzte Erleuchtung des Propheten, in Wahrheit ein Trick mehr; menschliche Erfindungsgabe ersetzt Gottes Werk.

Mose's Tun wird auf politische Machenschaften herabgesetzt. Die biblische Geschichte wird entmythisiert, was Mose und seine Helfershelfer nicht daran hindert, ihrerseits das Volk mit Mythen einzulullen. Joschua weiß, was er davon zu halten hat, als er den Propheten in dem vermeintlichen Gespräch mit Gott auf dem Berg trifft. Die vierzig Tage und Nächte auf dem Sinai sind Teil einer ungeheuren Inszenierung, um dem Volk zu imponieren, genauso wie die zehn Plagen und die Pseudo-Wunder in der Wüste. In Wahrheit aber ist das ganze Unternehmen das Ergebnis von Schlaufüchsen, die sehr wohl verstehen, mit zurechtgebastelten Mythen Geschichte zu machen. Mit der Peitsche des Wortes wühlt Mose in den Herzen, rührt in den Wunden, stachelt die Sehnsucht nach Befreiung an, weckt die Rachegier und schmeichelt dem Rassenstolz, der im Laufe der Generationen verkümmert ist. Die Erzählung zerrt die Legende auf das Niveau einer Verschwörung herab.

Alle Mittel sind recht, um den Aufruhr zu schüren, die Ideologie nutzt alle Mittel der Propaganda aus: theatralische Inszenierungen, die Paukenschläge und Gesänge der Mirjam, die wohlklingende Stimme Aarons, das kriegerische Gebaren von Joschua und Kaleb, die Aura des Propheten, der Appell an die guten Gefühle, aber auch dick aufgetragene Lügen. Mose hat das Zeug zu einem gerissenen Demagogen, der sich mit einem Kern von Getreuen zu umgeben weiß, um – Goethes Wort zufolge – »grausame Politik« zu machen und die Menschen seiner Idee zu unterwerfen. Das Wortgerassel löst im Innern der Menschen Entsetzen vor einem furchterregenden Gott und seinen Würgeengeln aus. Das Wort rechtfertigt spitzfindig jede Tat, selbst die blutigste: Joschua und Mose überzeugen sich davon, daß die Schlacht gegen Amalek und das Massaker im Namen Jahwes gerechtfertigt sind, und zwar unter dem Vorwand, daß gestohlenes Land zu rauben kein Diebstahl sei. Mose wird meineidig, mit falschen Begründungen beugt er Gesetze, die er selbst erlassen hat. Kurz, der Zweck heiligt die Mittel. Die zur Schau getragene Ethik wird in der Praxis mit Taten übertreten und durch Listen entstellt.

Die Absonderung, die das auserwählte Volk von allem Fremden (vgl. 848) fernhalten soll, droht, Kasten- und Rassenstolz hervorzurufen. Daher die Warnung des Propheten vor der »dummdreisten« (853) Versuchung, aus der Auserwähltheit ein Überlegenheitsgefühl gegenüber den Fremden abzuleiten. Mose aber, der das Gemetzel von Amalek und andere Untaten billigt, verfällt zu allererst dieser Schwäche. Nach dem Massaker ist Sanftmut gegenüber den Kindern Amaleks reinster Hohn. In Wirklichkeit herrscht Rassendünkel vor.

Nationalismus und Rassismus tauchen als ständiges Leitmotiv auf, und zwar als das Blut von Mose's Vater, nach dem der biblische Gott dürstet. Dieses flammende Sehnen loht in Mose's Seele, die den leidenschaftlichen Eros seines glühend heißen Schöpfungstriebes anstachelt.

Die Wucht dieser Leidenschaft für das Blut seines Vaters geht bis zum Blutvergießen, bis zum Morden. Er weiß im übrigen

Gott durch geschickte Spitzfindigkeiten zu versuchen, um auf seinem Unternehmen zu bestehen (vgl. 873). Dem Pakt Israels mit Mose, dem Kämpfer Gottes und dem Tyrann des Volkes, haftet beinahe der teuflische Aspekt einer geistigen Diktatur an.

Der Prophet schreibt die Buchstaben des Dekalogs mit seinem Blut, gleichsam ein Sinnbild für das gesamte Geschehen. Allein im ersten Kapitel erscheint der Begriff des Blutes sechsmal, wie ein Prolog zu den folgenden Mordtaten: der Mord an dem ägyptischen Leibwächter durch Mose; die Ausrottung der Erstgeborenen; das Gemetzel von Amalek; die Hinrichtungen als »blutige Reinigung« (872); die vom wütenden Gott Mose in den Mund gelegte Drohung, das widerspenstige Volk auszulöschen; schließlich die nahegelegte Mordtat an Mose selbst durch den in seinem wiederholten Zorn aufgebrachten Pöbel, der eines Tages wagen könnte, den allzuharten Tyrann wahrhaftig zu steinigen.

Diese von Freud stammende Hypothese, der zufolge Mord das eigentlich religionsstiftende Ereignis sei, prägt die ganze Geschichte.[22] Mose ist ein Robespierre, ein unerbittlicher Gesetzesvollstrecker, dessen Intoleranz und Radikalität die ursprünglich reine Idee abwerten, deren Träger er war.

Dieses Umschlagen macht die Zwielichtigkeit vollständig, und bestünde nur diese Kehrseite, dann würde die dem Judentum zugrunde liegende heilige Legende zur Schreckensgeschichte.

Hieße das aber etwa, daß der Schriftsteller paradoxerweise die biblischen Gestalten und das jüdische Volk zum besten hält, wo man doch gerade von Thomas Mann in dem damaligen politischen Zusammenhang eine Verteidigung des Judentums erwartet hätte? Schillern etwa doch die traditionellen antijüdischen Klischees durch, bei dem schmeichelnd heuchlerischen Aaron, in dieser groben Masse von Parias, für die zu guter Letzt der egoistische Zweck die Mittel heiligt?

22 Vgl. Freud (Anm. 12), S. 70.

Läßt sich der Erzähler nicht sogar hinreißen, durch Mose die Juden vor ihrem Rassendünkel[23] zu warnen? Warum geht der Prophet im übrigen nicht mit gutem Beispiel voran? Warum werden die Zehn Gebote, das Gesetz der Menschheit, weder vom Volk noch von Mose respektiert?
Der Mosaismus wäre somit lächerlich gemacht. Dann könnte man sich nur über den Mangel an Takt bei der Behandlung der biblischen Legende wundern, und dies erst recht zu einem Zeitpunkt, wo das verfolgte jüdische Volk mehr denn je der Achtung seines Glaubens bedürfte.[24]
Es ist aber unmöglich vorstellbar, daß 1943, zur Zeit der »Endlösung«, Thomas Mann mit einer solchen Erzählung das Ziel verfolgt, die Juden zu belasten und noch dazu gelegentlich einer Arbeit, die – von der politischen Situation diktiert – es erfordern würde, das nazistische Deutschland anzuklagen und das Judentum zu verteidigen.

## *Jüdische Saga und deutsche Wirklichkeit*

Das Problem, das Thomas Mann ständig beschäftigt und dem der Krieg eine peinigende Schärfe verleiht, ist natürlich Deutschland. Die Erzählung muß als eine Reflexion über deutsche Wesensart, über das Schicksal Deutschlands und den Nationalsozialismus gelesen werden.
Die Parallele zwischen Israel und Deutschland wird nach dem Roman *Joseph und seine Brüder* hier noch einmal heraufbeschworen. Ist von den versklavten Hebräern die Rede,

23 Es gehört tatsächlich zu den antisemitischen Stereotypen, den Begriff des auserwählten Volks mißzuverstehen. Er ist lediglich religiöser Natur und verweist auf die Pflichten des gläubigen Menschen.

24 Daher die teilweise auch negative Aufnahme der Erzählung von jüdischer Seite. Vaget weist auf Rezensionen von orthodox jüdischer Seite hin, die die Erzählung als einen »Haßausbruch gegen das Judentum« kennzeichnen: Hans Rudolf Vaget, *Thomas Mann. Kommentar zu sämtlichen Erzählungen*, München 1984, S. 277.

so ist an das unterjochte Deutschland zu denken, von dem Erich Kahler in einem von Thomas Mann besonders geschätzten Kapitel sagt, daß man dieses in seiner Geschichte durch den »welschen« Imperialismus vergewaltigte Deutschland nicht nach Belieben habe aufblühen lassen, so daß es – politisch unreif – keine Nation werden konnte.[25] Wie das Volk Israel, das der ägyptischen Sklaverei ausgeliefert ist, so sei dieses Deutschland tölpelhaft und derb. Sein Wesen sei heftig, starrköpfig und von einem Heidentum geprägt, das das Christentum nur mühsam und oberflächlich zu verdekken vermag.[26] Jeder Versuch, einem solchen Volk den Stempel des Geistes aufzudrücken, stoße auf innere Widerstände und führe zu unvermeidlichen Rückfällen.

Gleichzeitig sehne sich dieses brachliegende, zerstückelte, als Nation nicht existierende Deutschland nach einem einigenden »Volkskörper«.[27] Doch der Wunsch, sich von fremdem Joch zu befreien, gerate ins Zwielicht: die nach außen geforderte Freiheit schlage sich im Innern in eine Unterwerfung unter das Gesetz des Herrschers nieder, der den nationalen Willen verkörpere.

Alles geschähe so, als ob die ungestillten Fähigkeiten, der durch fremdes Joch verursachte Minderwertigkeitskomplex und der Wunsch nach Rache das Selbstgefühl und die nationale Begeisterung steigern würden. Aus dem daraus entstehenden Überlegenheitsgefühl erhöben sich Nation und Rasse zum auserwählten Volk. Die nationale Idee rechtfertige die schrecklichste Machtpolitik.

Diese Parallelen werden durch winzige Details angedeutet. Mose's Gesetze sind, wie bereits erwähnt, bis in die Begriff-

25 Erich Kahler, *Israel unter den Völkern*, Zürich 1936, S. 103.

26 So auch Heinrich Heine in Texten, die Thomas Mann gut kannte, z. B.: *Zur Geschichte der Religion und Philosophie in Deutschland*, in: *Sämtliche Schriften* (Anm. 13), Bd. 5, S. 640.

27 Kahler (Anm. 25), S. 106.

lichkeit hinein der Kantischen Ethik angenähert. Mit Mirjams Siegeshymne hallen die patriotischen Gesänge der Befreiungskriege wider.[28] Der Tanz um das Goldene Kalb gemahnt an Gustav Aschenbachs dionysischen Traum vom wollüstigen Auskosten des »hinfälligen Sittengesetzes« (VIII, 518). Deutschland sielt sich im barbarischen Pfuhl primitivster Instinkte.

Vor allem aber flechten die Hauptgestalten der Erzählung die zartesten Fäden zwischen Israel und Deutschland. Joschua, ein junger Mann von straffer militärischer Strenge, mit gewelltem Haar, dem hervorstehenden Adamsapfel und den Stirnfalten ähnelt Michelangelos Porträt des David, wie er sich gerade stirnrunzelnd und entschlossenen Blicks zum Kampf gegen Goliath anschickt. Dieser junge, sympathische Joschua aber hat auch das Antlitz des Würgeengels, und vielleicht nicht ganz zu Unrecht ist an ihm Teuflisches aufgespürt worden: die Falten zwischen den Brauen deuten flüchtig die Hörner des Teufels an.[29] Und tatsächlich ähnelt Joschua jener anderen Verkörperung des Bösen oder des Todes, dem Fremden nämlich, dem Aschenbach beim Friedhof begegnet. Der hagere Hals, der hervortretende Adamsapfel, die zwei energischen, senkrechten Furchen zwischen den Brauen fallen bei beiden Gestalten auf (vgl. VIII, 446). Darüber hinaus führt der Feldherr Joschua eine militärische Taktik ein, in der man »die berühmte schräge Schlachtordnung« (X, 85) Friedrichs II. wie auch den Schlieffen-Plan aus dem ersten Weltkrieg[30] wiedererkennt.

Auch Mose ist mit Deutschland verknüpft: Zwar sieht er dem Michelangelo – wie wir wissen – ähnlich, der wie der Prophet dieselbe »beständig nach dem Reinen, Geistigen, Göttlichen ringende, sich selbst immer als transzendente Sehnsucht deutende Sinnlichkeit« (IX, 785) hat. Aber darüber hinaus weist

28 Vgl. Volkmar Hansen, »Thomas Manns Erzählung *Das Gesetz* und Heines Moses-Bild«, in: *Heine-Jahrbuch* 13 (1974) S. 132–149.

29 Ebd., S. 144.

30 Ebd., S. 145.

gerade die eklatante Verquickung widersprüchlicher Charaktereigenschaften auf eine andere Verwandtschaft hin, die mit Luther nämlich, wie er von Heine beschrieben wird:

> Dann hat er auch Eigenschaften, die wir selten vereinigt finden, und die wir gewöhnlich sogar als feindliche Gegensätze antreffen. [...] Er war voll der schauerlichsten Gottesfurcht, voll Aufopferung zu Ehren des heiligen Geistes, er konnte sich ganz versenken ins reine Geisttum; und dennoch kannte er sehr gut die Herrlichkeiten dieser Erde.[31]

Mose's unschickliche Liebe zu seiner schwarzen Äthiopierin, übrigens eine »Erfindung«[32] Thomas Manns, klingt wie ein humoristisches Echo auf die Luther (vielleicht fälschlich) zugeschriebenen, berühmten Verse über Wein, Weib und Gesang.[33] Andere Wesenszüge, zum Beispiel Jähzorn, sind sowohl Mose als auch dem deutschen Reformator eigen. Zudem kann sich Thomas Mann Mose schwerlich als Erfinder des Alphabets und der hebräischen Sprache vorstellen, ohne dabei zur grundlegenden Schrift der deutschen Nation, Luthers Bibelübersetzung, hinüberzublinzeln. Womöglich sind sogar Mose's hervorstehende Wangenknochen ein geheimer Hinweis auf den deutschen Reformator.

Die Mose-Figur ist also in zweifacher Hinsicht doppelt angelegt, nicht nur äußerlich durch die ägyptisch-jüdische Abstammung und innerlich durch die ausgeprägt geistigen und sinnlichen Seiten seiner Natur, sondern auch deshalb, weil er über sich selbst hinaus auf den deutschen Luther weist. Solche Zweiseitigkeit, solch Doppelgängertum kommen aber nicht von ungefähr. Aus dem Blickwinkel Thomas Manns

31 Heinrich Heine, *Zur Geschichte der Religion und Philosophie in Deutschland*, in: *Sämtliche Schriften* (Anm. 13), Bd. 5, S. 538.
32 Hamburger (Anm. 16) S. 104 f.
33 Vgl. Heine (Anm. 31).

sind sie Mose's Wesen und bedingen notwendig und unvermeidlich dessen Schicksal.
Dieses zweiseitige, doppelsinnige Motiv strukturiert die gesamte Erzählung und gewinnt dadurch symbolträchtige Bedeutung. Der Prophet Israels ist auch der deutsche Luther, »eine riesenhafte Inkarnation deutschen Wesens« (XI, 1132), ein Paradigma deutschen Strebens, zu sich selbst zu kommen. Nun aber bezeugen Luther, die deutsche Romantik, das Reich Bismarcks oder die nationalsozialistische »Erneuerung« eine ständige, äußerst zwielichtige – wiederum doppelte – Entwicklungslinie deutscher Geschichte, in der das Gute immer wieder ins Böse umschlägt. »Die Deutschen«, schreibt Thomas Mann 1945, »könnten wohl fragen, warum gerade ihnen all ihr Gutes zum Bösen ausschlägt, ihnen unter den Händen zum Bösen wird.« (XI, 1141) Gerade dies ist die eigentliche, zwielichtige Dimension der Doppel-Motivik und der Kern der Erzählung.
Mose's Werk zeichnet sich durch dieselbe Zwielichtigkeit aus, die Deutschland seit Luther prägt: das freiheitliche Streben nach nationaler Unabhängigkeit führt zum Mangel an innerer Freiheit, »ein vertrotzter Individualismus nach außen« verbindet sich »mit einem befremdenden Maß von Unfreiheit, Unmündigkeit, dumpfer Untertänigkeit.« (XI, 1137) Großmütiger Schwung gebiert engstirnigen Nationalismus und Rassendünkel. Deutsche Innerlichkeit wird zum düsteren Grübeln, zur finsteren Mystik, nationales Streben zur machiavellistischen Machtpolitik eines kriegslüsternen Reiches. Die Parallele zu Israel liegt auf der Hand: die ursprünglich gute Idee, das Reine und Absolute des Geistes geraten zur anmaßenden, schrecklichen ethnischen Isolierung. Der nationale Befreier ist auch der Tyrann der Nation. Der unerbittlichste Moralist hat blutbeschmierte Hände.
Der Prophet Mose ist zwar auf seine Art ein Settembrini, ein Mensch des Fortschritts, der Verfechter des Guten.[34] Aber er

34 Vgl. Thomas Manns Roman *Der Zauberberg*.

ist auch dessen Antipode, ein dämonischer Demagoge, der wie ein Cipolla, mit seiner Peitsche bewaffnet, den Willen der Zuschauer einschläfert und sie sich unterwirft.[35] Mose's Macht beruht auf Stärke und Furcht, kurz: auf Tyrannei.

Die Novelle nimmt einen Gedanken aus Thomas Manns Essay *Bruder Hitler* von 1938 wieder auf. Mose müßte der Prophet des Reinen, Absoluten sein, aber die hervorgehobene Zwielichtigkeit verrät die Verwandtschaft mit dem feindlichen »Bruder«. Hitler verkörpert die »Verhunzung« (XII, 847 und 852) und einen Wertewandel, der das Gute in Böses verkehrt.

An Gemeinsamkeiten zwischen dem mißratenen Pseudokünstler und von Rache beseelten Ränkeschmied Hitler einerseits und dem Paria Mose andererseits fehlt es nicht. Die »unordentliche« Geburt des einen erinnert an die zweifelhafte Herkunft des anderen.[36] Dem Stottern des Propheten, der des Aaron bedarf, entspricht die »hysterisch« bellende, überspannte und auf Goebbels' Propaganda angewiesene »Beredsamkeit« des Führers (XII, 847). Der politische wie auch der religiöse Demagoge nutzt tückische und aufrührerische Mittel, theatralisch inszenierte Paraden, nationalistisches Pathos, Lügen. Beide wiegeln zu selbstgefälligem Rassenstolz auf. Den Massen gönnen sie als einzige Freiheit die »Hörigkeit«, die selbstvergessene Unterwerfung unter das Gesetz des Führers, das Aufgehen des Individuums im Nationalen und Rassischen.[37] Führer und Prophet wühlen in den Wunden des Volkes, indem sie sich auf den Minderwertigkeitskomplex und das Rachegefühl stützen, sei es nun nach der Niederlage 1918 oder sei es das ägyptische Joch. Die

35 Vgl. Thomas Manns Erzählung *Mario und der Zauberer.*

36 Vgl. Joachim Fest, *Das Gesicht des Dritten Reiches*, Frankfurt a. M. 1969, S. 13.

37 Vgl. Kurt Sontheimer, *Antidemokratisches Denken in der Weimarer Republik. Die politischen Ideen des deutschen Nationalismus zwischen 1918 und 1933*, München 1978, S. 269.

vor der Flucht begangenen Mordtaten und der Diebstahl, die Mose zufolge angeblich die letzten gewesen sein sollen, lassen an die falschen Versprechen Hitlers in München denken. Expansionistischer Anspruch und Eroberung eines sogenannten »Lebensraumes«[38] durch Blut und Eisen, Joschuas und Mose's trügerische Rechtfertigungen belegen die Ähnlichkeiten. Verfügungen aller Art zur Erhebung und Läuterung der Hebräer, denen mit dem Würgeengel gedroht wird, klingen wie ein Echo auf die Nürnberger Rassengesetze. Die grausame Kühnheit des »preußischen« Joschua und seiner Elitetruppen beschwören die düsteren Bilder der deutschen Jugend und deren blutiges Handwerk herauf.

Der Vergleich zwischen dem Führer und dem Propheten hat nichts Überraschendes an sich. Er wird im zeitgenössischen politischen Denken von langer Hand vorbereitet und mit religiösen und nostalgischen Hoffnungen auf einen Retter der Nation gespeist. In schwärmerisch-verzückter Sprache verkündet ein ganzer nationalistischer Strom der Weimarer Republik das Nahen des Führers, der »den Willen Gottes [...] verkörpert«[39]. Thomas Mann selbst spottet 1941 über Hitler, den »mystischen Helden«, der »sich selbst, auf Weisung der ›Stimmen‹, die er hört, zum Oberstkommandierenden [...] ernannte« (XI, 1023). Auch Mose hat »Intuitionen, innere Stimmen, inwendige Rufe« (ebd.). Auch ihn erhöht die Aura des nationalistischen Führers, auch er hält am rassistischen Dogma, am Kult des Blutes und an systematischer »Rassenhygiene« fest. Die Individualität des einzelnen verschwindet so zugunsten des Gehorsams unter die göttliche Gnade des allmächtigen Führers.

Diese ständige Parallele erlaubt es überhaupt erst, die Doppelbödigkeit gebührlich auszuloten, in der sich das Bild vom guten und bösen Propheten, vom guten und bösen Deutsch-

38 Man denke z. B. an Hans Grimms Roman *Volk ohne Raum*.

39 Käthe Becker, »Führerschaft«, in: *Deutschlands Erneuerung* 4 (1920) S. 563.

land überlagern. Zwei Jahre nach Entstehung der Erzählung betont Thomas Mann, es gäbe

> »nicht zwei Deutschland [...] ein böses und ein gutes, sondern nur eines, dem sein Bestes durch Teufelslist zum Bösen ausschlug. Das böse Deutschland, das ist das fehlgegangene gute, das gute im Unglück, in Schuld und Untergang.« (XI, 1146)

*

So verquickt sich in Mose das Groteske mit dem Erhabensten. Er ist der majestätische Prophet und dessen teuflische Verzerrung. In ihm verdichtet sich das in Thomas Manns Augen verdächtige, zwielichtige Bündnis von Geist und Tat. Zur Illustrierung ließe sich auf ein Lieblingsbild Manns zurückgreifen: Dürers *Ritter zwischen Tod und Teufel* (vgl. X, 231). Der unerschütterliche Ritter wandelt zwischen seinen beiden gefährlichen Begleitern. Es ist zu befürchten, daß der eine oder der andere ihn straucheln läßt. Diese doppelte Gefahr bedroht auch Mose. Er trägt in sich Tod und Teufel.[40]

Leicht ist der Fall vom Guten ins Böse, denn auch »der Teufel« hat »dabei seine Hand im Spiel« (XI, 1142). Als sich Thomas Mann über das Genie im allgemeinen fragt, sagt er vom »Phänomen des großen Mannes«, daß es »vorwiegend immer ein ästhetisches Phänomen, nur selten auch ein moralisches war« (XII, 851). Anders gesagt, jeder große Mensch beweist diese »irisierende Doppeldeutigkeit« (XI, 1145), diese Dialektik von Gut und Böse. Aus solcher Reflexion entsteht die Mose-Novelle.

40 Wie es der Erzähler durch Mose's Gesicht mit Ziegennase (816) und Hörnern (864, 865) fast unmerklich andeutet. Ein ganzer Komplex taucht hier wie eine Folie im Hintergrund der Erzählung auf. Es wird leise auf die Totemtheorie angespielt, wonach der zu tötende Vater durch ein Totemtier ersetzt wird. Mehrfach droht das Murren des Volkes, so daß Mose fürchtet: »[...] es fehlt nicht weit, so werden sie mich noch steinigen.« (834) – Vgl. auch Freud (Anm. 12), S. 88–91 und 128 f.

Das Volk der Dichter und Denker hätte sich bestens mit Moses' Söhnen, mit Gesittung und Geist, verbinden und verbünden können. Es hätte sich an ihm ein Beispiel nehmen sollen, um nicht vom ursprünglichen Ideal abzuweichen. Was den Hebräern gelang, mißlang den in braune Berserkerwut geratenen Deutschen. Ein deutscher Dichter und Denker schreitet hier in den Fußstapfen des hebräischen Propheten und errichtet ihm ein Denkmal, wobei er das Leiden am deutschen Schicksal nicht unterdrücken kann und kontrapunktisch dazu wiederauferstehen läßt.

## Literaturhinweise

Thou Shalt Have No Other Gods Before Me. A story by Thomas Mann, transl. by George R. Marek. In: The Ten Commandments. Ten Short Novels of Hitler's War Against the Moral Code. Ed. by Armin L. Robinson. New York 1943. S. 1–70.

Das Gesetz. Erzählung. Stockholm: Bermann-Fischer, 1944.

Gesammelte Werke in 13 Bänden. Frankfurt a. M.: S. Fischer, 1974. Bd. 8. S. 808–876.

Eifler, Margaret: Thomas Mann. Das Groteske in den Parodien *Joseph und seine Brüder*, *Das Gesetz* und *Der Erwählte*. Bonn 1970.

Hamburger, Käte: Thomas Mann. *Das Gesetz*. Dichtung und Wirklichkeit. Frankfurt a. M. 1964.

Hansen, Volkmar: Thomas Manns Erzählung *Das Gesetz* und Heines Moses-Bild. In: Heine-Jahrbuch 13 (1974) S. 132–149.

– Thomas Manns Heine-Rezeption. Hamburg 1975.

Kristiansen, Børge: Freiheit und Macht. Totalitäre Strukturen im Werk Thomas Manns. Überlegungen zum *Gesetz* im Umkreis der politischen Schriften. In: Internationales Thomas-Mann-Kolloquium 1986 in Lübeck. Hrsg. von Eckhard Heftrich und Hans Wysling. Bern 1987. S. 53–72.

Lehnert, Herbert: Thomas Manns Erzählung *Das Gesetz* und andere erzählerische Nachspiele im Rahmen des Gesamtwerks. In: Deutsche Vierteljahrsschrift für Literaturwissenschaft und Geistesgeschichte 43 (1969) S. 515–543.

Lubich, Frederick Alfred: ›Fascinating Fascism‹: Thomas Manns *Das Gesetz* und seine Selbst(de)montage als Moses-Hitler. In: Zeitschrift für Literaturwissenschaft und Linguistik 20 (1990) H. 79. S. 129–133.

Neuland, Brunhild: *Das Gesetz*. Zu Thomas Manns poetischer Fassung der Mose-Mythe. In: Werk und Wirkung Thomas Manns in unserer Epoche. Hrsg. von Helmut Brandt und Hans Kaufmann. Berlin/Weimar 1978. S. 249–272.

Spelsberg, Helmut: Thomas Manns Durchbruch zum Politischen in seinem kleinepischen Werk. Untersuchungen zur Entwicklung von Gehalt und Form in *Gladius Dei*, *Beim Propheten*, *Mario und der Zauberer* und *Das Gesetz*. Marburg 1972.

Strohm, Stefan: Selbstreflexion der Kunst: Thomas Manns Novelle *Das Gesetz*. In: Jahrbuch der Deutschen Schillergesellschaft 31 (1987) S. 321–353.

## Die letzte Zweiheit: Menschen-, Kunst- und Geschichtsverständnis im *Doktor Faustus*

Von Terence James Reed

### *Entstehung und Thematik*

Spätestens 1933 hat Thomas Mann begonnen, sich den *Doktor Faustus* als den Abschluß seines Lebenswerks vorzustellen. Am 28. Dezember dieses Jahres denkt er laut Tagebuch »an mein ›letztes Werk‹, die Faust-Novelle«, wobei die Anführungszeichen im Text einen bereits vertrauten Gedanken anzudeuten scheinen. (Nach einem späteren Tagebucheintrag vom 21. April 1943 will er es »immer« als sein letztes betrachtet haben.)

Die Prophezeiung hat sich freilich im engeren Sinn nicht erfüllt: dem Faustroman sind noch *Der Erwählte*, *Felix Krull* und *Die Betrogene* gefolgt. Trotzdem hat dieser späteste der monumental angelegten Romane Thomas Manns in vieler Hinsicht durchaus Abschlußcharakter. Hier wird das Fazit eines Künstlerlebens gezogen, die ganze Mannsche Thematik von Künstler und Gesellschaft, Krankheit und Kreativität wieder durchgespielt und ein »radikales Bekenntnis« (XI, 247)[1] abgelegt. Neu aber ist, daß dies alles zum systematischen Versuch zusammengeflochten wird, Kunst, Zeitgeist und Zeitgeschichte, wie er sie erfahren hatte, in ihrer unheimlichen Wechselwirkung darzustellen und dem Unheimlichen daran auf den Grund zu kommen. Anders gesagt, hier versucht Thomas Mann, die Frage endgültig zu beantworten, die das Leben ihm in immer breiterem Rahmen gestellt hat: welchen Sinn hat die Kunst, einmal für den Künstler selbst – »Kein Problem, keines in der Welt«, so Tonio Kröger, »ist

1 Band- und Seitenzahlen beziehen sich auf Thomas Manns *Gesammelte Werke in 13 Bänden*, Frankfurt a. M. 1974. *Doktor Faustus* (Bd. 6) wird ohne Angabe der Bd.-Nr. zitiert.

quälender als das vom Künstlertum und seiner menschlichen Wirkung« (VIII, 299) – aber auch für die Gesellschaft, ja für die Geschichte. In dieser Spätphase glaubt sich Thomas Mann berechtigt und verpflichtet, im Licht seiner langen Erfahrung für eine nationale, kulturelle und moralische Allgemeinheit zu sprechen.

Dies kommt denn auch in der *Entstehung des Doktor Faustus* ohne falsche Bescheidenheit zur Sprache: »Dies eine Mal wußte ich, was ich wollte und was ich mir aufgab: nichts geringeres als den Roman meiner Epoche, verkleidet in die Geschichte eines hochprekären und sündigen Künstlerlebens.« (XI, 169) Und was für einer Epoche! Vom Standpunkt des 23. Mai 1943 aus gesehen, des Tages, an dem sowohl Thomas Mann als auch sein fiktiver Erzähler Serenus Zeitblom die Feder ansetzen, umfaßte sie den ersten Weltkrieg und die deutsche Niederlage, die politische und wirtschaftliche Dauerkrise der Weimarer Republik, die nationalsozialistische Tyrannei, einen zweiten Weltkrieg mit bevorstehender erneuter Niederlage und Ausblick ins Chaos: insgesamt eine Entwicklung, durch die Deutschlands Geschichte – so Zeitblom – »widerlegt, ad absurdum geführt, als unselig verfehlt, als Irrweg erwiesen« worden sei (599). Kein Wunder, daß Thomas Mann neu ansetzen, bewußt den Überblick gewinnen und in großem Maßstab planen zu müssen glaubte, um diesen Ablauf zu verzeichnen und zu deuten – anders als üblich bei seinen Mammutwerken, die ihm von kleinen Anfängen immer erst unter den Händen gewachsen waren: *Buddenbrooks*, zunächst auf 250 Seiten geplant, *Der Zauberberg* als novellistisches Pendant und Satyrspiel zum *Tod in Venedig* gedacht, *Joseph und seine Brüder* als erste Novelle eines religionsgeschichtlichen Triptychons konzipiert. Und als beim *Zauberberg* zum ersten Mal spezifisch die Zeitgeschichte dieses Hypertrophieren verschuldete, hat sie in einen schon laufenden Kompositionsprozeß hineingespielt; die ursprüngliche Konzeption mußte schlecht oder recht adaptiert werden, um einer Reihe von politisch-weltanschaulichen Sinnesänderungen Thomas Manns Rechnung zu tragen. Jetzt hingegen, 1943, wollte er die Epoche fest in den Griff bekommen mittels der von vornherein großangelegten Konzeption eines Beobachters, den die Geschichte schon in die Klarheit geführt hatte.

Tatsache aber ist, daß auch diesmal die Konzeption von kleinen Anfängen ›gewachsen‹ war, allerdings auf etwas andere Weise als beim *Zauberberg*. Bereits 1904 oder 1905 lautet eine Tagebuchnotiz: »Novelle oder zu ›Maja‹: Figur des syphilitischen Künstlers: als Dr. Faust und dem Teufel Verschriebener. Das Gift wirkt als Rausch, Stimulans, Inspiration; er darf in entzückter Begeisterung geniale, wunderbare Werke schaffen, der Teufel führt ihm die Hand. Schließlich aber *holt ihn der Teufel*: Paralyse [. . .].«[2] Diese in ihren Komponenten wie in deren Diskrepanz etwas befremdende Skizze ist gleichwohl bezeichnend für den äußerlich erfolgreichen *Buddenbrooks*-Autor, dem Schreibhemmungen und Angst vor künstlerischer Sterilität innerlich schwer zu schaffen machten und sich folglich als dünnes Restthema aufdrängten. Alle frühen Schriftstellerfiguren Thomas Manns durchschauen oder verwerfen die eigenen Methoden und deren Folgen für die eigene Existenz. Das Beobachten zeitigt bei Tonio Kröger Erkenntnisekel (VIII, 300), die Literatur wird zum Fluch; der sentimentalische Dichter Schiller leidet an lähmenden Skrupeln bei der Komposition; der etablierte Meister Aschenbach hat sich von seiner früheren analytischen Schaffensweise abgewendet, sehnt sich aber angesichts seines »starren, kalten und leidenschaftlichen Dienstes« noch nach »Befreiung, Entbürdung, Vergessen« (VIII, 454). Die von ihnen probierten Lösungen reichen vom Harmlosen – Tonio Krögers offener Aussprache mit Lizaweta Iwanowna und seiner nostalgischen Fahrt »gen Norden« (VIII, 307), Schillers Selbstermahnung zum »Heldentum« (VIII, 377) – bis hin zum moralisch Fragwürdigen und Lebensgefährlichen: der Betörung

2 Thomas-Mann-Archiv, Zürich [im folgenden abgek. mit: TMA], 7. Notizbuch, S. 155.

Aschenbachs durch Tadzio, die zum dionysischen Rausch und zum Tod an der venezianischen Cholera führt. An einem ähnlich gefährlichen Extrem lag die *Faust*-Konzeption, aber sie wird wohl als allzu melodramatische Version des Problems vom künstlerischen Durchbruch erschienen sein. Der Syphilis wie dem Teufel fehlte jedweder Wirklichkeitsbezug. Sie wurde nicht ausgeführt.

Aber auch nicht vergessen. Wir sahen, sie ist in den ersten Monaten des Exils – einer Entstehungsphase übrigens, welche in Darstellungen (einschließlich Thomas Manns eigener) gern übersprungen wird – gleich wieder aufgetaucht. Und zwar jetzt mit einem breiteren Sinn: »Auf dem Abendspaziergang dachte ich wieder an die Faust-Novelle [. . .]. Ein solches freies Symbol für die Verfassung und das Schicksal Europa's wäre vielleicht nicht nur glücklicher, sondern auch richtiger u. angemessener als ein redend-richtendes Bekenntnis«, das heißt, ein unmittelbar politisches, wie er es damals erwogen hat.[3] In welcher Richtung die geistige »Verfassung« Europas interpretiert werden sollte, hat sich am 6. April 1933 bereits abgezeichnet: »Interessant [für den *Faust*] Huxley über Lawrence u. dessen Briefe«. Gemeint sind die kulturphilosophischen Ansichten des englischen Romanciers, insbesondere sein Ideal eines bewußt primitiven »mit dem Blut Denken«, zu dem das allzu »persönliche«, am blassen Intellektualismus kränkelnde Europa zurückkehren solle.[4] Die Gemeinsamkeiten dieser polemischen Position von Lawrence mit der Lebensphilosophie und dem Irrationalismus deutscher Prägung liegen auf der Hand.

Die alte Faustnotiz ist erst am 6. Mai 1934 wieder ans Licht gekommen, um für fast ein Jahrzehnt, bis der *Joseph*-Roman fertig war, wieder unterzutauchen. Als es so weit war, konnte es in Thomas Manns Notizen zum neuen Projekt mit Recht

3 Thomas Mann, *Tagebücher*, hrsg. von Peter de Mendelssohn [seit 1986: von Inge Jens], Frankfurt a. M. 1977 ff. [im folgenden zit. als: Tb.], 11. Februar 1934.

4 Huxleys Essay ist im Aprilheft 1933 der *Neuen Rundschau* erschienen.

heißen: »Habe diese Idee lange mit mir herumgetragen [...] Gedanken moralischer Vertiefung fanden sich hinzu. Es handelt sich um das Verlangen aus dem Bürgerlichen, Mäßigen, Klassischen [hinzugefügt: Apollinischen] Nüchternen, Fleißigen u. Getreuen hinüber ins Rauschhaft-Gelöste, Kühne, Dionysische, Geniale, Über-Bürgerliche, ja Übermenschliche – vor allem subjektiv, als Erlebnis u. trunkene Steigerung des Selbst, ohne Rücksicht auf die Teilnahme-Fähigkeit der Mitwelt [...].«[5] Die allegorisch-politische Anwendung folgt auf dem nächsten Blatt: »Die Sprengung des Bürgerlichen, die auf pathologisch-infektiöse Weise vor sich geht, zugleich *politisch*. Geistig-seelischer Fascismus, Abwerfen des Humanen, Ergreifen von Gewalt, Blutlust, Irrationalismus, Grausamkeit, dionysische Verleugnung von Wahrheit u. Recht, Hingabe an die Instinkte und das fessellose ›Leben‹, das eigentlich *der Tod* u. *als Leben nur Teufelswerk, gifterzeugt* ist. Der Fascismus als vom Teufel vermitteltes Heraustreten aus der bürgerlichen Lebensform, das durch rauschhaft hochgesteigerte Abenteuer des Selbstgefühls u. der Über-Größe zum Gehirn-Collaps u. zum geistigen Tode, bald auch zum körperlichen führt: die *Rechnung* wird präsentiert.«[6]

Die Konzeption hat im vollsten Sinn des Wortes einen Wirklichkeitsbezug bekommen, ihre Komponenten sind allegorisch sinnvoll geworden. Wo früher die Syphilis als Mittel zur Kunst ekelhaft extrem erscheinen konnte, ist sie als Metapher jetzt gerade gräßlich genug für die inzwischen eingetretene politische Verseuchung. Und wo früher Faust für die Lage des einzelnen Künstlers hochgegriffen und anachronistisch war, ist bei einer gesamtdeutschen Katastrophe der düstere Mythos gefordert. Er liegt auch als deutschester der Mythen nahe, ist 1943 als Geschichte von Schuld und Sühne zeitgemäß. An der langwierigen Entstehung der *Faustus*-Konzeption, die keine textlichen Zwischenstufen aufweist, hat die Geschichte gleichsam selbst gearbeitet.

5 TMA, MS 33, 8.
6 TMA, MS 33, 9.

Ein Bezug auf eigene Probleme – wie man Hemmungen überwindet und den Durchbruch schafft – ist in den Arbeitsnotizen von 1943 nicht mehr ausdrücklich vorhanden. Diese bauen die Parallele zwischen künstlerischer und faschistischer Psychologie mitsamt deren Folgen aus, sie machen auch das Gemeinsame daran mit Hilfe Nietzschescher Begriffe (»apollinisch«, »dionysisch«, »Übermensch«) namhaft. Stillschweigend jedoch bleibt der persönliche Bezug nach wie vor gegeben, indem die Fabel aus der frühen Krisenzeit beibehalten wird. Nicht, weil Thomas Mann das Sterilitätsproblem noch immer auf den Nägeln gebrannt hätte – der Autor des *Zauberberg* und der vier dicken *Joseph*-Bände war längst zu einem modus vivendi mit den Hemmungen der Intellektualität und damit zu einer Produktivität nach dem Prinzip des ›Trotzdem‹ gelangt. Es blieb aber Teil seiner persönlichen Geschichte. Und im Licht der Geschichte Deutschlands machte ihm der alte Impuls, den Fesseln des kritischen Intellekts zu entkommen, Gewissensbisse: er hatte sich inzwischen als ein politisch gefährlicher Grundimpuls der Zeit erwiesen. So konnte Thomas Mann 1938 zur Verblüffung seiner amerikanischen Gönnerin – war er doch *der* große Antifaschist unter den deutschen Exulanten – auf die Fäden hinweisen, die von seinem Frühwerk bis zum *Tod in Venedig* ausgerechnet zum Faschismus liefen:

> Der Held, Aschenbach, ist ein Künstler-Geist, den aus dem Psychologismus und Relativismus der Jahrhundert-Wende nach einer neuen Schönheit, einer Vereinfachung der Seele, einer neuen Entschlossenheit, nach der Absage an den Abgrund und nach einer neuen menschlichen Würde jenseits der Analyse und selbst der Erkenntnis verlangt. Das waren Tendenzen der Zeit, die in der Luft lagen, lange bevor es das Wort »Faszismus« gab, und die in der politischen Erscheinung, die man so nennt, kaum wiederzuerkennen sind. Doch haben sie geistig gewissermaßen damit zu tun und haben zu seiner moralischen Vorberei-

> tung gedient. Ich hatte sie so gut wie irgend einer in mir, habe sie darstellend hier und da in mein Werk aufgenommen, zum Beispiel auch in der Fiorenza-Formel von der »wiedergeborenen Unbefangenheit«, und was ich bei unserem Gespräch andeuten wollte, war eben nur, wie verständlich es sei, daß ich geistige Dinge, die ich vor zwanzig, dreißig Jahren in mir selber getragen, in ihrer verdorbenen Wirklichkeits-Ausprägung verachten und verabscheuen müsse. Das ist alles.[7]

Es war aber lange nicht alles. Der Briefäußerung sollte im nächsten Jahr ein Essay folgen, in dem Thomas Mann trotz Haß und Polemik Hitler selbst als verfehlten, leider in die Politik verschlagenen Künstler zum »Bruder« avancieren läßt. Der Essay klingt schon ironisch-souverän, im Brief an Mrs. Meyer dagegen liegt der wunde Seelenzustand Thomas Manns deutlich zutage. Man sieht, wie das Schuldgefühl wegen der eigenen letzthinnigen Beteiligung an einer seitdem verhängnisvoll gewordenen Zeittendenz in Zorn umschlägt auf deren politische Verhunzung, die den damals schuldlos Beteiligten – denn ist nicht alles geistig-künstlerische Experimentieren in seiner Zeit an sich legitim? – geschichtlich ins Unrecht gesetzt hat. Diese schmerzlich gemischten Gefühle sollten den *Doktor Faustus* prägen.

## *Form und Erzählweise*

Die angeführten Arbeitsnotizen Thomas Manns bieten die Sicht von höherer Warte, die allegorische Botschaft des künftigen Werkes im Klartext. Es galt nun, der Botschaft einen erzählerischen Körper anzuerschaffen. Alle Fragen waren offen: »Welche Form könnte das annehmen? Der Geist des Vortrags ist fraglich. Selbst Zeit und Ort ...« (XI, 159) Der

7 Zit. nach: Paul Scherrer / Hans Wysling, *Quellenkritische Studien zum Werk Thomas Manns*, Bern/München 1967, S. 121 f.

Roman hätte also in der Vergangenheit spielen können, um die Wurzeln der Gegenwart bloßzulegen, anstatt, wie er dann wurde, die Vergangenheit – Mittelalter, Lutherzeit, Archaisches schlechthin – atmosphärisch, sprachlich und ethisch in die erzählte Gegenwart hineinspielen zu lassen. Wichtiger noch, ja am allerwichtigsten für Form und »Geist des Vortrags« weit über das rein Technische hinaus war Thomas Manns Entscheidung für den Einsatz einer fiktiven Erzählerfigur. Wann der Beschluß gefaßt wurde, so die *Entstehung*, gehe »aus den Aufzeichnungen von damals nicht hervor« (XI, 164). Wirklich nicht? Man glaubt den Keim geradezu sprossen zu sehen. Am 21. März 1943 nämlich liest Thomas Mann, wie das Tagebuch bezeugt, »Stevenson's Meisterstück ›Dr. Jeckyls u. Mr. Hyde‹, die Gedanken auf den Faust-Stoff gerichtet, der jedoch fern davon ist, Gestalt anzunehmen« (vgl. auch XI, 156). Gestalt, ja Gestalt*en*, dürfte der Stoff hier durchaus angenommen haben. Stevensons kleiner Roman enthält die klassische Behandlung der gespaltenen Persönlichkeit. Die befruchtende Wirkung der Lektüre kann unterschwellig gewesen, schwerlich aber ausgeblieben sein. In *Dr. Jekyll and Mr. Hyde* wohnen nicht bloß, wie beim Goetheschen Faust, zwei Seelen, ach! in einer Brust, sondern sie bewohnen getrennte Körper mit gemeinsamem Ursprung. Jekylls chemische Versuche verwandeln ihn leiblich wie moralisch in den mißgestalteten und radikalbösen Hyde. Schließlich kann der Verwandelte nicht mehr zu seiner ursprünglichen Gestalt zurückfinden – der Schauerroman enthält schon eine Moral.

Eine sehr viel nuanciertere Moral enthält auch die Darstellung der gespaltenen Persönlichkeit im *Doktor Faustus*. Um eine solche, und nicht nur um den technischen Kunstgriff einer zwischen Autor und Gegenstand geschalteten Erzählerfigur, handelt es sich bei der Erfindung von Zeitblom und dessen Verhältnis zum Romanhelden. Erst durch die Trennung in zwei Figuren, Künstler und Biograph, konnte jenes Knäuel von Schuldbewußtsein und Zorn entwirrt werden, konnten der Drang zum Bekenntnis und der Imperativ geschichtlich-moralischer Beurteilung zur einsichtigen Dialektik werden. Was Zeitblom und Leverkühn also »zu verbergen haben«, ist »das Geheimnis ihrer Identität« (XI, 204) – oder, eigentlicher, der Zugehörigkeit zu einer sie beide umfassenden Autoren-Identität.

Das bedeutet natürlich, daß keiner von beiden allein mit Thomas Mann gleichzusetzen ist. Adrian Leverkühn ist der dämonische Künstler in Reinkultur, der seine vorbestimmte Bahn ohne Bedenken und ohne Anwandlungen von gesellschaftlichem Verantwortungsgefühl verfolgt. Er teilt mit seinem Autor das Problem des Durchbruchs, geht aber bis zum Ende den Weg, den dieser nicht hat gehen wollen, »genießt« (viel Leiden ist dabei, von Freud' ist nicht die Rede) das vom Teufel Versprochene und zahlt den schauderlichen Preis. Zeitblom dagegen ist im selben Maße der Bürger in Reinkultur, der gar nicht dämonische Pädagoge, der altmodische Humanist und Nicht-Künstler, der es sich anfangs kaum zutraut, ein so ganz anders geartetes Leben zu erzählen (VI, 9).

Ja, zu erzählen überhaupt, möchte man fast meinen, als Zeitbloms verpfuschter Stil dem Leser eingangs ostentativ vorgeführt wird – um sich jedoch den Forderungen der schweren Aufgabe entsprechend allmählich zu ›entwickeln‹, das heißt praktisch sich immer mehr auf die stilistischen Ressourcen Thomas Manns abzustützen, ja mit diesen unter Beibehaltung einer stark ›bürgerlichen‹ Patina – aber was war Thomas Manns Stil immer, wenn nicht konservativ bürgerlich? – im Grunde identisch zu werden.[8] Dadurch wird vieles darstellerisch wie moralisch Heikle möglich. Leverkühns Schicksal, das Bekenntniselement also, kann pathetischer, aber auch liebe- und sorgenvoller geschildert werden, als dies bei einer

8 Vgl. Thomas Manns Äußerung an Friedrich Sell, 14. Juli 1948, »daß [Zeitblom] die ihm eigentlich zustehenden sprachlichen Möglichkeiten bedenklich überschreitet und ein Deutsch schreibt, wie es nicht alle Tage vorkommt«; oder deutlicher noch an Paul Amann, 21. November 1948: »Zeitblom ist eine Parodie meinerselbst.«

Ich-Erzählung oder in der dritten Person zu erreichen gewesen wäre. Äußerliche Dinge wie die Ansteckung, der Teufelsvertrag, die Barbarei in der Kulturentwicklung, der Tod Nepomuk Schneideweins, der Mord an Rudi Schwerdtfeger, können mit einer einprägsamen Mischung von dramatischem Nachdruck, Faszination, Widerwillen und moralischer Entrüstung mitgeteilt werden, wobei die altmodischen Erzählertricks, die sich Thomas Mann als unmittelbarer Erzähler kaum hätte erlauben dürfen (Vorwegnahme, Suspens, ominöse Kapitelschlüsse u. ä. m.) auf Zeitbloms Rechnung gehen. Urteile über Leverkühn und seine Schuld (etwa in Kapitel XXXIV) werden äußerlich gemildert und gleichzeitig verdeutlicht, weil es Zeitblom ist, der sie fällt. Wo jedoch moralisch kein Zweifel sein kann, wie bei der Schilderung und Beurteilung des untergehenden NS-Staates, kann der anfangs im Ausdruck zurückhaltende Zeitblom sich zu regelrechten Scheltreden hinreißen lassen (etwa Kap. XXI, 233 f.; Kap. XXX, 400 f.; Kap. XXXIII, 448 f.; Kap. XLVI, 637 ff.), ein Moralisieren, das sich Thomas Mann wiederum nicht hätte erlauben können. Das heißt, als Romanautor nicht; denn dem Autor von Erklärungen, Appellen und Propagandareden wie den von der BBC gesendeten Ansprachen *Deutsche Hörer!* war derartig Direktes durchaus aus der Feder geflossen. Im Politischen hatte er ja viel vom altmodischen Humanisten, das unzweideutig Böse des Nazismus hatte altmodisch-einfache Moralbegriffe vor der relativierenden modernen Skepsis gerettet, die lebensnotwendigen Werte waren doch nicht »jenseits von Gut und Böse« angesiedelt. Die Jahre des Kampfes gegen Hitler waren in diesem Sinn »moralisch gute Zeit« (XI, 253 f.), was die Erzählerfigur in kaum verschleierter Form zum Ausdruck bringt.

Zeitblom hat also insgesamt nicht nur, wie es in der *Entstehung* heißt, »die Erregung durch alles Direkte, Persönliche, Bekenntnishafte ins Indirekte zu schieben« erlaubt (XI,164), sondern er hat dieses Direkte, Persönliche, Bekenntnishafte selbst möglich gemacht. Weit mehr als im Sinn

komischer Entlastung gilt, was Thomas Mann 1948 gesagt hat: »Ich hätte ohne ihn die Geschichte gar nicht zu schreiben gewußt« (an Wolfgang Linder, 25. Juni 1948). Das waren die Vorteile der Parodie, die hier nicht Verspottung eines fremden Stils, sondern ermächtigende Inszenierung des eigenen bedeutet. Nie hat die vermeintlich nur parasitäre Gattung der Parodie einen so tödlich ernsten Zweck erfüllt.
Zwei Figuren machen aber noch keinen Roman: die Zellkernteilung hat erst begonnen. »Was noch fast völlig fehlt, ist die menschenfigürliche Ausgestaltung des Buches, die Füllung mit prägnanten Umgebungsfiguren«; noch »bedarf es mehrfacher Voll-Realität, und da fehlt es an Anschauungsstütze. Amerika ist Menschenfremde, die wenig haftende Eindrücke liefert. Irgendwo muß [ich] aus der Vergangenheit, aus Erinnerung, Bildern, Intuition schöpfen. Aber die Entourage ist erst zu erfinden und festzustellen.«[9] Bei einem quasi-autobiographischen Bekenntniswerk lag es nahe, die eigene »Entourage« zu gebrauchen. Hier hat jene »Rücksichtslosigkeit im Aufmontieren« (XI, 165) eingesetzt, deren »menschliche Gewagtheit« (XI, 202) Thomas Mann seltsamerweise erst dann klar wurde, als die für ihn nur mehr traumhaft dort drüben in Europa weiterlebenden Menschen, die ihm sichtbarlich Modell gestanden hatten – Hans Reisiger, Emil Preetorius, Ida Herz – sich zu beklagen anfingen. Die Rechte des Schriftstellers auf eine Wirklichkeit, die erst dadurch Kunst werde, daß er sie »beseelt«, hatte Thomas Mann bereits 1906 im Aufsatz *Bilse und Ich* (X, 9 ff.) verfochten; diesmal konnte er sich auch noch darauf herausreden, bei dem »radikalen Bekenntnis« sich selber nicht geschont zu haben. Trotzdem blieb und bleibt *Doktor Faustus* ein Extremfall durch den Drang, bei komplexester allegorischer Kunst auch unmittelbarste Wirklichkeit ins Bild einzubeziehen. Die Montagetechnik, welche Wirklichkeitsfragmente – auch lebende – wie Steinchen in ein Mosaik einfügt, ist

9 Tb., 11. April 1943.

typisch »für das eigentümlich *Wirkliche*, das [dem Buch] anhaftet« (XI, 165): sie bildet das eine Extrem auf der Skala der im *Doktor Faustus* eingesetzten Kunstmittel, die vom symbolisch Indirekten zum beinahe aus der Kunst heraustretend Direkten laufen, alle im fast verzweifelten Versuch vereint, die geschichtliche Realität und ihren Sinn so oder so ganz einzufangen.

Zu diesem Zweck konnte Thomas Mann noch auf einen schon aufbereiteten Vorrat zurückgreifen, der 1943 beim (Wieder-)Auftauchen der alten Skizze vorhanden war, aber nicht sofort als solcher erkannt wurde: »Vormittags in alten Notizbüchern. Machte den 3 Zeilen-Plan des Doktor Faust vom Jahre 1901 ausfindig. Berührung mit der P[aul] E[hrenberg]- und Tonio Kr.-Zeit. Pläne ›Die Geliebten‹ und ›Maja‹. Scham und Rührung beim Wiedersehn mit diesen Jugendschmerzen.« Beide Pläne waren unausgeführt geblieben, der zweite 1912 als vollendetes Werk Gustav von Aschenbachs an diesen abgetreten worden (VIII, 450). Für beide Pläne lag reichliches Notizbuchmaterial immer noch vor. So konnte Thomas Mann, als der *Faust*-Roman »augenblicklich in eine Phase des Gesellschaftsromans getreten« war und in München spielte, »in [s]einen gesellschaftlichen Erinnerungen an das München von 1910 [kramen]«.[10] Also wieder eine Art Montage, eine Übernahme von Vorgeprägtem. Das waren Materialien, die Thomas Mann durchdacht, durchfühlt, formuliert hatte – damals. Das verlieh ihnen eine unbezweifelbare historische Authentizität. Die Beobachtungen seines damaligen Selbst konnte Thomas Mann jetzt als halbwegs objektive Zeugnisse der Zeit unter die Lupe nehmen – waren sie doch für einen vollkommen anders verstandenen »Gesellschaftsroman«, also im Verhältnis zum neuen Projekt unvoreingenommen, gesammelt worden. Zwar sollte auch »Maja« »vielerlei Menschenschicksal im Schatten einer Idee versammeln« (VIII, 450), die Idee war aber eine philosophische, die

10 Hans Wysling, »Zu Thomas Manns ›Maja‹-Projekt«, in: Scherrer/Wysling (Anm. 7), S. 40.

bei scheinbarer Breite aus einer eher eng persönlichen Thematik von Sehnsucht und Desillusion hervorging. Die Erscheinungen von damals konnten im *Doktor Faustus* einen neuen Stellenwert bekommen.

Da ist zum Beispiel »ein furchtbarer Typus« (schon der unbestimmte Artikel deutet auf eine zufällige empirische Beobachtung unter anderen), »den Nietzsche hochgezüchtet hat: er schreit, während ihm die Schwindsucht auf den Wangenknochen glüht, beständig: Wie ist das Leben stark und schön!«[11] Von diesem satirischen Einzelporträt eines »Nietzscheanischen Typus« aus der Zeit nach der Jahrhundertwende läuft der Faden zu Thomas Manns Essayprojekt *Geist und Kunst*, das hinter den Kulturmoden dieses ersten Jahrzehnts nach 1900 paradox divergierende Stränge der Nietzsche-Rezeption wahrnahm; aber selbst deren drastischere Erscheinungen schienen dem für Politisches noch nicht Sensibilisierten kaum über kulturelle Fragen hinaus bedrohlich.[12] Vierzig Jahre später hingegen mußte der Schwächlingsenthusiasmus Helmut Institoris' für primitive Stärke als ästhetizistische Vorbereitung einer Barbarei gedeutet werden, die inzwischen reell genug war. Und von Institoris läuft im Roman der Faden weiter zur »neuen Welt der Inhumanität« (378), die im Schlaginhaufen-Salon keimt und später im Kridwißkreis, dessen Mitglieder wiederum in unmittelbarer Montage übernommene Zeitgenossen sind, in voller Blüte steht. In letzterem sind Irrationalismus und konservative Revolution bereits weit fortgeschritten, man fordert ein systematisches »sacrificium intellectus« (487), verhöhnt alle »an die Idee des Individuums gebundenen Werte, also sagen wir: Wahrheit, Freiheit, Recht, Vernunft« (489), berauscht sich an der Schadenfreude über deren für unabwendbar gehaltenen Untergang. Im Dichter Daniel zur Höhe erkennen wir den Dachstubenpoeten Daniel aus der Münchener Kurzgeschichte

11 Ebd., S. 25.

12 Vgl. Notiz 103 zu *Geist und Kunst*, abgedr. in Scherrer/Wysling (Anm. 7), S. 207 f.

*Beim Propheten* von 1904, die also zeitlich wie topographisch zur »Maja«-Welt gehört. Er weist dasselbe Zerstörungsgelüste der Welt gegenüber auf, es wird in derselben steilen dichterischen Form ausgedrückt (vgl. Kap. XXXIV Forts., 483, mit VIII, 368 f.). Auch für diese groteske Zeiterscheinung gilt: was der frühere Erzähler bloß als dreimal »seltsamen« Einzelfall einführen (VIII, 362) und mit ironisch-amüsierter Geste abtun konnte, sieht im nachhinein eindeutig ominös aus. Denn inzwischen haben Daniels Zerstörungsvisionen allzu wirkliche Handlanger gefunden.

Das lange vorher Aus- oder Halbformulierte wird also wieder brennend aktuell, das alte, aufgegeben geglaubte »Maja«-Projekt lebt auf, indem es das ungleich anspruchsvollere neue, das ursprünglich ein Teil von ihm war, mit einschlägigem Stoff beliefert und der erstrebten »Voll-Realität« um einen Schritt näher bringt. Einen letzten Schritt tut der Erzähler Zeitblom, indem er die geschichtliche Realität auf den letzten Stand bringt, allegorische Fabel und erschütternde Gegenwart im Erzählakt verbindet. Er schreibt nämlich unter dem doppelten Druck des »Endes mit Schrecken« von Adrian Leverkühn und des auch in der stillen Biographenklause hörbaren Unterganges des Dritten Reichs. Man hört die wahre Sachlage zwischen den Zeilen der von Zeitblom zitierten Rundfunkpropaganda heraus, daneben auch die Explosionen, die seinem Studierzimmer immer näher rücken (z. B. 296), »also daß sich das Zittern seiner Hand aus den Vibrationen ferner Bombeneinschläge und aus inneren Schrecknissen zweideutig und auch wieder eindeutig erklärt« (XI, 165). »Auch wieder eindeutig«: die Zweiheit von geistiger Vorbereitung und geschichtlicher Erfüllung wird durch diese Konvergenz am Schreibtisch Zeitbloms eins. Nirgends spürt man so konkret, wie Thomas Mann die Geschichte in den Griff bekommt, in den zitternden nämlich des alten Humanisten.

## *Der Fall Leverkühn*

Soviel zu Vorzeichen, Vorläufern, Randfiguren. Wie vermag aber die zentrale Gestalt des Künstlers selbst politische Bedeutung zu vermitteln? Gewiß nicht, indem er einfach zu den Breisacher, Zur Höhe und Konsorten gezählt wird. Diese gehören zwar, was zunächst irreführen mag, zur selben gesellschaftlichen Wirklichkeitsebene, sie sind Adrian Leverkühns Zeitgenossen, jedoch sie genießen eben die Zeit in subalternästhetizistischer Weise als Mode – »›das kommt, das kommt, und wenn es da ist, wird es uns auf der Höhe des Augenblicks finden‹« (493) –, ohne die tiefere Problematik der Zeit durchmachen zu müssen. Im Künstler dagegen werden – darum kann er »das Paradigma aller Schicksalsgestaltung« (37) darstellen – Grundkonflikte des Menschen in ihrer jeweiligen zeitbedingten Form ausgetragen. Am konkreten Fall des Künstlers und an dessen notgedrungenem Versuch, ein prekäres Gleichgewicht zu gewinnen, Gegensätzliches auszugleichen oder Einseitiges zu kompensieren, lassen sich Geist und Richtung der Zeit ablesen – das heißt, im Roman allegorisch vorführen.

So schlägt sich Adrian Leverkühn mit dem persönlichen Problem des Gehemmtseins durch kritischen Intellekt und erschöpfendes Fachwissen herum, das gleichzeitig das allgemeine Problem des modernen Reflexionsstands »unserer durch und durch kritischen Epoche« (XI, 171) ist. Ein Neuanfang ist dringend notwendig, wenn anders die Kunst auf schöpferischem und nicht bloß parodistischem Wege weitergehen soll. Dabei ist es Sache gerade der »intellektuellen Gelangweiltheit, des durchschauenden Ekels vor dem ›Wie es gemacht wird‹« (181) eines hochkritischen Geistes, einen »Kanon des Verbotenen, des Sichverbietenden« zu kreieren, der Voraussetzung neuen Schaffens ist (319). So wird das allgemeine Kulturproblem der »großen Müdigkeit« der Epoche zum praktischen Problem der konzentrisch darin enthaltenen »kleinen Müdigkeit« des Einzelnen (315), der von der Frage besessen wird: »Wie bricht man durch?« (410)

Und zwar nicht, wie man meinen könnte, zur Freiheit, sondern zu dessen Gegenteil, zu einer neuen Ordnung. »Einen Systemherrn brauchten wir, einen Schulmeister des Objektiven« (252), denn die Freiheit musikalischer Subjektivität ist selber zur Konvention und dem Komponisten zur Last geworden, sie hat sich »als Mehltau auf das Talent« gelegt. Auch neige die Freiheit sowieso immer (so die These Leverkühns) zum »dialektischen Umschlag«, sie erfülle sich »in der Unterordnung unter Gesetz, Regel, Zwang, System« (253).[13] Das hier Geforderte bzw. Akzeptierte geht entschieden über das Stoff-Form-Verhältnis der Klassik hinaus und darf nicht von da her verharmlost werden. »Systemherr«, »Unterordnung«, »Zwang« bedeuten weder künstlerisches noch psychisches Gleichgewicht, sondern Selbstaufgabe der Freiheit. Adrians Neuanfang bedeutet mithin ein Zurück, ist ganz bewußt Revolution als Restauration – Restauration einer überpersönlichen, quasi kirchlichen Autorität, die sich in der musikalisch primitiven Form eines »strengen Satzes«[14] ausdrückt (252), Restauration einer vor der modernen Kultur liegenden Stufe, deren Barbarei kein zu hoher Preis sein soll für künstlerische Erneuerung (82).

13 Wie eng sich Thomas Manns eigene frühe Gedanken mit den anti-freiheitlichen Leverkühns berührt haben, beweist ein Eintrag im 10. Notizbuch: »Freiheit ist ein bis zum Nihilismus geistiges Prinzip und kann daher auf die Dauer – länger als 100 Jahre – kein *politisches* Prinzip sein. Um so weniger kann es den Anspruch auf absolute, ewige politische Geltung erheben in einem Augenblick, wo der Geist selbst in eine Periode neuen *Bindungs-* und nicht Auflösungsbedürfnisses tritt.« Zit. in Hans Wyslings Einleitung zu: Thomas Mann / Heinrich Mann, *Briefwechsel 1900–1949*, hrsg. von H.W., Frankfurt a. M. 1969, S. L.

14 Als Hintergrund hierzu das in einer Arbeitsnotiz gefällte Urteil über die eigentliche, Schönbergsche Erfindung als kulturelle und politische Erscheinung: »Nach der völligen Befreiung der Musik zur Atonalität: der eiserne Konstruktivismus des 12-Ton-Systems. Restaurativ im revolutionären Sinn und insofern faschistisch.« (TMA MS 33, 4) – Übrigens geht der Gedanke des »strengen Satzes« auf *Buddenbrooks* zurück. Dort entdeckt ihn Hannos Lehrer Edmund Pfühl bezeichnenderweise bei einem anderen, geschichtlich mehr als fragwürdigen Komponisten, Richard Wagner (I, 498 f.).

Der ganze Komplex ist übrigens selber gar nicht neu. Als ›moderne‹ Erscheinung reicht er ins achtzehnte Jahrhundert zurück, das im Gefühl, eine schon alte Zivilisation und Kultur darzustellen, für den Rousseauschen »edlen Wilden« geschwärmt, der ungebrochenen Spontaneität der Griechen nachgetrauert und nachgestrebt hat. Schillers meisterhafte Abhandlung hat diese Sehnsüchte auf den Kernbegriff des »Naiven« gebracht und die darauf bezogene »sentimentalische« Empfindungsweise als für die Neuzeit konstitutiv diagnostiziert. Die Romantiker haben dann in anderer Richtung die wiederhergestellte Natürlichkeit gesucht, nämlich in der Einfachheit von Volkslied und Märchen. All diese Versuche mußten letztlich scheitern. Einmal hätte die in jedem Sinn gewollte Naivisierung als Neuanfang jenseits moderner Erkenntnis ein bewußtes Unbewußtwerden sein müssen, das sich selber logisch und praktisch aufgehoben hätte. Zum anderen suchte man im Grunde kaum weniger als die Selbstbefreiung von der Bürde moderner Geisteskomplexität selbst. Was sich hier in Kunst und Kunstreflexion abspielte, ja eigentlich schon abreagierte, war eine Vorform jenes von Freud später analysierten »Unbehagens in der Kultur«, von dessen Übergang zu ungleich brisanteren politischen Formen der Analytiker um 1930 schon Zeuge war.

Diese Spätphase der geschichtlichen Entwicklung wird in der Geschichte Adrian Leverkühns verkörpert. Das Bedenkliche daran liegt deutlich zutage, indem der von früh an zu jedweder Ordnung hingezogene Komponist[15] erst durch syphilitische Ansteckung über seine Hemmungen und die Zwischenlösungen von Parodie und »Scheinnaivitäten« (242) hinaus zur neuen Ordnung des ›strengen Satzes‹ gelangt. Nur die

15 Vgl. S. 64, das Zitat aus Römer 13: »Was von Gott ist, das ist geordnet« (woraus sich das Umgekehrte selbstverständlich nicht folgern läßt); und auch S. 93 f. zum »Winkel-Diktator« Beißel, zu deren Notation mit ihren »Herren«- und »Diener-Tönen« Leverkühn bemerkt: »sogar eine alberne Ordnung ist besser als gar keine.« Allein schon die logische Inadäquanz dieser beiden Bemerkungen weist auf die intellektuelle Gefährdung einer Generation.

Infektion ermöglicht die kompositorische Selbstnaivisierung, die vom Teufel als »hellichter Ausfall aller Skrupel« (315), als »das Archaische, das Urfrühe«, als »echte, alte, urtümliche [...] von Kritik, lahmer Besonnenheit, tötender Verstandeskontrolle ganz unangekränkelte Begeisterung«, als »triumphierendes Über-sie-hinaus-Sein« und »prangende Unbedenklichkeit« gefeiert und verheißen wird (316). Leverkühn soll der allerradikalste Durchbruch gelingen: »die Zeit selber, die Kulturepoche, will sagen, die Epoche der Kultur und ihres Kultus wirst du durchbrechen und dich der Barbarei erdreisten, die's zweimal ist, weil sie nach der Humanität [...] und bürgerlichen Verfeinerung kommt.« (324)
Das Vokabular aller Kunstgespräche im Roman assoziiert auch Politisches, was nur unterstrichen wird, als Leverkühn dessen Relevanz für die Kultur (Zeitblom hat zum Thema Freiheitsverzicht das Wort »Diktatur« in die Diskussion geworfen) mit dem *Faust*-Zitat »übrigens ist das ein politisch Lied« ablehnt (254). Hinter der terminologischen Konvergenz liegt die wirkliche Konvergenz von Kunst und Politik, die für Thomas Mann im Zeitgeist wurzelte. So entspricht dem Rückgriff des Komponisten auf das Primitive die faschistische Manipulierung des Volkhaften, für die die »latente seelische Epidemie« einer scheinbar ruhigen deutschen Altstadt (siehe die im vollen Wortsinn tiefschürfende Analyse im VI. Kapitel) anfällig ist. Es handelt sich dabei um eine gefährliche menschliche Konstante: »Ich spreche vom Volk, aber die altertümlich-volkstümliche Schicht gibt es in uns allen.« (54) Auch der künstlerische Durchbruch wird mit dem versuchten deutschen »Durchbruch [...] zur dominierenden Weltmacht« von 1914 parallelisiert, der am Anfang der Kettenreaktion neuerer deutscher Geschichte steht (408). Erst recht Leverkühns Argument vom »dialektischen Umschlag«, durch den sich die Freiheit in ihr Gegenteil verwandelt, ist dem Politologen als das »Paradoxon der Freiheit« bekannt, und zwar nicht nur als theoretische Konstruktion. Dem Betrachter totalitärer Systeme, vor allem des Faschismus mit

seiner in Filmzeugnissen recht sichtbaren kollektiven Begeisterung, ist die Selbstaufgabe der Freiheit eine Tatsache des politischen Benehmens.
So ist in Adrian Leverkühns Spekulationen, schöpferischem Dilemma und künstlerischer Lösung die geschichtlich-politische Konstellation seiner Zeit nachgebildet, oder vielmehr (nach Zeitbloms und gewiß auch Thomas Manns Ansicht) vorgebildet. Denn »bei einem Volk von der Art des unsrigen [...] ist das Seelische immer das Primäre und eigentlich Motivierende; die politische Aktion ist zweiter Ordnung, Reflex, Ausdruck, Instrument« (408).
Schließlich aber: warum ausgerechnet die Musik? Bei Thomas Manns Grundthese vom tiefliegenden Epochencharakter hätte im Prinzip Malerei oder Literatur seinem Zweck ebensogut dienen können (es hat sich ja letztlich, wie wir gesehen haben, um alte Sünden eines Autors gehandelt). Insoweit war Musik »nur Vordergrund [...], nur Paradigma für Allgemeines« (XI, 171). Sie war aber auch für Thomas Mann *die* deutsche Kunst (XI, 1131 f.), und zwar längst. Bereits in den *Betrachtungen eines Unpolitischen* dient sie ihm als Chiffre für die (politik)freie deutsche Kunst überhaupt (XII, 317), um in den zwanziger Jahren, als ihm eine ausschließliche (d. h. die Politik ausschließende) Kunst unverantwortlich zu scheinen begann, im *Zauberberg* als »politisch verdächtig« abgestempelt zu werden (III, 160). Als Thomas Mann auf die Behauptung Kierkegaards stieß, Musik sei »dämonische Sphäre«, schrieb er bereits am *Faustus* und brauchte diese Bestätigung kaum mehr. Denn es stand schon fest: Musiker mußte sein, was ein richtiger Faust war (XI, 1131).[16] Womit wir wieder beim Mythos sind.

16 Neben diesen Hauptpunkten ist die Musik in *Doktor Faustus* ein weites Feld, paradoxerweise aber ein peripheres, eben weil Musik »nur Vordergrund und Repräsentation, nur Paradigma war für Allgemeineres, nur Mittel, die Situation der Kunst überhaupt, der Kultur, ja des Menschen, des Geistes selbst in unserer durch und durch kritischen Epoche auszudrücken« (XI, 171). Zwar mußte Thomas Mann zum Zweck der »Realisierung« das Technisch-Musikalische beherrschen (XI, 170 f.), weswegen er auf die Hilfe

## *Dreierlei Mythos*

Unbehagen und Katastrophe des zwanzigsten Jahrhunderts haben den Faust-Mythos in seiner düstersten Form zu ihrem Ausdruck gefordert. Mit dem ›guten‹ Faust, der bei Goethe schließlich gerettet wird, konnte Thomas Mann nichts anfangen, auch er brauchte »das Rechte und Wahre [...] das Archaische«, wie es das Spieß'sche Faustbuch von 1587 bietet. Dort ein sündiger Held, der kompromißlos tragisch endet. Adrian wandelt von früh an bewußt in dessen Spuren. Er sucht im Theologiestudium Fühlung mit dem Teufel aufzunehmen, er geht in Palestrina den formellen Vertrag ein (der freilich seit der vier Jahre früher erfolgten Ansteckung praktisch bereits in Kraft ist); er bedient sich der teuflischen Hilfe, profitiert von der in Aussicht gestellten Inspiration, geht schließlich zugrunde – nicht ohne zuerst seine Sünden, in Person wie auch in der Musik der »Weheklag«, legendengetreu bis ins Einzelne[17] gebeichtet zu haben. Am Ende weiß er sich »zur Hölle geboren« (661); er hat wissent- und willentlich gesündigt.

Darauf stützt sich die dreifache Gleichung Faust = Adrian, Adrian = Deutschland, Deutschland = Faust: alle haben sich bewußt mit dem Bösen eingelassen. Indem er auf die alte Form der Fabel zurückgreift, stemmt sich Thomas Mann, wie 1945 auch ausdrücklich im Vortrag *Deutschland und die Deutschen*, gegen die damals kursierende These von einem

Strawinskys, Schönbergs und vor allem Adornos angewiesen war. Aber auch die Ausführungen in Adornos *Philosophie der modernen Musik* kamen Thomas Mann »›eigentümlich‹ vertraut« vor (XI, 174), sie betrafen Schwierigkeiten, mit denen er selber längst kämpfte. Weswegen es für Thomas Mann wohl noch ärgerlicher war, als Adorno »sich in nicht ganz angenehmer Weise bläht, [...] als habe eigentlich er den ›Faustus‹ geschrieben« (an Jonas Lesser, 15. Oktober 1951).

17 Er setzt nämlich in »Doktor Fausti Weheklag« die Worte des Spieß'schen Faust »Dann ich sterbe als ein böser und guter Christ«, deren zwölf Silben zu seiner Zwölf-Ton-Technik genau passen. Vgl. *Deutsche Volksbücher in drei Bänden*, Berlin/Weimar 1968, Bd. 3, S. 118.

»guten« Deutschland, das dem »bösen« Deutschland unterlegen wäre. Vielmehr sei »das böse Deutschland das fehlgegangene gute« (XI, 1146).

Was wurde aber durch den Gebrauch des Faust-Mythos erreicht? Er konnte atmosphärisch vorbereiten, Verhängnis andeuten, ein emblematisches Schuldigwerden vorführen. An Schwarzkunst und Fausttragik sollten deutsche Leser der unmittelbaren Nachkriegszeit das Gruseln lernen, falls sie es nicht schon hinreichend von den realen Ereignissen gelernt hatten. Der eigentliche Glaube an Mythisches jedoch konnte ihnen nicht zugemutet werden – daher das ständige Spiel mit Zweideutigkeiten, das im Vexierbild des XXV. Kapitels (ist der Teufel wirklich oder nur in Adrians krankhafter Vorstellung da?) seinen Höhepunkt erreicht. Schon dieser zweifelhafte Status des Mythos bedeutet, daß er die geschichtlichen Ereignisse nicht zu erklären vermag, wie es in primitiven Kulturen die Funktion mythischer Fabeln war. Das kann übrigens auch sein realistisches Äquivalent, das Krankheitsmotiv, nicht: die Gleichung »Nazismus = Syphilis« läuft wieder auf ein symbolisches Etikettieren hinaus, die mythischen Gruseleffekte werden bloß ins Modern-Sachliche übersetzt. Insoweit der Roman Verständnis und Deutung seiner Epoche fördern wollte, bleibt der Mythos hinter dem Gewünschten zurück, ist nur ominös-dekorativ.

Gleichzeitig mit der Faustnachfolge geht Leverkühn aber auch in entscheidenden Hinsichten – Bordellbesuch, Krankheitsgeschichte mit alternierendem schöpferischen Hochgefühl und Elend (vgl. 678–681) – in den Spuren Nietzsches. Allerdings unbewußt, wie auch sein Biograph nichts davon wissen kann: Adrian ist eben »an [Nietzsches] Stelle gesetzt [...], so daß es ihn nun nicht mehr geben darf« (XI, 165). Es handelt sich um eine Strategie des Übererzählers Thomas Mann. Warum aber dieser zweite, moderne Mythos? Liegt es etwa an Thomas Manns Nähe zu diesem ersten und nachhaltigsten der großen »Einflüsse« auf sein Werk? Oder an der selbständigen Faszinationskraft der tragischen Vita

Nietzsches? Oder geht es nicht doch sinnvollerweise darum, daß Nietzsche die letzte, radikalste Phase der antirationalistischen Zivilisationskritik eingeleitet, ihr die zündenden Begriffe und vor allem die mißverständlichen Bilder, das Raubtier, den Übermenschen, die großen Kriege, die rettenden Barbaren geliefert hat, so daß er durchaus in diese Abrechnung mit der deutschen Geschichte gehört? Sogar in doppeltem Sinn, weil Nietzsches Schuld auch ihn fast zur Faustfigur macht, von dessen Seele »man auch nicht sagen kann, ob sie gerichtet oder gerettet ist nach all den Greueln, zu denen sie sich verstiegen und zu denen sie die Epoche angespornt hat«.[18] So dürfte sich diese zweite mythische Besetzung der Figur Adrians aus dem zwanghaften Bestreben Thomas Manns erklären, die Elemente geistiger Kausalität der Epoche in jeder nur möglichen dichterischen Weise zueinander in Beziehung zu setzen. Ist die Wirkung des Faust-Mythos ominös-dekorativ, so darf man die Wirkung des Nietzsche-Mythos symbolisch-assoziativ nennen.

Fragt sich nur, ob die Montage Nietzschescher Biographie den Versuch, die Epoche zu beleuchten, nicht geradezu verhindert? Denn ausgerechnet *der* Philosoph darf nicht genannt werden, dessen Gedankenwelt trotzdem überall implizit präsent, ja beherrschend ist: in den mit Lebensphilosophie durchsetzten »Schlafstrohgesprächen« der Hallenser Kommilitonen Leverkühns; im ästhetizistischen Modegeschmack Helmut Institoris', der nicht mehr als »Nietzscheanischer Typus« bezeichnet werden kann; in dem Irrationalismus des Kridwißkreises, der bezeichnenderweise einer expliziten geistesgeschichtlichen Erklärung so dringend bedarf, daß die zweitrangige Figur Sorels als Urheber einer Theorie von »mythischen Fiktionen« bemüht wird (486), für die eigentlich vor ihm Nietzsche (un)verantwortlich gezeichnet hat (IX, 689 f.); und vor allem in der Erkenntnisproblematik und irrationalistischen Durchbruchslösung Adrian Leverkühns

18 Brief an Kuno Fiedler, 5. Februar 1948.

selbst, der damit in die widerspruchsvolle Lage kommt, zugleich Nietzsche zu ersetzen und an der von Nietzsche geprägten kulturgeschichtlichen Situation zu leiden. So ist der Nietzsche-Strang gleichzeitig zu viel und auch zu wenig: er bringt eine zusätzliche Komplexität in eine bereits sehr komplizierte Struktur, läßt aber eine Lücke in der erklärenden Zeitdarstellung klaffen, weil der explizite Hinweis auf deren Schlüsselfigur unterbunden ist.[19]

Doch mit Faust und Nietzsche sind die mythischen Mittel Thomas Manns noch nicht erschöpft. Gerade das alte Faustbuch mit seiner strengen christlichen Moral ließ einen Spalt offen für eine Deutung, die zugleich moderner und älter, auf jeden Fall tiefer ist, und auch noch in die lebenslange Thematik Thomas Manns paßt. Am Schluß der *Historia von D. Johann Fausten* steht als Moral von der Geschichte das Bibelwort: »Seid nüchtern und wachet, denn euer Widersacher, der Teufel, geht umher wie ein brüllender Löwe und suchet, welchen er verschlinge; dem widerstehet fest im Glauben.«[20] Schon früh dient ein Teil dieses Zitats als warnendes Abschiedswort eines Schulprofessors an den hochmütigen Primus (114). Am Schluß zitiert Adrian selber die Mahnung der Epistel, nüchtern zu sein, im reumütigen Rückblick auf die eigene »höllische Trunkenheit« (662). Nicht von ungefähr

19 Verschleiert, aber unmißverständlich ist Nietzsche gelegentlich doch präsent, etwa in den Studentengesprächen (165): »Wir haben aber Fälle, wo die persönliche Substanz, sagen wir: das Deutschtum, sehr groß war und ganz unwillkürlich sich auch als Opfer objektivierte, wo es aber an Bekenntnis zu völkischer Bindung nicht nur völlig fehlte, sondern auch die heftigste Negation davon statthatte«; noch deutlicher in der Diagnose der ehelichen Disharmonie zwischen Ines Rodde und Helmut Institoris, die auf den »Gegensatz zwischen Ästhetik und Moral« zurückgehe, »der ja zu einem guten Teil die kulturelle Dialektik jener Epoche beherrschte [...]: der Widerstreit zwischen einer schulmäßigen Glorifizierung des ›Lebens‹ in seiner prangenden Unbedenklichkeit – und der pessimistischen Verehrung des Leidens mit seiner Tiefe und seinem Wissen. Man kann sagen, daß an seiner schöpferischen Quelle dieser Gegensatz eine persönliche Einheit gebildet hatte und erst in der Zeit streitbar auseinandergefallen war.« (384) Hier fehlt eigentlich nur Nietzsches Name.

20 1 Petr. 5, 8.

spricht der Teufel von »Anheizung, Beschwingung und Beschwipsung«, zitiert auch Bismarcks Witz, der Deutsche brauche »eine halbe Flasche Champagner, um auf seine natürliche Höhe zu kommen« (305). Adrians Krankheit hat den Organismus in einen Rausch versetzt, der die Hemmungen der Erkenntnis beseitigt und ihm über den toten Punkt hinweghilft.

Dasselbe Bild erfaßt auch die politische Entwicklung. Aus einem deutschtümelnden »Hintertreppenmythus« (so Zeitblom in der ersten seiner Scheltreden) hätten »Laffen und Lügner uns einen sinnberaubenden Giftfusel bereitet«. Bezahlt sein müsse jetzt »der Riesenrausch, den wir immer Rauschlüsternen uns daran tranken« (234). Das »immer« weist über die Grenzen der Nazizeit hinweg, etwa auf das »Rauschhafte« des Kriegsausbruchs von 1914 und das »Durchgehen zügelunwilliger Triebe« (399), oder auf den »Milliarden-Rausch« einer »betrunken zum Himmel kletternden Währungsinflation« der zwanziger Jahre (514). Aber nur im Faschismus wird der Rausch als Kult bezeichnet, der »seine Orgien ausgefeiert hat« (668), oder als »scheinbar heiliger Taumel« (234) gedeutet.

»Heilig«, weil auch der Rausch seine Gottheit hat, die durchaus fruchtbar wirken kann: Dionysos, der im Frühlingswachstum Erneuerung bringt, durch Wein von Hemmungen befreit, im kultischen Kollektiv den spröden Einzelnen über sich selbst hinausträgt. In der Kunst, so Nietzsches These in der *Geburt der Tragödie*, muß sich dionysische Triebkraft zu apollinischer Form und Klarheit gesellen, damit große Werke entstehen. Das hat Gustav von Aschenbach dunkel gespürt, der durch eine dionysische Vision (VIII, 447) in die Fremde getrieben, von dionysischen Figuren geleitet und in schließlicher Selbstaufgabe an den »fremden Gott« in den Tod gestoßen wird. Schon die Novelle von 1912 hat – so Georg Lukács – »die Gefahr einer barbarischen Unterwelt innerhalb der modernen deutschen Zivilisation [. . .] signalisiert« (XI, 239 f.). Inzwischen hat Aschenbachs Autor diese Gefahr erlebt und eingesehen und ist ihr bewußt auf der Spur; so tritt Leverkühn als gesteigerter Aschenbach auf.

Was für die Kunst gilt, gilt weit über sie hinaus. Gerade darin liegt ihre Bedeutung – und Thomas Manns Rechtfertigung dafür, daß er sich fast monoman mit dem Thema Kunst beschäftigt –, daß sie das nie Stabile am Menschen, jene letzte Zweiheit von Gefühl und Gedanke, Trieb und Form, Wille und Vorstellung, Dionysos und Apollo, Es und Ich ans Licht hebt, die ebenso furchtbar wie fruchtbar sein kann. Sie ist unweigerlich mit ein Faktor neben den konkret-offenkundigeren (oder besser gesagt, unterhalb ihrer und womöglich wichtiger als sie), die die politische Geschichte des zwanzigsten Jahrhunderts gestaltet haben. Mit dem Dionysos-Mythologem, das seit Nietzsches *Geburt der Tragödie* auch eine Psychologie zu sein beanspruchen darf und insofern Thomas Manns problematische Paarung von »Mythos und Psychologie« einmal legitimiert, erreichen wir endlich die Ebene des Kausal-Explikativen. Oder jargonfrei gesagt, der dritte Mythos bietet so etwas wie eine historische Erklärung der deutschen Katastrophe.[21]

Auch dieser Mythos ergibt ein dunkles Bild. Wenn das Dionysische so außer Rand und Band geraten und dem Faschismus als tiefster Antrieb zugrunde liegen konnte, muß die Frage gestellt werden, die sich der entschieden apollinische Serenus (!) Zeitblom auch stellt: ob ein Kulturgedanke noch zulässig ist, »in welchem Ehrfurcht vor den Gottheiten der Tiefe mit dem sittlichen Kult olympischer Vernunft und Klarheit zu *einer* Frömmigkeit verschmilzt?« (669) Läßt sich das Dionysische in die Zivilisation einbeziehen? Ist

21 Thomas Mann steht mit seiner psychohistorischen Deutung nicht allein. Sigmund Freuds Studie *Das Unbehagen in der Kultur* von 1933, Carl Gustav Jungs Essay *Wotan* von 1936 (auf den mich Paul Bishop hilfreicherweise aufmerksam gemacht hat), David Henry Lawrences *Letter from Germany* von 1924, und Ernst Blochs *Erbschaft dieser Zeit*, besonders der zweite Teil, »Ungleichzeitigkeit und Berauschung«, von 1935 suchen alle, die psychischen Tiefen auszuloten, die unter der Oberfläche der Politik liegen und diese entscheidend gestalten.

Kunst überhaupt angängig, wenn sie auf eine so gefährliche Gottheit angewiesen ist? Hatte vielleicht Strawinsky mit der Behauptung recht, das klassische Ballett sei »als Triumph maßvoller Planung über das schweifende Gefühl, der Ordnung über den Zufall, als Muster apollinisch bewußten Handelns, das Paradigma der Kunst« (368)?
Thomas Mann selbst tendierte von jeher zum Apollinischen, er fühlte sich auch, zum Teil wohl aus zeitgeschichtlicher Erfahrung, »mit zunehmenden Jahren mehr und mehr als Apolliniker«;[22] er ist trotz zeitweiliger Frustration und Versuchung einer Kunstpraxis immer treugeblieben, die eine Alternative zu jedweder Form dionysischer Hingerissenheit bildete. Gleichwohl ging es ihm gegen den Strich, daß eine der Quellen künstlerischer Schöpfung aus politischen Gründen verpönt sein sollte. Zu seinem Haß auf die faschistische Tyrannei trug nicht wenig bei, daß sie das sonst Legitime und Wertvolle diskreditierte. So wird im Roman die Herausstellung des Dionysischen durch den Nachweis variiert und zum Teil überlagert, der Nazismus habe zwar Triebhaftes aufgewühlt und ausgebeutet, aber im Grunde handele es sich um einen Schwindel. Die völkische Erhebung war ein nur »scheinbar heiliger Taumel«, der rauschhafte »Neubeginn« durch »Falschheit« gekennzeichnet (233). Entsprechend hatte der Mythologe Karl Kerényi anläßlich der propagandistischen Erziehung der dreißiger Jahre über »den schlimmen, nicht-dionysischen (dysdionysischen, könnte ich sagen) Wahnsinn der Jugend« geschrieben.[23] »Giftfusel« ist eben kein echtes Getränk des Dionysos. Und genauso wie der Rausch des Faschismus »dysdionysisch«, eine schlimme, unfruchtbare, entstellende Begeisterung war, dürfte auch dessen schlimme, tötende, tyrannische Ordnung »dysapollinisch« genannt werden. Es hat sich hier wie dort um eine Verhunzung des Echten gehandelt. In *Bruder Hitler* hieß es: »[. . .]

22 Brief an Karl Vossler, 4. Mai 1935.
23 Brief an Thomas Mann, 13. August 1934.

unserer Zeit gelang es, so vieles zu verhunzen: Das Nationale, den Sozialismus – den Mythos, die Lebensphilosophie, das Irrationale, den Glauben, die Jugend, die Revolution und was nicht noch alles« (XII, 852). So bleibt bei aller Parallelisierung von Kunst und Politik am Ende doch eine Distanz, die der Kunst einen Rest ihrer Ehre rettet – allerdings um den Preis, daß die ganze allegorische Struktur dadurch etwas von ihrer Stimmigkeit einbüßt. Der Autor des »radikalen Bekenntnisses« über Kunst und Künstler bekennt sich am Ende trotz allem zur Kunst: Adrian gelingt der echte Durchbruch zum Ausdruck (643).

### *Zur Rezeption: Lesen und Geschichte*

Für Zeitblom ist jedes Wort, das er schreibt, »brennend interessant«, er hütet sich aber davor, »dies als Gewähr für die Anteilnahme Unbeteiligter zu betrachten« (44). Es konnte aber 1947 keinen unbeteiligten Leser geben. Ob man im Exil gelebt oder die Nazizeit im Lande durchgestanden hatte, ob man sich ergriffen und mit der tragisch-kritischen Analyse deutscher Geschichte solidarisch fühlte oder ob man sie voller Ressentiment als das Werk eines ahnungslosen Außengebliebenen ablehnte, beteiligt war man so oder so. Die erste Rezeption des *Doktor Faustus* war, wie das nach politischen Umwälzungen so geht, stark politisch geprägt. In dieser von Zeitblom erhofften dritten Phase – nach der erzählten Zeit von Leverkühns Leben und der Erzählzeit der vierziger Jahre, war die Zeit der ersten Leser gekommen – stand nichts anderes zu erwarten. Die Geschichte, welche der Roman hatte einfangen wollen, setzte sich eben fort, und die nichts weniger als »unbeteiligte« Lektüre gehörte dazu.
Noch während der Reibereien mit dem Publikum dieser dritten Phase begann aber der kluge Autor bereits auf eine vierte Phase hinauszublicken, die gesteuert sein wollte: nämlich auf die Zeit, in der der Roman nicht mehr von den Reaktionen

der geschichtlich unmittelbar Betroffenen umbrandet und eher von Vergessensein als von Kontroverse bedroht sein würde. Bei dieser späteren Rezeption würde das Werk, wie es im Goethe-Motto zur *Entstehung des Doktor Faustus* heißt, »auf sich selbst ruhen und aus sich selbst wirken« müssen, wobei die Gefahr bestehe, daß Werke, »insofern sie in die Vergangenheit zurücktreten, unwirksamer [werden], eben je mehr sie im Augenblick gewirkt« (XI, 145).

Dieser Gefahr sollte die *Entstehung* vorbeugen. Der Leser sollte erfahren, wie es zwischen 1943 und 1947 eigentlich gewesen, welche Zeitumstände zur Komposition gedrängt und mit an ihr gestaltet hatten, welche Selbstzweifel zu überwinden waren, wie das komplizierte Netz der Sinnzusammenhänge gewoben wurde, und welches dieser Sinn war. Nicht von ungefähr lautet der Untertitel »Roman eines Romans«, denn Thomas Mann bemüht sich, über den kahlen Tatsachenbericht hinaus den Leser durch ein menschliches Drama für sich einzunehmen: evoziert werden die Atmosphäre in der deutsch-amerikanischen Exilgemeinschaft, Erwartung und Enttäuschung beim Fortgang der Kriegsereignisse, die Verflochtenheit von Werk und Weltgeschichte. Vor allem aber wird immer wieder das Besondere dieses »wildesten« seiner Bücher hervorgehoben: einerseits in durchaus positivem Sinn – die erregende, ja erschütternde Wirkung des Werks auf den Autor selbst und auf den Bekanntenkreis, dem er daraus vorlas; andererseits in fragwürdigem Sinn – die hohe Belastung des Alternden durch diese, wie er meint, letzte und größte Aufgabe, die sogar den Organismus in eine schwere Krise treibt. Das Werk scheint an ihm zu zehren, schließlich wird eine Lungeninfektion entdeckt, welche den Gewichtsverlust und den Niedergang seiner Kräfte erklärt; es kommt zum chirurgischen Eingriff, den er gut übersteht. Es wird deutlich, »unter wie schlechten Bedingungen« er bislang am Roman gearbeitet habe (XI, 254); anders herum gesehen ist es, als hätte ihn der Roman um ein Haar das Leben gekostet. So setzt sich Thomas Mann gleichsam ein Denkmal: »ich anerkenne die moralische Leistung«, notiert er im Tagebuch, als die letzten Zeilen geschrieben waren (XI, 301). Die Komposition des Romans, der Geschichte erfassen wollte, wird selber als ein Stück Geschichte – wenn nicht gar als ein vierter Mythos[24] – den Lesern der vierten Phase dargeboten.

Womit eigentlich wir gemeint sind. Wir dürfen den *Doktor Faustus* also daraufhin prüfen, ob er tatsächlich so weit »in die Vergangenheit zurückgetreten« sei, daß man die Hinweise der *Entstehung* nötig hat, um sich richtig in den Roman einzufühlen? Oder sind seine Fragen auch so aktuell geblieben? Wirkt er noch immer »aus sich selbst«? Dringt die besorgte Stimme Zeitbloms heute noch zu uns? Haben sich die Gruseleffekte gehalten, oder sind sie jetzt überholt? Ist der Faust-Mythos als literarisches Mittel immer noch wirksam? Oder der Mythos überhaupt? Ist die esoterische Dionysosthese noch plausibel? Wirft *Doktor Faustus* ein überzeugendes Licht auf die deutsche Geschichte?

Das sind nicht rhetorische, sondern wirkliche Fragen an ein Werk, das vom Strom der Geschichte lebt, aber auf dem Strom der Geschichte auch treibt. Wirkliche Fragen noch in dem Sinn, daß die zwischen einem deutschen Autor und der deutschen Geschichte anhängige Sache nur deutsche Leser mit voller Unmittelbarkeit angehen kann. Eine Antwort können nur sie – das heißt, liebe Leser und Leserinnen, Sie – anhand des Textes finden. So führt die Diskussion eines Auslandsgermanisten erst recht zur Lektüre des Romans zurück, anstatt sie mit gesicherten Thesen überflüssig machen zu wollen.

24 Wobei dieselbe Zweideutigkeit vorhanden ist, die im Roman selbst herrscht: hie eine realistisch-pathologische Ebene – die Krankheit als Hindernis; dort die Ebene des Geheimnisses – das Buch als mysteriöse Bedrohung des Organismus: so oder so eine heroische Geschichte.

## Literaturhinweise

Doktor Faustus. Das Leben des deutschen Tonsetzers Adrian Leverkühn erzählt von einem Freunde. Stockholm: Bermann-Fischer, 1947.

Die Entstehung des Doktor Faustus. Roman eines Romans. Amsterdam: Bermann-Fischer / Querido Verlag, 1951.

Gesammelte Werke in 13 Bänden. Frankfurt a. M.: S. Fischer, 1974. Bd. 6 (*Doktor Faustus*). Bd. 11, S. 145–301 (*Entstehung*).

Adorno, Theodor W.: Philosophie der modernen Musik. Frankfurt a. M. 1949.

Bergsten, Gunilla: Thomas Manns *Doktor Faustus*. Untersuchungen zu den Quellen und der Struktur des Romans. Lund 1963.

Bloch, Ernst: Erbschaft dieser Zeit. Frankfurt a. M. 1973. [Zuerst veröff. 1935.]

Carnegy, Patrick: Faust as Musician. London 1975.

Colleville, Maurice: Nietzsche et le *Doktor Faustus* de Thomas Mann. In: Etudes germaniques 3 (1948) S. 343–354.

Elema, J.: Thomas Mann, Dürer und *Doktor Faustus*. In: Euphorion 59 (1965) S. 97–117.

Heftrich, Eckhard: *Doktor Faustus*: Die radikale Autobiographie. In: Thomas Mann 1875–1975. Vorträge in München, Zürich, Lübeck. Hrsg. von Beatrix Bludau, E. H. und Helmut Koopmann. Frankfurt a. M. 1977. S. 135–154.

Holthusen, Hans Egon: Die Welt ohne Transzendenz. Hamburg 1949.

Jendreiek, Helmut: Der demokratische Roman. Düsseldorf 1977. S. 412 ff.

Jung, Carl Gustav: Wotan. In: C. G. J.: Gesammelte Werke. Bd. 10: Zivilisation im Übergang. Olten [3]1986. [Zuerst veröff. 1936.]

Lawrence, David Henry: Letter from Germany. In: A Selection from Phoenix. Hrsg. von A. A. H. Inglis. Harmondsworth 1971. [Geschr. 1924, veröff. 1934.]

Oswald, Victor A.: The Enigma of Frau von Tolna [Identität mit Hetaera Esmeralda]. In: Germanic Review 23 (1948) S. 249–253.

– Full Fathom Five: Notes on Some Devices in Thomas Mann's *Doktor Faustus*. In: Germanic Review 24 (1949) S. 274-278.

– Thomas Mann and the Mermaid: A Note on Constructivistic Music. In: Modern Language Notes 65 (1950) S. 171–175.

Sandberg, Joachim: Der Kierkegaard-Komplex in Thomas Manns Roman *Doktor Faustus*. In: Text und Kontext 6 (1978) H. 1/2. S. 257–274.

Scher, Steven Paul: Verbal Music in German Literature. New Haven / London 1968. [Bes. Kap. 6.]

Sternberger, Dolf: Deutschland im *Doktor Faustus* und *Doktor Faustus* in Deutschland. In: Thomas Mann 1875–1975. Hrsg. von Beatrix Bludau, Eckhard Heftrich und Helmut Koopmann. Frankfurt a. M. 1977. S. 155–173.

Voss, Lieselotte: Die Entstehung von Thomas Manns Roman *Doktor Faustus*. Tübingen 1975.

Windisch-Laube, Walter: Thomas Mann und die Musik. In: Thomas-Mann-Handbuch. Mensch und Zeit – Werk – Rezeption. Hrsg. von Helmut Koopmann. Stuttgart 1990. S. 327–342.

# »Hermeneutisches Doppelgängertum« in den *Bekenntnissen des Hochstaplers Felix Krull*

Von Herbert Anton

»Erst den Wiederkehrenden offenbart Eleusis sein Geheimnis.« So ließe sich ein Wort Senecas – der Sache nach – übersetzen, das Goethe in einem Altersbrief zitiert, um die »Ausarbeitung der Helena« anspielungsreich zu erläutern:

> In Hoffnungen einsichtiger Teilnahme habe ich mich bei Ausarbeitung der Helena ganz gehen lassen, ohne an irgendein Publikum noch an einen einzelnen Leser zu denken, überzeugt, daß wer das Ganze leicht ergreift und faßt, mit liebevoller Geduld sich auch nach und nach das Einzelne zueignen werde. Von einer Seite wird dem Philologen nichts Geheimes bleiben, er wird sich vielmehr an dem wiederbelebten Alterum, das er schon kennt, ergötzen; von der andern Seite wird ein Fühlender dasjenige durchdringen, was gemütlich hie und da verdeckt liegt: Eleusis servat quod ostendat revisentibus – und es soll mich freuen, wenn diesmal auch das Geheimnisvolle zu öfterer Rückkehr den Freunden Veranlassung gibt.[1]

In einer ähnlichen hermeneutischen Situation mochte sich Thomas Mann befunden haben, als er 1951 versuchte, »an etwas vor 40 Jahren Liegengebliebenes wieder anzuknüpfen und an den Bekenntnissen Felix Krulls weiterzuschreiben«.[2] Dabei war er sich der Nähe zu Goethe vollauf bewußt und

1 Johann Wolfgang Goethe, *Briefe*, hrsg. von Karl Robert Mandelkow, Bd. 4, Hamburg 1967, S. 249 (an C. J. L. Iken, am 27. September 1827); vgl. dazu S. 601: »Eleusis hält zurück, was es (erst) den Wiederkehrenden zeigt.«

2 Brief an Otto Basler, 8. Januar 1951, in: Thomas Mann, *Selbstkommentare: »Königliche Hoheit« und »Bekenntnisse des Hochstaplers Felix Krull«*, hrsg. von Hans Wysling, Frankfurt a. M. 1989 [im folgenden zit. als *Selbstkommentare*], S. 91.

in Sorge: »Der Roman gerät oder mißrät wieder einmal ins *Faustische.*«[3] Bei der Planung der »Hochstaplergeschichte«, für die 1910 der Titel *Bekenntnisse des Diebes und Schwindlers Felix Krull* vorgesehen war,[4] konnte davon noch keine Rede sein. Thomas Mann beschäftigten – existentiell und ästhetisch – Probleme der »Psychologie der unwirklich-illusionären Existenzform«, und er hatte gerade die 1905 erschienenen *Memoiren* des Hochstaplers und Hoteldiebes Georges Manolescu gelesen, die lediglich das »Goethisch-Selbstbildnerisch-Autobiographische« und »Aristokratisch-Bekennerische« im Rahmen einer »parodistischen Idee« berührten:

> Nach der Zurücklegung von *Königliche Hoheit* hatte ich die *Bekenntnisse des Hochstaplers Felix Krull* zu schreiben begonnen – ein sonderbarer Entwurf, auf den, wie viele erraten haben, die Lektüre der Memoiren Manolescu's mich gebracht hatte. Es handelte sich natürlich um eine neue Wendung des Kunst- und Künstlermotivs, um die Psychologie der unwirklich-illusionären Existenzform. Was mich aber stilistisch bezauberte, war die noch nie geübte autobiographische Direktheit, die mein grobes Muster mir nahelegte, und ein phantastischer geistiger Reiz ging aus von der parodistischen Idee, ein Element geliebter Überlieferung, das Goethisch-Selbstbildnerisch-Autobiographische, Aristokratisch-Bekennerische, ins Kriminelle zu übertragen. (XI, 122)[5]

3 Brief an Emil Preetorius, 11. März 1952, ebd., S. 107.

4 Brief an Walter Opitz, 18. April 1910, ebd., S. 62.

5 Band- und Seitenzahl beziehen sich auf Thomas Manns *Gesammelte Werke in 13 Bänden*, Frankfurt a. M. 1974. *Felix Krull* (Bd. 7) wird nur mit Angabe der Seitenzahl zitiert. – Zur Sache vgl. hier und im folgenden Hans Wysling, *Narzißmus und illusionäre Existenzform*, Bern/München 1982; Herbert Lehnert, *Thomas-Mann-Forschung*, Stuttgart 1969; Hermann Kurzke, *Thomas-Mann-Forschung 1969–1976*, Frankfurt a. M. 1977; Volkmar Hansen, *Thomas Mann*, Stuttgart 1984; sowie *Thomas-Mann-Handbuch*, hrsg. von Helmut Koopmann, Stuttgart 1990.

Schon Nietzsche wußte »Artistik« und »Kriminalität« in Verbindung zu bringen,[6] und im Sinne seiner »artistischen Weltbetrachtung« folgert Thomas Mann als scharfsichtiger Analytiker von Kunst und Künstlertum in der Literatur und Lebenswirklichkeit um 1900, »daß es nötig sei, in irgendeiner Art von Strafanstalt zu Hause zu sein, um zum Dichter zu werden« (VIII, 298). Insofern konnten die »Gedanken und Erinnerungen jenes glänzenden Herrn Manolescu« nur »Anregungen« geben (X, 560),[7] denn die von Thomas Mann mit Nietzsche inaugurierten Phänomene des Kunstschaffens und der ästhetischen Erfahrung blieben ihnen ebenso verborgen wie die Einsicht, »daß der Leib ein Kerker ist; die Seele hat man hinein betrogen«.[8] Im Blick auf Entstehungsbedingungen der *Bekenntnisse des Hochstaplers Felix Krull* kommt es – im Kontext des Frühwerkes – aber gerade auf diese Einsicht an, weil sie mit dem »Weg des Künstlers zum Geiste« (VIII, 521) zusammenhängt und die »transzendente Linie« kennzeichnet,[9] die der Entelechie des »göttlichen Schelms«[10] das Gepräge gibt:

> Wie an dem Tag, der dich der Welt verliehen,
> Die Sonne stand zum Gruße der Planeten,
> Bist alsobald und fort und fort gediehen
> Nach dem Gesetz, wonach du angetreten.

6 Friedrich Nietzsche, *Aus dem Nachlaß der Achtzigerjahre*, in: F. N., *Werke*, hrsg. von Karl Schlechta, München ²1960, Bd. 3, S. 708.

7 Vgl. auch *Selbstkommentare*, S. 137 (Brief an Eva Schiffer, 6. August 1954).

8 Goethe, *West-östlicher Divan*, in: *Goethes Werke. Hamburger Ausgabe in 14 Bänden*, hrsg. von Erich Trunz, München ¹²1981 [im folgenden zit. als: HA], Bd. 2, S. 91.

9 Vgl. Herbert Anton, *Die Romankunst Thomas Manns*, Paderborn 1972, S. 75 ff.

10 In einem Brief an Max Rychner vom 17. Oktober 1954 (in: *Selbstkommentare*, S. 143) schreibt Mann: »Es ist eine merkwürdige Koinzidenz, daß eben im Rheinverlag ein Buch erscheint: *Der göttliche Schelm*, von P. Radin, Kerényi und C. G. Jung in Zusammenarbeit. Es handelt sich um einen indianischen Mythen-Zyklus, eine archaische Vorstufe aller Schelmenromane, und in seiner mythologisierenden Einleitung weist Kerényi auf die Entwicklung bis zu Rabelais, Spanien, Simplicissimus, Eulenspiegel, Reineke Fuchs – und Felix Krull geradezu hin.«

So mußt du sein, dir kannst du nicht entfliehen,
So sagten schon Sibyllen, so Propheten;
Und keine Zeit und keine Macht zerstückelt
Geprägte Form, die lebend sich entwickelt.[11]

Ursprünglich hatte Thomas Mann mit den »Krull-Memoiren« keinerlei »hermetische Stilisierung«, sondern »Verkleidung und Parodie des Künstlertums im Sinn«.[12] Darum ernannte er einen »Schimmelpreester« zum Paten Felix Krulls, der ihn als »Vorbild für seine Kunstgemälde in die verschiedensten Trachten und Verkleidungen steckte« oder – »Ach, das waren herrliche Stunden« – zum »Vergnügen« Maskeraden veranstalten ließ, während eine zweideutige Theaterwelt dem »sich bildenden und zur Welt der Erwachsenen hinstrebenden Knaben« die Augen für die Zweideutigkeit des Welttheaters öffnete (282 ff.). Allerdings ist die »Parodie und Verkleidung des Künstlertums« in Verbindung mit der Entlarvung bürgerlichen Kunstgenusses nicht auf Gesellschaftskritik ausgerichtet, wie sie zum Beispiel Heinrich Manns Roman *Der Untertan* (1916) übt. Thomas Manns Interesse gilt elementaren Strukturen der Genese und Metamorphose schöpferischer Individualität, die Felix Krull als »Vorzugskind des Himmels« auszeichnet:

Oft hörte ich aus dem Munde der Meinen, daß ich ein Sonntagskind sei, und obgleich ich fern von allem Aberglauben erzogen worden bin, habe ich doch dieser Tatsache, in Verbindung mit meinem Vornamen Felix (so wurde ich nach meinem Paten Schimmelpreester genannt) sowie mit meiner körperlichen Feinheit und Wohlgefälligkeit, immer eine geheimnisvolle Bedeutung beigemessen. Ja, der Glaube an mein Glück und daß ich ein Vorzugskind des Himmels sei, ist in meinem Innersten stets lebendig gewesen, und ich kann sagen, daß er im ganzen nicht

11 Goethe, »Dämon«, in: HA I, 359. Vgl. dazu und zu dem folgenden S. Nagel, *Aussonderung und Erwählung. Die »verzauberten« Helden Thomas Manns und ihre »Erlösung«*, Frankfurt a. M. 1987.

12 Thomas Mann im oben (Anm. 10) zitierten Brief an Max Rychner.

> Lügen gestraft worden ist. Stellt sich doch das eben als die bezeichnende Eigentümlichkeit meines Lebens dar, daß alles, was an Leiden und Qual darin vorgekommen, als etwas Fremdes und von der Vorsehung ursprünglich nicht Gewolltes erscheint, durch das meine wahre und eigentliche Bestimmung immerfort gleichsam sonnig hindurchschimmert. (271)

Dieses Selbstverständnis kann Selbstbetrug und Täuschung sein, die »Pseudologia phantastica« kennzeichnen und die Frage aufwerfen: Wer ist Felix Krull als »Hochstapler«? Ein »pseudologischer Betrüger« oder ein »göttlicher Schelm«? Schon das »phantastische Kind« (271) versteht sich meisterhaft auf die Vorspiegelung falscher Tatsachen, wenn es an der Seite eines »kleinen Kapellmeisters von zigeunerhaftem Ansehen« täuschend echt als »Wunderkind« agiert und »die Herzen entzückt« (281) oder die Handschrift des Vaters nachahmt, um »die Schulstunden eines Tages oder mehrerer frei schweifend in der weiteren Umgebung des Städtchens zu verbringen« (297). Nicht weniger »pseudologisch« wirkt der gründlich eingeübte epileptische Anfall vor jener militärischen Instanz, »die unter dem Namen der Obersatzkommission über Tauglichkeit und Einreihung des Nachwuchses endgültig befindet« (351), und auch die Sprachbegabung, die Felix Krull dem Generaldirektor des Hotels »Saint James and Albany« vorgaukelt (414), erweckt den Eindruck hochstaplerischer Verstellungskunst. Aber dies gilt nur für das »äußere Leben des Felix« (XI, 705). Von innen, mit den Augen des »Geistes der Erzählung« (X, 349) gesehen,[13] erweist sich der vermeintliche »Betrüger« als »Erwählter«, denn:

> Der Junge, von der Natur sehr freundlich ausgestattet, sehr hübsch, sehr gewinnend, ist eine Art von Künstlernatur, ein Träumer, Phantast und bürgerlicher Nichtsnutz, der das Illusionäre von Welt und Leben tief empfindet und

13 Vgl. dazu *Der Erwählte* (»Wer läutet?«).

> von Anfang an darauf aus ist, sich selbst zur Illusion, zu einem Lebensreiz zu machen. Verliebt in die Welt, ohne ihr auf bürgerliche Weise dienen zu können, trachtet er danach, sie wiederum verliebt zu machen in sich selbst, was ihm kraft seiner Gaben auch wohl gelingt. (XI, 704)

Ihre Entfaltung beginnt – im Schutz des Liebesgottes – »an der Ammenbrust«, und »eindeutigste Zeichen von Gefühl« künden eine »Begabung zur Liebeslust« an, die »ans Wunderbare grenzte« (312), wie Felix Krull schon frühzeitig erproben konnte, so daß er »gen Himmel zu fahren glaubte« (314). Zeitlebens nehmen »Das Beste« oder »Die große Freude« demzufolge in seinem »Innenleben eine beherrschende Stellung ein« (312). Aber ihnen war »von früh an eine berauschende Weitdeutigkeit eigen« (547), die vielfältige Transformationen der Libido zuließ, um »die schwerfällige Ordnung und Gesetzlichkeit des Alltages aufzuheben« (308) und »Traumgüter« – zum Beispiel gestohlene Bonbons – in die Wirklichkeit hinüberzuretten:

> Wie oft fallen uns im Traume köstliche Dinge zu, und wenn wir erwachen, so sind unsere Hände leer. Nur der vermag meine heiße Freude ein wenig zu teilen, der sich vorstellt, daß Güter, die ein reizender Traum ihm gespendet, am hellen Morgen sich wirklich und faßbar auf seiner Bettdecke vorfänden, gleichsam vom Traume übriggeblieben wären. Die Bonbons waren prima Ware, in farbiges Stanniol verpackt, mit süßem Likör und fein parfümierter Creme gefüllt; aber nicht ihre Vorzüglichkeit war es eigentlich, was mich berauschte, sondern der Umstand, daß sie mir als Traumgüter erschienen, die ich in die Wirklichkeit hatte hinüberretten können; und diese Freude war zu innig, als daß ich nicht hätte darauf bedacht sein müssen, sie gelegentlich wieder zu erzeugen. (310)

So erscheint Felix Krull schon im *Buch der Kindheit*, das 1922 veröffentlicht wurde, als »ein Gotteskind, dem es der Herr im

Schlafe gibt«, und wenn er »in die weite Welt zieht, um sein Glück zu machen, weiß er das auch« (XII, 378), während sich zugleich – im Zeichen des Hermes – »Täuschung« und »höhere Wahrheit« hermeneutisch versöhnen:

> Nach meiner Theorie wird jede Täuschung, der keinerlei höhere Wahrheit zugrunde liegt und die nichts als bare Lüge, plump, unvollkommen und für den erstbesten durchschaubar sein. Nur der Betrug hat Aussicht auf Erfolg und lebensvolle Wirkung unter den Menschen, der den Namen des Betrugs nicht durchaus verdient, sondern nichts ist als die Ausstattung einer lebendigen, aber nicht völlig ins Reich des Wirklichen eingetretenen Wahrheit mit denjenigen materiellen Merkmalen, deren sie bedarf, um von der Welt erkannt und gewürdigt zu werden. (298)

Felix Krulls Handhabung der »Kunst der Weltklugheit«[14] und das Schema seiner »Weltfahrt« (596) lenken die Aufmerksamkeit auf literarische Traditionen, denen sich der »Schwindler-Roman« zuordnen läßt,[15] und auch die »Theorie des Romans« kann sich auf Vorbilder berufen, um die Lebensgeschichte des »Helden« vom »Konflikt zwischen der Poesie des Herzens und der entgegenstehenden Prosa der Verhältnisse«[16] her zu deuten, zumal Thomas Mann dazu ermuntert, indem er Felix Krull – im Blick auf »innere Gesetze« des Erzählens – mit Hans Castorp vergleicht, der auf der

14 Vgl. Balthasar Gracián, *Handorakel und Kunst der Weltklugheit*, [. . .] übers. von Arthur Schopenhauer, [. . .] hrsg. von Arthur Hübscher, Stuttgart 1954 [u. ö.] (Reclams Universal-Bibliothek, 2771), und Arthur Schopenhauer, *Aphorismen zur Lebensweisheit*, hrsg. von Arthur Hübscher, durchges. Ausg. Stuttgart 1991 (Reclams Universal-Bibliothek, 5002).

15 Kurzke (Anm. 5), S. 205 ff. Mit »Schwindler-Roman« spielt Thomas Mann in einem Brief an Félix Bertaux vom 21. November 1923 auf André Gides Arbeit an den *Faux-monnayeurs* an (*Selbstkommentare*, S. 80).

16 Georg Wilhelm Friedrich Hegel, *Vorlesungen über die Ästhetik*, hrsg. von Rüdiger Bubner, Stuttgart 1971 (Reclams Universal-Bibliothek, 7976), »Die Poesie«, S. 177.

»Suche« ist »nach dem Höchsten, nach Wissen, Erkenntnis, Einweihung, nach dem Stein der Weisen, dem aurum potabile, dem Trunk des Lebens« (XI, 615; vgl. auch XI, 123). Allerdings wird Felix Krull – im Gegensatz zu »Helden« europäischer Schelmen- und Bildungsromane – nicht »geschunden«[17], und er zweifelt auch nicht – wie die *Theorie des Romans* von Lukács in geschichtsphilosophischer Optik für »Helden« moderner Romane vorsieht – an der »Lebensimmanenz des Sinnes«[18]. Felix Krull wird »von Jugend auf verwöhnt durch's Glück und seine Gaben«,[19] aber er muß sich – der »Ars amatoria« vergleichbar – in der Glückskunst üben und die »Wissenschaft des Augenblickes«[20] ergründen:

O wol dem der die rechte Zeit
In allen dingen siehet /
Vnd nicht nach dem was allbereit
Hinweg ist sich bemühet /
Der kennet was er lieben soll /
Vnd was er soll verlassen;
Er lebet frey vnd allzeit wohl /
Vnd darff sich selbst nicht hassen.
Die Göttin der Gelegenheit
Ist fornen nur mit Haaren /
Im Nacken bleibt sie kahl allzeit;
Drumb laß sie ja nicht fahren
Weil du sie bey der Stirnen hast;
Der Tag geht eylends nieder /
Die Stunden lauffen ohne rast /
Vnd kommen gantz nicht wieder.[21]

17 Goethe, *Dichtung und Wahrheit*, Motto des 1. Teils: »Der nicht geschundene Mensch wird nicht erzogen« (Menandros), in: HA IX, 7 und 641.

18 Georg Lukács, *Die Theorie des Romans*, Neuwied 1963, S. 53.

19 Goethe, *Die Mitschuldigen*, in: HA IV, 33.

20 Aristoteles, *Nikomachische Ethik*, übers. und Nachw. von Franz Dirlmeier, Stuttgart 1983 (Reclams Universal-Bibliothek, 8586), S. 12.

21 Martin Opitz, *Gedichte*, hrsg. von Jan-Dirk Müller, Stuttgart 1970 (Reclams Universal-Bibliothek, 361), S. 168.

Felix Krull vermag die »rechte Zeit« in allen Dingen zu erkennen, und »Kairos« ist ihm hold, wenn er seiner »Entelechie« gehorcht und »abschüttelt, was ihm nicht gemäß ist«,[22] so daß er – im Wechselspiel von »Präexistenz« und »Wiedergeburt«[23] – den Entwicklungsprozeß der »Helden« Thomas Manns der Vollendung zuführen kann: »Die Existenz aufgeben, um zu existieren, das Kunststück will freilich gekonnt sein; gehört Geist dazu und die Gabe der Lebenserneuerung aus dem Geist« (II, 644).[24] Beide bewirken »Metamorphosen im höhern Sinn« und unterliegen Gesetzmäßigkeiten von »Polarität und Steigerung«,[25] die Thomas Mann existential interpretiert, um – ebenso wie Goethe – »durch einander gegenübergestellte und sich gleichsam ineinander abspiegelnde Gebilde den geheimeren Sinn dem Aufmerkenden zu offenbaren«.[26] Dabei geht es zunächst um die »Verfeinerung *in* und *durch* die Liebe« (384), die Felix Krull in einer »schlimmen Liebesschule« (385) im Widerstreit von »Protestantismus und Griechentum«[27] zuteil wird. Sie entbindet »panerotische Unmoralität«[28] und destruiert die »metaphysische Bedeutsamkeit der Moral«, um »mit aller Kraft den Schuldbegriff und den Strafbegriff aus der Welt wieder herauszunehmen«.[29]

Erotische Literatur kennt vielerlei »Liebesschulen«, und »Lehrjahre der Männlichkeit« können – wie in Friedrich Schlegels *Lucinde* (1799) – hohe geistige Anforderungen stellen, wenn Liebende »die Rollen vertauschen und mit kindi-

22 Eckermann, *Gespräche mit Goethe*, 2. Teil (3. März 1830).
23 Brief an Jonas Lesser, 6. November 1951, in: *Selbstkommentare*, S. 98.
24 Vgl. dazu Goethe, *Maximen und Reflexionen*, in: HA XII, 381: »Unser ganzes Kunststück besteht darin, daß wir unsere Existenz aufgeben, um zu existieren.«
25 Ebd., S. 501, und *Erläuterungen zu dem aphoristischen Aufsatz »Die Natur«*, in: HA XIII, 48.
26 Goethe, *Briefe* (Anm. 1), S. 250.
27 Brief an Ernst Bertram, 21. September 1918, in: *Selbstkommentare*, S. 76.
28 Brief an Jonas Lesser, 10. Februar 1952, in: *Selbstkommentare*, S. 107.
29 Friedrich Nietzsche, *Menschliches, Allzumenschliches*, in: F. N., *Werke* (Anm. 6), Bd. 1, S. 757, und *Götzen-Dämmerung*, ebd., Bd. 2, S. 977.

scher Lust wetteifern, wer den andern täuschender nachäffen kann« und darin »eine wunderbare sinnreich bedeutende Allegorie auf die Vollendung des Männlichen und Weiblichen zur vollen ganzen Menschheit sehen«.[30] Symbolinterpretationen der »schönsten Situation in der schönsten Welt« (Schlegel) oder »Liebesdialoge« mit »ekstatischen Repliken«, die Thomas Mann an *Lucinde* rühmte (IX, 400), blieben Felix Krull in »Rozsas schlimmer Liebesschule« versagt, denn »Wort und Geplauder fanden nur spärlich statt«, und »wenn die Rede breiter strömte, so war es zu wechselseitigem Lobe und Preise«, denn »was wir bei erster Prüfung einander verheißen, fand reichste Bestätigung, und die Meisterin ihrerseits namentlich versicherte mir vielmals und ungefragt, daß meine Anstelligkeit und Liebestugend auch ihre schönsten Mutmaßungen überträfe« (383). Nun bedurfte es freilich auch keiner Einweihung in die »höhere Symbolik« der »Mysterien der Geschlechtlichkeit«,[31] da Felix Krull längst erkannt hatte, »daß im Gleichnis leben zu dürfen eigentlich Freiheit bedeute« (372) und der »Allegorie auf die Vollendung des Männlichen und Weiblichen zur vollen ganzen Menschheit« (Schlegel) bereits in »Liebesträumen« ansichtig geworden war:

> Liebesträume, Träume des Entzückens und des Vereinigungsstrebens – ich kann sie nicht anders nennen, obgleich sie keiner Einzelgestalt, sondern einem Doppelwesen galten, einem flüchtig-innig erblickten Geschwisterpaar ungleichen Geschlechtes – meines eigenen und des anderen, also des schönen. Aber die Schönheit lag hier im Doppelten, in der lieblichen Zweiheit, und wenn es mir mehr als zweifelhaft ist, daß das Erscheinen des Jünglings allein auf dem Balkon mich, abgesehen vielleicht von den Perlen im Vorhemd, im geringsten entzündet hätte, so habe ich

30 Friedrich Schlegel, *Lucinde*, hrsg. von Karl Konrad Polheim, Stuttgart 1963 [u. ö.] (Reclams Universal-Bibliothek, 320), S. 15.
31 Friedrich Nietzsche, *Götzen-Dämmerung* (Anm. 29), S. 1031.

> fast ebenso guten Grund, zu bezweifeln, daß das Bild des Mädchens allein, ohne ihr brüderliches Gegenstück, vermögend gewesen wäre, meinen Geist in so süße Träume zu wiegen. Liebesträume, Träume, die ich liebte, eben weil sie von – ich möchte sagen – ursprünglicher Ungetrenntheit und Unbestimmtheit, doppelten und das heißt doch erst: ganzen Sinnes waren, das berückend Menschliche in beiderlei Geschlechtsgestalt selig umfaßten. (346)

Im »Lichte« – wie Thomas Mann zu formulieren liebte – von Freuds Abhandlungen *Der Dichter und das Phantasieren* (1908) und *Zur Einführung des Narzißmus* (1914) erscheint die »Heldenrolle«, die Felix Krull in solchen »Liebesträumen« spielt, eindeutig. Es ist die »Heldenrolle des narzißtischen Ichs«, die ihn ermächtigt, seine »eigene Welt« zu erschaffen oder »die Dinge seiner Welt in eine neue, ihm gefällige Ordnung zu versetzen«.[32] Die Gesetzmäßigkeiten dieser »Veranstaltungen« (Freud) verweisen auf die frühe Erzählung *Der kleine Herr Friedemann* (1897) zurück, die Thomas Mann als »Markstein seiner persönlichen Geschichte« bezeichnet hat, da sie »zum erstenmal ein Grundmotiv anschlägt, das im Gesamtwerk die gleiche Rolle spielt wie die Leitmotive im Einzelwerk« (XIII, 135). Ein wesentliches Element dieses »Grundmotivs« bildet »Werbung um die Objektliebe«,[33] mit deren erträumter Erfüllung die »Erlösung des Narziß« – nach intensiver Vorbereitung im *Tod in Venedig* (1912) – im *Zauberberg* (1924) in die Wege geleitet wird:

> Die Bücher lagen zuhauf auf dem Lampentischchen, eins lag am Boden, neben dem Liegestuhl, auf der Matte der Loggia, und dasjenige, worin Hans Castorp zuletzt ge-

32 Sigmund Freud, *Der Dichter und das Phantasieren*, in: S. F., *Studienausgabe in 10 Bänden*, hrsg. von Alexander Mitscherlich [u. a.], Bd. 10, Frankfurt a. M. 91989, S. 171 ff. Vgl. dazu Peter von Matt, *Literaturwissenschaft und Psychoanalyse*, Freiburg 1972, S. 76 ff.

33 Sigmund Freud, *Zur Einführung des Narzißmus*, in: S. F., *Studienausgabe* (Anm. 32), Bd. 3 (1981), S. 55.

> forscht, lag ihm auf dem Magen und drückte, beschwerte ihm sehr den Atem, doch ohne daß von seiner Hirnrinde an die zuständigen Muskeln Order ergangen wäre, es zu entfernen. Er hatte die Seite hinunter gelesen, sein Kinn hatte die Brust erreicht, die Lider waren ihm über die einfachen blauen Augen gefallen. Er sah das Bild des Lebens, seinen blühenden Gliederbau, die fleischgetragene Schönheit. Sie hatte die Hände aus dem Nacken gelöst, und ihre Arme, die sie öffnete und an deren Innenseite, namentlich unter der zarten Haut des Ellbogengelenks, die Gefäße, die beiden Äste der großen Venen, sich bläulich abzeichneten, – diese Arme waren von unaussprechlicher Süßigkeit. Sie neigte sich ihm, neigte sich zu ihm, über ihn, er spürte ihren organischen Duft, spürte den Spitzenstoß ihres Herzens. Heiße Zartheit umschlang seinen Hals, und während er, vergehend vor Lust und Grauen, seine Hände an ihre äußeren Oberarme legte, dorthin, wo die den Triceps überspannende, körnige Haut von wonniger Kühle war, fühlte er auf seinen Lippen die feuchte Ansaugung ihres Kusses. (III, 398)

Für Felix Krull hat das »Bild des Lebens« – nach Maßgabe »heiliger Alchimie« (VII, 234) – jegliches »Grauen« eingebüßt, und seine »Liebe zu sich selbst« (X, 559) tritt als »großartiger Narzißmus« in Erscheinung, den Thomas Mann an Goethe preist:

> Wir haben da eine Art von großartigem Narzißmus, eine Selbsterfülltheit, viel zu ernst und um Selbstvervollkommnung, Steigerung und *Cohobation* des Gegebenen bis ans Ende bemüht, als daß ein Wort so kleinen Sinnes wie Eitelkeit dafür brauchbar wäre, – eine tiefe Freude am Ich und seinem Werden, der wir *Dichtung und Wahrheit. Aus meinem Leben*, die beste und jedenfalls liebenswürdigste Autobiographie der Welt verdanken, einen Ich-Roman, der in unbeschreiblich angenehmem Tonfall darüber

> unterrichtet, wie ein Genie sich bildet, Glück und Verdienst nach irgendwelchem Gnadenschlusse sich unauflöslich verketten, eine Persönlichkeit unter der Sonne höherer Gunst sich entfaltet. (IX, 716)

Mit der »tiefen Freude am Ich und seinem Werden« offenbart die »Sonne höherer Gunst« – in heiligen und profanen Traditionen der Auslegung Platons und Plotins – Stufen und Stufenfolgen der Wahrheitserkenntnis, und epochemachend verkündet Goethe:

> Wär nicht das Auge sonnenhaft,
> Die Sonne könnt' es nie erblicken;
> Läg' nicht in uns des Gottes eigne Kraft,
> Wie könnt' uns Göttliches entzücken?[34]

Von dieser Zuversicht konnte sich Felix Krull noch keinen Begriff machen, als er »Güter der schmückenden Industrie« zu »Objekten einer höheren und gebildeten Augenlust« erhob (342) und die »Gabe des Schauens« auf das »Mit-den-Augen-Verschlingen des Menschlichen« (344) einschränkte. Aber im Verborgenen waren mystagogische Kräfte am Werk, und sie führten den »Schauenden« – »ein Mann allein, der Sphinx ins Auge zu blicken und gegen ihr Rätsel sein eigenes zu setzen« (X, 808) – auf rechte Weise zum Erotischen hin:

> Denn dies heißt richtig zum Erotischen gehen oder geführt werden, daß man von diesen schönen Dingen beginnend jenes Schönen wegen immer hinaufsteige, gleichsam auf Stufen steigend, von einem zu zweien und von zweien zu allen schönen Leibern und von den schönen Leibern zur schönen Lebensführung und von der schönen Lebensführung zu den schönen Erkenntnissen, bis man von den Erkenntnissen endlich zu jener Erkenntnis gelangt, welche die Erkenntnis von nichts anderem als jenem Schönen

34 HA I, S. 367.

selbst ist, und man am Ende jenes Selbst, welches schön ist, erkenne.[35]

Die entscheidende Station dieser Mystagogie ist Paris, denn »als *Artist* hat man keine Heimat in Europa außer in Paris«,[36] wo »alles Allegorie wird« (Baudelaire) und »Schatten Verlaines« – wie in Thomas Manns *Pariser Eindrücken* (1950) – die Verse in Erinnerung rufen:

Je suis un berceau
Qu'une main balance
Au creux d'un caveau:
Silence, silence. (XI, 515)[37]

Wenn »Felix Krulls Hochstapelei« in Paris »ins Mythische hineinwächst«[38], so ist – außer Hermes – immer auch ein »Harlekin trismegistos«[39] im Spiel, der – wie das »obszöne Symbol« im *Tod in Venedig* – Chthonisches repräsentiert: »Das obszöne Symbol, riesig, aus Holz, ward enthüllt und erhöht: da heulten sie zügelloser die Losung. Schaum vor den Lippen, tobten sie, reizten einander mit geilen Gebärden und buhlenden Händen, lachend und ächzend, stießen die Stachelstäbe einander ins Fleisch und leckten das Blut von den Gliedern.« (VIII, 517) Der »volle Gehalt des Hermes-Mythologems«, den Thomas Mann Kerényi dankt,[40] rehabi-

35 Platon, *Das Gastmahl oder Von der Liebe*, übertr. und eingel. von Kurt Hildebrandt, Stuttgart 1949, 1979 (Reclams Universal-Bibliothek, 927), S. 86. Vgl. dazu und zu dem folgenden Gerhard Krüger, *Einsicht und Leidenschaft*, Frankfurt a. M. ⁴1973, und Albin Lesky, *Vom Eros der Hellenen*, Göttingen 1976.

36 Friedrich Nietzsche, *Ecce homo*, in: *Werke* (Anm. 6), Bd. 2, S. 1090.

37 Thomas Mann zitiert hier *Gaspard Hauser chante II* (Verlaine). Zu Baudelaire vgl. Walter Benjamin, *Das Passagen-Werk*, hrsg. von Rolf Tiedemann, Bd. 1, Frankfurt a. M. 1983, S. 54.

38 Brief an Dieter Cunz, 7. Oktober 1943, in: *Selbstkommentare*, S. 86.

39 Guillaume Apollinaire, *Alcools* (»Crépuscule«), in: G.A., *Œuvres poétiques*, Paris 1965, S. 64. Vgl. dazu Jean Starobinski, *Porträt des Künstlers als Gaukler*, Frankfurt a. M. 1985, S. 108 ff.

40 Vgl. Wysling (Anm. 5), S. 238 ff.

litiert das »obszöne Symbol« durch die Restitution seiner mythischen Würde, auf der antike »Erosfrömmigkeit«[41] beruht, wie der »Eros des göttlichen Plato«[42] bezeugt, dessen »Mythos« zu berichten weiß:

> Als nämlich Aphrodite geboren wurde, schmausten die Götter und unter den übrigen auch Reichtum, der Sohn der Klugheit. Als sie aber gespeist hatten, kam, um etwas zu erbetteln, da es doch festlich herging, Armut herbei und blieb vor der Pforte. Trunken vom Nektar – Wein gab es ja noch nicht – ging Reichtum in den Garten des Zeus und wurde schwer und fiel in Schlaf. Da kam Armut der Gedanke, wegen ihrer Dürftigkeit sich ein Kind von Reichtum erzeugen zu lassen. Sie legte sich zu ihm und empfing den Eros. Daher auch Eros Aphroditens Begleiter und Diener wurde, erzeugt bei der Feier ihrer Geburt und zugleich weil er von Natur verliebt ist in das Schöne und Aphrodite schön ist. Als Sohn von Reichtum und Armut ist Eros in solches Geschick gestellt: Erstlich bedürftig ist er immer, und viel fehlt, daß er zart sei und schön, wie die Vielen glauben, sondern hart und rauh und barfuß und heimatlos, immer am Boden lagernd ohne Decke, vor Türen und auf Straßen im Freien schlafend, da er die Natur der Mutter hat, immer der Bedürftigkeit Genoß. Wie der Vater hingegen stellt er den Schönen und Guten nach, tapfer und verwegen und eifrig, gewaltiger Jäger, allezeit Ränke schmiedend und nach Erkenntnis begierig und erfinderisch, Weisheit suchend sein ganzes Leben, gewaltiger Zauberer, Giftkundiger und Sophist, und weder als Unsterblicher ist er geartet noch als Sterblicher, sondern bald blüht er denselben Tag und lebt, wenn es ihm wohl geht, bald aber stirbt er hin. Und wieder lebt er auf durch des Vaters Natur, und das Erworbene zerfließt ihm immer,

41 Anders Nygren, *Eros und Agape*, Tl. 1, Gütersloh 1930, S. 138 ff.
42 Sigmund Freud, *Drei Abhandlungen zur Sexualtheorie*, in: S. F., *Studienausgabe* (Anm. 32), Bd. 5 (1980), S. 46.

> so daß Eros weder jemals arm ist noch reich und in der Mitte ist von Weisheit und Torheit.[43]

Durch die »Wiedererinnerung« (Nietzsche) antiker Erosfrömmigkeit und durch die Entdeckung der »Wesensverwandtschaft von Eros und Hermes«[44] waren alle Voraussetzungen gegeben, um Felix Krulls »Liebesbegehung« mit Madame Houpflé[45] einer »Konzeption der Liebe« anzugleichen, die Thomas Mann in den *Römischen Elegien* vorfand (IX, 728), aber »pan-erotisch« komplementierte, denn das »eigentliche Anliegen« des »Zöglings und Eingeweihten der gestrengen Rozsa« (442), sein »tiefstes Ungenügen an der eigenen Individualität«, geht weit über leibnahe Libido hinaus: »Es ist ein Verlangen aus sich heraus, ins Ganze, eine Welt-Sehnsucht, die, auf ihre kürzeste Formel gebracht, als *Pan-Erotik* anzusprechen wäre.« (XI, 705) Im Rahmen dieser erotischen Topographie enthüllt Thomas Mann Hermes als »mythisches Urbild« Felix Krulls[46] und bereitet einen »Existenzwechsel« (528) vor, der die Frage aufwirft: »Gibt es wohl ein schöneres Symbol für die Paradoxie des philosophischen Lebens, als jene krummen Linien, die mit sichtbarer Stetigkeit und Gesetzmäßigkeit forteilend immer nur im Bruchstück erscheinen können, weil ihr eines Zentrum in der Unendlichkeit liegt?«[47] Als Marquis de Venosta kann Felix Krull ein solches »philosophisches Leben« führen, denn er hat – wie Wilhelm Meister – ein »Königreich« gefunden.[48] Allerdings ist dieses »Königreich« in einer geistigen Welt angesiedelt und sein Reichtum Selbsterkenntnis: »Die Veränderung und Erneuerung meines abgetragenen Ich, daß ich

43 Platon (Anm. 35), S. 75.
44 C. G. Jung / Karl Kerényi, *Einführung in das Wesen der Mythologie. Das göttliche Kind / Das göttliche Mädchen*, Hildesheim 1980, S. 83.
45 Brief an Theodor W. Adorno, 9. Januar 1952, in: *Selbstkommentare*, S. 103.
46 »So macht er die Bekanntschaft seines mythischen Urbildes.« (XI, 705)
47 Friedrich Schlegel, *Über Lessing*, in: F. Sch., *Schriften zur Literatur*, hrsg. von Wolfdietrich Rasch, München 1972, S. 248.
48 Goethe, *Wilhelm Meisters Lehrjahre*, in: HA VII, 610.

den alten Adam hatte ausziehen und in einen anderen hatte schlüpfen können, dies eigentlich war es, was mich erfüllte und beglückte.« (528) Das verrät einerseits philosophische Erfahrung und Einsicht in »Eudaimonia« und »Beisichselbstsein in freier, schöner Geschichtlichkeit«.[49] Andererseits bekundet sich – mit biblischer und gnostischer Erlösungs-Mythologie[50] – in der Selbstbesinnung Felix Krulls eine theologisch deutbare »Dialektik des menschlichen Seins als geschichtlicher Existenz«, die »eschatologische Existenz« auszeichnet.[51] Aber Felix Krulls »Anziehen eines neuen Menschen« und sein »Haben als hätte man nicht«[52] ereignen sich nicht im »Glauben«, sondern allein im »Verstehen«. Das entspricht der in Nietzsches *Zarathustra* angestrebten Befreiung vom »Du sollst« zum »Ich will« und der Läuterung vom »Ich will« zum »Ich bin«,[53] die ebenfalls zu »eschatologischer Existenz« hinführt und – anders als im Denken Nietzsches – mit »Eschatologie in ihrem echten christlichen Verständnis« (Bultmann) durchaus zu vereinbaren ist, wenngleich es um menschlicher Wahrheit und Seinserkenntnis willen keiner Verbrüderung bedarf. Thomas Mann hält – wie Goethe im Gespräch mit Jacobi[54] – »Gott« und »Welt« als

49 Aristoteles, *Nikomachische Ethik* (Anm. 20), 10. Buch (Eudaimonia) und G. W. F. Hegel, *Vorlesungen über die Geschichte der Philosophie I*, in: G.W. F. H., *Werke*, Red. Eva Moldenhauer und Karl Markus Michel (*Theorie-Werkausgabe*), Bd. 18, Frankfurt a. M. 1971, S. 175.

50 Hans Jonas, *Gnosis und spätantiker Geist*, Göttingen 41988.

51 Rudolf Bultmann, »Geschichte und Eschatologie im Neuen Testament«, in: *Glauben und Verstehen*, Bd. 3, Tübingen 31965, S. 105 f. Vgl. dazu und zu dem Folgenden R. B., *Theologie des Neuen Testaments*, Tübingen 91984, S. 427 ff.

52 »Was der heilige Paul ad Ephesios mit so glücklichem Wort das *Anziehen eines neuen Menschen* nennt [. . .]«: Thomas Mann zitiert hier den »Brief des Paulus an die Epheser« (IV, 24). Vgl. dazu und zu »Haben als hätte man nicht« (»Erster Brief des Paulus an die Korinther«, VII, 29 ff.) Bultmann, *Glauben und Verstehen* (Anm. 51), Bd. 1, S. 258 ff. und Bd. 2, S. 75.

53 Vgl. Karl Löwith, *Nietzsches Philosophie der ewigen Wiederkehr des Gleichen*, Hamburg 31978, S. 31 ff.

54 *Briefwechsel zwischen Goethe und Friedrich Heinrich Jacobi*, hrsg. von Max Jacobi, Leipzig 1846, S. 85 ff.

zweierlei Reiche auseinander, und wenn »Gott-Natur« zutage tritt, dann gibt sich – der »Eschatologie des Seins« vergleichbar[55] – die der »Weltseele« immanente »Göttlichkeit« von Natur und Geist zu erkennen:

> Ungehemmt mit heißem Triebe
> Läßt sich da kein Ende finden,
> Bis im Anschaun ewiger Liebe
> Wir verschweben, wir verschwinden.[56]

Um dieser »ewigen Liebe« willen bringt Thomas Mann Felix Krull – der Liebestheologie der *Faustdichtung* Goethes eingedenk – »in Kontakt mit der Idee des *Seins* selbst, das vielleicht nur eine Episode ist zwischen Nichts und Nichts«,[57] indem er ihn – »Zwischen Oben, zwischen Unten / Schweb' ich hin zu muntrer Schau« – zu einem »schwebenden Genius« erhebt,[58] der sein Urbild in *Wilhelm Meisters Lehrjahren* findet:

> Wenn der Weltmensch in einer abzehrenden Melancholie über großen Verlust seine Tage hinschleicht oder in ausgelassener Freude seinem Schicksale entgegengeht, so schreitet die empfängliche, leichtbewegliche Seele des Dichters wie die wandelnde Sonne von Nacht zu Tag fort, und mit leisen Übergängen stimmt seine Harfe zu Freude und Leid. Eingeboren auf dem Grund seines Herzens wächst die schöne Blume der Weisheit hervor, und wenn die andern wachend träumen und von ungeheuren Vorstellungen aus allen ihren Sinnen geängstiget werden, so lebt er den Traum des Lebens als Wachender, und das Seltenste, was geschieht, ist ihm zugleich Vergangenheit und Zukunft. Und so ist der Dichter

55 Vgl. Martin Heidegger, *Holzwege*, Frankfurt a. M. ³1957, S. 302.
56 Goethe, aus: »Höheres und Höchstes«, in: HA II, 117. Zu »Gott-Natur« und »Weltseele« vgl. HA I, 366 ff., und das Gedicht »Weltseele«.
57 Brief an Paul Amann, 23. Dezember 1951, in: *Selbstkommentare*, S. 100.
58 Goethe, »Schwebender Genius über der Erdkugel«, in: HA I, 368.

zugleich Lehrer, Wahrsager, Freund der Götter und der Menschen.[59]

Thomas Mann bezieht – »in Ansehung einer religiös vertieften Auffassung der Antike« (XI, 49) – dieses von Platons »großem Dämon«[60] inspirierte »hermeneutische Doppelgängertum« mit Bachofens *Mythos von Orient und Occident* (1926) auf die »sozusagen kosmische Stellung der Kunst«, die das »Mond-Symbol« veranschaulicht:

> Das Mond-Symbol, dies kosmische Gleichnis allen Mittlertums, ist der Kunst zu eigen. Der alten, der frühen Menschheit nämlich war das Mondgestirn merkwürdig und heilig in seiner Doppeldeutigkeit, in seiner Mittel- und Mittlerstellung zwischen der solaren und der irdischen, der geistigen und der stofflichen Welt. Weiblich empfangend im Verhältnis zur Sonne, aber männlich zeugerisch im Verhältnis zur Erde, war der Mond ihnen der unreinste der himmlischen, aber der reinste der irdischen Körper. Er gehörte zwar noch der stofflichen Welt an, nahm aber in dieser die höchste, geistigste, ins Solarische übergehende Stelle ein und webte an der Grenze zweier Reiche, sie zugleich scheidend und verbindend, die Einheit des Alls verbürgend, der Dolmetsch zwischen Sterblichen und Unsterblichen. (IX, 543)[61]

Demzufolge bedarf Felix Krull – wie der Wilhelm Meister der *Wanderjahre* – eines »Sternkundigen«[62], um »das Sein« als »Hervorruf der Liebe aus dem Nichts«[63] zu verstehen, und dieser »Sternkundige« begegnet ihm in Gestalt des Paläontologen Professor Kuckuck, nachdem die – für »Rites

59 Goethe, *Wilhelm Meisters Lehrjahre*, in: HA VII, 83.
60 Platon (Anm. 35), S. 74.
61 Vgl. dazu Willy R. Berger, *Die mythologischen Motive in Thomas Manns Roman »Joseph und seine Brüder«*, Köln 1971, S. 272 ff.
62 Vgl. Goethe, *Wilhelm Meisters Wanderjahre*, in: HA VIII, 118 ff.
63 Brief an Paul Amann, 23. Dezember 1951, in: *Selbstkommentare*, S. 101.

de passages« typische – Einkleidung des »Neophyten« vollzogen und besiegelt worden war (525). Als Mystagoge mit »Sternenaugen« (530) bringt Professor Kuckuck die »Initiation« Felix Krulls mit einer »Teleté« zum Abschluß, die – »Am Tag erkennen, das sind Possen, / Im Finstern sind Mysterien zu Haus«[64] – in Abgründe »zwischen Nichts und Nichts« (542) führt, um – wie authentische Mysterienweisheit lehrt – den »Mysten« um so entschiedener ins »Sein« zurückzurufen:

> Träumen Sie vom Sein und vom Leben! Träumen Sie vom Getümmel der Milchstraßen, die, da sie da sind, mit Lust die Last ihres Daseins tragen! Träumen Sie von dem vollschlanken Arm mit dem altertümlichen Knochengerüst und von der Blume des Feldes, die im Sonnenäther das Leblose zu spalten und ihrem Lebensleib einzuverwandeln weiß! Und vergessen Sie nicht vom Steine zu träumen, vom moosigen Stein, der im Bergbach liegt seit tausend und tausend Jahren, gebadet, gekühlt, überspült von Schaum und Flut! Sehen Sie mit Sympathie seinem Dasein zu, das wachste Sein dem tiefst schlummernden, und begrüßen Sie ihn in der Schöpfung! Ihm ist wohl, wenn Sein und Wohlsein sich irgend vertragen. (548)

Der »geheime Sinn« dieser »Teleté« – »So ergreifet ohne Säumnis / Heilig öffentlich Geheimnis«[65] – ist eindeutig, denn er besagt: »Wozu dient alle der Aufwand von Sonnen und Planeten und Monden, von Sternen und Milchstraßen, von Kometen und Nebelflecken, von gewordenen und werdenden Welten, wenn sich nicht zuletzt ein glücklicher Mensch unbewußt seines Daseins erfreut?«[66] Probleme ergeben sich mit dem »Maßstab der Aeonen«[67], da er mit dem »Wissen von Anfang und Ende« (547) an Rätsel von »Sein

64 Goethe, *Faust*, V. 5031 f.
65 Goethe, »Epirrhema«, in: HA I, 358; vgl. auch »Gingo biloba«, in: HA II, 66.
66 Goethe, »Winckelmann«, in: HA XII, 98.
67 Brief an Claus Unruh, 13. Januar 1952, in: *Selbstkommentare*, S. 104.

und Seinsmacht der Zeit« (Augustin) rührt und Antinomien und Aporien heraufbeschwört: »Was ist also *Zeit*? Wenn mich niemand danach fragt, weiß ich es; will ich einem Fragenden es erklären, weiß ich es nicht.«[68] Auch *Felix Krull* vermag als »Zeitroman« die Antinomien und Aporien des Zeitdenkens nicht aufzulösen, sofern er dem »Leitfaden der Kausalität«[69] folgt und im Blick auf Evolution und Existenz fragt: »Warum ist etwas und nicht Nichts?«[70] Mit der Preisgabe des »Satzes vom Grunde« macht das »innere Zeitbewußtsein«[71] freilich eine grundlegende Wandlung durch, die »Sein und Seinsmacht der Zeit« als »Geschichtlichkeit« qualifiziert und existentielle Synchronie als Zeit und Raum der Daseinsdeutung erschließt. In treuer Goethe-Nachfolge läßt Thomas Mann »Spinozas Humanitätsbegriff« auf diese Synchronie einwirken (IX, 122), um durch poetische »Liebesheilung«[72] den »Geist der Rache« als »des Willens Widerwill gegen die Zeit und ihr *Es war*« zu überwinden: »Denn *daß der Mensch erlöst werde von der Rache*: das ist mir die Brücke zur höchsten Hoffnung und ein Regenbogen nach langen Unwettern.«[73] Damit tritt »die Poesie« als »unsichtbare Kirche« der »Bekenntnisse« Felix Krulls an die Öffentlichkeit:

> Die Poesie ist nichts Außermenschliches, ihrer Göttlichkeit ungeachtet. Seit neun plus vier Jahren bin ich ihr Handlanger und Geheimsecretär, ich habe im vertrauten

68 Augustinus, *Bekenntnisse*, hrsg. von Joseph Bernhart, München ³1966, S. 629 und 649.

69 Friedrich Nietzsche, *Die Geburt der Tragödie*, in: *Werke* (Anm. 6), Bd. 1, S. 84.

70 Martin Heidegger, *Der Satz vom Grund*, Pfullingen ³1965.

71 Edmund Husserl, *Vorlesungen zur Phänomenologie des inneren Zeitbewußtseins*, hrsg. von Martin Heidegger, Halle 1928.

72 Sigmund Freud, *Der Wahn und die Träume in W. Jensens »Gradiva«*, in: S. F., *Studienausgabe* (Anm. 32), Bd. 10, S. 80 f. Vgl. dazu Anton (Anm. 9), S. 89 ff. (»Poetik in Konflikt mit Freud«).

73 Friedrich Nietzsche, *Also sprach Zarathustra*, in: *Werke* (Anm. 6), Bd. 2, S. 357 und 394. Vgl. dazu Martin Heidegger, »Wer ist Nietzsches Zarathustra?«, in: M. H., *Vorträge und Aufsätze*, Pfullingen ⁴1978.

> Umgang mit ihr manche Erfahrung über sie gesammelt, ich darf über sie mitreden. In Wahrheit ist sie ein Mysterium, die Menschwerdung des Göttlichen; sie ist tatsächlich ebenso menschlich wie göttlich – ein Phänomen, das an die tiefsten Geheimnisse unserer christlichen Glaubenslehre gemahnt – und an reizend Heidnisches überdies. Denn möge der Grund nun ihre göttlich-menschliche Doppeltheit sein oder dies, daß sie die Schönheit selber ist, – genug, sie neigt auf eine Weise zur Selbstbespiegelung, die uns das alte, liebliche Bild des Knaben associieren läßt, der sich entzückt über den Widerschein seiner eigenen Reize neigt. Wie in ihr die Sprache lächelnd sich selber anschaut, so auch das Gefühl, der Gedanke, die Leidenschaft. Selbstgefälligkeit mag in bürgerlichen Unehren stehen, aber auf höheren Rängen weiß ihr Name von tadelndem Beiklang nichts mehr – wie sollte das Schöne, die Poesie sich auch nicht selbst gefallen? (II, 467)

Der »Mythos«, den dieses »Mysterium verhüllt«,[74] heißt »Sprache«, und darum muß Felix Krulls »Aufnahme in die göttliche Familie«, die seiner »Teleté« folgt, als Sprachgeschehen angesehen werden.[75] Innerhalb dieses Sprachgeschehens stellt antike Mythologie ein hermeneutisch angeordnetes »Pantheon des Verstehens« dar, und wenn das Romanfragment mit einem »Hieros gamos« ausklingt,[76] so feiert dieser die von Goethe in dem eleusinischen Doppelbild von Mutter und Tochter erschlossene Identität und Differenz von Natur und Kunst: »Wem die Natur ihr offenbares Geheimnis zu enthüllen anfängt, der empfindet eine unwiderstehliche Sehnsucht nach ihrer würdigsten Auslegerin, der Kunst.«[77]

74 Manfred Dierks, »Thomas Mann und die Mythologie«, in: *Thomas-Mann-Handbuch* (Anm. 5), S. 305: »Der Mythos verhüllt das Mysterium.« Vgl. zu dieser »Formel« Thomas Manns auch M. D., *Studien zu Mythos und Psychologie bei Thomas Mann*, Bern/München 1972, S. 81 ff.

75 Wysling (Anm. 5), S. 104 und 299 ff.

76 Ebd., S. 262 ff.

77 Goethe, *Maximen und Reflexionen*, in: HA XII, 467. Vgl. dazu *Wilhelm*

Das Naturverständnis dieser hermeneutischen Korrelation hat Thomas Mann mit Schiller in Zweifel gezogen und mit Nietzsche als »Metaphysik« preisgegeben, denn »die Metaphysik erklärt die Schrift der Natur gleichsam *pneumatisch*, wie die Kirche und ihre Gelehrten es ehemals mit der Bibel taten«.[78] Die elementaren Strukturen des Sinnverstehens der »Eleusinischen Hermeneutik« Goethes wurden davon nicht in Mitleidenschaft gezogen, und so bleiben »Leben, Liebe und Geist« im Medium Poesie unlösbar vereint:

> Ach! wie schmeichelt's meinem Triebe,
> Wenn man meinen Dichter preist:
> Denn das Leben ist die Liebe,
> Und des Lebens Leben Geist.[79]

*Meisters Wanderjahre*, in: HA VIII, 229, Goethes Gedicht »Kore. Nicht gedeutet«, und Karl Kerényi, »Das ägäische Fest«, in: *Albae Vigiliae* Nr. 11, Amsterdam 1941.

78 Friedrich Nietzsche, *Menschliches, Allzumenschliches*, in: F. N., *Werke* (Anm. 6) Bd. 1, S. 451.

79 Goethe, *West-östlicher Divan*, in: HA II, 75.

## Literaturhinweise

Bekenntnisse des Hochstaplers Felix Krull. Buch der Kindheit [Erstes Buch]. Wien/Leipzig/München: Rikola-Verlag, 1922.
Bekenntnisse des Hochstaplers Felix Krull [Erstes Buch; Zweites Buch, 1. bis 5. Kapitel]. Amsterdam: Querido-Verlag, 1937.
Bekenntnisse des Hochstaplers Felix Krull. Amsterdam: Querido-Verlag, 1948.
Bekenntnisse des Hochstaplers Felix Krull. Der Memoiren erster Teil, Frankfurt a. M. 1954.
Gesammelte Werke in 13 Bänden, Frankfurt a. M.: S. Fischer, 1974. Bd. 7. S. 263–661.

Hermsdorf, Klaus: Thomas Manns Schelme. Berlin 1968.
Scharfschwerdt, Jürgen: Thomas Mann und der deutsche Bildungsroman. Stuttgart 1967.
Sprecher, Thomas: Felix Krull und Goethe. Thomas Manns Bekenntnisse als Parodie auf Dichtung und Wahrheit. Bern / Frankfurt a. M. 1985.
Wysling, Hans: Narzißmus und illusionäre Existenzform. Zu den Bekenntnissen des Hochstaplers Felix Krull. Bern/München 1982.

# Literaturhinweise

## Ausgaben der Werke, Tagebücher und Briefe

Thomas Mann: Gesammelte Werke in dreizehn Bänden. Frankfurt a. M. 1974.

Thomas Mann: Gesammelte Werke in Einzelbänden. Hrsg. von Peter de Mendelssohn. 20 Bde. Frankfurt a. M. 1980–86.

Thomas Mann: Aufsätze, Reden, Essays. Hrsg. von Harry Matter. Bd. 1 ff. Berlin/Weimar 1983 ff.

Thomas Mann: Tagebücher. 1918–1921. 1933–1943. 5 Bde. Hrsg. von Peter de Mendelssohn. Frankfurt a. M. 1977–82. 1944 ff. Hrsg. von Inge Jens. Ebd. 1986 ff.

Thomas Mann: Notizbücher. Hrsg. von Hans Wysling unter Mitarb. von Yvonne Schmidlin. 2 Bde. Frankfurt a. M. 1991-92.

Thomas Mann: Briefe. Hrsg. von Erika Mann. 3 Bde. Frankfurt a. M. 1961–65. – Taschenbuchausg.: Ebd. 1979.

Thomas Mann: Briefwechsel mit Autoren. Hrsg. von Hans Wysling. Frankfurt a. M. 1988.

Die Briefe Thomas Manns. Regesten und Register. Bearb. und hrsg. unter Mitarb. von Gert Heine und Yvonne Schmidlin von Hans Bürgin und Hans-Otto Mayer. 5 Bde. Frankfurt a. M. 1976–87.

Thomas Mann. Briefe an Paul Amann 1915–1952. Hrsg. von Herbert Wegener. Lübeck 1959.

Thomas Mann. Briefwechsel mit seinem Verleger Gottfried Bermann-Fischer 1932–1955. Hrsg. von Peter de Mendelssohn. Frankfurt a. M. 1973.

Thomas Mann an Ernst Bertram. Briefe aus den Jahren 1910–1955. Hrsg. von Inge Jens. Pfullingen 1960.

Thomas Mann, Briefe an Otto Grautoff 1894–1901 und Ida Boy-Ed 1902–1927. Hrsg. von Peter de Mendelssohn. Frankfurt a. M. 1975.

Hermann Hesse – Thomas Mann. Briefwechsel. Hrsg. von Anni Carlsson und Volker Michels. Frankfurt a. M. 1975.

Thomas Mann – Karl Kerényi. Gespräch in Briefen. Hrsg. von Karl Kerényi. München 1967.

Thomas Mann – Heinrich Mann: Briefwechsel 1900–1949. Hrsg. von Hans Wysling. Frankfurt a. M. 1968. – Taschenbuchausg.: Ebd. 1975. Erw. Neuausg.: Ebd. 1985.

Thomas Mann – Agnes E. Meyer – Briefwechsel 1937–1955. Hrsg. von Hans R. Vaget. Frankfurt a. M. 1992.
Dichter oder Schriftsteller? Der Briefwechsel zwischen Thomas Mann und Josef Ponten 1919–1930. Hrsg. von Hans Wysling und Werner Pfister. Bern 1988.
Jahre des Unmuts. Thomas Manns Briefwechsel mit René Schickele 1930–1940. Hrsg. von Hans Wysling und Cornelia Bernini. Frankfurt a. M. 1992.
Frage und Antwort. Interviews mit Thomas Mann 1909–1955. Hrsg. von Volkmar Hansen und Gert Heine. Hamburg 1983.
Thomas Mann. Ton- und Filmaufnahmen. Ein Verzeichnis. Zsgest. und bearb. von Ernst Loewy. Hrsg. vom Deutschen Rundfunkarchiv. Frankfurt a. M. 1975. [Gesammelte Werke in 13 Bänden. Supplementband.]

## Bibliographien, Dokumente, Materialien

Das Werk Thomas Manns. Eine Bibliographie. Hrsg. von Hans Bürgin. Frankfurt a. M. 1959.
Potempa, Georg [unter Mitarb. von Gert Heine]: Thomas-Mann-Bibliographie. Morsum auf Sylt 1992.

Jonas, Klaus W.: Fifty Years of Thomas Mann Studies. A Bibliography of Criticism. Minneapolis 1955.
Jonas, Klaus W. / Jonas, Ilsedore B.: Thomas Mann Studies. Vol. 2. Philadelphia 1967.
Lehnert, Herbert: Thomas-Mann-Forschung. Ein Bericht. Stuttgart 1969.
Matter, Harry: Die Literatur über Thomas Mann. Eine Bibliographie 1896–1969. 2 Bde. Berlin/Weimar 1972.
Jonas, Klaus W.: Die Thomas-Mann-Literatur. 2 Bde. Berlin 1972–80.
Kurzke, Hermann: Thomas Mann Forschung 1969–1976. Ein kritischer Bericht. Frankfurt a. M. 1977.
Hansen, Volkmar: Thomas Mann. Stuttgart 1984. (Sammlung Metzler. 211.)
Kurzke, Hermann: Thomas Mann. Epoche – Werk – Wirkung. München 1985.

Bild und Text bei Thomas Mann. Hrsg. von Hans Wysling und Yvonne Schmidlin. Bern/München 1975.

Bürgin, Hans / Mayer, Hans-Otto: Thomas Mann. Eine Chronik seines Lebens. Frankfurt a. M. 1963. – Taschenbuchausg.: Ebd. 1974.

Dichter über ihre Dichtungen. Bd. 14: Thomas Mann. Hrsg. von Hans Wysling unter Mitwirkung von Marianne Fischer. 3 Tle. Zürich / München / Frankfurt a. M. 1975–81.

Hübinger, Paul Egon: Thomas Mann, die Universität Bonn und die Zeitgeschichte. Drei Kapitel deutscher Vergangenheit aus dem Leben des Dichters 1905–1955. München/Wien 1974.

Kolbe, Jürgen: Heller Zauber. Thomas Mann in München 1894–1933. Berlin 1987.

Mádl, Antal / Györi, Judit: Thomas Mann und Ungarn. Essays, Dokumente, Bibliographie, Köln/Wien 1977.

Mann, Katia: Meine ungeschriebenen Memoiren. Hrsg. von Elisabeth Plessen und Michael Mann. Frankfurt a. M. 1974.

Potempa, Georg: Thomas Mann. Beteiligung an politischen Aufrufen und anderen kollektiven Publikationen. Morsum auf Sylt 1988.

Scherrer, Paul / Wysling, Hans: Quellenkritische Studien zum Werk Thomas Manns. Bern/München 1967.

Sprecher, Thomas: Thomas Mann in Zürich. München 1992.

Thomas Mann im Urteil seiner Zeit. Dokumente 1891–1955. Hrsg. von Klaus Schröter. Hamburg 1969.

Wysling, Hans: Dokumente und Untersuchungen. Beiträge zur Thomas-Mann-Forschung. Bern/München 1974.

Blätter der Thomas-Mann-Gesellschaft Zürich. Nr. 1 ff. (1958 ff.).

Hefte der Deutschen Thomas-Mann-Gesellschaft Lübeck. H. 1–6/7 (1981–87).

Thomas Mann Jahrbuch. Hrsg. von Eckhard Heftrich und Hans Wysling. Frankfurt a. M. 1 ff. (1988 ff.).

Thomas-Mann-Studien. Hrsg. vom Thomas-Mann-Archiv der Eidgenössischen Technischen Hochschule in Zürich. Bern/München 1967–88; Frankfurt a. M. 1991 ff.

## Sammelbände

Thomas Mann und die Tradition. Hrsg. von Peter Pütz, Frankfurt a. M. 1971.
Thomas Mann. Hrsg. von Frédérick Tristan. Paris 1973.
Thomas Mann. Hrsg. von Helmut Koopmann. Darmstadt 1975. (Wege der Forschung. 335.)
Thomas-Mann-Gedenkschrift 1875–1975. Hrsg. von Rolf Wiecker. Kopenhagen 1975.
Thomas Mann 1875–1975. Vorträge in München – Zürich – Lübeck. Hrsg. von Beatrix Bludau, Eckhard Heftrich und Helmut Koopmann. Frankfurt a. M. 1977.
Werk und Wirkung Thomas Manns in unserer Epoche. Hrsg. von Helmut Brandt und Hans Kaufmann. Berlin 1978.
Thomas Mann. Hrsg. von Heinz Ludwig Arnold. München 1976. (Text + Kritik. Sonderbd.) 2. Aufl. Ebd. 1982.
Thomas Mann. Erzählungen und Novellen. Hrsg. von Rudolf Wolff. Bonn 1984.
Internationales Thomas-Mann-Kolloquium 1986 in Lübeck. Hrsg. von Eckhard Heftrich und Hans Wysling. Bern 1987.
Thomas-Mann-Handbuch. Mensch und Zeit – Werk – Rezeption. Hrsg. von Helmut Koopmann. Stuttgart 1990.
»Die Beleuchtung, die auf mich fällt, hat ... oft gewechselt«. Hrsg. von Hans Wisskirchen. Würzburg 1991.
Thomas Mann und seine Quellen. Festschrift für Hans Wysling. Hrsg. von Eckhard Heftrich und Helmut Koopmann. Frankfurt a. M. 1991.
Heimsuchung und süßes Gift. Erotik und Politik bei Thomas Mann. Hrsg. von Gerhard Härle. Frankfurt a. M. 1992.

## Gesamtdarstellungen

Anton, Herbert: Die Romankunst Thomas Manns. 3. Aufl. Paderborn 1972.
Banuls, André: Thomas Mann und sein Bruder Heinrich, Stuttgart u. a. 1968.
Baumgart, Reinhard: Das Ironische und die Ironie in den Werken Thomas Manns. 2. Aufl. München 1966.
Böhm, Karl Werner: Zwischen Selbstzucht und Verlangen. Thomas Mann und das Stigma der Homosexualität. Würzburg 1991.

Corino, Karl: Robert Musil – Thomas Mann. Ein Dialog. Pfullingen 1971.
Curtius, Mechthild: Erotische Phantasien bei Thomas Mann. Königstein i. Ts. 1984.
Dierks, Manfred: Studien zu Mythos und Psychologie bei Thomas Mann. Bern/München 1972.
Diersen, Inge: Thomas Mann. Episches Werk – Weltanschauung – Leben. Berlin/Weimar 1985.
Fechner, Frank: Thomas Mann und die Demokratie. Berlin 1990.
Finck, Jean: Thomas Mann und die Psychoanalyse. Paris 1973.
Frizen, Werner: Zaubertrank der Metaphysik. Quellenkritische Überlegungen im Umkreis der Schopenhauer-Rezeption Thomas Manns. Frankfurt a. M. [u. a.] 1980.
Gronicka, André von: Thomas Mann. Profile and Perspectives. New York 1970.
Hamburger, Käte: Thomas Mann und die Romantik. Berlin 1932.
Hansen, Volkmar: Thomas Manns Heine-Rezeption. Hamburg 1975.
Härle, Gerhard: Die Gestalt des Schönen: Untersuchungen zur Homosexualitätsthematik in Thomas Manns Roman *Der Zauberberg*. Königstein i. Ts. 1986.
Hatfield, Henry: Thomas Mann. Prentice-Hall 1964.
Heftrich, Eckhard: Zauberbergmusik. Über Thomas Mann. Frankfurt a. M. 1975.
– Vom Verfall zur Apokalypse. Über Thomas Mann. Bd. 2. Frankfurt a. M. 1982.
Heller, Erich: Thomas Mann. Der ironische Deutsche. Frankfurt a. M. 1970.
Hermsdorf, Klaus: Thomas Manns Schelme, Berlin 1968.
Hilscher, Eberhard: Thomas Mann. Sein Leben und Werk. 9. Aufl. Berlin 1986.
Hofmann, Alois: Thomas Mann und die Welt der russischen Literatur. Berlin 1967.
Jendreieck, Helmut: Thomas Mann. Der demokratische Roman. Düsseldorf 1977.
Jonas, Ilsedore B.: Thomas Mann und Italien. Heidelberg 1969.
Kaufmann, Fritz: Thomas Mann. The World as Will and Representation. Boston 1957.
Koopmann, Helmut: Die Entwicklung des »intellektualen« Romans bei Thomas Mann. 3. Aufl. Bonn 1980.

Koopmann, Helmut: Thomas Mann. Konstanten seines literarischen Werks. Göttingen 1975.
– Der schwierige Deutsche. Tübingen 1988.
Kristiansen, Børge: Unform – Form – Überform. Thomas Manns *Zauberberg* und Schopenhauers Metaphysik. Kopenhagen 1978.
Kurzke, Hermann: Auf der Suche nach der verlorenen Irrationalität. Würzburg 1980.
Lehnert, Herbert: Thomas Mann. Fiktion, Mythos, Religion. 2. Aufl. Stuttgart 1968.
– Thomas Mann. In: Deutsche Dichter. Hrsg. von Gunter E. Grimm und Frank Rainer Max. Bd. 7: Vom Beginn bis zur Mitte des 20. Jahrhunderts. Stuttgart 1989. (Reclams Universal-Bibliothek. 8617.) S. 71–94.
Leibrich, Louis: Thomas Mann. Une recherche spirituelle. Paris 1974.
Lesser, Jonas: Thomas Mann in der Epoche seiner Vollendung. München 1952.
Lubich, Frederick A.: Die Dialektik von Logos und Eros im Werk von Thomas Mann. Heidelberg 1986.
Lukács, Georg: Thomas Mann. 5. Aufl. Berlin 1957.
Mayer, Hans: Thomas Mann. Frankfurt a. M. 1980.
Mendelssohn, Peter de: Der Zauberer. Das Leben des deutschen Schriftstellers Thomas Mann. Tl. 1: 1875–1918. Frankfurt a. M. 1975.
– Der Zauberer [Bd. 2]. Jahre der Schwebe: 1919 und 1933. Nachgelassene Kapitel. Gesamtregister. Hrsg. von Albert von Schirnding. Frankfurt a. M. 1992.
Pütz, Peter: Kunst und Künstlerexistenz bei Nietzsche und Thomas Mann. 2. Aufl. Bonn 1975.
Reed, Terence J.: Thomas Mann. The Uses of Tradition. Oxford 1974.
Reich-Ranicki, Marcel: Thomas Mann und die Seinen. Stuttgart 1988.
Reiss, Gunter: »Allegorisierung« und moderne Erzählkunst. Eine Studie zum Werk Thomas Manns. München 1970.
Renner, Rolf C.: Lebens-Werk. Zum inneren Zusammenhang der Texte von Thomas Mann. München 1985.
Sandberg, Hans-Joachim: Thomas Manns Schiller-Studien. Oslo 1965.
Scharfschwerdt, Jürgen: Thomas Mann und der deutsche Bildungsroman. Stuttgart [u.a.] 1967.
Schröter, Klaus: Thomas Mann in Selbstzeugnissen und Bilddokumenten. Reinbek bei Hamburg 1964 [u. ö.]. (rowohlts monographien. 93.)

Seitz, Gabriele: Film als Rezeptionsform von Literatur. Zum Problem der Verfilmungen von Thomas Manns Erzählungen *Tonio Kröger*, *Wälsungenblut* und *Der Tod in Venedig*. 2. Aufl. München 1981.
Siefken, Hinrich: Thomas Mann. Goethe – »Ideal der Deutschheit«. Wiederholte Spiegelungen 1893–1949. München 1981.
Sommerhage, Claus: Eros und Poesie. Über das Erotische im Werk Thomas Manns. Bonn 1982.
Sontheimer, Kurt: Thomas Mann und die Deutschen. Frankfurt a. M. / Hamburg 1965.
Vaget, Hans Rudolf: Thomas Mann – Kommentar zu sämtlichen Erzählungen. München 1984.
Wisskirchen, Hans: Zeitgeschichte im Roman. Zu Thomas Manns *Zauberberg* und *Doktor Faustus*. Bern/München 1986.
Wysling, Hans: Thomas Mann heute. Sieben Vorträge. Bern/München 1976.
– Narzißmus und illusionäre Existenzform. Zu den Bekenntnissen des Hochstaplers Felix Krull. Bern/München 1982.

# Die Autoren der Beiträge

## HERBERT ANTON

Geboren 1936. Studium der Germanistik und Philosophie in Zürich, Paris und Heidelberg. Dr. phil. Seit 1970 Professor für Neuere deutsche Literaturwissenschaft an der Heinrich-Heine-Universität Düsseldorf.

*Publikationen:* Der Raub der Proserpina. Literarische Traditionen eines erotischen Sinnbildes und mythologischen Symbols. 1967. – Mythologische Erotik in Kellers *Sieben Legenden* und im *Sinngedicht*. 1970. – Die Romankunst Thomas Manns. 1972. [3]1984. – Büchners Dramen. Topographien der Freiheit. 1975. – (Mithrsg.) Geist und Zeit. Festschrift für Arthur Henkel. 1977. – (Hrsg.) Invaliden des Apoll. Motive und Mythen des Dichterleids. 1982. – Heilungskraft. Motive und Strukturen der Dichtung Goethes. 1987. – Aufsätze und Lexikonbeiträge zur Literaturgeschichte und Literaturtheorie.

## BERNHARD BÖSCHENSTEIN

Geboren 1931. Studium der Germanistik, der französischen und griechischen Literatur in Paris, Zürich und Köln. Dr. phil. Professor für Neuere deutsche Literatur an der Universität Genf. Mitherausgeber des Hölderlin-Jahrbuchs (seit 1967).

*Publikationen:* Hölderlins Rheinhymne. 1959, [2]1968. – Konkordanz zu Hölderlins Gedichten nach 1800. 1964. – Studien zur Dichtung des Absoluten. 1968. – Leuchttürme. Von Hölderlin zu Celan. Wirkung und Vergleich. 1977. [2]1982. – »Frucht des Gewitters«. Hölderlins Dionysos als Gott der Revolution. 1989. – (Hrsg.) Goethe: Die natürliche Tochter. Mit den Memoiren der Stéphanie-Louise de Bourbon-Conti und drei Studien von B.B. 1990.

## JACQUES DARMAUN

Geboren 1942. Studium der Germanistik in Aix-en-Provence, Hamburg, Tübingen und Marburg a. d. Lahn. Dr. phil. Seit 1986 Professor an der Universität Nizza.

*Publikationen:* Verschiedene Aufsätze zu Thomas Manns Italienbild, zu seinem Verhältnis zum Judentum, zu seiner politischen Einstellung während und nach dem ersten Weltkrieg.

JEHUDA GALOR

Geboren 1921 in Altenburg, Thür. 1934 Emigration nach Israel. Nach dem Gymnasium Musikstudium. Seit 1944 Mitglied des Philharmonischen Orchesters von Israel und Senior Lecturer für Orgelmusik des Barocks an der Musikakademie der Universität Tel Aviv.

VOLKMAR HANSEN

Geboren 1945. Studium der Germanistik und Geschichte in Bonn und Düsseldorf. Dr. phil. Direktor des Goethe-Museums Düsseldorf. Privatdozent für Neuere deutsche Literaturwissenschaft an der Heinrich-Heine-Universität Düsseldorf.

*Publikationen:* Thomas Manns Heine-Rezeption. 1975. – (Mithrsg.) Thomas Mann 1875–1975 (Ausstellungskatalog Goethe-Museum Düsseldorf 1975). – (Hrsg.) Heinrich Heine. Shakespeares Mädchen und Frauen. 1978. – (Mithrsg.) Frage und Antwort. Interviews mit Thomas Mann 1909–1945. 1983. – Thomas Mann. 1984. – (Bearb.) Heinrich Heine. Lutezia. 4 Bde. 1988–1991. – Aufsätze, Kongreß- und Lexikonbeiträge zur Literaturgeschichte mit editorischen, interkulturell komparatistischen und mediengeschichtlichen Schwerpunkten.

HELMUT KOOPMANN

Geboren 1933. Studium der Germanistik in Bonn. Dr. phil. 1960. 1969–74 Professor an der Universität Bonn. Seit 1974 Professor an der Universität Augsburg. Zahlreiche Gastprofessuren in den USA und in Südafrika.

*Publikationen:* Die Entwicklung des ›intellektualen Romans‹ bei Thomas Mann. Untersuchungen zur Struktur von *Buddenbrooks*, *Königliche Hoheit* und *Der Zauberberg*. 1962. [3]1980. – Friedrich Schiller. 2 Bde. 1966. [2]1977. – Das Junge Deutschland. Analyse seines Selbstverständnisses. 1970. – Thomas Mann. Konstanten seines literarischen Werkes. 1975. – Heinrich Heine: Historisch-Kritische Gesamtausgabe der Werke. Bd. 11: Ludwig Börne. Eine Denkschrift und kleinere politische Schriften. 1978. – Das Drama der Aufklärung. 1979. – Schiller-Forschung 1970–1980. Ein Bericht. 1982. – Der klassisch-moderne Roman in Deutschland. Thomas Mann – Döblin – Broch. 1983. – Schiller. 1988. – Der schwierige Deutsche. Studien zum Werk Thomas Manns. 1988. – Freiheitssonne und Revolutionsgewitter. Reflexe der Französischen Revolution im literarischen Deutschland zwischen 1789 und 1840. 1989. – (Hrsg.) Friedrich Schiller: Sämtliche Werke in fünf Bänden. 1968. – (Hrsg.) Schiller-Kommentar zu sämtlichen Werken des Dichters. 1969. – (Hrsg.) Heinrich Heine. 1975. – (Hrsg.) Thomas Mann. 1975. – (Hrsg.) Mythos und Mythologie in der Literatur des 19. Jahrhunderts. 1979. – (Hrsg.) Friedrich Schiller: *Maria Stuart*. 1980. [2]1981. – (Hrsg.) Handbuch des deutschen Romans. 1983. – (Hrsg.) Karl von Holtei: Jugend in Breslau. 1988. – (Hrsg.) Thomas Mann-Handbuch. 1990. – (Mithrsg.) Beiträge zur Theorie der Künste im 19. Jahrhundert. 2 Bde. 1971–72. – (Mithrsg.) Thomas Mann 1875–1975. 1977. – (Mithrsg.) Fin de siècle. 1977. – (Mithrsg.) Bertolt Brecht – Aspekte seines Werkes, Spuren seiner Wirkung. 1983. – (Mithrsg.) Literatur und Religion. 1984. – (Mithrsg.) Eichendorffs Modernität. 1989. – Aufsätze zur Aufklärung, zur Klassik, Kleist, Büchner, Heine, Börne, Naturalismus, Jahrhundertwende, Expressionismus, Thomas und Heinrich Mann, Exilliteratur, Nachkriegsliteratur. Mitherausgeber von »Aurora. Jahrbuch der Eichendorff-Gesellschaft«, und dem Heinrich Mann-Jahrbuch. Herausgeber der »Studien zur Literatur der Moderne«.

HERBERT LEHNERT

Geboren 1925. Studium der Germanistik, Geschichte und Philosophie in Kiel. Dr. phil. 1952. Professor of German, University of California, Irvine.

*Publikationen:* Thomas Mann. Fiktion, Mythos, Religion. 1965. – Struktur und Sprachmagie. Zur Methode der Lyrik-Interpretation. 1966. – Thomas-Mann-Forschung. Ein Bericht. 1969. – Geschichte der deutschen Literatur. Vom Jugendstil zum Expressionismus. 1978. – (Mithrsg.) Thomas Mann's Doctor Faustus. A Novel at the Margin of Modernism. 1990. – (Mit E. Wessell) Nihilismus der Menschenfreundlichkeit. Thomas Manns »Wandlung« und sein Essay »Goethe und Tolstoi«. 1991. – Aufsätze zur deutschen Literatur von Goethe bis Christa Wolf.

TERENCE JAMES REED

Geboren 1937. Studium der Germanistik und Romanistik in Oxford. Taylor Professor of the German Language and Literature an der Universität Oxford und Fellow des Queen's College Oxford. Mitglied der Britischen Akademie.

*Publikationen:* Thomas Mann: The Uses of Tradition. 1974. – The Classical Centre: Goethe and Weimar 1775–1832. 1980; dt. 1982. – Goethe. 1984. – (Übers.) Heine: Deutschland, ein Wintermärchen. 1986. – Schiller. 1991. – Aufsätze zur deutschen Literatur und Geistesgeschichte vom 18. – 20. Jahrhundert. Seit 1965 Mitherausgeber des Jahrbuchs »Oxford German Studies«.

YASUSHI SAKURAI

Geboren 1948. Studium der Germanistik an der Universität Tokyo. Lehrtätigkeit (Deutsch) an der Kobe Universität von 1973 bis 1980. 1980–82 Dozent für Moderne deutsche Literatur an der Meiji-Universität zu Tokyo. Seit 1982 Professor für Moderne deutsche Literatur an derselben Universität.

*Publikationen:* (Mithrsg.) Thomas Mann. Dichtung und Parodie, Auflösung und Übernahme [japanisch]. 1976. – Aufsätze [japanisch] über Thomas Mann, u.a.: »*Lotte in Weimar.* Die mythische Identifikation mit Goethe«, 1981, und »Hermes – ›Der Seelenführer‹. Der Fall *Tod in Venedig*«, 1990.

GEORG WENZEL

Geboren 1928. Studium der Pädagogik, Geschichte und Germanistik in Potsdam. Dr. phil. Professor für Geschichte der deutschen Literatur an der Universität Greifswald.

*Publikationen:* Thomas Manns Briefwerk. Bibliographie gedruckter Briefe aus den Jahren 1889–1955. 1969. – Arnold Zweig 1887–1968. Werk und Leben in Dokumenten und Bildern. 1978. – (Hrsg.) Thomas Mann zum Gedenken. 1956. – (Hrsg.) Vollendung und Größe Thomas Manns. Beiträge zu Werk und Persönlichkeit des Dichters. 1962. – (Hrsg.) Betrachtungen und Überblicke. Zum Werk Thomas Manns. 1966. – (Mithrsg.) Geschichte der deutschen Literatur. Bde. 6–11. 1973–79. – (Mithrsg.) Bernhard Kellermann. Eine Nachlese 1906–1951. 1979. – (Hrsg.) Johann Gottfried Herder: Ausgewählte Schriften. 2 Bände 1983. – Aufsätze über Herder, Lessing, Kleist, Rolland, Hesse, Renn, L. Frank, Becher, Th. Mann, A. Zweig und zur Exilliteratur.

EVA M. WESSELL

Geboren 1939. Studium der deutschen und klassischen Philologien an der University of California, Irvine. Dr. phil. 1987. Gastdozentin an der University of California, Irvine, School of Humanities.

*Publikation:* (Mit H. Lehnert) Nihilismus der Menschenfreundlichkeit: Thomas Manns »Wandlung« und sein Essay *Goethe und Tolstoi*. 1991.